풍산자
반복수학

수학 I

쉽고 정확한 문제 학습은 자신감으로

체계적이고 반복적인 훈련은 점수로 보답하는

⟨풍산자 반복수학⟩입니다.

당신이 할 수 있는 일, 하고 싶은 일, 꿈꾸는 일을 바로 지금 시작해라.
- Johann Wolfgang von Goethe -

정확하고 빠른 풀이를 위한 연산 반복 훈련서

풍산자
반복수학

주제별 짧은 흐름으로
바로 적용할 수 있는
**간결한
개념 설명과
풀이 팁**

빈틈없는 개념과
연산 학습을 위한
**체계적 연산
유형 분류**

교재 활용
로드맵

실력 점검, 취약한 개념과
연산을 확인할 수 있는
**중단원
점검문제**

개념과 연산 학습에
꼭맞는 문제 해결 과정이
보이는
**자세하고
쉬운 풀이**

한 권으로 기본 개념과 연산 실력 완성	개념과 연산 학습에 적합한 개념 설명과 쉬운 해설
개념과 연산 학습에 최적인 주제별 구성	소단원 흐름에 따라 주제별 개념과 연산 유형을 체계적으로 제시
스스로 학습이 가능한 문제 연결 학습법	개념과 공식을 바로 적용할 수 있어 수학의 기본 실력을 스스로 완성

풍산자
반복
수학

수학 I

구성과 특징

풍산자 반복수학
이렇게 특별합니다.

1
한 권의 기본 개념과
연산 실력 완성!!

· 개념과 연산을 동시에 학습할 수 있도록 구성하여 기본
실력 완성
· 개념과 연산 유형의 집중학습으로 수학 실력을 쌓고 자신
감을 기르며 실전에서는 킬러 문제에 시간을 할애

2
소단원별로 분석하여 체계적이고
최적인 주제별 구성!

· 소단원별로 학습 이해의 흐름에 맞춰 주제별 개념과 연산
유형을 체계적으로 학습
· 주제별 개념과 연산 학습으로 빈틈없는 기본 실력 향상

3
스스로 쉽게 학습할 수 있는
문제 연결 학습법!

· 개념과 공식 등을 이용하여 바로바로 적용하여 풀 수 있도
록 구성하여 수학의 기본 개념과 연산을 스스로 완성
· 개념 정리부터 연산 유형까지 풀면서 저절로 원리를 터득

정확하고 빠른 풀이를 위한 반복 훈련서

풍산자 반복수학
이렇게 구성하였습니다.

❶ 주제별 개념 정리와 연산 유형

- 주제별로 중요한 개념 정리와 문제 풀이에 도움이 되는 참고, 보기, 보충 설명 제시
- 빈틈없는 개념과 연산학습이 이루어지도록 체계적으로 연산 유형 분류
- 풍쌤 POINT 에서 연산 학습의 비법, 공식 등을 다시 한번 체크

❷ 중단원 점검문제

- 실력을 점검하여 취약한 개념, 연산을 스스로 체크하고 보충 학습이 가능하도록 구성

❸ 정답과 풀이

- 문제 해결 과정이 보이는 자세하고 쉬운 풀이 제공

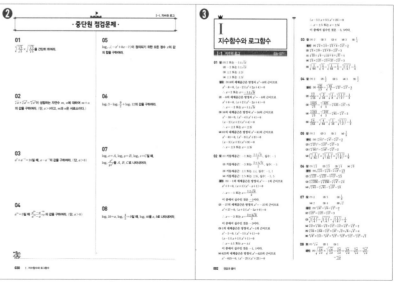

차례

I
지수함수와 로그함수

II
삼각함수

III
수열

I
지수함수와 로그함수

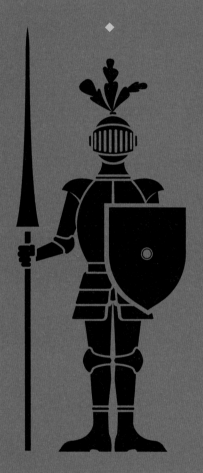

01

거듭제곱근

1 거듭제곱

a의 n제곱: 실수 a와 자연수 n에 대하여 a를 n번 곱한 것, 즉 a^n

2 거듭제곱근

① a의 n제곱근: n제곱하여 a가 되는 수, 즉 $x^n=a$를 만족시키는 x

② a의 거듭제곱근: a의 제곱근, a의 세제곱근, a의 네제곱근, …

3 실수 a의 n제곱근 중 실수인 것, 즉 $x^n=a$의 실근

n \ a	$a>0$	$a=0$	$a<0$
n이 짝수일 때	$\sqrt[n]{a},\ -\sqrt[n]{a}$	0	없다.
n이 홀수일 때	$\sqrt[n]{a}$	0	$\sqrt[n]{a}$

> **거듭제곱과 거듭제곱근**
>
> a는 x의 n제곱
>
>
>
> x는 a의 n제곱근

> **a의 n제곱근**
>
> ⇨ n제곱하여 a가 되는 수

> **n제곱근 a**
>
> n제곱근 a는 a의 n제곱근 중 a와 부호가 같은 실수이며 1개이다.

정답과 풀이 002쪽

유형·01 거듭제곱근 구하기

01 다음 거듭제곱근을 구하여라.

(1) 8의 세제곱근

> **풀이** 8의 세제곱근은 방정식 $x^3=8$의 근이므로
> $x^3-8=0,\ (x-2)(x^2+2x+4)=0$
> $\therefore x=2$ 또는 $x=$_____

(2) -8의 세제곱근

(3) 16의 네제곱근

(4) 81의 네제곱근

유형·02 거듭제곱근 중 실수인 것 구하기

02 다음 거듭제곱근을 구하고, 그중에서 실수인 것을 말하여라.

(1) -1의 세제곱근

> **풀이** -1의 세제곱근은 방정식 $x^3=-1$의 근이므로
> $x^3+1=0,\ (x+1)(x^2-x+1)=0$
> $\therefore x=-1$ 또는 $x=\dfrac{1\pm\sqrt{3}i}{2}$
> 이 중에서 실수인 것은 ____이다.

(2) -27의 세제곱근

(3) 1의 네제곱근

(4) 625의 네제곱근

> ◼ **풍쌤 POINT**
>
> a의 n제곱근
> ➡ a의 n제곱근은 방정식 $x^n=a$의 근으로 복소수 범위에서 n개가 존재한다.

거듭제곱근의 성질

1 거듭제곱근의 성질

$a>0$, $b>0$이고 m, n이 2 이상의 자연수일 때,

① $\sqrt[n]{a}\sqrt[n]{b}=\sqrt[n]{ab}$

② $\dfrac{\sqrt[n]{a}}{\sqrt[n]{b}}=\sqrt[n]{\dfrac{a}{b}}$

③ $(\sqrt[n]{a})^m=\sqrt[n]{a^m}$

④ $\sqrt[m]{\sqrt[n]{a}}=\sqrt[nm]{a}=\sqrt[n]{\sqrt[m]{a}}$

⑤ $\sqrt[np]{a^{mp}}=\sqrt[n]{a^m}$ (단, p는 자연수이다.)

▸ $a>0$이고 n이 2 이상의 자연
수일 때
$(\sqrt[n]{a})^n=a$

정답과 풀이 002쪽

유형·03 $\sqrt[n]{a}\sqrt[n]{b}=\sqrt[n]{ab}$ 꼴의 계산

03 다음 식을 간단히 하여라.

(1) $\sqrt[3]{2}\times\sqrt[3]{4}$

▸풀이 $\sqrt[3]{2}\times\sqrt[3]{4}=\sqrt[3]{2\times4}=\sqrt[3]{2^3}=\underline{}$

(2) $\sqrt[3]{3}\times\sqrt[3]{9}$

(3) $\sqrt[3]{16}\times\sqrt[3]{4}$

(4) $\sqrt[4]{3}\times\sqrt[4]{27}$

(5) $\sqrt[4]{\dfrac{1}{64}}\times\sqrt[4]{\dfrac{1}{4}}$

유형·04 $\dfrac{\sqrt[n]{a}}{\sqrt[n]{b}}=\sqrt[n]{\dfrac{a}{b}}$ 꼴의 계산

04 다음 식을 간단히 하여라.

(1) $\dfrac{\sqrt[3]{81}}{\sqrt[3]{3}}$

▸풀이 $\dfrac{\sqrt[3]{81}}{\sqrt[3]{3}}=\sqrt[3]{\dfrac{81}{3}}=\sqrt[3]{27}=\sqrt[3]{3^3}=\underline{}$

(2) $\dfrac{\sqrt[3]{2}}{\sqrt[3]{16}}$

(3) $\dfrac{\sqrt[3]{625}}{\sqrt[3]{5}}$

(4) $\dfrac{\sqrt[4]{243}}{\sqrt[4]{3}}$

(5) $\dfrac{\sqrt[4]{4}}{\sqrt[4]{64}}$

05 다음 식을 간단히 하여라.

(1) $(\sqrt[4]{4})^2$

➤ 풀이 $(\sqrt[4]{4})^2 = \sqrt[4]{4^2} = \sqrt[4]{2^4} = $ ___

(2) $(\sqrt[6]{27})^2$

(3) $(\sqrt[8]{16})^2$

(4) $\left(\sqrt[8]{\dfrac{1}{81}}\right)^4$

06 다음 식을 간단히 하여라.

(1) $\sqrt{\sqrt[3]{4}}$

➤ 풀이 $\sqrt{\sqrt[3]{4}} = \sqrt[3]{\sqrt{4}} = \sqrt[3]{\sqrt{2^2}} = $ ___

(2) $\sqrt[3]{\sqrt[4]{27}}$

(3) $\sqrt[4]{\sqrt[3]{256}}$

(4) $\sqrt{\sqrt[3]{81}}$

07 다음 식을 간단히 하여라.

(1) $\sqrt[12]{8^4}$

➤ 풀이 $\sqrt[12]{8^4} = \sqrt[3]{8} = \sqrt[3]{2^3} = $ ___

(2) $\sqrt[6]{27^2}$

(3) $\sqrt[6]{\left(\dfrac{1}{4}\right)^9}$

(4) $\sqrt[3]{2} \times \sqrt[6]{16}$

(5) $\sqrt[8]{16} \times \sqrt[4]{64}$

(6) $\sqrt[18]{8^2} \times \sqrt[6]{2}$

■ 풍쌤 POINT

계산할 때는 $\sqrt{a} = \sqrt[2]{a} \neq \sqrt[1]{a}$임에 주의한다. (단, $a > 0$)

유형·07 복잡한 식의 계산

08 다음 식을 간단히 하여라. (단, $a>0$)

(1) $\sqrt{\dfrac{\sqrt[3]{a}}{\sqrt[4]{a}}} \times \sqrt[4]{\dfrac{\sqrt{a}}{\sqrt[3]{a}}}$

> 풀이 (주어진 식)
>
> $=\dfrac{\sqrt[6]{a}}{\sqrt[8]{a}} \times \dfrac{\sqrt[8]{a}}{\sqrt[12]{a}} = \dfrac{\sqrt[6]{a}}{\sqrt[12]{a}} = \dfrac{\sqrt[12]{a^2}}{\sqrt[12]{a}} = \underline{\quad}$

(2) $\sqrt[4]{\dfrac{\sqrt[3]{a}}{\sqrt{a}}} \times \sqrt{\dfrac{\sqrt[4]{a}}{\sqrt[6]{a}}}$

(3) $\sqrt[3]{\dfrac{\sqrt[4]{a}}{\sqrt{a}}} \times \sqrt{\dfrac{\sqrt[3]{a}}{\sqrt[4]{a}}} \times \sqrt[4]{\dfrac{\sqrt{a}}{\sqrt[3]{a}}}$

09 다음 식을 간단히 하여라.

(1) $\sqrt[3]{\dfrac{9^8+3^{11}}{9^4+3^{13}}}$

> 풀이 (주어진 식)
>
> $=\sqrt[3]{\dfrac{(3^2)^8+3^{11}}{(3^2)^4+3^{13}}} = \sqrt[3]{\dfrac{3^{16}+3^{11}}{3^8+3^{13}}} = \sqrt[3]{\dfrac{3^{11}(3^5+1)}{3^8(3^5+1)}}$
>
> $=\sqrt[3]{\dfrac{3^{11}}{3^8}} = \sqrt[3]{3^3} = \underline{\quad}$

(2) $\sqrt[6]{\dfrac{8^4+4^8}{8^2+4^5}}$

(3) $\sqrt[4]{\dfrac{9^{10}+27^8}{9^8+27^4}}$

유형·08 거듭제곱근의 크기 비교

10 세 수의 크기를 비교하여라.

(1) $\sqrt{2}, \sqrt[3]{4}, \sqrt[6]{10}$

> 풀이 2, 3, 6의 최소공배수인 ___으로 근호 앞 수를 통일하면
>
> $\sqrt{2} = \sqrt[6]{2^3} = \sqrt[6]{8}$
>
> $\sqrt[3]{4} = \sqrt[6]{4^2} = \sqrt[6]{16}$
>
> 이때 $\sqrt[6]{8} < \sqrt[6]{10} < \sqrt[6]{16}$이므로
>
> ___<___<___

(2) $\sqrt{3}, \sqrt[3]{5}, \sqrt[6]{26}$

(3) $\sqrt[3]{3}, \sqrt[4]{3}, \sqrt[6]{2}$

(4) $\sqrt{2}, \sqrt[5]{3}, \sqrt[4]{5}$

> ■ 풍쌤 POINT
>
> 거듭제곱근의 크기를 비교할 때는 근호 앞 수를 같게 한다.
> 이때 $\sqrt[n]{a^m} = \sqrt[np]{a^{mp}}$를 이용한다. (단, p는 자연수이다.)

지수의 확장

1 **0 또는 음의 정수인 지수의 정의**

$a \neq 0$이고 n이 양의 정수일 때,

① $a^0 = 1$
② $a^{-n} = \dfrac{1}{a^n}$

> 보기 $2^0 = 1$, $2^{-1} = \dfrac{1}{2^1} = \dfrac{1}{2}$

2 **유리수인 지수의 정의**

$a > 0$이고 m, n $(n \geq 2)$이 정수일 때,

① $a^{\frac{1}{n}} = \sqrt[n]{a}$
② $a^{\frac{m}{n}} = \sqrt[n]{a^m}$

> 보기 $2^{\frac{1}{2}} = \sqrt[2]{2} = \sqrt{2}$,
> $2^{\frac{2}{3}} = \sqrt[3]{2^2} = \sqrt[3]{4}$

3 **지수가 실수일 때의 지수법칙**

$a > 0$, $b > 0$이고 m, n이 실수일 때,

① $a^m a^n = a^{m+n}$
② $(a^m)^n = a^{mn}$
③ $(ab)^n = a^n b^n$

④ $\left(\dfrac{a}{b}\right)^n = \dfrac{a^n}{b^n}$
⑤ $a^m \div a^n = a^{m-n}$

유형·09 지수가 정수일 때의 지수법칙

11 다음 식을 간단히 하여라. (단, $a \neq 0$)

(1) $a^4 \times a^2 \div a^{-2}$

> 풀이 (주어진 식)$= a^{4+2-(-2)} = $ ____

(2) $(a^5 \div a^8)^{-2}$

(3) $a^{-2} \times (a^{-4})^2$

(4) $(a^{-3})^2 \times (a^4)^3 \div a^{-4}$

유형·10 지수가 유리수일 때의 지수법칙

12 다음 식을 간단히 하여라.

(1) $\left\{\left(\dfrac{27}{8}\right)^{-\frac{5}{6}}\right\}^{\frac{2}{5}}$

> 풀이 (주어진 식)$= \left(\dfrac{27}{8}\right)^{-\frac{5}{6} \times \frac{2}{5}} = \left(\dfrac{27}{8}\right)^{-\frac{1}{3}}$
> $= \left\{\left(\dfrac{3}{2}\right)^3\right\}^{-\frac{1}{3}} = \left(\dfrac{3}{2}\right)^{-1} = $ ____

(2) $\left\{\left(\dfrac{9}{25}\right)^{-\frac{7}{3}}\right\}^{\frac{6}{7}}$

(3) $7^{\frac{7}{4}} \times 7^{-\frac{5}{2}} \div 7^{-\frac{11}{4}}$

유형·11 거듭제곱근을 지수로 나타내기

13 다음 식을 a^n 꼴로 나타내어라. (단, $a>0$)

(1) $\sqrt[4]{\sqrt{a} \times \sqrt[5]{a}}$

> **풀이** (주어진 식)
> $$= \left(a^{\frac{1}{2}} \times a^{\frac{1}{5}}\right)^{\frac{1}{4}} = \left(a^{\frac{1}{2}+\frac{1}{5}}\right)^{\frac{1}{4}}$$
> $$= \left(a^{\frac{7}{10}}\right)^{\frac{1}{4}} = \underline{}$$

(2) $\sqrt[3]{\dfrac{a^2}{\sqrt{a}} \times \sqrt[4]{a}}$

(3) $\sqrt{a\sqrt{a^2\sqrt{a^3}}}$

(4) $\sqrt{a^2\sqrt{a^2\sqrt[3]{a^2}}}$

(5) $\sqrt{a\sqrt[3]{a^2\sqrt[4]{a}}}$

■ **풍쌤 POINT**

근호 안에 근호가 있는 문제

➡ $\sqrt[m]{\sqrt[n]{a}} = \sqrt[mn]{a} = a^{\frac{1}{mn}}$을 이용한다.

유형·12 곱셈 공식을 이용하여 전개하기

14 다음 식을 간단히 하여라.

(1) $\left(a^{\frac{1}{2}}+b^{\frac{1}{2}}\right)\left(a^{\frac{1}{2}}-b^{\frac{1}{2}}\right)$ (단, $a>0$, $b>0$)

> **풀이** (주어진 식)
> $$= \left(a^{\frac{1}{2}}\right)^2 - \left(b^{\frac{1}{2}}\right)^2 = \underline{}$$

(2) $\left(a^{\frac{1}{4}}+b^{\frac{1}{4}}\right)\left(a^{\frac{1}{4}}-b^{\frac{1}{4}}\right)$ (단, $a>0$, $b>0$)

(3) $\left(a^{\frac{1}{2}}-a^{-\frac{1}{2}}\right)^2 - \left(a^{\frac{1}{2}}+a^{-\frac{1}{2}}\right)^2$ (단, $a>0$)

(4) $\left(2^{\frac{1}{2}}+1\right)\left(2^{\frac{1}{2}}-1\right)$

(5) $\left(3^{\frac{1}{3}}-3^{-\frac{2}{3}}\right)^3 + \left(3^{\frac{1}{3}}+3^{-\frac{2}{3}}\right)^3$

■ **풍쌤 POINT**

지수 문제에서는 다음과 같은 곱셈 공식이 많이 이용된다.

① $(A-B)(A+B)=A^2-B^2$

② $(A-B)(A^2+AB+B^2)=A^3-B^3$

③ $(A\pm B)^3 = A^3 \pm 3A^2B + 3AB^2 \pm B^3$ (복호동순)

15 $a^{\frac{1}{2}}+a^{-\frac{1}{2}}=4$일 때, 다음 식의 값을 구하여라.

(단, $a>0$)

(1) $a+a^{-1}$

> 풀이 $a^{\frac{1}{2}}+a^{-\frac{1}{2}}=4$의 양변을 제곱하면
> $$a+2+a^{-1}=\underline{}$$
> $$\therefore a+a^{-1}=\underline{}$$

(2) a^2+a^{-2}

(3) $a^{\frac{3}{2}}+a^{-\frac{3}{2}}$

(4) $a^{\frac{1}{2}}-a^{-\frac{1}{2}}$

(5) $a-a^{-1}$

16 다음을 구하여라.

(1) $x=2^{\frac{1}{3}}+2^{-\frac{1}{3}}$일 때, $2x^3-6x$의 값

> 풀이 $x^3=\left(2^{\frac{1}{3}}\right)^3+\left(2^{-\frac{1}{3}}\right)^3+3\times2^{\frac{1}{3}}\times2^{-\frac{1}{3}}\left(2^{\frac{1}{3}}+2^{-\frac{1}{3}}\right)$
> $$=2+2^{-1}+3x$$
> $$=\frac{5}{2}+3x$$
> 따라서 $x^3-3x=\frac{5}{2}$이므로
> $$2x^3-6x=2(x^3-3x)=\underline{}$$

(2) $x=3^{\frac{2}{3}}+3^{-\frac{2}{3}}$일 때, $9x^3-27x$의 값

(3) $x=2^{\frac{2}{3}}-2^{-\frac{2}{3}}$일 때, $4x^3+12x$의 값

(4) $x=3^{\frac{1}{3}}-3^{-\frac{1}{3}}$일 때, $9x^3+27x$의 값

■ 풍쌤 POINT
① $a^{\frac{1}{2}}\pm a^{-\frac{1}{2}}$의 값이 주어졌을 때, $a\pm a^{-1}$의 식의 값은 양변을 제곱하여 구한다.
② $a^{\frac{1}{3}}\pm a^{-\frac{1}{3}}$ 꼴의 식이 주어진 경우는 양변을 세제곱하여 주어진 식의 값을 구한다.

17 다음을 구하여라.

(1) $9^x=2$일 때, $\left(\dfrac{1}{81}\right)^{-4x}$의 값

> **풀이** $\left(\dfrac{1}{81}\right)^{-4x}=(3^{-4})^{-4x}=3^{16x}$
> $\qquad\qquad=(3^{2x})^8=(9^x)^8=2^8=$ ____

(2) $2^x=3$일 때, $\left(\dfrac{1}{\sqrt{8}}\right)^{2x}$의 값

(3) $25^x=4$일 때, $\left(\dfrac{1}{125}\right)^{-2x}$의 값

(4) $16^x=3$일 때, 32^{4x}의 값

(5) $\left(\dfrac{1}{9}\right)^x=5$일 때, $\left(\dfrac{1}{27}\right)^{2x}$의 값

18 다음을 구하여라.

(1) $a^{-2}=4$일 때, $\dfrac{a+a^{-1}}{a-a^{-1}}$의 값 (단, $a>0$)

> **풀이** $\dfrac{a+a^{-1}}{a-a^{-1}}$의 분모, 분자에 각각 $a+a^{-1}$을 곱하면
> $\dfrac{(a+a^{-1})^2}{a^2-a^{-2}}=\dfrac{a^2+2+a^{-2}}{a^2-a^{-2}}$
> 이때 $a^{-2}=4$, $a^2=$ ____ 을 위의 식에 대입하면
> $\dfrac{a^2+2+a^{-2}}{a^2-a^{-2}}=$ ____

(2) $a^{-2}=2$일 때, $\dfrac{a^3-a^{-3}}{a^3+a^{-3}}$의 값 (단, $a>0$)

(3) $a^{2x}=4$일 때, $\dfrac{a^x-a^{-x}}{a^x+a^{-x}}$의 값 (단, $a>0$)

(4) $a^{2x}=\sqrt{2}+1$일 때, $\dfrac{a^{3x}-a^{-x}}{a^x+a^{-3x}}$의 값 (단, $a>0$)

> **◀ 풍쌤 POINT**
> a^{-x}, a^{-3x} 등을 포함한 유리식의 계산은 분모, 분자에 a^x, a^{3x} 등을 곱하여 구하는 식을 주어진 조건식의 꼴로 변형한다.

19 다음을 구하여라.

(1) $3^x=32$, $24^y=256$일 때, $\dfrac{5}{x}-\dfrac{8}{y}$의 값

> **풀이** $3^x=32$에서 $3=32^{\frac{1}{x}}=(2^5)^{\frac{1}{x}}=2^{\frac{5}{x}}$ ······ ㉠
>
> $24^y=256$에서 $24=256^{\frac{1}{y}}=(2^8)^{\frac{1}{y}}=2^{\frac{8}{y}}$ ······ ㉡
>
> ㉠÷㉡을 하면 $\dfrac{3}{24}=2^{\frac{5}{x}}\div 2^{\frac{8}{y}}$
>
> $\dfrac{1}{8}=2^{\frac{5}{x}-\frac{8}{y}}$, $2^{-3}=2^{\frac{5}{x}-\frac{8}{y}}$
>
> $\therefore \dfrac{5}{x}-\dfrac{8}{y}=$ ____

(2) $4^x=27$, $36^y=81$일 때, $\dfrac{3}{x}-\dfrac{4}{y}$의 값

(3) $6^x=25$, $30^y=125$일 때, $\dfrac{2}{x}-\dfrac{3}{y}$의 값

(4) $20^x=64$, $5^y=128$일 때, $\dfrac{6}{x}-\dfrac{7}{y}$의 값

20 다음을 구하여라. (단, $xyz\neq 0$)

(1) $2^x=4^y=8^z$일 때, $\dfrac{1}{x}+\dfrac{1}{y}-\dfrac{1}{z}$의 값

> **풀이** $2^x=4^y=8^z=k$로 놓으면 $k>0$이고, $xyz\neq 0$에서
> $k\neq 1$이다.
>
> $2^x=k$에서 $2=k^{\frac{1}{x}}$ ······ ㉠
>
> $4^y=k$에서 $4=k^{\frac{1}{y}}$ ······ ㉡
>
> $8^z=k$에서 $8=k^{\frac{1}{z}}$ ······ ㉢
>
> ㉠×㉡÷㉢을 하면
>
> $\dfrac{2\times 4}{8}=k^{\frac{1}{x}}\times k^{\frac{1}{y}}\div k^{\frac{1}{z}}$, $1=k^{\frac{1}{x}+\frac{1}{y}-\frac{1}{z}}$
>
> $k>0$이고, $k\neq 1$이므로
>
> $\dfrac{1}{x}+\dfrac{1}{y}-\dfrac{1}{z}=$ ___

(2) $3^x=5^y=15^z$일 때, $\dfrac{1}{x}+\dfrac{1}{y}-\dfrac{1}{z}$의 값

(3) $2^x=5^y=10^z$일 때, $\dfrac{1}{x}+\dfrac{1}{y}-\dfrac{1}{z}$의 값

(4) $4^x=5^y=20^z$일 때, $\dfrac{1}{x}+\dfrac{1}{y}-\dfrac{1}{z}$의 값

■ **풍쌤 POINT**
주어진 조건식의 밑이 다르면 조건식을 변형하여 밑을 같게 한다. 이때 $a^x=k$는 $a=k^{\frac{1}{x}}$임을 이용한다.

로그의 정의

1 로그의 정의

$a>0$, $a\neq 1$이고 $b>0$일 때, $a^x=b$를 만족시키는 x를 a를 밑으로 하는 b의 로그라 하고, 기호로 $x=\log_a b$와 같이 나타낸다. 이때 b를 $\log_a b$의 진수라고 한다.

$$a^x=b \iff x=\log_a b$$

> **로그의 밑과 진수**
> $$a^x=b$$
> ↓
> $x=\log_a b$ ← 진수
> ↑
> 밑

유형·16 로그의 정의를 이용한 계산

정답과 풀이 005쪽

21 다음 등식을 만족시키는 실수 x의 값을 구하여라.

(1) $\log_2 x=\dfrac{1}{2}$

> 풀이 $\log_2 x=\dfrac{1}{2}$에서 $x=2^{\frac{1}{2}}=\underline{\quad}$

(2) $\log_3 x=4$

(3) $\log_5 x=\dfrac{5}{2}$

(4) $\log_9 x=\dfrac{3}{2}$

(5) $\log_2 (\log_4 x)=-2$

22 다음 등식을 만족시키는 실수 x의 값을 구하여라.

(1) $\log_x 64=-3$

> 풀이 $\log_x 64=-3$에서 $x^{-3}=64$
> $$(x^{-3})^{-\frac{1}{3}}=64^{-\frac{1}{3}}$$
> $$\therefore x=(2^6)^{-\frac{1}{3}}=\underline{\quad}$$

(2) $\log_x 16=2$

(3) $\log_x \dfrac{1}{32}=-5$

(4) $\log_x 25=2$

■ 풍쌤 POINT

로그의 밑이 지수의 밑이 된다.

➡ $\log_a x=n$이면 $x=a^n$

05

로그의 밑과 진수 조건

---

1 로그의 밑과 진수 조건

$\log_a b$가 정의되기 위해서는 밑은 1이 아닌 양수이어야 하고, 진수는 양수이어야 한다. 즉,

① 밑의 조건: $a > 0$, $a \neq 1$

② 진수의 조건: $b > 0$

유형·17 로그의 밑과 진수 조건

정답과 풀이 006쪽

23 다음 로그의 값이 정의되기 위한 실수 x의 값의 범위를 구하여라.

(1) $\log_{x-2}(5-x)$

> **풀이** 밑의 조건에서 $x-2 > 0$, $x-2 \neq 1$
> ∴ $x > 2$, $x \neq 3$ ...... ㉠
> 진수의 조건에서 $5-x > 0$
> ∴ $x < 5$ ...... ㉡
> ㉠, ㉡의 공통부분을 구하면
> _____ 또는 _____

(2) $\log_{6-x}(x-3)$

(3) $\log_2(x^2-2x-24)$

(4) $\log_{x+1}(-x^2-x+6)$

(5) $\log_{x-1}(-x^2+6x-5)$

(6) $\log_{x-2}(-x^2+5x+14)$

(7) $\log_{x-3}(x^2-3x+2)$

(8) $\log_{x-3}(-x^2+11x-24)$

■ 풍쌤 POINT

로그 문제에서는 항상 밑과 진수가 조건에 맞는지 확인한다.

➡ $\log_a b$에서 $a > 0$, $a \neq 1$이고 $b > 0$이다.

O6 로그의 기본 성질

1 로그의 기본 성질

$a>0$, $a\neq1$, $x>0$, $y>0$이고, n이 실수일 때,

① $\log_a 1=0$, $\log_a a=1$

    ⇨ 진수가 1인 로그는 0이고, 밑과 진수가 같은 로그는 1이다.

② $\log_a xy=\log_a x+\log_a y$ ⇨ 진수의 곱하기는 로그의 더하기로 바뀐다.

③ $\log_a \dfrac{x}{y}=\log_a x-\log_a y$ ⇨ 진수의 나누기는 로그의 빼기로 바뀐다.

④ $\log_a x^n=n\log_a x$ (단, n은 실수이다.) ⇨ 진수의 지수는 로그 앞으로 나온다.

보기

① $\log_3 1=0$, $\log_3 3=1$

② $\log_2 6=\log_2(2\times3)$
$\quad=\log_2 2+\log_2 3$
$\quad=1+\log_2 3$

③ $\log_3 \dfrac{5}{3}=\log_3 5-\log_3 3$
$\quad=\log_3 5-1$

④ $\log_3 9=\log_3 3^2=2\log_3 3$
$\quad=2$

유형·18 로그의 계산 (1)

정답과 풀이 006쪽

24 다음 식의 값을 구하여라.

(1) $\log_2 \dfrac{1}{4}$

  ▶풀이 $\log_2 \dfrac{1}{4}=\log_2 2^{-2}=-2\log_2 2=$ _____

(2) $\log_2 1$

(3) $\log_3 243$

(4) $\log_5 5$

(5) $\log_2 \sqrt{2}$

(6) $\log_2 \dfrac{1}{2\sqrt{2}}$

(7) $\log_3 \sqrt[5]{27}$

(8) $\log_5 \sqrt[3]{25}$

(9) $\log_{\sqrt{2}} 8$

(10) $\log_{10} \sqrt{1000}$

25 다음 식의 값을 구하여라.

(1) $\log_2 \dfrac{4}{3} + 2\log_2 \sqrt{12}$

> 풀이　$\log_2 \dfrac{4}{3} + 2\log_2 \sqrt{12} = \log_2 \dfrac{4}{3} + \log_2 (\sqrt{12})^2$
> $= \log_2 \dfrac{4}{3} + \log_2 12$
> $= \log_2 \left(\dfrac{4}{3} \times 12 \right)$
> $= \log_2 16 = \log_2 2^4 = \underline{\quad\quad}$

(2) $\log_{15} 3 + \log_{15} 5$

(3) $\log_2 5 + \log_2 \dfrac{4}{5}$

(4) $\log_3 \dfrac{9}{2} + \log_3 6$

(5) $\log_3 75 + 2\log_3 \dfrac{1}{5}$

(6) $\log_2 100 - 2\log_2 \dfrac{5}{4}$

(7) $\log_5 \sqrt{10} + \dfrac{1}{2}\log_5 3 - \dfrac{3}{2}\log_5 \sqrt[3]{6}$

(8) $\log_5 3 - 2\log_5 \sqrt[4]{15} - \log_5 \sqrt{75}$

(9) $\log_2 \sqrt{3} - 2\log_2 \dfrac{1}{2} - \dfrac{1}{2}\log_2 6$

(10) $\log_3 2 + \log_3 \sqrt{6} - \dfrac{1}{2}\log_3 8$

(11) $\log_5 3 + \log_5 \sqrt{15} - \dfrac{1}{2}\log_5 27$

〰️ 풍쌤 POINT

로그의 계산에서는 다음을 주의한다.

① $\log_a (x+y) \neq \log_a x + \log_a y$

② $\log_a (x-y) \neq \log_a x - \log_a y$

③ $(\log_a x)^k \neq k\log_a x$

07

로그의 여러 가지 성질

1 로그의 밑의 변환

$a>0$, $a\neq1$, $b>0$일 때,

① $\log_a b=\dfrac{\log_c b}{\log_c a}$ (단, $c>0$, $c\neq1$) ⇨ 밑은 분모로 가고 진수는 분자로 간다.

② $\log_a b=\dfrac{1}{\log_b a}$ (단, $b\neq1$) ⇨ 밑과 진수를 바꾸면 역수가 된다.

③ $\log_{a^m} b^n=\dfrac{n}{m}\log_a b$ (단, $m\neq0$이고, m, n은 실수이다.)

⇨ 밑의 지수는 역수로 로그 앞에 나온다.

2 로그의 여러 가지 성질

$a>0$, $b>0$일 때,

① $a^{\log_c b}=b^{\log_c a}$ (단, $c>0$, $c\neq1$) ⇨ 양 끝의 수들은 바꿀 수 있다.

② $a^{\log_a b}=b$ (단, $a\neq1$) ⇨ 밑이 같으면 지울 수 있다.

보기

① $\log_2 3=\dfrac{\log_5 3}{\log_5 2}$

② $\log_2 3=\dfrac{1}{\log_3 2}$

③ $\log_{3^2} 3^4=\dfrac{4}{2}\log_3 3=2$

보기

① $5^{\log_3 2}=2^{\log_3 5}$

② $2^{\log_2 6}=6$

정답과 풀이 007쪽

유형·20 로그의 밑의 변환

26 다음 식의 값을 구하여라.

(1) $\log_2 3\times\log_3 5\times\log_5 8$

▶ 풀이 (주어진 식)

$=\dfrac{\log_{10} 3}{\log_{10} 2}\times\dfrac{\log_{10} 5}{\log_{10} 3}\times\underline{\qquad}=\dfrac{\log_{10} 2^3}{\log_{10} 2}=\dfrac{3\log_{10} 2}{\log_{10} 2}$

$=\underline{\quad}$

(2) $\dfrac{1}{\log_{16} 8}+\dfrac{1}{\log_4 8}$

(3) $\log_{27} 9$

(4) $\log_4 3-\log_2 \sqrt{3}$

■ 풍쌤 POINT

밑이 다른 로그를 포함한 식의 계산

➡ 밑의 변환 공식을 이용하여 밑을 통일한다.

유형·21 로그의 여러 가지 성질

27 다음 식의 값을 구하여라.

(1) $4^{\log_4 5}$

▶ 풀이 $4^{\log_4 5}=5^{\log_4 4}=\underline{\quad}$

(2) $8^{\log_2 3}$

(3) $9^{\log_3 4+\log_3 2}$

(4) $4^{2\log_2 5-2\log_{\frac{1}{2}} 4-2\log_2 10}$

28 $\log_{10} 2 = a$, $\log_{10} 3 = b$일 때, 다음을 a, b로 나타내어라.

(1) $\log_{10} 5$

> **풀이** $\log_{10} 5 = \log_{10} \dfrac{10}{2} = \log_{10} 10 - \log_{10} 2 = $ _____

(2) $\log_3 20$

(3) $\log_{10} 0.036$

(4) $\log_{18} 12$

(5) $\log_5 \dfrac{9}{2}$

(6) $\log_6 \sqrt{12}$

29 다음 물음에 답하여라.

(1) $\log_3 2 = a$, $\log_5 3 = b$일 때, $\log_{90} 150$을 a, b로 나타내어라.

> **풀이** 주어진 조건식의 로그의 밑을 3으로 통일하면
> $$\log_5 3 = \frac{1}{\log_3 5} = b \quad \therefore \ \log_3 5 = \frac{1}{b}$$
> $$\log_{90} 150 = \frac{\log_3 150}{\log_3 90} = \frac{\log_3 (2 \times 3 \times 5^2)}{\log_3 (2 \times 3^2 \times 5)}$$
> $$= \frac{\log_3 2 + \log_3 3 + 2\log_3 5}{\log_3 2 + 2\log_3 3 + \log_3 5}$$
> $$= \frac{a + 1 + \dfrac{2}{b}}{a + 2 + \dfrac{1}{b}}$$
> $$= \underline{\hspace{3cm}}$$

(2) $\log_3 2 = a$, $\log_5 3 = b$일 때, $\log_{300} 450$을 a, b로 나타내어라.

(3) $\log_3 2 = a$, $\log_7 3 = b$일 때, $\log_{42} 84$를 a, b로 나타내어라.

(4) $\log_3 2 = a$, $\log_7 3 = b$일 때, $\log_{126} 256$을 a, b로 나타내어라.

◼ 풍샘 POINT

로그를 계산할 때는 먼저 밑을 통일한다.

➡ $\log_a b = \dfrac{\log_c b}{\log_c a}$

$\log_a b = \dfrac{1}{\log_b a}$

로그의 성질을 이용한 여러 가지 문제

1 주어진 조건이나 관계식이 지수 꼴일 때

로그의 정의를 이용하여 주어진 조건이나 관계식을 로그 꼴로 바꾼다.

2 이차방정식의 두 근과 로그가 포함된 식이 결합되었을 때

이차방정식의 근과 계수의 관계를 이용하여 두 근의 합과 곱을 구한다.

> 이차방정식 $ax^2+bx+c=0$
> 의 두 근을 α, β라고 할 때
> $\alpha+\beta=-\dfrac{b}{a}$, $\alpha\beta=\dfrac{c}{a}$

유형·23 지수 꼴로 관계식이 주어질 때

정답과 풀이 008쪽

30 $3^x=a$, $3^y=b$일 때 다음을 x, y로 나타내어라.

(1) $\log_{a^3} b$

> 풀이 $3^x=a$, $3^y=b$에서 $x=\log_3 a$, $y=\log_3 b$
> $$\therefore \log_{a^3} b=\frac{1}{3}\log_a b=\frac{1}{3}\times\frac{\log_3 b}{\log_3 a}=\underline{\qquad}$$

(2) $\log_{a^2} b^3$

(3) $\log_{\sqrt{a}} b^2$

(4) $\log_{\sqrt{a}} \sqrt[3]{b}$

(5) $\log_{\sqrt[3]{a}} \dfrac{1}{b}$

31 $5^x=a$, $5^y=b$, $5^z=c$일 때, 다음을 x, y, z로 나타내어라.

(1) $\log_5 ab^2c^3$

> 풀이 $5^x=a$, $5^y=b$, $5^z=c$에서
> $x=\log_5 a$, $y=\log_5 b$, $z=\log_5 c$
> $$\therefore \log_5 ab^2c^3=\log_5 a+2\log_5 b+3\log_5 c$$
> $$=\underline{\qquad\qquad}$$

(2) $\log_5 \dfrac{a^2b}{c^2}$

(3) $\log_5 \dfrac{b^4c}{a^3}$

(4) $\log_{ab} c^3$

(5) $\log_{ab} \sqrt[3]{c}$

■ 풍쌤 POINT

$a^x=b$ 꼴의 조건이 주어지면 먼저 로그의 정의를 이용하여 식을 변형한다.

$a^x=b \Rightarrow x=\log_a b$

32 1이 아닌 두 양수 a, b에 대하여 $a^3b^2=1$일 때, 다음 식의 값을 구하여라.

(1) $\log_a a^2b$

> 풀이 $a^3b^2=1$의 양변에 밑이 a인 로그를 취하면
> $$\log_a a^3b^2=\log_a 1$$
> $$\log_a a^3+\log_a b^2=0,\ 3+2\log_a b=0$$
> $$\therefore \log_a b=-\frac{3}{2}$$
> $$\therefore \log_a a^2b=\log_a a^2+\log_a b$$
> $$=2+\log_a b=2-\frac{3}{2}=\underline{\quad}$$

(2) $\log_a a^3b^5$

33 1이 아닌 두 양수 a, b에 대하여 $a^3=b^4$일 때, 다음 식의 값을 구하여라.

(1) $16\log_a b$

(2) $\log_a a^3b$

34 다음을 구하여라.

(1) $36^x=9$, $4^y=27$일 때, $\dfrac{2}{x}-\dfrac{3}{y}$의 값

> 풀이 $36^x=9$, $4^y=27$에서 $x=\log_{36} 9$, $y=\log_4 27$
> $$\therefore \frac{2}{x}-\frac{3}{y}=\frac{2}{\log_{36} 9}-\frac{3}{\log_4 27}=\frac{2}{\log_{36} 3^2}-\frac{3}{\log_4 3^3}$$
> $$=\frac{1}{\log_{36} 3}-\frac{1}{\log_4 3}$$
> $$=\log_3 36-\log_3 4=\log_3 \frac{36}{4}=\log_3 9$$
> $$=\underline{\quad}$$

(2) $80^x=16$, $5^y=64$일 때, $\dfrac{2}{x}-\dfrac{3}{y}$의 값

(3) $150^x=25$, $6^y=125$일 때, $\dfrac{4}{x}-\dfrac{6}{y}$의 값

(4) $56^x=8$, $7^y=16$일 때, $\dfrac{3}{x}-\dfrac{4}{y}$의 값

35 이차방정식 $x^2-3x+1=0$의 두 근을 α, β라고 할 때, 다음 식의 값을 구하여라.

(1) $\log_3 \dfrac{\alpha\beta}{\alpha+\beta}$

▶ 풀이 이차방정식의 근과 계수의 관계에 의하여
$\alpha+\beta=3$, $\alpha\beta=1$
$\therefore \log_3 \dfrac{\alpha\beta}{\alpha+\beta}=\log_3 \dfrac{1}{3}=\log_3 3^{-1}=$ ____

(2) $\log_3 (\alpha^{-1}+\beta^{-1})$

36 이차방정식 $x^2-2x+1=0$의 두 근을 α, β라고 할 때, 다음 식의 값을 구하여라.

(1) $\log_2 (\alpha^2+\beta^2)$

(2) $\log_4 (\alpha+\alpha^{-1})+\log_4 (\beta+\beta^{-1})$

37 다음 이차방정식의 두 근이 $\log_2 a$, $\log_2 b$일 때, $\log_a b+\log_b a$의 값을 구하여라.

(1) $x^2-8x+4=0$

▶ 풀이 이차방정식의 근과 계수의 관계에 의하여
$\log_2 a+\log_2 b=8$, $\log_2 a \times \log_2 b=4$
$\therefore \log_a b+\log_b a$
$=\dfrac{\log_2 b}{\log_2 a}+\dfrac{\log_2 a}{\log_2 b}$
$=\dfrac{(\log_2 b)^2+(\log_2 a)^2}{\log_2 a \times \log_2 b}$
$=\dfrac{(\log_2 a+\log_2 b)^2-2\times \log_2 a \times \log_2 b}{\log_2 a \times \log_2 b}$
$=\dfrac{8^2-2\times 4}{4}=$ ____

(2) $x^2-9x+3=0$

38 다음 이차방정식의 두 근이 $\log_3 a$, $\log_3 b$일 때, $\log_a b+\log_b a$의 값을 구하여라.

(1) $x^2-5x+1=0$

(2) $x^2+4x+2=0$

━ 풍쌤 POINT
이차방정식 $ax^2+bx+c=0$ $(a\neq 0)$의 두 근을 α, β라고 할 때 $\alpha+\beta=-\dfrac{b}{a}$, $\alpha\beta=\dfrac{c}{a}$

상용로그

1 상용로그

양수 N에 대하여 10을 밑으로 하는 로그, 즉

$$\log_{10} N$$

를 상용로그라 하고, 보통 밑 10을 생략하고 $\log N$과 같이 나타낸다.

> 10의 거듭제곱 꼴로 나타내어지는 수에 대한 상용로그의 값은 로그의 성질을 이용하여 구할 수 있다.
> $\log 1000 = \log_{10} 10^3 = 3$

유형·26 진수가 10^n 꼴인 상용로그의 값 구하기

39 다음 상용로그의 값을 구하여라.

(1) $\log \dfrac{1}{10}$

> 풀이 $\log \dfrac{1}{10} = \log_{10} 10^{-1} = $ _____

(2) $\log \dfrac{1}{\sqrt{100}}$

(3) $\log 0.001$

(4) $\log \sqrt{1000}$

(5) $\log \dfrac{1}{10000}$

유형·27 진수를 변형하여 상용로그의 값 구하기

40 $\log 3.37 = 0.5276$임을 이용하여 다음 상용로그의 값을 구하여라.

(1) $\log 33.7$

> 풀이 $\log 33.7 = \log(3.37 \times 10) = \log 3.37 + \log 10$
> $= 0.5276 + 1 = $ _____

(2) $\log 3370$

(3) $\log 0.337$

41 $\log 1.63 = 0.2122$임을 이용하여 다음 상용로그의 값을 구하여라.

(1) $\log 16300$

(2) $\log 0.0163$

(3) $\log 0.000163$

---

42 $\log 2 = 0.3010$, $\log 3 = 0.4771$일 때, 다음 상용로그의 값을 구하여라.

(1) $\log 16$

> 풀이 $\log 16 = \log 2^4 = 4\log 2 = 4 \times 0.3010$
> $= $ _____

(2) $\log 27$

(3) $\log 32$

(4) $\log 18$

(5) $\log 24$

(6) $\log 72$

(7) $\log 15$

(8) $\log 20$

(9) $\log 25$

(10) $\log 30$

📕 풍쌤 POINT

$\log a = b$와 같이 특정한 상용로그의 값이 주어진 경우

➡ $\log (a \times 10^n) = \log a + \log 10^n = \log a + n = b + n$

10

상용로그표

---

1 상용로그표

0.01의 간격으로 1.00에서 9.99까지의 수에 대한 상용로그의 값을 반올림하여 소수 넷째 자리까지 나타낸 표

2 상용로그표를 읽는 방법

예를 들어 상용로그표에서 $\log 3.57$의 값을 찾으려면 3.5의 행과 7의 열이 만나는 곳의 수를 찾으면 된다. 즉, $\log 3.57 = 0.5527$이다.

> 상용로그표의 값은 반올림한 어림수이지만 편의상 등호를 사용하여 나타낸다.

수	…	6	7	8	…
⋮	⋮	⋮	⋮	⋮	⋮
3.3		.5263	.5276	.5289	
3.4		.5391	.5403	.5416	
3.5		.5514	.5527	.5539	
⋮	⋮	⋮	⋮	⋮	⋮

> 보기 왼쪽 상용로그표에서
> $\log 3.36 = 0.5263$
> $\log 3.48 = 0.5416$

유형·29 상용로그표를 이용하여 값 구하기

정답과 풀이 010쪽

43 어떤 펀드의 상품이 매년 24 %씩 수익이 날 때, 10년 후에는 처음 금액의 몇 배가 되는지 오른쪽 상용로그표를 이용하여 구하여라.

x	$\log x$
1.11	0.0453
1.24	0.0934
7.28	0.8621
8.59	0.9340

> **풀이** 처음 금액을 a원이라 하고, 10년이 지난 후에 처음 금액의 k $(k>0)$배가 된다고 하면
> $a(1+0.24)^{10} = ka$
> $\therefore k = 1.24^{10}$ ⋯⋯ ㉠
> ㉠의 양변에 상용로그를 취하면
> $\log k = 10\log 1.24$
> 상용로그표에서 $\log 1.24 = 0.0934$이므로
> $\log k = 10 \times 0.0934 = 0.9340$
> 상용로그표에서 $\log 8.59 = 0.9340$이므로
> $k = \underline{\qquad}$
> 따라서 10년 후에는 처음 금액의 $\underline{\qquad}$배가 된다.

44 어떤 곰팡이는 매시간 일정한 비율로 증가하여 10시간 후면 곰팡이의 수가 처음의 2배가 된다고 한다. 8시간 후의 이 곰팡이의 수는 처음보다 몇 % 증가하였는지 오른쪽 상용로그표를 이용하여 구하여라.

x	$\log x$
1.24	0.09
1.74	0.24
2.00	0.30
5.10	0.71

> **풍쌤 POINT**
> 현재의 양이 a이고 매년 r씩 일정한 비율로 증가할 때 n년 후의 양
> ➡ $a(1+r)^n$을 이용하여 관계식을 구한 후 양변에 로그를 취하여 식의 값을 구한다.

11

상용로그의 활용

1 증가율 또는 감소율에 대한 문제

① $a\%$씩 n번 증가: $\left(1+\dfrac{a}{100}\right)^n$을 곱한다.

② $a\%$씩 n번 감소: $\left(1-\dfrac{a}{100}\right)^n$을 곱한다.

2 관계식이 주어진 문제

조건에 맞게 관계식에 수를 대입하여 식을 세운다.

🏆 정답과 풀이 011쪽

유형·30 증가율 또는 감소율이 주어진 경우

45 어느 자동차 회사의 생산량이 매년 14%씩 증가할 때, 처음으로 현재 생산량의 2배 이상이 되는 것은 몇 년 후부터인지 구하여라.

(단, $\log 1.14=0.0569$, $\log 2=0.3010$으로 계산한다.)

▶ **풀이** 올해 생산량을 a라고 하면 n년 후의 생산량은

$a(1+0.14)^n$

즉, $a(1+0.14)^n \geq 2a$가 되는 n을 구하면 되므로

$1.14^n \geq 2$의 양변에 상용로그를 취하면

$\log 1.14^n \geq \log 2$

$n\log 1.14 \geq \log 2$, $n \times 0.0569 \geq 0.3010$

$\therefore n \geq 5.28\cdots$

따라서 처음으로 현재 생산량의 2배 이상이 되는 것은 ___년 후부터이다.

46 중금속으로 오염된 폐수가 어떤 폐수 처리 기계를 한 번 통과하면 중금속의 농도가 10% 감소한다고 한다. 중금속의 농도가 $30\,\text{ppm}$인 폐수를 $10\,\text{ppm}$ 이하로 만들려면 폐수 처리 기계에 최소한 몇 번 통과시켜야 하는지 구하여라. (단, $\log 3=0.4771$로 계산한다.)

유형·31 관계식이 주어진 경우

47 디지털 사진을 압축할 때 원본 사진과 압축한 사진의 다른 정도를 나타내는 지표인 최대 신호 대 잡음비를 P, 원본 사진과 압축한 사진의 평균 제곱오차를 E라 하면

$P=20\log 255-10\log E\ (E>0)$

가 성립한다. 두 원본 사진 A, B를 압축했을 때, 최대 신호 대 잡음비를 각각 P_A, P_B라 하고, 평균 제곱오차를 각각 $E_A(E_A>0)$, $E_B(E_B>0)$라고 하자. $E_B=100E_A$일 때, P_A-P_B의 값을 구하여라.

▶ **풀이** $P_A=20\log 255-10\log E_A$,

$P_B=20\log 255-10\log E_B$

이때 $E_B=100E_A$이므로

P_A-P_B

$=(20\log 255-10\log E_A)-(20\log 255-10\log E_B)$

$=10(\log E_B-\log E_A)$

$=10\log \dfrac{E_B}{E_A}=10\log \dfrac{100E_A}{E_A}=10\log 100=$ ___

48 실내 온도가 $A\,°\text{C}$인 실험실에 온도가 $B\,°\text{C}$인 물체를 놓고 t시간이 지났을 때의 물체의 온도를 $T\,°\text{C}$라고 하면

$\log(T-A)=-kt+\log(B-A)\ (k$는 상수$)$

가 성립한다. 실내 온도가 $20\,°\text{C}$인 실험실에 온도가 $60\,°\text{C}$인 물체를 놓고 1시간이 지났을 때, 물체의 온도가 $40\,°\text{C}$가 되었다. 이 실험실에 온도가 $100\,°\text{C}$인 물체를 놓고 1시간이 지났을 때, 이 물체의 온도를 구하여라.

(단, 실험실 내부의 온도는 일정하다고 가정한다.)

상용로그의 정수 부분과 소수 부분

1 상용로그의 정수 부분과 소수 부분

① $\log x = n + \alpha$ (n은 정수, $0 \le \alpha \le 1$) 꼴로 분해하였을 때,

　$\log x$의 정수 부분: n, $\log x$의 소수 부분: α

② ($\log x$의 정수 부분) $= [\log x]$, ($\log x$의 소수 부분) $= \log x - [\log x]$

　　　　　　　　　　(단, $[x]$는 x보다 크지 않은 최대의 정수이다.)

2 상용로그의 정수 부분과 소수 부분의 성질

정수 부분	① 정수 부분이 0 또는 양수일 때, 즉 $\log x$의 정수 부분이 n일 때 $\Rightarrow x$는 $(n+1)$자리의 수이다. ② 정수 부분이 음수일 때, 즉 $\log x$의 정수 부분이 $-n$일 때 $\Rightarrow x$는 소수점 아래 n째 자리에서 처음으로 0이 아닌 숫자가 나타난다.
소수 부분	$\log x$, $\log y$의 소수 부분이 같으면 x, y는 소수점의 위치만 다르고 숫자의 배열은 같다.

보기

$\log 4.89 = 0.6893$일 때

① $\log 48.9 = \log (4.89 \times 10)$
　　　　$= \log 4.89 + \log 10$
　　　　$= 1 + 0.6893$
이므로 $\log 48.9$의 정수 부분은 1이고, 소수 부분은 0.6893이다.

② $\log 0.0489$
　$= \log (4.89 \times 10^{-2})$
　$= \log 4.89 + \log 10^{-2}$
　$= -2 + 0.6893$
이므로 $\log 0.0489$의 정수 부분은 -2이고, 소수 부분은 0.6893이다.

유형·32 자릿수를 구하는 경우

49 $\log 2 = 0.3010$, $\log 3 = 0.4771$일 때, 다음 물음에 답하여라.

(1) 2^{30}은 몇 자리의 정수인지 구하여라.

> **풀이** $\log 2^{30} = 30 \log 2 = 30 \times 0.3010 = 9.030$
> 이때 정수 부분이 9이므로 ＿＿ 자리 정수이다.

(2) $\dfrac{1}{2^{100}}$은 소수점 아래 몇째 자리에서 처음으로 0이 아닌 숫자가 나타나는지 구하여라.

(3) $2^{16} \times 3^{13}$은 몇 자리의 정수인지 구하여라.

50 $\log 2 = 0.3010$, $\log 3 = 0.4771$일 때, 다음 물음에 답하여라.

(1) 6^{20}은 몇 자리의 정수인지 구하여라.

(2) 3^{-15}은 소수점 아래 몇째 자리에서 처음으로 0이 아닌 숫자가 나타나는지 구하여라.

(3) $3^{25} \times 5^{12}$은 몇 자리의 정수인지 구하여라.

> **■ 풍쌤 POINT**
> 상용로그의 정수 부분은 '자릿수', 소수 부분은 '숫자의 배열'을 알려 준다.

유형·33 최고 자리의 숫자를 구하는 경우

51 상용로그표를 이용하여 다음 수의 최고 자리의 숫자를 구하여라.

(1) 4^{40}

> 풀이 $\log 4^{40} = \log (2^2)^{40} = 80 \log 2 = 80 \times 0.3010 = 24.080$
> 이때 소수 부분은 0.080이고, 0.080은
> $\log 1.2 = 0.0792$와 $\log 1.3 = 0.1139$ 사이의 수이므로
> $\log 1.2 <$ (소수 부분) $< \log 1.3$
> 따라서 4^{40}의 최고 자리의 숫자는 ___ 이다.

(2) 3^{24}

(3) 6^{20}

(4) 18^{20}

(5) $\left(\dfrac{9}{2}\right)^{10}$

(6) $\left(\dfrac{8}{3}\right)^{20}$

유형·34 소수 부분이 같은 경우

52 다음 물음에 답하여라.

(1) $10 \le x < 100$일 때, $\log x^2$과 $\log x^4$의 소수 부분이 같다. x의 값을 모두 구하여라.

> 풀이 $\log x^2$과 $\log x^4$의 소수 부분이 같으므로
> $\log x^4 - \log x^2 = ($정수$)$ $\therefore 2\log x = ($정수$)$
> $10 \le x < 100$의 각 변에 상용로그를 취하면
> $1 \le \log x < 2$
> $\therefore 2 \le 2\log x < 4$
> 이때 $2\log x$는 정수이므로
> $2\log x = 2$ 또는 $2\log x = 3$
> $2\log x = 2$일 때, $\log x = 1$에서 $x = 10$
> $2\log x = 3$일 때, $\log x = \dfrac{3}{2}$에서 $x = 10^{\frac{3}{2}} = 10\sqrt{10}$
> $\therefore x = $ ___ 또는 $x = $ _____

(2) $1 \le x < 10$일 때, $\log x$와 $\log x^3$의 소수 부분이 같다. x의 값을 모두 구하여라.

(3) $100 \le x < 1000$일 때, $\log \dfrac{1}{x}$과 $\log \dfrac{1}{x^3}$의 소수 부분이 같다. x의 값을 모두 구하여라.

(4) $\dfrac{1}{10} \le x < 1$일 때, $\log x^{-2}$과 $\log x^{-4}$의 소수 부분이 같다. x의 값을 모두 구하여라.

> **풍쌤 POINT**
> $\log x$와 $\log y$의 소수 부분이 같다.
> $\Rightarrow \log x - \log y = ($정수$)$

· 중단원 점검문제 ·

01

$\sqrt[4]{\dfrac{\sqrt[3]{5}}{\sqrt{3}}} \times \sqrt{\dfrac{\sqrt[4]{3}}{\sqrt[6]{5}}}$을 간단히 하여라.

02

$\sqrt[4]{a} \times \sqrt[3]{a^2} = \sqrt[m]{a^n}$이 성립하는 자연수 m, n에 대하여 $m+n$의 값을 구하여라. (단, $a>0$이고, m과 n은 서로소이다.)

03

$a^2 + a^{-2} = 16$일 때, $a - a^{-1}$의 값을 구하여라. (단, $a>0$)

04

$a^{2x} = 5$일 때 $\dfrac{a^{6x} - a^{-6x}}{a^{2x} - a^{-2x}}$의 값을 구하여라. (단, $a>0$)

05

$\log_{x-2}(-x^2 + 8x - 7)$이 정의되기 위한 모든 정수 x의 값의 합을 구하여라.

06

$\log_2 3 - \log_2 \dfrac{9}{2} + \log_2 12$의 값을 구하여라.

07

$\log_a x = A$, $\log_a y = B$, $\log_a z = C$일 때, $\log_a \dfrac{x^3}{yz^2}$을 A, B, C로 나타내어라.

08

$\log_3 10 = a$, $\log_3 \dfrac{4}{5} = b$일 때, $\log_3 40$을 a, b로 나타내어라.

09

$5^{\log_3 6 + \log_3 2 - \log_3 a} = 1$일 때, a의 값을 구하여라.

10

$\log_3 4 \times \log_4 5 \times \log_5 6 \times \cdots \times \log_{26} 27$의 값을 구하여라.

11

$\dfrac{\log_3 4}{a} = \dfrac{\log_3 8}{b} = \dfrac{\log_3 16}{c} = \log_3 2$일 때, $a+b+c$의 값을 구하여라.

12

이차방정식 $x^2 + ax + b = 0$의 두 근이 $\log_2 3$, 1일 때, $a+b$의 값을 구하여라. (단, a, b는 상수이다.)

13

$\log 3.85 = 0.5855$일 때, $\log x = 3.5855$를 만족시키는 x의 값을 구하여라.

14

3^{100}은 48자리, 5^{100}은 70자리의 정수일 때, 15^{20}은 몇 자리인지 정수인지 구하여라.

15

$\log 2 = 0.3010$, $\log 3 = 0.4771$일 때, 3^{40}의 최고 자리의 숫자를 구하여라.

16

$\log a$의 정수 부분과 소수 부분이 이차방정식 $3x^2 + 10x + k = 0$의 두 근일 때, 상수 k의 값을 구하여라. (단, $a > 0$)

지수함수의 그래프

1 지수함수

a를 밑으로 하는 지수함수: 1이 아닌 양수 a에 대하여 x에 a^x을 대응시키는 함수, 즉 $y=a^x$ $(a>0, a\neq1)$

2 지수함수 $y=a^x$ $(a>0, a\neq1)$의 그래프

$a>0$, $a\neq1$일 때, 함수 $y=a^x$의 그래프는 밑 a의 값에 따라 다음과 같다.

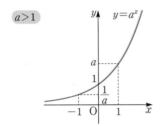 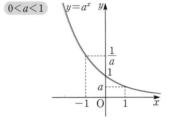

① 정의역: 실수 전체의 집합, 치역: 양의 실수 전체의 집합
② (밑)>1일 때, x의 값이 커지면 y의 값도 커진다.
　0$<$(밑)<1일 때, x의 값이 커지면 y의 값은 작아진다.
③ 그래프는 점 $(0, 1)$을 지나고, x축을 점근선으로 갖는다.

> ▶지수함수의 그래프의
> 　평행이동과 대칭이동
> 　지수함수
> $$y=a^x (a>0, a\neq1)$$
> 의 그래프를
> ① x축의 방향으로 m만큼,
> 　y축의 방향으로 n만큼 평행
> 　이동
> $$\Rightarrow y=a^{x-m}+n$$
> ② x축에 대하여 대칭이동
> $$\Rightarrow y=-a^x$$
> ③ y축에 대하여 대칭이동
> $$\Rightarrow y=a^{-x}=\left(\frac{1}{a}\right)^x$$
> ④ 원점에 대하여 대칭이동
> $$\Rightarrow y=-a^{-x}=-\left(\frac{1}{a}\right)^x$$

유형·01 지수함수 $y=a^x$의 그래프

01 다음 함수의 그래프를 그려라.

(1) $y=2^x$

▶풀이
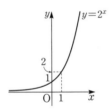

(2) $y=3^x$

(3) $y=\left(\frac{1}{2}\right)^x$

(4) $y=\left(\frac{1}{3}\right)^x$

유형·02 지수함수의 그래프의 평행이동과 대칭이동

02 함수 $y=4^x$의 그래프를 이용하여 다음 함수의 그래프를 그려라.

(1) $y=\left(\dfrac{1}{4}\right)^x$

> **풀이** $y=\left(\dfrac{1}{4}\right)^x=4^{-x}$이므로 $y=\left(\dfrac{1}{4}\right)^x$의 그래프는 $y=4^x$의 그래프를 ___축에 대하여 대칭이동한 것이다.

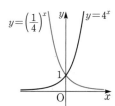

(2) $y=-4^x$

(3) $y=4^{x-3}$

(4) $y=4^{x+2}$

(5) $y=4^x-1$

(6) $y=4^x+3$

유형·03 지수함수의 그래프의 치역과 점근선

03 다음 함수의 그래프를 그리고, 치역과 점근선의 방정식을 구하여라.

(1) $y=2^{x-1}+1$

> **풀이** 함수 $y=2^{x-1}+1$의 그래프는 함수 $y=2^x$의 그래프를 x축의 방향으로 1만큼, y축의 방향으로 1만큼 평행이동한 것이므로 그림과 같다.
> 따라서 치역은 $\{y|y>$___$\}$ 이고, 점근선의 방정식은 $y=$___이다.

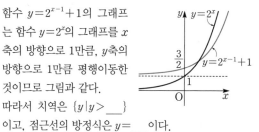

(2) $y=3^{x+2}-2$

(3) $y=3^{x+1}+2$

(4) $y=\left(\dfrac{1}{2}\right)^x-1$

(5) $y=\left(\dfrac{1}{3}\right)^{x-1}-3$

풍쌤 POINT
지수함수의 그래프의 이동에 대한 문제는 지수함수의 기본 꼴인 $y=a^x$ $(a>0,\ a\neq 1)$에서 어떻게 평행이동 또는 대칭이동했는지 찾아본다. 이때 치역과 점근선은 y축의 방향으로 얼마만큼 평행이동했는지에 의하여 결정된다.

유형·04 이동한 지수함수의 그래프의 식 구하기

04 함수 $y=2^x$의 그래프를 x축의 방향으로 -2만큼, y축의 방향으로 1만큼 평행이동한 다음, x축에 대하여 대칭이동한 그래프의 식을 구하여라.

> **풀이** $y=2^x$의 그래프를 x축의 방향으로 -2만큼, y축의 방향으로 1만큼 평행이동한 그래프의 식은
> $$y-1=2^{x+2} \quad \therefore y=2^{x+2}+1$$
> $y=2^{x+2}+1$의 그래프를 x축에 대하여 대칭이동한 그래프의 식은 $-y=2^{x+2}+1$
> $$\therefore y=\underline{}$$

05 함수 $y=3^x$의 그래프를 x축의 방향으로 1만큼, y축의 방향으로 1만큼 평행이동한 다음, x축에 대하여 대칭이동한 그래프의 식을 구하여라.

06 어떤 함수의 그래프를 x축의 방향으로 1만큼, y축의 방향으로 2만큼 평행이동하였더니 함수 $y=4^x$의 그래프와 일치하였다. 원래 함수의 식을 구하여라.

유형·05 지수함수의 성질

07 함수 $y=a^x$에 대한 설명 중 옳지 <u>않은</u> 것만을 보기에서 있는 대로 골라라. (단, $a>0$, $a \neq 1$)

┌─ **보기** ─────────────────────
ㄱ. 점 $(1,\ 0)$을 지난다.
ㄴ. x축을 점근선으로 하는 곡선이다.
ㄷ. 제3사분면과 제4사분면을 지난다.
└───────────────────────────

> **풀이** ㄱ. a의 값에 관계없이 항상 점 $(0,\ 1)$을 지난다. (거짓)
> ㄴ. 점근선의 방정식은 $y=0$, 즉 x축이다. (참)
> ㄷ. 치역이 양의 실수 전체의 집합이므로 제3사분면과 제4사분면을 지나지 않는다. (거짓)
> 따라서 옳지 않은 것은 ____, ____이다.

08 함수 $y=a^x$에 대한 설명 중 옳은 것만을 보기에서 있는 대로 골라라. (단, $a>0$, $a \neq 1$)

┌─ **보기** ─────────────────────
ㄱ. $x>0$일 때, x의 값이 커지면 y의 값도 커진다.
ㄴ. 정의역은 실수 전체의 집합이고, 치역은 양의 실수 전체의 집합이다.
ㄷ. 제1사분면과 제2사분면을 지난다.
└───────────────────────────

■ **풍쌤 POINT**
지수함수 $y=a^{x-p}+q$의 그래프는 함수 $y=a^x$의 그래프를 x축의 방향으로 p만큼, y축의 방향으로 q만큼 평행이동한 것이다.

■ **풍쌤 POINT**
지수함수의 성질에 대한 문제는 그래프의 개형을 파악하여 해결한다.

02

지수함수의 성질을 이용한 대소 비교

1 지수함수의 성질을 이용한 대소 비교

지수함수 $y=a^x$ $(a>0,\ a\neq1)$에서

① (밑)>1, 즉 $a>1$

$\Rightarrow x$의 값이 커지면 y의 값도 커진다.

$\Rightarrow x_1<x_2$이면 $a^{x_1}<a^{x_2}$

② $0<$(밑)<1, 즉 $0<a<1$

$\Rightarrow x$의 값이 커지면 y의 값은 작아진다.

$\Rightarrow x_1<x_2$이면 $a^{x_1}>a^{x_2}$

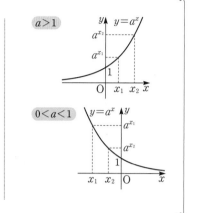

유형·06 지수함수의 성질을 이용한 대소 비교

🖈 정답과 풀이 016쪽

09 다음 세 수의 대소를 비교하여라.

(1) $\dfrac{1}{8}$, $4^{\frac{3}{2}}$, $\sqrt[4]{32}$

▶풀이 $\dfrac{1}{8}$, $4^{\frac{3}{2}}$, $\sqrt[4]{32}$를 밑이 2인 거듭제곱 꼴로 나타내면

$\dfrac{1}{8}=2^{-3}$, $4^{\frac{3}{2}}=(2^2)^{\frac{3}{2}}=2^3$, $\sqrt[4]{32}=\sqrt[4]{2^5}=2^{\frac{5}{4}}$

$-3<\dfrac{5}{4}<3$이고 $y=2^x$은 x의 값이 커질 때 y의 값도

커지므로

$2^{-3}<2^{\frac{5}{4}}<2^3$　∴ ＿＿$<\sqrt[4]{32}<$＿＿

(2) 4^{11}, 8^7, $\sqrt[3]{4}$

(3) $\sqrt{8}$, $\sqrt[3]{16}$, $4^{0.5}$

(4) $\sqrt{0.1}$, $\sqrt[3]{0.01}$, $\sqrt[5]{0.001}$

(5) $\sqrt{\dfrac{1}{8}}$, $\sqrt[3]{\dfrac{1}{16}}$, $\sqrt[6]{\dfrac{1}{32}}$

(6) $\sqrt[4]{27}$, $\sqrt[5]{81}$, $\sqrt[3]{\dfrac{1}{9}}$

■ 풍쌤 POINT

지수함수의 성질을 이용하여 수의 대소를 비교할 때는 먼저 밑을 통일시킨다.

| I-2. 지수함수와 로그함수 |

지수함수의 최대·최소

1 지수함수의 최대 · 최소

정의역이 $\{x \mid m \le x \le n\}$인 지수함수 $y = a^x$ $(a > 0,\ a \ne 1)$은

① $a > 1$이면 x의 값이 가장 작을 때 최솟값, 가장 클 때 최댓값을 갖는다.

⇨ $x = m$일 때 최솟값 a^m, $x = n$일 때 최댓값 a^n을 갖는다.

② $0 < a < 1$이면 x의 값이 가장 작을 때 최댓값, 가장 클 때 최솟값을 갖는다.

⇨ $x = m$일 때 최댓값 a^m, $x = n$일 때 최솟값 a^n을 갖는다.

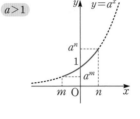

> 지수함수 $y = a^{f(x)}$은
> ① $a > 1$이면 $f(x)$가 최대일 때 최댓값, $f(x)$가 최소일 때 최솟값을 갖는다.
> ② $0 < a < 1$이면 $f(x)$가 최대일 때 최솟값, $f(x)$가 최소일 때 최댓값을 갖는다.

유형·07 지수함수의 최대 · 최소 – $a > 0$인 경우

10 다음 함수의 최댓값과 최솟값을 구하여라.

(1) $-1 \le x \le 2$일 때, 함수 $y = 2^{x+1} - 3$

> **풀이** $y = 2^{x+1} - 3$에서 밑이 2이고 $2 > 1$이므로 $-1 \le x \le 2$에서 함수 $y = 2^{x+1} - 3$은
> $x = 2$일 때 최대이고, 최댓값은 $2^{2+1} - 3 = $ ___
> $x = -1$일 때 최소이고, 최솟값은 $2^{-1+1} - 3 = $ ___

(2) $1 \le x \le 4$일 때, 함수 $y = 2^{x-2} + 2$

(3) $-2 \le x \le 3$일 때, 함수 $y = 3^{x+1} - 2$

유형·08 지수함수의 최대 · 최소 – $0 < a < 1$인 경우

11 다음 함수의 최댓값과 최솟값을 구하여라.

(1) $-1 \le x \le 3$일 때, 함수 $y = \left(\dfrac{1}{2}\right)^{x+2} - 1$

> **풀이** $y = \left(\dfrac{1}{2}\right)^{x+2} - 1$에서 밑이 $\dfrac{1}{2}$이고 $0 < \dfrac{1}{2} < 1$이므로 $-1 \le x \le 3$에서 함수 $y = \left(\dfrac{1}{2}\right)^{x+2} - 1$은
> $x = -1$일 때 최대이고, 최댓값은 $\left(\dfrac{1}{2}\right)^{-1+2} - 1 = $ ___
> $x = 3$일 때 최소이고, 최솟값은 $\left(\dfrac{1}{2}\right)^{3+2} - 1 = $ ___

(2) $0 \le x \le 2$일 때, $y = 5^{-x} \times 2^x - 4$

▨ 풍쌤 POINT

범위가 주어진 지수함수 $y = a^x$의 최대 · 최소는 먼저 밑 a의 값의 범위를 확인한다.

036 Ⅰ. 지수함수와 로그함수

12 다음 함수의 최댓값과 최솟값을 구하여라.

(1) $-1 \le x \le 1$일 때, 함수 $y = 4^x - 2^x + 3$

▶ 풀이 $y = 4^x - 2^x + 3 = (2^x)^2 - 2^x + 3$이므로

$2^x = t \ (t > 0)$로 치환하면

$y = t^2 - t + 3 = \left(t - \dfrac{1}{2}\right)^2 + \dfrac{11}{4}$

이때 $-1 \le x \le 1$에서 $2^{-1} \le 2^x \le 2$ $\therefore \dfrac{1}{2} \le t \le 2$

따라서 $\dfrac{1}{2} \le t \le 2$에서 함수 $y = \left(t - \dfrac{1}{2}\right)^2 + \dfrac{11}{4}$은

$t = 2$일 때 최대이고, 최댓값

$\left(2 - \dfrac{1}{2}\right)^2 + \dfrac{11}{4} = \underline{}$

$t = \dfrac{1}{2}$일 때 최소이고, 최솟값

$\left(\dfrac{1}{2} - \dfrac{1}{2}\right)^2 + \dfrac{11}{4} = \underline{}$

(2) $0 \le x \le 2$일 때, 함수 $y = 9^x - 4 \times 3^x - 5$

(3) $1 \le x \le 3$일 때, 함수 $y = 4^x - 2^{x+3} - 5$

(4) $-2 \le x \le -1$일 때, 함수 $y = 4^{-x} - \left(\dfrac{1}{2}\right)^{x+1} - 1$

■ 풍쌤 POINT

a^x 꼴이 반복되는 경우 $a^x = t \ (t > 0)$로 치환하여 t의 값의 범위 내에서 최대·최소를 알아 본다.

13 다음 함수의 최댓값과 최솟값을 구하여라.

(1) 함수 $y = 3^{x^2 - 2x - 1}$

▶ 풀이 함수 $y = 3^{x^2 - 2x - 1}$에서 밑이 3이고 $3 > 1$이므로

$x^2 - 2x - 1$이 최대일 때 y도 최대, $x^2 - 2x - 1$이 최소일 때 y도 최소가 된다.

$x^2 - 2x - 1 = (x-1)^2 - 2$이므로 $x^2 - 2x - 1$의 최댓값은 없고, $x = 1$일 때 최솟값은 $\underline{}$이다.

따라서 함수 $y = 3^{x^2 - 2x - 1}$의 최댓값은 없고, 최솟값은 $3^{-2} = \underline{}$이다.

(2) 함수 $y = 2^{-x^2 + 2x + 1}$

(3) $1 \le x \le 4$일 때, 함수 $y = \left(\dfrac{1}{2}\right)^{-x^2 + 4x - 5}$

■ 풍쌤 POINT

지수가 이차식인 경우 지수인 이차식의 최대·최소를 구한다.

➡ $y = a^{f(x)}$에서

① $a > 1$이면 $f(x)$가 최대일 때, $a^{f(x)}$도 최대이다.

② $0 < a < 1$이면 $f(x)$가 최소일 때, $a^{f(x)}$은 최대이다.

14 $x>0,\ y>0$에 대하여 다음 식의 최솟값을 구하여라.

(1) $x+y=2$일 때, 2^x+2^y

> 풀이 $2^x>0,\ 2^y>0$이므로 산술평균과 기하평균의 대소 관계
> 에 의하여
> $2^x+2^y \geq 2\sqrt{2^x \times 2^y}=2\sqrt{2^{x+y}}=2\sqrt{2^2}=4$
>   (단, 등호는 $2^x=2^y$, 즉 $x=y$일 때 성립한다.)
> 따라서 2^x+2^y의 최솟값은 ___

(2) $x+2y=8$일 때, 2^x+4^y

(3) $3x+y=6$일 때, 8^x+2^y

(4) $x+4y=4$일 때, 3^x+81^y

(5) $2x+y=6$일 때, 9^x+3^y

15 다음 함수의 최솟값을 구하여라.

(1) $y=2^{2+x}+2^{2-x}$

> 풀이 $2^{2+x}>0,\ 2^{2-x}>0$이므로 산술평균과 기하평균의 대소
> 관계에 의하여
> $2^{2+x}+2^{2-x} \geq 2\sqrt{2^{2+x}\times 2^{2-x}}=2\sqrt{2^4}=8$
>   (단, 등호는 $2^{2+x}=2^{2-x}$, 즉 $x=0$일 때 성립한다.)
> 따라서 함수 $y=2^{2+x}+2^{2-x}$의 최솟값은 ___

(2) $y=3^{1+x}+3^{1-x}$

(3) $y=5^{3+x}+5^{3-x}$

16 다음 물음에 답하여라.

(1) $y=3^{a+x}+3^{a-x}$의 최솟값이 54일 때, 상수 a의 값을 구하여라.

(2) 함수 $y=2^{a+x}+2^{a-x}$의 최솟값이 32일 때, 상수 a의 값을 구하여라.

◤ 풍쌤 POINT

a^x+a^{-x} 꼴이 있는 함수의 최솟값을 구할 때는 산술평균과 기하평균의 대소 관계를 이용한다.

➡ $a>0,\ b>0$일 때, $a+b\geq 2\sqrt{ab}$

               (단, 등호는 $a=b$일 때 성립한다.)

04

지수방정식

1 지수방정식의 풀이

$a>0$, $a\neq1$, $b>0$, $b\neq1$일 때,

① 밑을 같게 할 수 있는 경우

[1단계] $a^{f(x)}=a^{g(x)}$ 꼴로 변형한다.

[2단계] 방정식 $f(x)=g(x)$를 푼다.

② 밑에 미지수가 있는 경우

㉠ $x^{f(x)}=x^{g(x)}$ $(x>0)\Longleftrightarrow f(x)=g(x)$ 또는 $x=1$

㉡ $\{f(x)\}^{x}=\{g(x)\}^{x}$ $(f(x)>0,\ g(x)>0)$

$\Longleftrightarrow f(x)=g(x)$ 또는 $x=0$

③ a^{x} 꼴이 반복되는 경우

[1단계] $a^{x}=t$ $(t>0)$로 치환한다.

[2단계] t에 대한 방정식을 푼 다음 x의 값을 구한다.

④ 지수가 같은 경우

$a^{f(x)}=b^{f(x)}\Longleftrightarrow a=b$ 또는 $f(x)=0$

> 밑과 지수에 모두 x가 포함된 경우에는 지수가 같은 경우 뿐만 아니라 밑이 1인 경우도 꼭 생각해야 한다.

유형·12 밑을 같게 할 수 있는 지수방정식

정답과 풀이 018쪽

17 다음 방정식을 풀어라.

(1) $2^{x+1}=\dfrac{1}{16}$

> **풀이** $2^{x+1}=\dfrac{1}{16}$에서 밑을 2로 통일하면

$2^{x+1}=2^{-4}$이므로

$x+1=-4$　　∴ $x=$＿＿

(2) $2^{5-x}=4^{x-2}$

(3) $\dfrac{4^{x}}{2}=2^{x+3}$

(4) $\left(\dfrac{1}{3}\right)^{-x+2}=3^{2x}$

(5) $2^{2x}=\dfrac{1}{4\sqrt{2}}$

(6) $25^{x}=5^{x^{2}-3x}$

> **■ 풍쌤 POINT**
>
> $a^{f(x)}=a^{g(x)}$ 꼴에서 밑이 1이 아니면서 서로 같으면 지수도 같아야 한다. 즉, $f(x)=g(x)$

18 다음 방정식을 풀어라.

(1) $x^{x-5}=x^{15-x}$ $(x>0)$

> 풀이 $x^{x-5}=x^{15-x}$에서 $x-5=15-x$, $2x=20$
> $\therefore x=\underline{\quad}$
> 또, $x=1$이면 주어진 방정식은 $1^{-4}=1^{14}=1$로 등식이
> 성립한다.
> $\therefore x=1$ 또는 $x=\underline{\quad}$

(2) $x^{2x+3}=x^{9-x}$ $(x>0)$

(3) $x^{3x-2}=x^{23-2x}$ $(x>0)$

(4) $(x^x)^x=x^{2x}$ $(x>0)$

(5) $x^{x^2}=x^{5x-6}$ $(x>0)$

(6) $(x-1)^{2x+3}=(x-1)^{x^2}$ $(x>1)$

(7) $(x+4)^x=8^x$ $(x>-4)$

(8) $(x+1)^x=7^x$ $(x>-1)$

(9) $(x-2)^{x-3}=3^{x-3}$ $(x>2)$

(10) $(x-3)^{x-5}=27^{x-5}$ $(x>3)$

■ 풍쌤 POINT
① $x^{f(x)}=x^{g(x)}$ $(x>0)$
➡ 밑이 x로 같다고 해서 지수만 비교해서는 안 된다.
  밑이 1이 되는 경우도 생각!
② $\{f(x)\}^x=\{g(x)\}^x$ $(f(x)>0, g(x)>0)$
➡ 지수가 x로 같다고 해서 밑만 비교해서는 안 된다.
  지수가 0이 되는 경우도 생각!

19 다음 방정식을 풀어라.

(1) $4^x-3\times2^x+2=0$

> 풀이 $4^x-3\times2^x+2=0$에서 $(2^x)^2-3\times2^x+2=0$
> $2^x=t\ (t>0)$로 치환하면 $t^2-3t+2=0$
> $(t-1)(t-2)=0$ ∴ $t=1$ 또는 $t=2$
> 따라서 $2^x=1$에서 $x=0$, $2^x=$___에서 $x=$___

(2) $4^x-6\times2^x+8=0$

(3) $9^x-3^{x+1}=54$

(4) $4^x-3\times2^{x+1}-16=0$

(5) $4^x-2^{x+3}+16=0$

(6) $3^{2x}-2\times3^{x+1}-27=0$

(7) $25^x-3\times5^x-10=0$

(8) $4^{-x}-5\times2^{-x+1}+16=0$

(9) $2^x+32\times2^{-x}=12$

(10) $2^{3x+2}+5\times4^x-2^{x+2}-5=0$

■ 풍쌤 POINT

a^x 꼴이 반복되는 경우 $a^x=t\ (t>0)$로 치환한다.
이때 $t>0$임에 주의한다.

유형·15 지수방정식의 활용

20 다음 물음에 답하여라.

(1) 방정식 $9^x-2\times3^x+3=0$의 두 근을 α, β라고 할 때, $\alpha+\beta$의 값을 구하여라.

> ▶ 풀이 $9^x-2\times3^x+3=0$에서 $(3^x)^2-2\times3^x+3=0$
> $3^x=t$ $(t>0)$로 치환하면 $t^2-2t+3=0$ ······ ㉠
> 방정식 $9^x-2\times3^x+3=0$의 두 근이 α, β이므로 ㉠의 두 근은 3^α, 3^β이다.
> 이차방정식의 근과 계수의 관계에 의하여
> $3^\alpha\times3^\beta=3^{\alpha+\beta}=\underline{\quad}$ ∴ $\alpha+\beta=\underline{\quad}$

(2) 방정식 $16^x-5\times4^x+4=0$의 두 근을 α, β라고 할 때, $\alpha+\beta$의 값을 구하여라.

(3) 방정식 $4^x-2^{x+2}+4=0$의 두 근을 α, β라고 할 때, $3^{\alpha+\beta}$의 값을 구하여라.

(4) 방정식 $4^x-7\times2^x+12=0$의 두 근을 α, β라고 할 때, $2^{2\alpha}+2^{2\beta}$의 값을 구하여라.

■ 풍쌤 POINT
문제에 '이차방정식의 두 근 〜'이라는 말이 나오면 근과 계수의 관계를 이용한다.

유형·16 실생활 문제 – 지수방정식

21 1마리의 박테리아가 x시간 후에 a^x마리로 증식한다고 한다. 처음에 100마리였던 박테리아가 6시간 후에 6400마리가 되었을 때, 100마리였던 박테리아가 204800마리가 되는 것은 몇 시간 후인지 구하여라.
(단, $a>0$)

> ▶ 풀이 100마리의 박테리아가 6시간 후 6400마리가 되므로
> $100a^6=6400$, $a^6=64$ ∴ $a=2$
> 따라서 1마리의 박테리아가 x시간 후 2^x마리가 되므로
> 100마리였던 박테리아가 204800마리가 되려면
> $100\times2^x=204800$, $2^x=2048$ ∴ $x=\underline{\quad}$
> 즉, $\underline{\quad}$시간 후에 204800마리가 된다.

22 빛은 물속을 통과함에 따라 빛의 밝기는 점점 감소하며, 표면의 밝기 I와 수면으로부터 d m인 지점의 밝기 I_d 사이에는

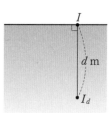

$$I_d=I\times4^{-0.2d}$$

의 관계가 성립한다고 한다.
물속 어느 지점의 밝기가 표면의 밝기의 $\dfrac{1}{32}$이라고 할 때, 이 지점의 깊이를 구하여라.

05

지수부등식

1 지수부등식의 풀이

① 밑을 같게 할 수 있는 경우

[1단계] $a^{f(x)} < a^{g(x)}$ $(a>0,\ a\neq1)$ 꼴로 변형한다.

[2단계] 밑의 크기에 따라 다음을 이용한다.

㉠ $a>1$일 때, $a^{f(x)} < a^{g(x)}$

$\Longleftrightarrow f(x) < g(x)$ ⇦ 부등호 방향 그대로!

㉡ $0<a<1$일 때, $a^{f(x)} < a^{g(x)}$

$\Longleftrightarrow f(x) > g(x)$ ⇦ 부등호 방향 반대로!

② 밑에 미지수가 있는 경우

$x^{f(x)} < x^{g(x)}$ $(x>0)$ 꼴 ⇨ $x>1$, $0<x<1$, $x=1$인 경우로 나누어 푼다.

③ a^x 꼴이 반복되는 경우

[1단계] $a^x=t$ $(t>0)$로 치환한다.

[2단계] t에 대한 부등식을 푼 다음 x의 값을 구한다.

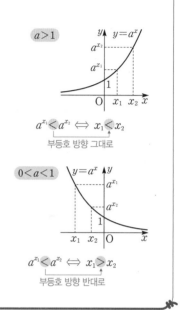

$a^{x_1} < a^{x_2} \Longleftrightarrow x_1 < x_2$
부등호 방향 그대로

$a^{x_1} < a^{x_2} \Longleftrightarrow x_1 > x_2$
부등호 방향 반대로

유형·**17** 밑을 같게 할 수 있는 지수부등식

정답과 풀이 020쪽

23 다음 부등식을 풀어라.

(1) $8^x > 2^{x+1}$

▶ 풀이 $8^x > 2^{x+1}$에서 $2^{3x} > 2^{x+1}$

밑이 2이고 $2>1$이므로 $3x > x+1$

∴ $x >$ ___

(2) $9^x > \left(\dfrac{1}{3}\right)^{4-x}$

(3) $\left(\dfrac{1}{2}\right)^x \leq \left(\dfrac{1}{16}\right)^{x-3}$

(4) $0.2^{x+1} < 0.008^{-x+2}$

(5) $\dfrac{1}{27} < 3^x < 81$

(6) $\dfrac{1}{16} < \left(\dfrac{1}{2}\right)^x < 32$

◼ 풍쌤 POINT

지수부등식에서는 밑의 크기에 주의한다.

① (밑)>1 ⇨ 부등호 방향 그대로!

② 0<(밑)<1 ⇨ 부등호 방향 반대로!

24 다음 부등식을 풀어라.

(1) $x^{x-3} \geq x^{6-2x}$ $(x>0)$

> **풀이** (i) $x>1$일 때, 부등호의 방향이 그대로이므로
> $x-3 \geq 6-2x$, $3x \geq 9$ ∴ $x \geq 3$
> 그런데 $x>1$이므로 $x \geq 3$
> (ii) $0<x<1$일 때, 부등호의 방향이 바뀌므로
> $x-3 \leq 6-2x$, $3x \leq 9$ ∴ $x \leq 3$
> 그런데 $0<x<1$이므로 $0<x<1$
> (iii) $x=1$일 때, (좌변)$=1^{-2}=1$, (우변)$=1^4=1$이므로
> 주어진 부등식은 성립한다.
> (i), (ii), (iii)에서 _____ 또는 _____

(2) $x^{3x-1} < x^{x+5}$ $(x>0)$

(3) $x^{2x} \leq x^{x+2}$ $(x>0)$

(4) $x^{2x-1} < x^{x+3}$ $(x>0)$

(5) $x^{x-1} \geq x^{-x+5}$ $(x>0)$

(6) $x^{x^2} > x^{2x+3}$ $(x>0)$

(7) $x^{x^2-2} \leq x^{3x+8}$ $(x>0)$

(8) $x^{x(x+4)} > x^{-2(x+4)}$ $(x>0)$

(9) $(x+1)^{2x+3} \leq (x+1)^{6-x^2}$ $(x>-1)$

(10) $(x-1)^{x^2+8} \leq (x-1)^{6x}$ $(x>1)$

> ◼ 풍쌤 POINT
> 밑에 미지수가 있는 경우
> ➡ (밑)>1, $0<$(밑)<1, (밑)$=1$인 경우로 나누어 계산한다.

25 다음 부등식을 풀어라.

(1) $4^x - 6 \times 2^x + 8 \leq 0$

> **풀이** $4^x - 6 \times 2^x + 8 \leq 0$에서 $(2^x)^2 - 6 \times 2^x + 8 \leq 0$
> $2^x = t \ (t > 0)$로 치환하면
> $t^2 - 6t + 8 \leq 0$, $(t-2)(t-4) \leq 0$
> $\therefore 2 \leq t \leq 4$
> 따라서 $2 \leq 2^x \leq 4$이므로 $2^1 \leq 2^x \leq 2^2$
> 이때 밑이 2이고 $2 > 1$이므로 $\_\_\_ \leq x \leq \_\_\_$

(2) $25^x - 3 \times 5^x - 10 \geq 0$

(3) $16^x - 15 \times 4^x - 16 \leq 0$

(4) $9^x + 3^{x+1} - 18 > 0$

(5) $\left(\dfrac{1}{9}\right)^x - 2\left(\dfrac{1}{3}\right)^x - 3 \leq 0$

(6) $\left(\dfrac{1}{4}\right)^x - \left(\dfrac{1}{2}\right)^{x-2} - 32 \geq 0$

(7) $\left(\dfrac{1}{3}\right)^{2x} - 12\left(\dfrac{1}{3}\right)^x + 27 \geq 0$

(8) $0.25^x + 0.5^{x+1} - 0.5 < 0$

(9) $3^{2x} - 1 < 9 \times 3^x - 3^{x-2}$

(10) $2^{2x} + 2^{x-3} - 2^{x+1} - 2^{-2} \leq 0$

📖 **풍쌤 POINT**
a^x 꼴이 반복되는 경우 $a^x = t \, (t > 0)$로 치환한다.
이때 $t > 0$임에 주의한다.

로그함수의 그래프

1 로그함수

a를 밑으로 하는 로그함수: 지수함수 $y=a^x\,(a>0,\ a\neq1)$의 역함수, 즉

$$y=\log_a x\ (\text{단},\ a>0,\ a\neq1)$$

참고   지수함수 $y=a^x\,(a>0,\ a\neq1)$은 일대일대응이므로 역함수가 존재한다.

즉, $y=a^x$에서 로그의 정의로부터 $x=\log_a y$

여기서 x와 y를 서로 바꾸면 $y=\log_a x$ (단, $a>0,\ a\neq1$)

2 로그함수 $y=\log_a x\,(a>0,\ a\neq1)$의 그래프

로그함수 $y=\log_a x\,(a>0,\ a\neq1)$는 지수함수 $y=a^x$의 역함수이므로 로그함수의 그래프는 지수함수의 그래프와 직선 $y=x$에 대하여 대칭이다.

따라서 로그함수 $y=\log_a x$의 그래프는 밑 a의 값에 따라 다음과 같다.

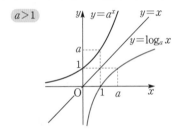 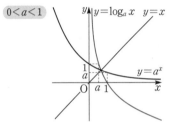

① 정의역: 양의 실수 전체의 집합, 치역: 실수 전체의 집합

② (밑)>1일 때, x의 값이 커지면 y의 값도 커진다.

    $0<$(밑)<1일 때, x의 값이 커지면 y의 값은 작아진다.

③ 그래프는 점 $(1,\ 0)$을 지나고, y축을 점근선으로 갖는다.

> ▶로그함수의 그래프의
> **평행이동과 대칭이동**
> 로그함수
> $$y=\log_a x\,(a>0,\ a\neq1)$$
> 의 그래프를
> ① x축의 방향으로 m만큼,
> y축의 방향으로 n만큼 평행
>   이동
> $\Rightarrow y=\log_a(x-m)+n$
> ② x축에 대하여 대칭이동
> $\Rightarrow y=-\log_a x$
> ③ y축에 대하여 대칭이동
> $\Rightarrow y=\log_a(-x)$
> ④ 원점에 대하여 대칭이동
> $\Rightarrow y=-\log_a(-x)$
> ⑤ 직선 $y=x$에 대하여 대칭
>   이동
> $\Rightarrow y=a^x$

유형·20   로그함수와 지수함수의 관계

26 다음 함수의 역함수를 구하여라.

(1) $y=2^{x-3}+5$

> ▶풀이 $y=2^{x-3}+5$에서 x와 y를 서로 바꾸면
> $x=2^{y-3}+5,\ 2^{y-3}=x-5$
> $y-3=\log_2(x-5)$ $\therefore y=$ _____

(2) $y=4^{x+1}-3$

(3) $y=\log_{\frac{1}{3}}x+1$

(4) $y=\log_3(x+3)+2$

> ■ 풍쌤 POINT
> 역함수를 구하는 문제
> ➔ x와 y를 서로 바꾼 후 $y=$ ★ 꼴로 정리한다.

27 다음 함수의 그래프를 그려라.

(1) $y=\log_2 (x-3)$

> 풀이 $y=\log_2 (x-3)$의 그래프는 $y=\log_2 x$의 그래프를 x축의 방향으로 ___만큼 평행이동한 것이다. 따라서 $y=\log_2 (x-3)$의 그래프는 그림과 같다.

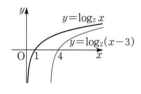

(2) $y=\log_{\frac{1}{3}} (x+2)$

(3) $y=\log_3 (x+2)-3$

(4) $y=\log_4 4x$

(5) $y=\log_{\frac{1}{3}} 27x$

> 📕 풍쌤 POINT
>
> 로그함수 $y=\log_a x \ (a>0, a\ne1)$의 그래프를 x축의 방향으로 m만큼, y축의 방향으로 n만큼 평행이동
> ➡ x 대신 $x-m$, y 대신 $y-n$ 대입
>   즉, $y=\log_a (x-m)+n$

28 다음 함수의 그래프를 그려라.

(1) $y=\log_4 (-x)$

> 풀이 $y=\log_4 (-x)$의 그래프는 $y=\log_4 x$의 그래프를 ___축에 대하여 대칭이동한 것이다. 따라서 $y=\log_4 (-x)$의 그래프는 그림과 같다.

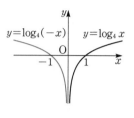

(2) $y=-\log_4 x$

(3) $y=-\log_4 (-x)$

(4) $y=\log_{\frac{1}{3}} (-x)$

(5) $y=\log_{\frac{1}{3}} \dfrac{1}{x}$

> 📕 풍쌤 POINT
>
> 로그함수 $y=\log_a x \ (a>0, a\ne1)$의 그래프를
> ① x축에 대하여 대칭이동 ➡ y 대신 $-y$ 대입
>   즉, $y=-\log_a x$
> ② y축에 대하여 대칭이동 ➡ x 대신 $-x$ 대입
>   즉, $y=\log_a (-x)$
> ③ 원점에 대하여 대칭이동 ➡ x 대신 $-x$, y 대신 $-y$ 대입
>   즉, $y=-\log_a (-x)$

29 다음 함수의 그래프를 그리고, 정의역과 점근선의 방정식을 구하여라.

(1) $y=\log_2 (x+1)-3$

> ▶풀이 $y=\log_2 (x+1)-3$의 그래프는 $y=\log_2 x$의 그래프를 x축의 방향으로 -1만큼, y축의 방향으로 -3만큼 평행이동한 것이므로 그림과 같다.
> 따라서 정의역은 $\{x|x>\underline{\quad}\}$
> 이고 점근선의 방정식은 $x=\underline{\quad}$이다.

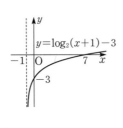

(2) $y=\log_{\frac{1}{3}}(x-2)+1$

(3) $y=\log_2(x+2)-1$

(4) $y=\log_3(3x+9)$

(5) $y=\log_{\frac{1}{2}}(2x-8)$

30 로그함수 $y=\log_2 x$의 그래프를 x축에 대하여 대칭이동한 후 x축의 방향으로 -1만큼, y축의 방향으로 2만큼 평행이동한 그래프의 식을 구하여라.

> ▶풀이 $y=\log_2 x$의 그래프를 x축에 대하여 대칭이동한 그래프의 식은
> $-y=\log_2 x$ $\therefore$ $y=-\log_2 x$
> $y=-\log_2 x$의 그래프를 x축의 방향으로 -1만큼, y축의 방향으로 2만큼 평행이동한 그래프의 식은
> $y-\underline{\quad}=-\log_2 (x+\underline{\quad})$
> $\therefore y=-\log_2 (x+\underline{\quad})+\underline{\quad}$

31 로그함수 $y=\log_{\frac{1}{3}} x$의 그래프를 y축에 대하여 대칭이동한 후 x축의 방향으로 3만큼, y축의 방향으로 -1만큼 평행이동한 그래프의 식을 구하여라.

32 함수 $y=\log_2 x$의 그래프를 x축의 방향으로 m만큼, y축의 방향으로 n만큼 평행이동하였더니 함수 $y=\log_2 (8x+16)$의 그래프와 일치하였다. 상수 m, n의 값을 구하여라.

◼ 풍쌤 POINT
로그함수의 진수에서 x의 계수가 1이 아닐 때
➡ x의 계수로 묶은 다음 평행이동의 형태를 알아본다.

33 그림은 두 함수 $y=\log_3 x$와 $y=x$의 그래프를 나타낸 것이다. 이때 $m+n$의 값을 구하여라.

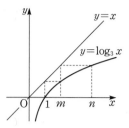

▶ **풀이** 그림에서 점 A(1, 1)이므로
점 B의 좌표는 $(m, 1)$
점 B는 $y=\log_3 x$의 그래프 위의 점이므로
$1=\log_3 m$ ∴ $m=$ ___
따라서 점 C(3, 3)이므로 점 D의 좌표는 $(n, 3)$
점 D는 $y=\log_3 x$의 그래프 위의 점이므로
$3=\log_3 n$ ∴ $n=$ ___
∴ $m+n=$ ___

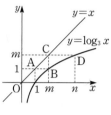

34 함수 $y=\log_2 x$의 그래프가 그림과 같다. $\overline{AB}=4$일 때, $\dfrac{b}{a}$의 값을 구하여라.

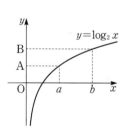

35 그림은 두 함수 $y=3^x$과 $y=\log_3 x$의 그래프를 나타낸 것이다. $\dfrac{q}{p}$의 값이 3^a일 때, a의 값을 구하여라.

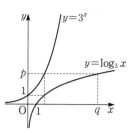

36 그림에서 사각형 ABCD는 한 변의 길이가 2인 정사각형이고, 점 A는 함수 $y=\log_2 x$의 그래프 위에 있다. 이때 점 C의 x좌표를 구하여라.

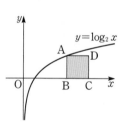

07

로그함수의 성질을 이용한 대소 비교

1 로그함수의 성질을 이용한 대소 비교

로그함수 $y=\log_a x \,(a>0, a\neq1)$에서

① (밑)>1, 즉 $a>1$

⇨ x의 값이 커지면 y의 값도 커진다.

⇨ $0<x_1<x_2$이면 $\log_a x_1 < \log_a x_2$

② $0<$(밑)<1, 즉 $0<a<1$

⇨ x의 값이 커지면 y의 값은 작아진다.

⇨ $0<x_1<x_2$이면 $\log_a x_1 > \log_a x_2$

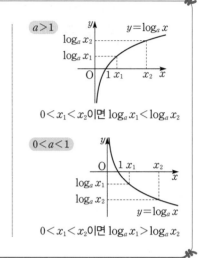

$a>1$

$0<x_1<x_2$이면 $\log_a x_1 < \log_a x_2$

$0<a<1$

$0<x_1<x_2$이면 $\log_a x_1 > \log_a x_2$

유형·25 로그함수의 성질을 이용한 대소 비교

정답과 풀이 025쪽

37 다음 세 수의 대소를 비교하여라.

(1) $\log_2 3$, $\log_2 5$, 3

> **풀이** $3=\log_2 2^3=\log_2 8$
> 이때 $3<5<8$이고, 로그함
> 수 $y=\log_2 x$는 x의 값이
> 커질 때 y의 값이 커지므로
> $\log_2 3<\log_2 5<\log_2 8$
> $\therefore \log_2 3<\log_2 5<\underline{}$

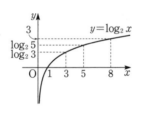

(2) $\log_{\frac{1}{3}} 2$, $\log_{\frac{1}{3}} \dfrac{1}{4}$, 2

(3) 2, $4\log_3 2$, $\log_3 10$

(4) 1, $\log_{\frac{1}{2}} 3$, $\log_{\frac{1}{2}} \sqrt{10}$

(5) 4, $2\log_2 3$, $\log_4 16$

(6) 2, $\log_3 \sqrt{5}$, $\log_3 4$

(7) $\log_2 3$, $\log_4 10$, $\log_2 \dfrac{1}{3}$

(8) $\log_{\frac{1}{3}} \dfrac{1}{4}$, $\log_3 5$, 1

로그함수의 최대·최소

▌1 로그함수의 최대·최소

정의역이 $\{x \mid m \leq x \leq n\}$인 로그함수
$y=\log_a x\ (a>0,\ a\neq1)$는

① $a>1$이면 x의 값이 가장 작을 때 최솟값, 가장 클 때 최댓값을 갖는다.

    ⇨ $x=m$일 때 최솟값 $\log_a m$,
        $x=n$일 때 최댓값 $\log_a n$을 갖는다.

② $0<a<1$이면 x의 값이 가장 작을 때 최댓값, 가장 클 때 최솟값을 갖는다.

    ⇨ $x=m$일 때 최댓값 $\log_a m$,
        $x=n$일 때 최솟값 $\log_a n$을 갖는다.

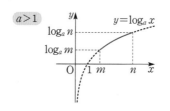
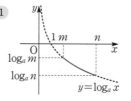

▶ 로그함수 $y=\log_a f(x)$는
① $a>1$이면 $f(x)$가 최대일 때 최댓값, $f(x)$가 최소일 때 최솟값을 갖는다.
② $0<a<1$이면 $f(x)$가 최대일 때 최솟값, $f(x)$가 최소일 때 최댓값을 갖는다.

🏆 정답과 풀이 025쪽

유형·26 로그함수의 최대·최소 – $a>0$인 경우

38 다음 함수의 최댓값과 최솟값을 구하여라.

(1) $-1 \leq x \leq 5$일 때, 함수 $y=\log_2 (x+3)+1$

> ▶ 풀이 $y=\log_2 (x+3)+1$에서 밑이 2이고 $2>1$이므로
> $-1 \leq x \leq 5$에서 함수 $y=\log_2 (x+3)+1$은
> $x=5$일 때 최대이고, 최댓값은
> $\log_2 (5+3)+1=\log_2 2^3+1=$＿＿
> $x=-1$일 때 최소이고, 최솟값은
> $\log_2 (-1+3)+1=\log_2 2+1=$＿＿

(2) $0 \leq x \leq 6$일 때, 함수 $y=\log_3 (x+3)-5$

(3) $0 \leq x \leq 3$일 때, 함수 $y=\log_2 (x+1)+3$

유형·27 로그함수의 최대·최소 – $0<a<1$인 경우

39 다음 함수의 최댓값과 최솟값을 구하여라.

(1) $-3 \leq x \leq 11$일 때, 함수 $y=\log_{\frac{1}{2}} (x+5)-1$

> ▶ 풀이 $y=\log_{\frac{1}{2}} (x+5)-1$에서 밑이 $\frac{1}{2}$이고 $0<\frac{1}{2}<1$이므로
> $-3 \leq x \leq 11$에서 함수 $y=\log_{\frac{1}{2}} (x+5)-1$은
> $x=-3$일 때 최대이고, 최댓값은
> $\log_{\frac{1}{2}} (-3+5)-1=\log_{\frac{1}{2}} 2-1=$＿＿＿
> $x=11$일 때 최소이고, 최솟값은
> $\log_{\frac{1}{2}} (11+5)-1=\log_{\frac{1}{2}} 2^4-1=$＿＿＿

(2) $4 \leq x \leq 10$일 때, $y=\log_{\frac{1}{3}} (x-1)-2$

> 🔊 **풍쌤 POINT**
> 범위가 주어진 로그함수 $y=\log_a x$의 최대·최소는 먼저 밑 a의 값의 범위를 확인한다.

40 다음 함수의 최댓값과 최솟값을 구하여라.

(1) $-1 \leq x \leq 1$일 때, 함수 $y = \log_3(x^2 - 2x + 6)$

▶풀이 함수 $y = \log_3(x^2 - 2x + 6)$에서 밑이 3이고 $3 > 1$이므로 $x^2 - 2x + 6$이 최대일 때 y도 최대, $x^2 - 2x + 6$이 최소일 때 y도 최소가 된다.
$x^2 - 2x + 6 = (x-1)^2 + 5$이므로, $-1 \leq x \leq 1$에서
$x = -1$일 때 최댓값은 9, $x = 1$일 때 최솟값은 5이다.
따라서 함수 $y = \log_3(x^2 - 2x + 6)$의
최댓값은 $\log_3 9 = \underline{}$, 최솟값은 $\underline{}$

(2) $0 \leq x \leq 3$일 때, 함수 $y = \log_2(x^2 - 2x + 5)$

(3) $0 \leq x \leq 5$일 때, 함수 $y = \log_{0.1}(-x^2 + 4x + 6)$

■ 풍쌤 POINT

$y = \log_a f(x)\,(a > 0,\ a \neq 1)$에서 진수 $f(x)$가 이차식일 때의 최대·최소
(i) 진수가 이차식인 경우 먼저 진수인 이차식의 최대·최소를 구한다.
(ii) ① $a > 1$이면 $f(x)$가 최대일 때, $\log_a f(x)$도 최대이다.
　② $0 < a < 1$이면 $f(x)$가 최소일 때, $\log_a f(x)$는 최대이다.

41 다음 함수의 최댓값과 최솟값을 구하여라.

(1) $1 \leq x \leq 8$일 때,
함수 $y = -2(\log_2 x)^2 + 4\log_2 x + 1$

▶풀이 $y = -2(\log_2 x)^2 + 4\log_2 x + 1$
에서 $\log_2 x = t$로 치환하면
$y = -2t^2 + 4t + 1$
$\quad = -2(t-1)^2 + 3$
이때 $1 \leq x \leq 8$이고, $2 > 1$
이므로
$\log_2 1 \leq \log_2 x \leq \log_2 8$
∴ $0 \leq t \leq 3$
따라서 $0 \leq t \leq 3$에서 함수 $y = -2(t-1)^2 + 3$은
$t = 1$일 때 최대이고, 최댓값은 $\underline{}$,
$t = 3$일 때 최소이고, 최솟값은 $\underline{}$이다.

(2) $1 \leq x \leq 32$일 때,
함수 $y = (\log_2 x)^2 - \log_2 x^2 - 3$

(3) $\dfrac{1}{4} \leq x \leq 2$일 때,
함수 $y = (\log_{\frac{1}{2}} x)^2 - \log_{\frac{1}{2}} x^2 - 1$

■ 풍쌤 POINT

$\log_a x$ 꼴이 반복되는 경우 $\log_a x = t$로 치환한다.

유형·30 지수에 로그가 있는 함수의 최대·최소

42 함수 $y=100x^{4-\log x}$이 $x=a$에서 최댓값 b를 가질 때, $\dfrac{b}{a}$의 값을 구하여라.

> **풀이** $y=100x^{4-\log x}$의 양변에 상용로그를 취하면
> $$\log y=\log 100x^{4-\log x}=\log 100+\log x^{4-\log x}$$
> $$=2+(4-\log x)\log x=-(\log x)^2+4\log x+2$$
> $\log x=t$로 치환하면
> $$\log y=-t^2+4t+2=-(t-2)^2+6$$
> 따라서 $t=2$일 때, $\log y$의 최댓값은 6이다.
> 즉, $x=100$일 때, y의 최댓값은 $10^6=1000000$이다.
> $\therefore a=100,\ b=1000000$
> $\therefore \dfrac{b}{a}=$ _____

43 함수 $y=\dfrac{1}{10}x^{4-2\log x}$이 $x=a$에서 최댓값 b를 가질 때, $\log_a b$의 값을 구하여라.

44 함수 $y=100x^2 \div x^{\log x}$이 $x=a$에서 최댓값 b를 가질 때, $\dfrac{b}{a}$의 값을 구하여라.

> ■ 풍쌤 POINT
> 지수에 로그가 있는 경우 양변에 로그를 취하여 정리한 후
> $\log x=t$로 치환한다.

유형·31 산술평균과 기하평균을 이용한 최대·최소

45 $a>0$, $b>0$일 때, $\log_2\left(\dfrac{2}{a}+b\right)+\log_2\left(\dfrac{2}{b}+a\right)$의 최솟값을 구하여라.

> **풀이** $\log_2\left(\dfrac{2}{a}+b\right)+\log_2\left(\dfrac{2}{b}+a\right)=\log_2\left(\dfrac{2}{a}+b\right)\left(\dfrac{2}{b}+a\right)$
> $a>0$, $b>0$이므로 산술평균과 기하평균의 대소 관계에 의하여
> $$\left(\dfrac{2}{a}+b\right)\left(\dfrac{2}{b}+a\right)=ab+\dfrac{4}{ab}+4$$
> $$\geq 2\sqrt{ab\times\dfrac{4}{ab}}+4=4+4=8$$
> $\left(단,\ 등호는\ ab=\dfrac{4}{ab},\ 즉\ ab=2일\ 때\ 성립한다.\right)$
> 이때 $2>1$이므로
> $$\log_2\left(\dfrac{2}{a}+b\right)\left(\dfrac{2}{b}+a\right)\geq\log_2 8=\log_2 2^3=\underline{\quad}$$

46 $a>1$, $b>1$일 때, $\log_a b^4+\log_{\sqrt{b}} a$의 최솟값을 구하여라.

47 $x>0$, $y>0$, $x+y=10$일 때, $\log_{\frac{1}{5}} x+\log_{\frac{1}{5}} y$의 최솟값을 구하여라.

> ■ 풍쌤 POINT
> 합 또는 곱이 일정한 경우 주어진 식의 최대·최소는 산술평균과 기하평균의 대소 관계를 이용한다.
> ➡ $a>0$, $b>0$일 때, $a+b\geq 2\sqrt{ab}$
> $\qquad\qquad$ (단, 등호는 $a=b$일 때 성립한다.)

로그방정식

1 로그방정식의 풀이

$f(x)>0$, $a>0$, $a\neq 1$일 때,

① $\log_a f(x)=b$ 꼴인 경우

    ⇨ $\log_a f(x)=b \Longleftrightarrow f(x)=a^b$임을 이용한다.

② 밑을 같게 할 수 있는 경우

    [1단계] $\log_a f(x)=\log_a g(x)$ 꼴로 변형한다.

    [2단계] 방정식 $f(x)=g(x)$를 푼다.

③ $\log_a x$ 꼴이 반복되는 경우

    [1단계] $\log_a x=t$로 치환한다.

    [2단계] t에 대한 방정식을 푼 다음 x의 값을 구한다.

④ 지수에 로그가 있는 경우

    ⇨ 양변에 로그를 취한 후 푼다.

⑤ 진수가 같은 경우 $(b>0$, $b\neq 1)$ ⇨ 밑이 같거나 진수가 1이다.

    $\log_a f(x)=\log_b f(x) \Longleftrightarrow a=b$ 또는 $f(x)=1$

> ▶로그방정식을 풀 때는
> (밑)>0, (밑)$\neq 1$,
> (진수)>0
> 을 먼저 생각한다.

유형·32 밑을 같게 할 수 있는 로그방정식

48 다음 방정식을 풀어라.

(1) $\log_2 x=\log_4 (3x-2)$

> ▶풀이 로그의 진수 조건에서 $x>0$, $3x-2>0$
>   ∴ $x>$＿＿＿   …… ㉠
> $\log_2 x=\log_4 (3x-2)$에서 $\log_4 x^2=\log_4 (3x-2)$
>   따라서 $x^2=3x-2$이므로 $x^2-3x+2=0$
> $(x-1)(x-2)=0$ ∴ $x=1$ 또는 $x=2$
>   그런데 ㉠에서 $x>$＿＿＿ 이므로 $x=$＿＿ 또는 $x=$＿＿

(2) $\log_2 (x-2)=\log_4 x$

(3) $\log_3 x=\log_9 (x-2)+1$

(4) $\log_{\frac{1}{2}} (8-x)=-\log_2 (x+4)$

(5) $\log_{\sqrt{2}} (x+2)=\log_2 (x+1)+2$

> ▪ 풍쌤 POINT
> 밑을 같게 만들 수 있는 경우는 먼저 밑을 통일한다.

정답과 풀이 027쪽

49 다음 방정식을 풀어라.

(1) $(\log_3 x)^2 - \log_3 x^6 + 5 = 0$

> **풀이** 로그의 진수 조건에서 $x > 0$, $x^6 > 0$
>
> $\therefore x > 0$ $\qquad\qquad \cdots\cdots \ \bigcirc$
>
> $(\log_3 x)^2 - 6\log_3 x + 5 = 0$에서
>
> $\log_3 x = t$로 치환하면
>
> $t^2 - 6t + 5 = 0$, $(t-1)(t-5) = 0$
>
> $\therefore t = 1$ 또는 $t = 5$
>
> 따라서 $\log_3 x = 1$ 또는 $\log_3 x = 5$이므로
>
> $x = \underline{}$ 또는 $x = \underline{}$
>
> 그런데 $\bigcirc$에서 $x > 0$이므로 $x = \underline{}$ 또는 $x = \underline{}$

(2) $(\log_2 x)^2 + \log_2 x^2 - 15 = 0$

(3) $(\log_3 x)^2 + \log_3 x^2 - 3 = 0$

(4) $(\log_2 x)^2 - 12 = 4\log_2 x$

(5) $\log_5 x = (\log_5 x)^2 - 2$

(6) $\log_2 x + \log_x 16 = 5$

(7) $\log_3 x - \log_x 9 = 1$

(8) $\log_5 x - \log_x 25 = -1$

(9) $(\log_2 8x)(\log_2 4x) = 12$

(10) $(\log_3 81x)(\log_3 3x) = 10$

> ◼ 풍쌤 POINT
>
> $\log_a x$ 꼴이 반복되는 경우
>
> ➡ $\log_a x = t$로 치환!

50 다음 방정식을 풀어라.

(1) $x^{\log_2 x} = 4x$

> ▶ **풀이** 로그의 진수 조건에서 $x > 0$ …… ㉠
> 주어진 방정식의 양변에 밑이 2인 로그를 취하면
> $\log_2 x^{\log_2 x} = \log_2 4x$, $(\log_2 x)^2 = \log_2 2^2 + \log_2 x$
> $(\log_2 x)^2 = 2 + \log_2 x$
> $\log_2 x = t$로 치환하면 $t^2 - t - 2 = 0$, $(t+1)(t-2) = 0$
> $\therefore t = -1$ 또는 $t = 2$
> 따라서 $\log_2 x = -1$ 또는 $\log_2 x = 2$이므로
> $x = \underline{}$ 또는 $x = \underline{}$
> 그런데 ㉠에서 $x > 0$이므로 $x = \underline{}$ 또는 $x = \underline{}$

(2) $x^{\log_2 x} = 8x^2$

(3) $x^{\log_3 x} = 27x^2$

(4) $x^{\log_2 x} = 64x^5$

(5) $x^{\log x} = \dfrac{1000}{x^2}$

(6) $x^{\log_5 x} = \dfrac{625}{x^3}$

(7) $x^{\log_2 x} = \dfrac{128}{x^6}$

(8) $x^{\log_3 x} = \dfrac{243}{x^4}$

(9) $3^{\log x} \times x^{\log 3} = 2(3^{\log x} + x^{\log 3}) - 3$

(10) $2^{\log x} \times x^{\log 2} = 2^{\log x} + x^{\log 2} + 8$

> ■ **풍쌤 POINT**
> 지수에 로그가 있는 경우
> ➡ 양변에 로그를 취한 다음 치환하여 푼다.

51 다음 이차방정식이 중근을 가질 때, 모든 양수 a의 값을 구하여라.

(1) $x^2 - x\log_2 a + \log_2 a + 3 = 0$

> **풀이** 이차방정식 $x^2 - x\log_2 a + \log_2 a + 3 = 0$이 중근을 가지므로 이 이차방정식의 판별식을 D라고 하면
> $D = (-\log_2 a)^2 - 4(\log_2 a + 3) = 0$
> $(\log_2 a)^2 - 4\log_2 a - 12 = 0$
> $\log_2 a = t$로 치환하면
> $t^2 - 4t - 12 = 0,\ (t+2)(t-6) = 0$
> $\therefore t = -2$ 또는 $t = 6$
> 따라서 $\log_2 a = -2$ 또는 $\log_2 a = 6$이므로
> $a = \underline{\quad}$ 또는 $a = \underline{\quad}$

(2) $x^2 - 2x\log_3 a + 4\log_3 a - 3 = 0$

(3) $25x^2 - 10x\log_2 a + 3\log_2 a - 2 = 0$

(4) $x^2 - (\log a + 1)x + (\log a + 9) = 0$

52 다음 방정식의 두 근을 α, β라고 할 때, $\alpha\beta$의 값을 구하여라.

(1) $(\log_2 x)^2 - \log_2 x^4 - 3 = 0$

> **풀이** $(\log_2 x)^2 - \log_2 x^4 - 3 = 0$에서
> $(\log_2 x)^2 - 4\log_2 x - 3 = 0$
> $\log_2 x = t$로 치환하면 $t^2 - 4t - 3 = 0$ ······ ㉠
> 이때 방정식 $(\log_2 x)^2 - 4\log_2 x - 3 = 0$의 두 근이 α, β이므로 ㉠의 두 근은 $\log_2 \alpha$, $\log_2 \beta$이다.
> 이차방정식의 근과 계수의 관계에 의하여
> $\log_2 \alpha + \log_2 \beta = \underline{\quad}$, $\log_2 \alpha\beta = \underline{\quad}$
> $\therefore \alpha\beta = \underline{\quad}$

(2) $(\log x)^2 - \log x - 6 = 0$

(3) $(\log_3 x)^2 - 2\log_3 x - 3 = 0$

(4) $(\log_5 x)^2 - \log_5 x^2 - 6 = 0$

■ 풍쌤 POINT

로그방정식에서 이차방정식의 두 근에 대한 문제

➡ 이차방정식의 근과 계수의 관계를 이용

10

로그부등식

1 로그부등식의 풀이

$a>0$, $a\neq1$, $f(x)>0$, $g(x)>0$일 때,

① 밑을 같게 할 수 있는 경우

[1단계] $\log_a f(x)<\log_a g(x)$ 꼴로 변형한다.

[2단계] 밑의 크기에 따라 다음을 이용한다.

㉠ $a>1$일 때, $\log_a f(x)<\log_a g(x)$

$\iff 0<f(x)<g(x)$　　⇐ 부등호 방향 그대로!

㉡ $0<a<1$일 때, $\log_a f(x)<\log_a g(x)$

$\iff f(x)>g(x)>0$　　⇐ 부등호 방향 반대로!

② $\log_a x$ 꼴이 반복되는 경우

[1단계] $\log_a x=t$로 치환한다.

[2단계] t에 대한 부등식을 푼 다음 x의 값을 구한다.

③ 지수에 로그가 있는 경우

⇨ 양변에 로그를 취한 후 푼다. 이때 $0<$(밑)<1이면 부등호의 방향이 바뀐다.

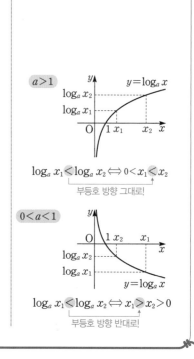

$\boxed{a>1}$

$\log_a x_1<\log_a x_2 \iff 0<x_1<x_2$

부등호 방향 그대로!

$\boxed{0<a<1}$

$\log_a x_1<\log_a x_2 \iff x_1>x_2>0$

부등호 방향 반대로!

유형·36 밑을 같게 할 수 있는 로그부등식

53 다음 부등식을 풀어라.

(1) $\log_x 9<2$

▶풀이　로그의 밑 조건에서 $x>0$, $x\neq1$

∴ $0<x<1$ 또는 $x>1$　　　…… ㉠

$\log_x 9<2$에서 $\log_x 9<\log_x x^2$

(ⅰ) $x>1$이면 ㉠에서 (밑)>1이므로

$9<x^2$, $(x+3)(x-3)>0$

∴ $x<-3$ 또는 $x>3$

그런데 $x>1$이므로 $x>3$

(ⅱ) $0<x<1$이면 ㉠에서 $0<$(밑)<1이므로

$9>x^2$, $(x+3)(x-3)<0$

∴ $-3<x<3$

그런데 $0<x<1$이므로 $0<x<1$

(ⅰ), (ⅱ)에서 ＿＿$<x<$＿＿ 또는 $x>3$

(2) $\log_2 (x-1)+\log_2 (x-3)-3<0$

(3) $\log_2 (x+3)>\log_4 (x^2+1)$

(4) $\log_{\frac{1}{3}} (x^2-4)\geq\log_{\frac{1}{3}} (x+2)$

▣ 풍쌤 POINT

로그부등식을 풀 때, 밑을 같게 만들 수 있는 경우에는 밑을 통일시킨다.

유형·37 $\log_a x$ 꼴이 반복되는 로그부등식

54 다음 부등식을 풀어라.

(1) $(\log_2 x)^2 - 4\log_2 x + 3 < 0$

> **풀이** 로그의 진수 조건에서 $x > 0$ ...... ㉠
>
> $\log_2 x = t$로 치환하면 주어진 부등식은
> $t^2 - 4t + 3 < 0$, $(t-1)(t-3) < 0$
> $\therefore 1 < t < 3$
> 따라서 $1 < \log_2 x < 3$이므로 $\log_2 2 < \log_2 x < \log_2 2^3$
> 이때 밑이 2이고 $2 > 1$이므로 $2 < x < 2^3$
> $\therefore 2 < x < 8$ ...... ㉡
> ㉠, ㉡의 공통 범위를 구하면 ___$< x <$___

(2) $(\log_{\frac{1}{2}} x)^2 + 3\log_{\frac{1}{2}} x + 2 > 0$

(3) $(\log_3 x)^2 + \log_3 243x^6 < 0$

(4) $2 \geq \log_{\frac{1}{5}} x \times \log_{\frac{1}{5}} 5x$

유형·38 지수에 로그가 있는 로그부등식

55 다음 부등식을 풀어라.

(1) $x^{\log_5 x} < 25x$

> **풀이** 로그의 진수 조건에서 $x > 0$ ...... ㉠
>
> $x^{\log_5 x} < 25x$의 양변에 밑이 5인 로그를 취하면 $5 > 1$이
> 므로
> $\log_5 x^{\log_5 x} < \log_5 25x$
> $(\log_5 x)^2 < \log_5 25 + \log_5 x$, $(\log_5 x)^2 - \log_5 x - 2 < 0$
> $\log_5 x = t$로 치환하면
> $t^2 - t - 2 < 0$, $(t+1)(t-2) < 0$
> $\therefore -1 < t < 2$
> 따라서 $-1 < \log_5 x < 2$이므로
> $\log_5 5^{-1} < \log_5 x < \log_5 5^2$
> 이때 밑이 5이고 $5 > 1$이므로 $5^{-1} < x < 5^2$
> $\therefore$ ___$< x <$___ ...... ㉡
> ㉠, ㉡의 공통 범위를 구하면 ___$< x <$___

(2) $x^{\log_2 x} > 16x^3$

(3) $x^{\log_{\frac{1}{5}} x} < \dfrac{x^3}{625}$

(4) $x^{\log_{\frac{1}{10}} x} > \dfrac{x^2}{1000}$

■ 풍쌤 POINT

$\log_a x$ 꼴이 반복되는 경우
➡ $\log_a x = t$로 치환!

■ 풍쌤 POINT

지수에 로그가 있는 경우
➡ 양변에 로그를 취한 다음 치환하여 푼다.

유형·39 로그 안에 로그가 있는 로그부등식

유형·40 실생활 문제 – 로그부등식

56 다음 부등식을 풀어라.

(1) $0 \leq \log_4 (\log_2 x) < 1$

▶ 풀이   로그의 진수 조건에서 $\log_2 x > 0$, $x > 0$이므로
$x > 1$ ...... ㉠
$0 \leq \log_4 (\log_2 x) < 1$ 에서
$\log_4 1 \leq \log_4 (\log_2 x) < \log_4 4$
밑이 4이고 $4 > 1$이므로
$1 \leq \log_2 x < 4$
$\therefore \log_2 2 < \log_2 x < \log_2 2^4$
밑이 2이고 $2 > 1$이므로
$2 \leq x < 16$ ...... ㉡
㉠, ㉡의 공통 범위를 구하면 ___ ≤ x < ___

(2) $\log_{\frac{1}{2}} (\log x) > -2$

57 어떤 농장에서 기르는 돼지의 수는 매년 55 %씩 증가한다고 한다. 이러한 추세가 계속된다고 할 때, 돼지의 수가 처음으로 현재의 6배 이상이 되는 것은 몇 년 후인지 구하여라. (단, $\log 2 = 0.30$, $\log 3 = 0.48$, $\log 1.55 = 0.19$로 계산한다.)

▶ 풀이   현재 돼지의 수를 a마리라고 하면 n년 후의 돼지의 수는 $a(1 + 0.55)^n$, 즉 $1.55^n a$마리이므로 조건에 맞게 부등식을 세우면
$1.55^n a \geq 6a$
$1.55^n \geq 6$이므로 양변에 상용로그를 취하면 밑이 10이고, $10 > 1$이므로
$\log 1.55^n \geq \log 6$
$n \log 1.55 \geq \log 2 + \log 3$
이때 $\log 1.55 = 0.19 > 0$이므로
$n \geq \dfrac{\log 2 + \log 3}{\log 1.55} = \dfrac{0.30 + 0.48}{0.19} = \dfrac{0.78}{0.19} = 4.1 \cdots$
따라서 돼지의 수가 처음으로 현재의 6배 이상이 되는 것은 ___ 년 후이다.

58 어떤 재질의 유리에 빛을 통과시키면 자외선의 양이 10 %씩 줄어든다고 한다. 이렇게 빛을 계속 통과시킨다고 할 때, 자외선의 양이 처음의 50 % 이하가 되게 하려면 이 유리를 최소한 몇 장 통과시켜야 하는지 구하여라.
(단, $\log 2 = 0.3010$, $\log 3 = 0.4771$로 계산한다.)

·중단원 점검문제·

📜 정답과 풀이 034쪽

01

지수함수 $y=a^x$의 그래프를 x축의 방향으로 1만큼, y축의 방향으로 3만큼 평행이동한 후 x축에 대하여 대칭이동한 그래프가 점 $(2, -8)$을 지날 때, a의 값을 구하여라.

(단, $a>0$)

02

$\left(\frac{1}{3}\right)^{\frac{1}{3}}, \left(\frac{1}{81}\right)^{\frac{1}{4}}, \left(\frac{1}{9}\right)^{\frac{1}{5}}$을 작은 것부터 차례대로 나열하여라.

03

$1 \leq x \leq 4$에서 $y=2^{-x^2+6x-7}$의 최댓값이 M, 최솟값이 m일 때, $M+m$의 값을 구하여라.

04

$1 \leq x \leq 2$에서 함수 $y=4^{-x}-6 \times 2^{-x}+a$의 최솟값이 2일 때, 상수 a의 값을 구하여라.

05

지수방정식 $\left(\frac{1}{4}\right)^x - 3\left(\frac{1}{2}\right)^{x-1} + 8 = 0$의 두 근의 합을 구하여라.

06

지수방정식 $(x^2)^4 = x^x \times x^5$의 모든 근의 합을 구하여라.

(단, $x>0$)

07

부등식 $64^x \geq (0.25)^{4-x^2}$을 만족시키는 실수 x의 최댓값을 M, 최솟값을 m이라고 할 때, Mm의 값을 구하여라.

08

부등식 $7^{2x+1} - 50 \times 7^x + 7 \leq 0$을 만족시키는 모든 정수 x의 값의 합을 구하여라.

09

로그함수 $y=\log_2 x$의 그래프를 x축에 대하여 대칭이동한 후 x축의 방향으로 -2만큼, y축의 방향으로 3만큼 평행이동하면 $y=-\log_2(x+a)+b$의 그래프와 일치한다. 이때 $a+b$의 값을 구하여라. (단, a, b는 상수이다.)

10

그림은 로그함수 $y=\log_5 x$의 그래프를 나타낸 것이다. $\overline{\mathrm{AB}}=2$일 때, a의 값을 구하여라.

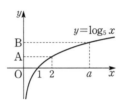

11

$5\leq x\leq 33$일 때 함수 $y=\log_2(x+a)$의 최댓값이 5이다. 이때 이 함수의 최솟값을 구하여라.

12

$1\leq x\leq 100$일 때, 함수 $y=\log x\times\log\dfrac{100}{x}$은 $x=a$에서 최댓값 m을 갖는다. 이때 $\dfrac{a}{m}$의 값을 구하여라.

13

로그방정식 $\log_{(x^2-1)}2=\log_{(x+11)}2$의 모든 근의 곱을 구하여라.

14

$(a+\log_2 x)^2-3\log_2 x^2+2=0$의 한 근이 $x=2$일 때, 나머지 한 근을 구하여라. (단, $a>0$)

15

부등식 $(\log x)^2-k\log x+3-k\geq 0$이 항상 성립하기 위한 실수 k의 최댓값을 구하여라.

16

X선 사진에서 사진 농도는 사진에 나타난 상의 검은 정도를 말하고, 투과도는 처음 쏘인 빛의 양에 대한 투과된 빛의 양의 비율을 말한다. 사진 농도를 D, 투과도를 T라고 할 때, $D=-\log T$의 관계가 성립한다. 사진 농도가 $\dfrac{1}{2}$ 이상인 부분에 투과된 빛의 양은 처음 쏘인 빛의 양의 최대 몇 배인지 구하여라.

II
삼각함수

일반각

1 **시초선과 동경**

① ∠XOP: 평면 위의 두 반직선 OX와 OP로 이루어진 도형

② ∠XOP의 크기: 고정된 반직선 OX의 위치에서 반직선 OP가 점 O를 중심으로 회전한 양

③ 시초선: 반직선 OX

④ 동경: 반직선 OP

⑤ 양의 방향: 시곗바늘이 도는 반대 방향

⑥ 음의 방향: 시곗바늘이 도는 방향

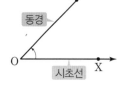

2 **일반각**

동경 OP가 나타내는 일반각: 시초선 OX와 동경 OP가 이루는 한 각의 크기를 $a°$라고 할 때,

$$360°\times n+a° \, (n은 \, 정수, \, 0°\leq a°<360°)$$

로 표시되는 각

> 음의 방향이면 음의 부호 −를 붙여서 나타낸다.

> 그림으로 나타낸 일반각

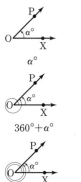

$a°$

$360°+a°$

$360°\times 2+a°$

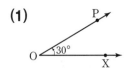

유형·01 일반각

정답과 풀이 036쪽

01 다음 그림에서 $\overrightarrow{OX}$가 시초선일 때, 동경 OP가 나타내는 일반각을 구하여라.

(1)

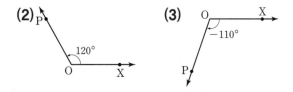

> **풀이** 동경 OP가 나타내는 한 각이
> $a°=30° \, (0°\leq a°<360°)$이므로 일반각은
> $360°\times n+\underline{\quad}°$ (단, n은 정수)

(2) P
120°
O   X

(3) O   X
−110°
P

02 $45°$와 동경이 일치하는 각만을 보기에서 있는 대로 골라라.

> **보기**
> ㄱ. $225°$ ㄴ. $315°$ ㄷ. $405°$
> ㄹ. $585°$ ㅁ. $765°$

03 $375°$와 동경이 일치하는 각만을 보기에서 있는 대로 골라라.

> **보기**
> ㄱ. $15°$ ㄴ. $195°$ ㄷ. $555°$
> ㄹ. $735°$ ㅁ. $915°$

사분면의 각과 두 각의 위치 관계

1 사분면의 각

좌표평면 위의 원점 O에서 x축의 양의 방향을 시초선으로 잡을 때, 제1, 2, 3, 4사분면에 있는 동경 OP가 나타내는 각을 각각 제1사분면의 각, 제2사분면의 각, 제3사분면의 각, 제4사분면의 각이라고 한다.

▶그림에서 동경 OP가 나타내는 각은 제2사분면의 각이다.

2 두 각의 위치 관계

두 동경이 나타내는 각의 크기가 각각 α, β $(\alpha > \beta)$일 때, 정수 n에 대하여 두 동경의 위치 관계는 다음과 같다.

일치	원점에 대하여 대칭	x축에 대하여 대칭	y축에 대하여 대칭	직선 $y=x$에 대하여 대칭
$\alpha - \beta$ $= 360° \times n$	$\alpha - \beta$ $= 360° \times n + 180°$	$\alpha + \beta$ $= 360° \times n$	$\alpha + \beta$ $= 360° \times n + 180°$	$\alpha + \beta$ $= 360° \times n + 90°$

유형·02 사분면의 각 (1)

▶ 정답과 풀이 036쪽

04 다음 각은 제몇 사분면의 각인지 구하여라.

(1) $420°$

> 풀이 $420° = 360° \times 1 + 60°$
>
> 따라서 $420°$는 제___사분면의 각이다.

(2) $840°$

(3) $1320°$

(4) $-625°$

(5) $-1500°$

(6) $-1830°$

■ 풍쌤 POINT

어떤 각이 제몇 사분면의 각인지 구하려면
$360° \times n + \alpha°$로 나타내었을 때, $\alpha°$의 동경의 위치를 알아본다.

유형·03 사분면의 각 (2)

05 다음 물음에 답하여라.

(1) θ가 제2사분면의 각일 때, $\dfrac{\theta}{2}$를 나타내는 동경이 존재하는 사분면을 모두 구하여라.

> **풀이** θ가 제2사분면의 각이므로
> $$360° \times n + 90° < \theta < 360° \times n + 180°$$
> $$\text{(단, } n\text{은 정수이다.)}$$
> $$\therefore 180° \times n + 45° < \frac{\theta}{2} < 180° \times n + 90°$$
> (ⅰ) $n = 2k$ (k는 정수)일 때
> $$180° \times 2k + 45° < \frac{\theta}{2} < 180° \times 2k + 90°$$
> $$\therefore 360° \times k + 45° < \frac{\theta}{2} < 360° \times k + 90°$$
> 따라서 $\dfrac{\theta}{2}$는 제1사분면의 각이다.
> (ⅱ) $n = 2k + 1$ (k는 정수)일 때
> $$180° \times (2k+1) + 45° < \frac{\theta}{2} < 180° \times (2k+1) + 90°$$
> $$\therefore 360° \times k + 225° < \frac{\theta}{2} < 360° \times k + 270°$$
> 따라서 $\dfrac{\theta}{2}$는 제＿＿사분면의 각이다.
> (ⅰ), (ⅱ)에서 $\dfrac{\theta}{2}$를 나타내는 동경이 존재하는 사분면은
> 제1사분면, 제＿＿사분면이다.

(2) θ가 제2사분면의 각일 때, $\dfrac{\theta}{3}$를 나타내는 동경이 존재하는 사분면을 모두 구하여라.

(3) θ가 제3사분면의 각일 때, $\dfrac{\theta}{3}$를 나타내는 동경이 존재하는 사분면을 모두 구하여라.

■ 풍쌤 POINT

n이 정수일 때
① θ가 제1사분면의 각 ➡ $360° \times n < \theta < 360° \times n + 90°$
② θ가 제2사분면의 각 ➡ $360° \times n + 90° < \theta < 360° \times n + 180°$
③ θ가 제3사분면의 각 ➡ $360° \times n + 180° < \theta < 360° \times n + 270°$
④ θ가 제4사분면의 각 ➡ $360° \times n + 270° < \theta < 360° \times n + 360°$

유형·04 두 동경의 위치 관계

06 다음 물음에 답하여라.

(1) 각 θ를 나타내는 동경과 각 13θ를 나타내는 동경이 원점에 대하여 대칭이다. 이러한 각 θ 중 예각의 크기를 모두 구하여라.

> **풀이** 각 θ를 나타내는 동경과 각 13θ를 나타내는 동경이 원점에 대하여 대칭이므로
> $$13\theta - \theta = 360° \times n + 180° \text{ (단, } n\text{은 정수)}$$
> $$12\theta = 360° \times n + 180°$$
> $$\theta = 30° \times n + 15°$$
> $$\therefore \theta = 15°, 45°, \underline{\quad\quad}, 105°, \cdots$$
> 이 중에서 예각의 크기는 $15°$, $45°$, $\underline{\quad\quad}$이다.

(2) 각 θ를 나타내는 동경과 각 3θ를 나타내는 동경이 y축에 대하여 대칭이다. 이러한 각 θ 중 둔각의 크기를 구하여라.

(3) 각 θ를 나타내는 동경과 각 5θ를 나타내는 동경이 x축에 대하여 대칭이다. 이러한 각 θ 중 예각의 크기를 구하여라.

(4) 각 θ를 나타내는 동경과 각 4θ를 나타내는 동경이 직선 $y = x$에 대하여 대칭이다. 이러한 각 θ 중 둔각의 크기를 구하여라.

■ 풍쌤 POINT
두 동경의 위치 관계는 동경을 좌표평면에 나타내어 생각한다.

호도법

❶ 육십분법

원의 둘레를 360등분하여 각 호에 대한 중심각의 크기를 1도(°), 1도의 $\frac{1}{60}$ 을 1분('), 1분의 $\frac{1}{60}$ 을 1초(″)로 정의하여 각의 크기를 나타내는 방법

❷ 호도법

① 1라디안: 호의 길이가 반지름의 길이와 같을 때의 중심각의 크기

② 호도법: 라디안을 단위로 하여 각의 크기를 나타내는 방법

> 1라디안 = $\frac{180°}{\pi}$,
> π라디안 = 180°,
> $1° = \frac{\pi}{180}$라디안

> 자주 사용하는 특수각

육십분법	호도법	육십분법	호도법
0°	0	90°	$\frac{\pi}{2}$
30°	$\frac{\pi}{6}$	180°	π
45°	$\frac{\pi}{4}$	270°	$\frac{3}{2}\pi$
60°	$\frac{\pi}{3}$	360°	2π

📖 정답과 풀이 037쪽

유형·05 육십분법과 호도법의 관계

07 다음에서 육십분법은 호도법으로, 호도법은 육십분법 으로 나타내어라.

(1) $\frac{\pi}{10}$

> 풀이 $\frac{\pi}{10} \times \frac{180°}{\pi} =$ ____

(2) $\frac{2}{5}\pi$

(3) 120°

(4) 150°

(5) 225°

■ 풍쌤 POINT

① 호도법을 육십분법으로 ➡ (호도법) × $\frac{180°}{\pi}$ = (육십분법)

② 육십분법을 호도법으로 ➡ (육십분법) × $\frac{\pi}{180}$ = (호도법)

유형·06 호도법을 일반각으로 나타내기

08 다음 각의 동경이 나타내는 일반각 θ를 구하여라.

(1) $\frac{\pi}{4}$

> 풀이 $\theta =$ _____ (단, n은 정수)

(2) $\frac{13}{3}\pi$

(3) $\frac{27}{5}\pi$

(4) $-\frac{17}{4}\pi$

(5) -5π

■ 풍쌤 POINT

일반각은 $360° \times n + a°$ ➡ $2n\pi + a°$

(단, n은 정수, $0° \le a° < 360°$)

04

부채꼴의 호의 길이와 넓이

1 부채꼴의 호의 길이와 넓이

반지름의 길이가 r, 중심각의 크기가 θ(라디안)인 부채꼴의 호의 길이를 l, 넓이를 S라고 하면

① $l = r\theta$

② $S = \dfrac{1}{2}r^2\theta = \dfrac{1}{2}rl$

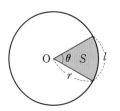

▶$S = \dfrac{1}{2}r \times r\theta = \dfrac{1}{2}rl$

$(\because l = r\theta)$

유형·07 부채꼴의 호의 길이와 넓이

09 다음 부채꼴의 호의 길이와 넓이를 구하여라.

(1) 반지름의 길이가 4, 중심각의 크기가 $\dfrac{5}{3}\pi$인 부채꼴

> **풀이** 부채꼴의 반지름의 길이를 r, 부채꼴의 중심각의 크기를 θ, 부채꼴의 호의 길이를 l, 부채꼴의 넓이를 S라고 하면 $r=4$, $\theta=\dfrac{5}{3}\pi$이므로
>
> $l = r\theta = 4 \times \dfrac{5}{3}\pi = \underline{}\pi$
>
> $S = \dfrac{1}{2}r^2\theta = \dfrac{1}{2} \times 4^2 \times \dfrac{5}{3}\pi = \underline{}\pi$

(2) 반지름의 길이가 10, 중심각의 크기가 $\dfrac{3}{2}\pi$인 부채꼴

10 다음 부채꼴의 중심각의 크기와 넓이를 구하여라.

(1) 반지름의 길이가 6, 호의 길이가 π인 부채꼴

(2) 반지름의 길이가 4, 호의 길이가 $\dfrac{\pi}{2}$인 부채꼴

11 다음 부채꼴의 반지름의 길이와 호의 길이를 구하여라.

(1) 중심각의 크기가 45°, 넓이가 2π인 부채꼴

(2) 중심각의 크기가 $\dfrac{\pi}{6}$, 넓이가 3π인 부채꼴

12 다음 부채꼴의 중심각의 크기와 반지름의 길이를 구하여라.

(1) 호의 길이가 π, 넓이가 π인 부채꼴

(2) 호의 길이가 $\dfrac{4}{3}\pi$, 넓이가 4π인 부채꼴

13 다음 부채꼴의 중심각의 크기와 호의 길이를 구하여라.

(1) 반지름의 길이가 6, 넓이가 18π인 부채꼴

(2) 반지름의 길이가 20, 넓이가 150π인 부채꼴

14 둘레의 길이가 다음과 같은 부채꼴의 넓이의 최댓값과 그때의 반지름의 길이를 구하여라.

(1) 10

> **풀이** 부채꼴의 반지름의 길이를 r, 호의 길이를 l이라고 하면 둘레의 길이가 10이므로
> $$2r+l=10 \qquad \therefore \ l=10-2r$$
> 이때 $10-2r>0$, $r>0$이므로 $0<r<5$
> 부채꼴의 넓이를 S라고 하면
> $$S=\frac{1}{2}rl=\frac{1}{2}r(10-2r)=-r^2+5r$$
> $$=-\left(r-\frac{5}{2}\right)^2+\frac{25}{4}$$
> 따라서 반지름의 길이가 ＿＿ 일 때 부채꼴의 넓이는 ＿＿ 로 최대이다.

(2) 12

(3) 16

(4) 18

(5) 24

삼각비

1 삼각비

직각삼각형에서 각 θ의 크기가 일정하면 세 변의 길이의 비율은 삼각형의 크기에 관계없이 일정하다. 이 비의 값을 각각 사인, 코사인, 탄젠트라 하고, 이를 통틀어 θ에 대한 삼각비라고 한다.

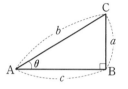

$$\sin \theta = \frac{a}{b},\ \cos \theta = \frac{c}{b},\ \tan \theta = \frac{a}{c}$$

참고 자주 이용되는 삼각비

θ 삼각비	0	$\frac{\pi}{6}$ (30°)	$\frac{\pi}{4}$ (45°)	$\frac{\pi}{3}$ (60°)	$\frac{\pi}{2}$ (90°)
$\sin \theta$	0	$\frac{1}{2}$	$\frac{1}{\sqrt{2}}$	$\frac{\sqrt{3}}{2}$	1
$\cos \theta$	1	$\frac{\sqrt{3}}{2}$	$\frac{1}{\sqrt{2}}$	$\frac{1}{2}$	0
$\tan \theta$	0	$\frac{1}{\sqrt{3}}$	1	$\sqrt{3}$	없음

유형·09 삼각비

정답과 풀이 039쪽

15 $\angle C = 90°$인 직각삼각형 ABC에서 다음 값을 구하여라.

(1) $\sin B$

> 풀이   피타고라스 정리에 의하여
> $$\overline{AC}^2 + \overline{BC}^2 = \overline{AB}^2$$
> $$\overline{AC}^2 + 4^2 = 5^2$$
> $$\overline{AC}^2 = 9$$
> $$\therefore \overline{AC} = 3\ (\because \overline{AC} > 0)$$
> $$\therefore \sin B = \underline{\quad}$$

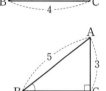

(2) $\cos B$

(3) $\tan B$

16 $\angle B = 90°$인 직각삼각형 ABC에서 다음 값을 구하여라.

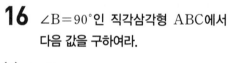
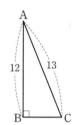

(1) $\sin C$

(2) $\cos C$

(3) $\tan C$

06

삼각함수의 정의

❶ 삼각함수의 정의

반지름의 길이가 r인 원 위의 점 $P(x, y)$에 대하여 동경 OP가 나타내는 일반각의 크기를 θ라고 할 때,

$$\sin \theta = \frac{y}{r}, \cos \theta = \frac{x}{r}, \tan \theta = \frac{y}{x}\ (x \neq 0)$$

위의 함수를 차례로 사인함수, 코사인함수, 탄젠트함수라고 하며, 이 함수를 통틀어 일반각 θ에 대한 삼각함수라고 한다.

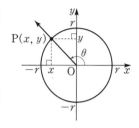

🏆 정답과 풀이 039쪽

유형·10 각이 육십분법으로 주어질 때, 삼각함수의 값

17 다음 값을 구하여라.

(1) $\sin 390°$, $\cos 390°$, $\tan 390°$

> ▶풀이 $390° = 360° + 30°$이므로 주어진 각의 동경을 그리면 한 바퀴 돌린 후 $30°$만큼 더 돌리면 된다. 그림과 같이 동경에서 x축에 수선을 그어 직각삼각형을 만들면

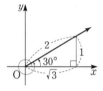

$\sin 390° = $ _____

$\cos 390° = $ _____

$\tan 390° = $ _____

(2) $\sin 480°$, $\cos 480°$, $\tan 480°$

(3) $\sin 585°$, $\cos 585°$, $\tan 585°$

유형·11 각이 호도법으로 주어질 때, 삼각함수의 값

18 다음 값을 구하여라.

(1) $\sin \frac{7}{3}\pi$, $\cos \frac{7}{3}\pi$, $\tan \frac{7}{3}\pi$

> ▶풀이 $\frac{7}{3}\pi = 2\pi + \frac{\pi}{3}$이므로 주어진 각의 동경을 그리면 한 바퀴 돌린 후 $\frac{\pi}{3}$만큼 더 돌리면 된다. 그림과 같이 동경에서 x축에 수선을 그어 직각삼각형을 만들면

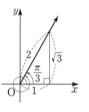

$\sin \frac{7}{3}\pi = $ _____, $\cos \frac{7}{3}\pi = $ _____, $\tan \frac{7}{3}\pi = $ _____

(2) $\sin \frac{17}{6}\pi$, $\cos \frac{17}{6}\pi$, $\tan \frac{17}{6}\pi$

(3) $\sin \frac{13}{4}\pi$, $\cos \frac{13}{4}\pi$, $\tan \frac{13}{4}\pi$

유형·12 좌표가 주어질 때, 삼각함수의 값

19 원점과 다음 점을 이은 선분을 동경으로 하는 각을 θ 라고 할 때, $\sin \theta$, $\cos \theta$, $\tan \theta$의 값을 구하여라.

(1) P(4, 3)

> 풀이 $\overline{OP}=\sqrt{4^2+3^2}=5$이므로

$\sin \theta=$ ___

$\cos \theta=$ ___

$\tan \theta=$ ___

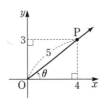

(2) P(−4, −3)

(3) P(4, −3)

(4) P(−15, 8)

(5) P(−15, −8)

유형·13 각의 크기가 주어질 때, 삼각함수의 값

20 θ가 다음과 같을 때, $\sin \theta$, $\cos \theta$, $\tan \theta$의 값을 구하여라.

(1) $\theta=\dfrac{3}{4}\pi$

> 풀이 그림과 같이 반지름의 길이가 1 인 원과 $\theta=\dfrac{3}{4}\pi$의 동경의 교점을 P, 점 P에서 x축에 내린 수선의 발을 H라고 하면 직각삼각형 POH에서

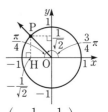

$\angle POH=\dfrac{\pi}{4}$이므로 점 P의 좌표는 $\left(-\dfrac{1}{\sqrt{2}},\ \dfrac{1}{\sqrt{2}}\right)$이다.

$\therefore \sin \theta=$ ___ , $\cos \theta=$ ___ , $\tan \theta=$ ___

(2) $\theta=-\dfrac{\pi}{6}$

(3) $\theta=-\dfrac{2}{3}\pi$

(4) $\theta=\dfrac{\pi}{3}$

■ 풍쌤 POINT

호도법이 주어졌을 때, 각의 크기를 한눈에 판단하기 힘들면 육십분법으로 바꾸어 본다.

07

삼각함수의 값의 부호

❶ 삼각함수의 값의 부호

삼각함수의 값의 부호는 각 θ의 동경이 위치한 사분면에 따라 다음과 같이 정해진다.

① $\sin \theta$의 부호   ② $\cos \theta$의 부호   ③ $\tan \theta$의 부호

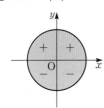   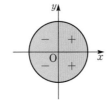   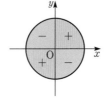

> **참고** 삼각함수의 값의 부호는 올사탄코(얼싸안고, 올스타킹)로 외운다.
> 올: 제1사분면에서는 **모든** 삼각함수의 값이 양수
> 사: 제2사분면에서는 **사인**함수의 값만이 양수
> 탄: 제3사분면에서는 **탄젠트**함수의 값만이 양수
> 코: 제4사분면에서는 **코**사인함수의 값만이 양수

보기

$\dfrac{3}{5}\pi$는 제2사분면의 각이므로

$\sin \dfrac{3}{5}\pi > 0$, $\cos \dfrac{3}{5}\pi < 0$,

$\tan \dfrac{3}{5}\pi < 0$

유형·14   **삼각함수의 값의 부호** (1)

🖋 정답과 풀이 041쪽

21 다음을 만족시키는 θ는 제몇 사분면의 각인지 구하여라.

(1) $\sin \theta \tan \theta < 0$, $\sin \theta \cos \theta < 0$

> **풀이** (ⅰ) $\sin \theta \tan \theta < 0$에서 $\sin \theta < 0$, $\tan \theta > 0$ 또는
> $\sin \theta > 0$, $\tan \theta < 0$이므로 θ는 제3사분면의 각
>   또는 제2사분면의 각이다.
>   (ⅱ) $\sin \theta \cos \theta < 0$에서 $\sin \theta < 0$, $\cos \theta > 0$ 또는
> $\sin \theta > 0$, $\cos \theta < 0$이므로 θ는 제4사분면의 각
>   또는 제2사분면의 각이다.
>   (ⅰ), (ⅱ)에서 θ는 제___사분면의 각이다.

(2) $\sin \theta \cos \theta > 0$, $\cos \theta \tan \theta < 0$

(3) $\dfrac{\sin \theta}{\tan \theta} < 0$, $\dfrac{\cos \theta}{\tan \theta} < 0$

> **▣ 풍쌤 POINT**
> ① $AB > 0$ ➡ A와 B의 부호가 같다.
>   즉, $A > 0$, $B > 0$ 또는 $A < 0$, $B < 0$
> ② $AB < 0$ ➡ A와 B의 부호가 다르다.
>   즉, $A > 0$, $B < 0$ 또는 $A < 0$, $B > 0$

22 $90° < \theta < 180°$일 때, 다음 식을 간단히 하여라.

(1) $|\sin \theta| - |\tan \theta - \sin \theta|$

> **풀이** θ는 제2사분면의 각이므로
> $\sin \theta > 0$, $\tan \theta \underline{\quad} 0$
> 따라서 $\tan \theta - \sin \theta < 0$이다.
> $\therefore |\sin \theta| - |\tan \theta - \sin \theta|$
> $= \sin \theta + (\tan \theta - \sin \theta)$
> $= \sin \theta + \tan \theta - \sin \theta$
> $= \underline{\quad\quad}$

(2) $\sqrt{\cos^2 \theta} - \sqrt{(\cos \theta + \tan \theta)^2}$

23 $180° < \theta < 270°$일 때, 다음 식을 간단히 하여라.

(1) $\sqrt{\sin^2 \theta} - |\cos \theta + \sin \theta| - \sqrt[3]{(\cos \theta - \sin \theta)^3}$

(2) $\sqrt{\cos^2 \theta} - \sqrt{(\cos \theta - \tan \theta)^2}$

24 $270° < \theta < 360°$일 때, 다음 식을 간단히 하여라.

(1) $|\sin \theta| - \sqrt{(\sin \theta - \cos \theta)^2}$

(2) $\sqrt{(\sin \theta + \tan \theta)^2} - |\tan \theta|$

(3) $\sqrt{\tan^2 \theta} - \sqrt{(\cos \theta - \sin \theta)^2} + \sqrt[3]{(\tan \theta - \sin \theta)^3}$

■ 풍쌤 POINT

$\sqrt{A^2} = |A| = \begin{cases} A & (A \geq 0) \\ -A & (A < 0) \end{cases}$

O8

삼각함수 사이의 관계

1 삼각함수 사이의 관계

① $\tan \theta = \dfrac{\sin \theta}{\cos \theta}$

② $\sin^2 \theta + \cos^2 \theta = 1$

▶②의 식의 양변을 $\cos^2 \theta$로 나누면

$$\dfrac{\sin^2 \theta}{\cos^2 \theta} + \dfrac{\cos^2 \theta}{\cos^2 \theta} = \dfrac{1}{\cos^2 \theta}$$

$$\therefore 1 + \tan^2 \theta = \dfrac{1}{\cos^2 \theta}$$

🏆 정답과 풀이 042쪽

유형·16 식을 간단히 하기

25 다음 식을 간단히 하여라.

(1) $(\sin \theta + \cos \theta)^2 + (\sin \theta - \cos \theta)^2$

> 풀이 $(\sin \theta + \cos \theta)^2 + (\sin \theta - \cos \theta)^2$
> $= (\sin^2 \theta + 2\sin \theta \cos \theta + \cos^2 \theta)$
> $\qquad + (\sin^2 \theta - 2\sin \theta \cos \theta + \cos^2 \theta)$
> $= (1 + 2\sin \theta \cos \theta) + (1 - 2\sin \theta \cos \theta)$
> $= \underline{\quad}$

(2) $\dfrac{\cos \theta}{1 + \sin \theta} + \dfrac{\cos \theta}{1 - \sin \theta}$

(3) $\dfrac{\cos^2 \theta}{1 + \sin \theta} + \cos \theta \tan \theta$

(4) $\dfrac{1 - \sin^4 \theta}{\cos^2 \theta} + \cos^2 \theta$

유형·17 식의 값 구하기

26 다음 물음에 답하여라.

(1) θ가 제2사분면의 각이고 $\cos \theta = -\dfrac{12}{13}$일 때, $\sin \theta$, $\tan \theta$의 값을 구하여라.

> 풀이 $\sin^2 \theta = 1 - \cos^2 \theta = 1 - \left(-\dfrac{12}{13}\right)^2 = \dfrac{25}{169}$
> 그런데 θ는 제2사분면의 각이므로 $\sin \theta > 0$이다.
> $\therefore \sin \theta = \dfrac{5}{13}$
> $\therefore \tan \theta = \dfrac{\sin \theta}{\cos \theta} = \dfrac{\dfrac{5}{13}}{-\dfrac{12}{13}} = \underline{\qquad}$

(2) θ가 제4사분면의 각이고 $\sin \theta = -\dfrac{1}{2}$일 때, $\cos \theta$, $\tan \theta$의 값을 구하여라.

(3) θ가 제3사분면의 각이고 $\sin \theta = -\dfrac{\sqrt{3}}{2}$일 때, $\cos \theta$, $\tan \theta$의 값을 구하여라.

(4) θ가 제4사분면의 각이고 $\cos \theta = \dfrac{3}{5}$일 때, $\sin \theta$, $\tan \theta$의 값을 구하여라.

27 $\sin\theta+\cos\theta=\dfrac{1}{2}$일 때, 다음 식의 값을 구하여라.

(1) $\sin\theta\cos\theta$

> **풀이** $\sin\theta+\cos\theta=\dfrac{1}{2}$의 양변을 제곱하면
>
> $\sin^2\theta+2\sin\theta\cos\theta+\cos^2\theta=\dfrac{1}{4}$
>
> $1+2\sin\theta\cos\theta=\dfrac{1}{4}$, $2\sin\theta\cos\theta=$ _____
>
> $\therefore\ \sin\theta\cos\theta=$ _____

(2) $\sin\theta-\cos\theta$

(3) $\sin^2\theta-\cos^2\theta$

(4) $\sin^3\theta+\cos^3\theta$

(5) $\dfrac{\cos\theta}{\sin\theta}+\dfrac{\sin\theta}{\cos\theta}$

◣ 풍쌤 POINT

삼각함수의 합 또는 차가 주어지면
$\sin^2\theta+\cos^2\theta=1$임을 이용한다.

28 다음 물음에 답하여라.

(1) 각 θ가 제2사분면의 각이고 $\sin\theta\cos\theta=-\dfrac{1}{5}$일 때, $\cos\theta-\sin\theta$의 값을 구하여라.

> **풀이** $(\cos\theta-\sin\theta)^2=\cos^2\theta-2\sin\theta\cos\theta+\sin^2\theta$
>
> $\qquad\qquad\qquad\qquad=1-2\sin\theta\cos\theta$
>
> $\qquad\qquad\qquad\qquad=1-2\times\left(-\dfrac{1}{5}\right)$
>
> $\qquad\qquad\qquad\qquad=$ ____
>
> 이때 θ는 제2사분면의 각이므로
>
> $\sin\theta>0$, $\cos\theta<0$
>
> $\therefore\ \cos\theta-\sin\theta<0$
>
> $\therefore\ \cos\theta-\sin\theta=$ _____

(2) 각 θ가 제3사분면의 각이고 $\sin\theta\cos\theta=\dfrac{1}{4}$일 때, $\sin\theta+\cos\theta$의 값을 구하여라.

(3) 각 θ가 제4사분면의 각이고 $\sin\theta\cos\theta=-\dfrac{2}{3}$일 때, $\cos\theta-\sin\theta$의 값을 구하여라.

(4) 각 θ가 제2사분면의 각이고 $\sin\theta\cos\theta=-\dfrac{1}{2}$일 때, $\cos\theta-\sin\theta$의 값을 구하여라.

29 다음 이차방정식의 두 근이 $\sin\theta$, $\cos\theta$일 때, 상수 a의 값을 구하여라.

(1) $2x^2-x-a=0$

> **풀이** 이차방정식의 근과 계수의 관계에 의하여
>
> $$\sin\theta+\cos\theta=\frac{1}{2} \qquad \cdots\cdots \text{㉠}$$
>
> $$\sin\theta\cos\theta=-\frac{a}{2} \qquad \cdots\cdots \text{㉡}$$
>
> ㉠의 양변을 제곱하면
>
> $$\sin^2\theta+2\sin\theta\cos\theta+\cos^2\theta=\frac{1}{4}$$
>
> $$1+2\sin\theta\cos\theta=\frac{1}{4} \qquad \cdots\cdots \text{㉢}$$
>
> ㉡을 ㉢에 대입하면
>
> $$1+2\times\left(\underline{}\right)=\frac{1}{4} \qquad \therefore a=\underline{}$$

(2) $3x^2+2x+a=0$

(3) $4x^2-x+a=0$

(4) $4x^2+ax-1=0$ (단, $a>0$)

> **📘 풍쌤 POINT**
>
> 이차방정식의 두 근이 $\sin\theta$, $\cos\theta$로 주어지면 근과 계수의 관계를 이용하여 $\sin\theta+\cos\theta$, $\sin\theta\cos\theta$의 값을 구한다.

·중단원 점검문제·

01

그림에서 $\overrightarrow{\mathrm{OX}}$가 시초선일 때, 동경 OP가 나타내는 일반각 θ를 구하여라.

02

$50°$와 동경이 일치하는 각만을 보기에서 있는 대로 골라라.

보기
ㄱ. $-50°$ ㄴ. $410°$
ㄷ. $-270°$ ㄹ. $770°$

03

두 각 θ, 7θ를 나타내는 동경이 일치할 때, θ의 크기를 구하여라. (단, $90° < \theta < 180°$)

04

각 3θ를 나타내는 동경과 각 6θ를 나타내는 동경이 x축에 대하여 대칭일 때, 예각인 각 θ의 크기의 합을 구하여라.

05

육십분법은 호도법으로, 호도법은 육십분법으로 옳게 표현한 것만을 보기에서 있는 대로 골라라.

보기
ㄱ. $60° = \dfrac{\pi}{3}$ ㄴ. $\dfrac{5}{8}\pi = 100°$
ㄷ. $135° = \dfrac{4}{5}\pi$ ㄹ. $\dfrac{2}{3}\pi = 120°$
ㅁ. $\dfrac{5}{6}\pi = 150°$ ㅂ. $270° = \dfrac{7}{6}\pi$

06

그림과 같은 부채꼴에서 $\overline{\mathrm{OC}} = 20$ cm, $\overline{\mathrm{BD}} = 13$ cm, $\angle \mathrm{AOB} = \dfrac{2}{3}\pi$일 때, 색칠한 부분의 넓이를 구하여라.

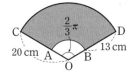

07

각 θ의 동경이 점 $\mathrm{P}(5, -12)$를 지날 때, $\sin \theta + \cos \theta$의 값을 구하여라.

08

각 θ의 동경이 점 $\mathrm{P}(-2, -1)$을 지날 때, $\sqrt{5}\sin \theta - \sqrt{5}\cos \theta$의 값을 구하여라.

09

$\sin\theta\cos\theta<0$, $\cos\theta\tan\theta>0$을 동시에 만족시키는 각 θ가 존재하는 사분면을 구하여라.

10

θ가 제3사분면의 각일 때,
$$\sin\theta+\cos\theta+\tan\theta+|\sin\theta|+|\cos\theta|+|\tan\theta|$$
를 간단히 하여라.

11

θ가 제2사분면의 각일 때,
$\sqrt{(\sin\theta-\cos\theta)^2}+\sqrt{(\cos\theta-\sin\theta)^2}$를 간단히 하여라.

12

$\dfrac{\sin^2\theta-\cos^2\theta}{1+2\sin\theta\cos\theta}+\dfrac{\tan\theta+1}{\tan\theta-1}$을 간단히 하여라.

13

θ가 제3사분면의 각이고 $\cos\theta=-\dfrac{5}{13}$일 때, $\dfrac{\sin\theta}{\cos\theta}$의 값을 구하여라.

14

$\sin\theta-\cos\theta=\dfrac{1}{2}$일 때, $\dfrac{\sin\theta}{\cos\theta}+\dfrac{\cos\theta}{\sin\theta}$의 값을 구하여라.

15

θ가 제1사분면의 각이고 $\cos^4\theta-\sin^4\theta=\dfrac{1}{2}$일 때, $\sin\theta\cos\theta$의 값을 구하여라.

16

이차방정식 $2x^2+\sqrt{2}x+a=0$의 두 근이 $\sin\theta$, $\cos\theta$일 때, 상수 a의 값을 구하여라. $\left(\text{단, } \dfrac{\pi}{2}<\theta<\pi\right)$

주기함수와 대칭함수

❶ 주기함수

① 주기함수: 함수 $f(x)$의 정의역에 속하는 모든 x에 대하여 $f(x+p)=f(x)$ 를 만족시키는 0이 아닌 상수 p가 존재하는 함수 $f(x)$

② 주기: 상수 p 중에서 가장 작은 양수

❷ 대칭함수

대칭성을 갖는 대표적인 함수는 우함수와 기함수가 있다.

구분	식의 성질	그래프	중요 함수
우함수	$f(-x)=f(x)$	y축에 대하여 대칭	① 짝수차항만 있는 다항함수 ② $y=\cos x$
기함수	$f(-x)=-f(x)$	원점에 대하여 대칭	① 홀수차항만 있는 다항함수 ② $y=\sin x,\ y=\tan x$

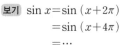

보기 $\sin x = \sin(x+2\pi)$
$= \sin(x+4\pi)$
$= \cdots$

에서 $\sin(x+p)=\sin x$를 만족하는 최소인 양수 p는 2π 이다.

보기

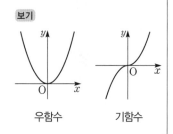

우함수   기함수

🏆 정답과 풀이 046쪽

유형·01 주기함수

01 다음 물음에 답하여라.

(1) 함수 $f(x)$의 주기가 2이고 $f(3)=2$일 때, $f(5)$의 값을 구하여라.

▶ 풀이 함수 $f(x)$의 주기가 2이므로
$f(x+\underline{\quad})=f(x)$
$\therefore f(5)=f(3+2)=f(3)=\underline{\quad}$

(2) 함수 $f(x)$의 주기가 3이고 $f(4)=-1$일 때, $f(-2)$의 값을 구하여라.

(3) 함수 $f(x)$의 주기가 7이고 $f(2)=3$일 때, $f(30)$의 값을 구하여라.

유형·02 우함수와 기함수

02 다음 함수가 우함수이면 '우'를, 기함수이면 '기'를 ( ) 안에 써넣어라.

(1) $f(x)=x$ (   )

▶ 풀이 $f(x)=x$에서 $f(-x)=-x=\underline{\qquad}$
이므로 $f(x)$는 ___ 함수이다.

(2) $f(x)=x^2$ (   )

(3) $f(x)=x^3+x$ (   )

(4) $f(x)=x^4+x^2$ (   )

02

사인함수의 그래프

❶ 함수 $y=\sin x$의 그래프와 성질

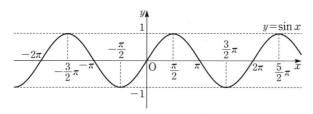

① 정의역은 실수 전체의 집합이다.

② 치역은 $\{y\,|\,-1\leq y\leq 1\}$이다.

③ 그래프는 원점에 대하여 대칭이다. 즉, $\sin(-x)=-\sin x$ ⇦ 기함수

④ 주기가 2π인 주기함수이다. 즉,

$$\sin(2n\pi+x)=\sin x \text{ (단, } n\text{은 정수이다.)}$$

참고
$y=a\sin(bx+c)+d$에서
최댓값: $|a|+d$
최솟값: $-|a|+d$
주기: $\dfrac{2\pi}{|b|}$

유형·03 $y=a\sin bx$의 그래프

🏆 정답과 풀이 046쪽

03 다음 함수의 최댓값, 최솟값, 주기를 구하고, 그 그래프를 그려라.

(1) $y=2\sin x$

▶ 풀이 최댓값: ___ , 최솟값: ___ , 주기: $\dfrac{2\pi}{1}=$ ___

$y=2\sin x$의 그래프는 $y=\sin x$의 그래프를 y축의 방향으로 2배 확대한 것이므로 그림과 같다.

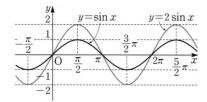

(2) $y=\sin 2x$

(3) $y=2\sin 2x$

(4) $y=2\sin \dfrac{1}{2}x$

📕 풍쌤 POINT

$y=a\sin bx$의 그래프는 $y=\sin x$의 그래프를 y축의 방향으로 $|a|$배하고, x축의 방향으로 $\dfrac{1}{|b|}$배한 것이다.

즉, $|a|$배만큼 최댓값, 최솟값이 변하고, $\dfrac{1}{|b|}$배만큼 주기가 변한다.

04 다음 함수의 그래프를 그리고, 최댓값, 최솟값, 주기를 구하여라.

(1) $y=\sin\left(x-\dfrac{\pi}{2}\right)$

> **풀이** $y=\sin\left(x-\dfrac{\pi}{2}\right)$의 그래프는 $y=\sin x$의 그래프를 x축의 방향으로 $\dfrac{\pi}{2}$만큼 평행이동한 것이다.

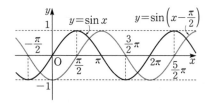

그래프에서 최댓값은 ___, 최솟값은 ____,
주기는 ___ 이다.

(2) $y=\sin\left(x+\dfrac{\pi}{4}\right)$

(3) $y=\sin x+1$

(4) $y=\sin x-2$

(5) $y=2\sin\left(x-\dfrac{\pi}{3}\right)$

(6) $y=\dfrac{1}{2}\sin\left(x+\dfrac{\pi}{6}\right)$

(7) $y=2\sin x+3$

(8) $y=\dfrac{1}{2}\sin x-2$

■ 풍쌤 POINT
$y=a\sin(bx+c)+d$ 꼴은 $y=a\sin b(x-m)+n$ 꼴로 변형한다. 이때 a, b로 그래프의 개형을 먼저 잡은 후, x축의 방향으로 m만큼, y축의 방향으로 n만큼 각각 평행이동한다.

| 유형·**05** 사인함수의 미정계수 구하기 | 유형·**06** 사인함수의 그래프의 이해 |

05 다음에서 상수 a, b, c의 값을 구하여라.

(단, $a>0$, $b>0$)

(1) 함수 $f(x)=a\sin bx+c$의 최솟값이 -4, 주기가 π 이고, $f(0)=2$

▶ **풀이** 최솟값이 -4이고 $a>0$이므로 $-a+c=-4$ ······ ㉠

주기가 π이고 $b>0$이므로 $\dfrac{2\pi}{b}=\pi$ ∴ $b=$___

∴ $f(x)=a\sin 2x+c$

$f(0)=2$이므로 $a\sin 0+c=2$ ∴ $c=2$

㉠에 $c=2$를 대입하면 $a=$___

(2) 함수 $f(x)=a\sin\left(bx+\dfrac{\pi}{3}\right)-c$의 최댓값이 2, 주기가 π이고, $f\left(-\dfrac{\pi}{6}\right)=-2$

(3) 함수 $f(x)=a\sin\left(\dfrac{x}{b}-\dfrac{\pi}{4}\right)-c$의 최댓값이 3, 주기가 2π이고, $f\left(\dfrac{\pi}{4}\right)=-1$

(4) 함수 $f(x)=a\sin\left(bx+\dfrac{\pi}{4}\right)+c$의 최솟값이 -2, 주기가 2π이고, $f\left(-\dfrac{\pi}{4}\right)=1$

06 함수 $y=a\sin(bx-c)$의 그래프가 그림과 같을 때, 상수 a, b, c의 값을 구하여라.

(단, $a>0$, $b>0$, $0\le c<2\pi$)

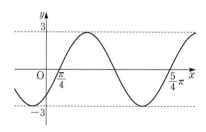

▶ **풀이** 최댓값이 3, 최솟값이 -3이고 $a>0$이므로 $a=$___

주기가 $\dfrac{5}{4}\pi-\dfrac{\pi}{4}=\pi$이고, $b>0$이므로

$\dfrac{2\pi}{b}=\pi$ ∴ $b=$___

따라서 $y=3\sin(2x-c)=3\sin 2\left(x-\dfrac{c}{2}\right)$이고, 주어진 그래프는 $y=3\sin 2x$의 그래프를 x축의 방향으로 $\dfrac{\pi}{4}$만큼 평행이동한 것이므로 $\dfrac{c}{2}=\dfrac{\pi}{4}$ ∴ $c=$___

07 함수 $y=a\sin(bx-c)$의 그래프가 그림과 같을 때, 상수 a, b, c의 값을 구하여라.

(단, $a>0$, $b>0$, $0\le c<2\pi$)

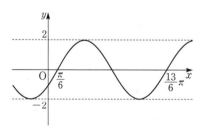

03

코사인함수의 그래프

1 함수 $y=\cos x$의 그래프와 성질

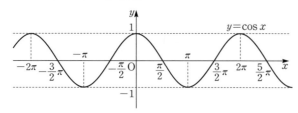

① 정의역은 실수 전체의 집합이다.

② 치역은 $\{y\,|-1\leq y\leq 1\}$이다.

③ 그래프는 y축에 대하여 대칭이다. 즉, $\cos(-x)=\cos x$ ⇦ 우함수

④ 주기가 2π인 주기함수이다. 즉,

$$\cos(2n\pi+x)=\cos x\ (\text{단, }n\text{은 정수이다.})$$

> **참고**
> $y=a\cos(bx+c)+d$에서
> 최댓값: $|a|+d$
> 최솟값: $-|a|+d$
> 주기: $\dfrac{2\pi}{|b|}$

유형·07 $y=a\cos bx$의 그래프

08 다음 함수의 최댓값, 최솟값, 주기를 구하고, 그 그래프를 그려라.

(1) $y=3\cos x$

> **풀이** 최댓값: ___, 최솟값: ____, 주기: $\dfrac{2\pi}{1}=$ ____
>
> $y=3\cos x$의 그래프는 $y=\cos x$의 그래프를 y축의 방향으로 3배한 것이므로 그림과 같다.

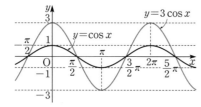

(2) $y=\cos\dfrac{1}{4}x$

(3) $y=3\cos 2x$

(4) $y=\dfrac{1}{2}\cos\dfrac{1}{2}x$

> **◀ 풍쌤 POINT**
>
> $y=a\cos bx$의 그래프는 $y=\cos x$의 그래프를 y축의 방향으로 $|a|$배하고, x축의 방향으로 $\dfrac{1}{|b|}$배한 것이다.
>
> 즉, $|a|$배만큼 최댓값, 최솟값이 변하고, $\dfrac{1}{|b|}$배만큼 주기가 변한다.

정답과 풀이 048쪽

09 다음 함수의 그래프를 그리고, 최댓값, 최솟값, 주기를 구하여라.

(1) $y=\cos\left(x+\dfrac{\pi}{3}\right)$

> **풀이** $y=\cos\left(x+\dfrac{\pi}{3}\right)$의 그래프는 $y=\cos x$의 그래프를

x축의 방향으로 $-\dfrac{\pi}{3}$만큼 평행이동한 것이다.

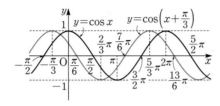

그래프에서 최댓값은 ___, 최솟값은 ____, 주기는 ___이다.

(2) $y=\cos\left(x-\dfrac{\pi}{6}\right)$

(3) $y=\cos x+2$

(4) $y=\cos x-3$

(5) $y=2\cos\left(x-\dfrac{\pi}{4}\right)$

(6) $y=\dfrac{1}{2}\cos\left(x+\dfrac{\pi}{2}\right)$

(7) $y=3\cos x-1$

(8) $y=\dfrac{1}{2}\cos x+3$

■ 풍쌤 POINT

$y=a\cos(bx+c)+d$ 꼴은 $y=a\cos b(x-m)+n$ 꼴로 변형한다. 이때 a, b로 그래프의 개형을 먼저 잡은 후, x축의 방향으로 m만큼, y축의 방향으로 n만큼 각각 평행이동한다.

유형·09 코사인함수의 미정계수 구하기

10 다음에서 상수 a, b, c의 값을 구하여라.
$$(\text{단, } a>0,\ b>0)$$

(1) 함수 $f(x)=a\cos\left(bx+\dfrac{\pi}{2}\right)+c$의 최솟값이 -1,
주기가 π이고, $f(-\pi)=1$

> **풀이** $f(x)=a\cos b\left(x+\dfrac{\pi}{2b}\right)+c$
>
> 이때 최솟값이 -1이고 $a>0$이므로 $-a+c=-1$
> $$\cdots\cdots\ \text{㉠}$$
> 주기가 π이고 $b>0$이므로 $\dfrac{2\pi}{b}=\pi$ $\therefore b=\underline{\quad}$
>
> $\therefore f(x)=a\cos 2\left(x+\dfrac{\pi}{4}\right)+c$
>
> $f(-\pi)=1$이므로 $a\cos 2\left(-\pi+\dfrac{\pi}{4}\right)+c=1$
>
> $a\cos\left(-\dfrac{3}{2}\pi\right)+c=1$ $\therefore c=\underline{\quad}$
>
> ㉠에 $c=\underline{\quad}$을 대입하면 $a=\underline{\quad}$

(2) 함수 $f(x)=a\cos(bx+\pi)-c$의 최댓값이 -1, 주기가 2π이고, $f\left(\dfrac{\pi}{2}\right)=-2$

(3) 함수 $f(x)=a\cos(bx-\pi)-c$의 최솟값이 1, 주기가 2π이고, $f\left(\dfrac{\pi}{2}\right)=2$

(4) 함수 $f(x)=a\cos(bx+\pi)+c$의 최댓값이 5, 주기가 π이고, $f(\pi)=1$

유형·10 코사인함수의 그래프의 이해

11 함수 $y=a\cos bx+c$의 그래프가 그림과 같을 때, 상수 a, b, c의 값을 구하여라. (단, $a>0$, $b>0$)

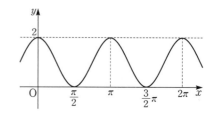

> **풀이** 주기가 π이므로 $\dfrac{2\pi}{b}=\pi$ $\therefore b=\underline{\quad}$
>
> $a>0$이고 최댓값이 2, 최솟값이 0이므로
> $a+c=2$, $-a+c=0$
> 두 식을 연립하여 풀면 $a=\underline{\quad}$, $c=\underline{\quad}$

12 함수 $y=a\cos(bx-c)$의 그래프가 그림과 같을 때, 상수 a, b, c의 값을 구하여라.
$$\left(\text{단, } a>0,\ b>0,\ 0\le c\le\dfrac{\pi}{2}\right)$$

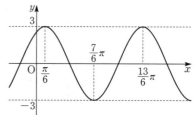

O4

탄젠트함수의 그래프

■ 함수 $y=\tan x$의 그래프와 성질

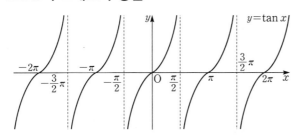

① 정의역은 $n\pi+\dfrac{\pi}{2}$ (n은 정수)를 제외한 실수 전체의 집합이다.

② 치역은 실수 전체의 집합이다.

③ 그래프는 원점에 대하여 대칭이다. 즉, $\tan(-x)=-\tan x$ ⇦ 기함수

④ 주기가 π인 주기함수이다. 즉,

$\quad\tan(n\pi+x)=\tan x$ (단, n은 정수이다.)

⑤ 그래프의 점근선은 직선 $x=n\pi+\dfrac{\pi}{2}$ (n은 정수)이다.

> **참고**
>
> $y=a\tan(bx+c)+d$에서
> 최댓값, 최솟값: 없다.
> 주기: $\dfrac{\pi}{|b|}$

유형·11 $y=a\tan bx$의 그래프

🔖 정답과 풀이 050쪽

13 다음 함수의 최댓값, 최솟값, 주기를 구하고, 그 그래프를 그려라.

(1) $y=2\tan x$

> **풀이** 최댓값, 최솟값: _____., 주기: ____
>
> $y=2\tan x$의 그래프는 $y=\tan x$의 그래프를 y축의 방향으로 2배한 것이므로 그림과 같다.

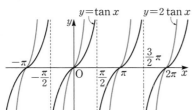

(2) $y=\dfrac{1}{2}\tan x$

(3) $y=\tan\dfrac{1}{4}x$

(4) $y=2\tan 4x$

> ■ **풍쌤 POINT**
>
> $y=a\tan bx$의 그래프는 $y=\tan x$의 그래프를 y축의 방향으로 $|a|$배하고, x축의 방향으로 $\dfrac{1}{|b|}$배한 것이다.
>
> 이때 최댓값, 최솟값은 없고, $\dfrac{1}{|b|}$배만큼 주기가 변한다.

14 다음 함수의 그래프를 그리고, 최댓값, 최솟값, 주기를 구하여라.

(1) $y = \tan\left(x - \dfrac{\pi}{2}\right)$

> **풀이** $y = \tan\left(x - \dfrac{\pi}{2}\right)$의 그래프는 $y = \tan x$의 그래프를 x축의 방향으로 $\dfrac{\pi}{2}$만큼 평행이동한 것이다.

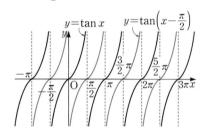

그래프에서 최댓값, 최솟값은 없고, 주기는 _____ 이다.

(2) $y = \tan\left(x + \dfrac{\pi}{4}\right)$

(3) $y = \tan x + 2$

(4) $y = \tan x - 1$

(5) $y = 2\tan\left(x - \dfrac{\pi}{2}\right)$

(6) $y = \dfrac{1}{2}\tan\left(x + \dfrac{\pi}{2}\right)$

(7) $y = 2\tan x + 1$

(8) $y = \dfrac{1}{2}\tan x - 2$

> **▣ 풍쌤 POINT**
> $y = a\tan(bx + c) + d$ 꼴은 $y = a\tan b(x - m) + n$ 꼴로 변형한다. 이때 a, b로 그래프의 개형을 먼저 잡은 후, x축의 방향으로 m만큼, y축의 방향으로 n만큼 각각 평행이동한다.

15 다음 탄젠트함수의 점근선의 방정식을 구하여라.

(1) $y = \tan \dfrac{1}{2}x$

> **풀이**   점근선의 방정식은 $\dfrac{1}{2}x = n\pi + \dfrac{\pi}{2}$에서
>
> $\qquad x = \underline{\hspace{2cm}}$ (단, n은 정수)

(2) $y = \tan 3x$

(3) $y = \tan 4x$

(4) $y = \tan \left(x + \dfrac{\pi}{6} \right)$

(5) $y = \tan \left(x - \dfrac{\pi}{3} \right)$

(6) $y = \tan \left(x - \dfrac{\pi}{4} \right)$

(7) $y = \tan \left(x + \dfrac{\pi}{2} \right) + 1$

(8) $y = \tan \left(2x - \dfrac{\pi}{4} \right) - 1$

(9) $y = \dfrac{1}{2}\tan \left(3x + \dfrac{\pi}{6} \right) + 2$

(10) $y = 2\tan \left(2x - \pi \right) - 3$

■ 풍쌤 POINT

$y = a\tan bx$ 꼴에서 점근선의 방정식은

$bx = n\pi + \dfrac{\pi}{2}$에서 $x = \dfrac{1}{b}\left(n\pi + \dfrac{\pi}{2} \right)$ (단, n은 정수)

절댓값 기호를 포함한 삼각함수의 그래프

1 $y=|a\sin bx|$의 그래프

① 최댓값: $|a|$, 최솟값: 0   ② 주기: $\dfrac{\pi}{|b|}$

2 $y=|a\cos bx|$의 그래프

① 최댓값: $|a|$, 최솟값: 0   ② 주기: $\dfrac{\pi}{|b|}$

3 $y=|\tan bx|$의 그래프

① 최댓값: 없다, 최솟값: 0   ② 주기: $\dfrac{\pi}{|b|}$

> 함수 $y=|f(x)|$의 그래프는 함수 $y=f(x)$의 그래프를 그린 후 x축의 아랫부분을 x축에 대하여 대칭이동한다.

유형·14 $y=|a\sin bx|$의 그래프

16 다음 함수의 그래프를 그리고, 최댓값, 최솟값, 주기를 구하여라.

(1) $y=|\sin x|$

> 풀이 $y=|\sin x|$의 그래프는 $y=\sin x$의 그래프를 그린 후 x축의 아랫부분을 x축에 대하여 대칭이동한 것이다. 따라서 그래프는 그림과 같고, 최댓값은 ___, 최솟값은 ___, 주기는 ___이다.

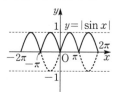

(2) $y=|\sin 2x|$

(3) $y=\left|\sin \dfrac{1}{2}x\right|$

(4) $y=|2\sin x|$

(5) $y=\left|\dfrac{1}{2}\sin x\right|$

(6) $y=|2\sin 2x|$

> ■ 풍쌤 POINT
>
> $y=|a\sin bx|$의 주기는 $y=a\sin bx$의 주기의 $\dfrac{1}{2}$이다.

유형·15 $y=|a\cos bx|$의 그래프

정답과 풀이 052쪽

17 다음 함수의 그래프를 그리고, 최댓값, 최솟값, 주기를 구하여라.

(1) $y=|\cos x|$

> 풀이 $y=|\cos x|$의 그래프는 $y=\cos x$의 그래프를 그린 후 x축의 아랫부분을 x축에 대하여 대칭이동한 것이므로 그래프는 그림과 같고, 최댓값은 ___, 최솟값은 ___, 주기는 ___이다.

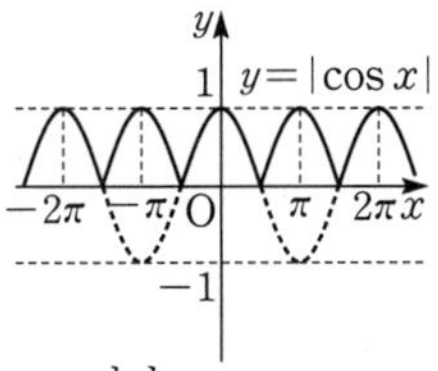

(2) $y=|\cos 3x|$

(3) $y=|3\cos x|$

(4) $y=\left|\frac{1}{3}\cos x\right|$

(5) $y=|3\cos 2x|$

(6) $y=\left|\frac{1}{2}\cos 4x\right|$

풍쌤 POINT

$y=|a\cos bx|$의 주기는 $y=a\cos bx$의 주기의 $\frac{1}{2}$이다.

18 다음 함수의 그래프를 그리고, 최댓값, 최솟값, 주기를 구하여라.

(1) $y=|\tan x|$

> ▶ 풀이 $y=|\tan x|$의 그래프는 $y=\tan x$의 그래프를 그린 후 x축의 아랫부분을 x축에 대하여 대칭이동한 것이므로 그래프는 그림과 같고, 최댓값은 없고, 최솟값은 ___ , 주기는 ___ 이다.

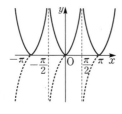

(2) $y=\left|\tan \dfrac{1}{4}x\right|$

(3) $y=|2\tan x|$

(4) $y=\left|\dfrac{1}{2}\tan x\right|$

(5) $y=\left|2\tan \dfrac{1}{2}x\right|$

(6) $y=\left|\dfrac{1}{2}\tan 2x\right|$

■ 풍쌤 POINT
$y=|a\tan bx|$의 주기는 $y=a\tan bx$의 주기와 같다.

여러 가지 각의 삼각함수 (1) $- 2n\pi+x,\ -x,\ \pi\pm x,\ \dfrac{\pi}{2}\pm x$의 삼각함수

❶ $2n\pi+x$ (n은 정수)의 삼각함수

$\sin(2n\pi+x)=\sin x,\ \cos(2n\pi+x)=\cos x,\ \tan(2n\pi+x)=\tan x$

❷ $-x$의 삼각함수

$\sin(-x)=-\sin x,\ \cos(-x)=\cos x,\ \tan(-x)=-\tan x$

❸ $\pi\pm x$의 삼각함수

$\sin(\pi+x)=-\sin x,\ \cos(\pi+x)=-\cos x,\ \tan(\pi+x)=\tan x$

$\sin(\pi-x)=\sin x,\ \cos(\pi-x)=-\cos x,\ \tan(\pi-x)=-\tan x$

❹ $\dfrac{\pi}{2}\pm x$의 삼각함수

$\sin\left(\dfrac{\pi}{2}+x\right)=\cos x,\ \cos\left(\dfrac{\pi}{2}+x\right)=-\sin x$

$\sin\left(\dfrac{\pi}{2}-x\right)=\cos x,\ \cos\left(\dfrac{\pi}{2}-x\right)=\sin x$

> $y=\sin x,\ y=\tan x \Rightarrow$ 기함수
> $y=\cos x \Rightarrow$ 우함수

❤ 정답과 풀이 054쪽

유형·17 $2n\pi+x$의 삼각함수

19 다음 삼각함수의 값을 구하여라.

(1) $\sin\dfrac{7}{3}\pi$

> 풀이 $\sin\dfrac{7}{3}\pi=\sin\left(2\pi+\dfrac{\pi}{3}\right)=\sin\underline{\quad}=\underline{\quad}$

(2) $\sin 390°$

(3) $\cos\dfrac{13}{6}\pi$

(4) $\cos 420°$

(5) $\tan\dfrac{13}{3}\pi$

(6) $\tan 405°$

유형·18 $-x$의 삼각함수

20 다음 삼각함수의 값을 구하여라.

(1) $\sin\left(-\dfrac{\pi}{6}\right)$

> 풀이 $\sin\left(-\dfrac{\pi}{6}\right)=-\sin\dfrac{\pi}{6}=\underline{\quad}$

(2) $\sin(-405°)$

(3) $\cos\left(-\dfrac{13}{3}\pi\right)$

(4) $\cos(-750°)$

(5) $\tan\left(-\dfrac{9}{4}\pi\right)$

(6) $\tan(-1140°)$

▣ 풍쌤 POINT

각에 $-$가 붙어 있으면 먼저 $-x$의 삼각함수의 성질을 이용하여 $-$를 없앤 후 푼다.

유형·19 $\pi \pm x$의 삼각함수

21 다음 삼각함수의 값을 구하여라.

(1) $\sin \dfrac{7}{6}\pi$

> 풀이 $\sin \dfrac{7}{6}\pi = \sin\left(\pi + \dfrac{\pi}{6}\right) = -\sin \dfrac{\pi}{6}$
>
> $=$ _____

(2) $\sin 150°$

(3) $\cos \dfrac{5}{4}\pi$

(4) $\cos 135°$

(5) $\tan \dfrac{4}{3}\pi$

(6) $\tan 120°$

유형·20 $\dfrac{\pi}{2} \pm x$의 삼각함수

22 다음 삼각함수의 값을 구하여라.

(1) $\sin\left(\dfrac{\pi}{2} + \dfrac{\pi}{3}\right)$

> 풀이 $\sin\left(\dfrac{\pi}{2} + \dfrac{\pi}{3}\right) = \cos \dfrac{\pi}{3} =$ _____

(2) $\sin 120°$

(3) $\sin \dfrac{3}{4}\pi$

(4) $\cos\left(\dfrac{\pi}{2} + \dfrac{\pi}{6}\right)$

(5) $\cos 150°$

(6) $\cos 135°$

여러 가지 각의 삼각함수(2) – 임의의 각에 대한 삼각함수

❶ 임의의 각에 대한 삼각함수

임의의 각에 대한 삼각함수의 값을 계산할 때는 다음과 같은 순서로 변형한다.

[1단계] 각 변형하기

주어진 각을 $90° \times n \pm \theta$ 또는 $\dfrac{\pi}{2} \times n \pm \theta$ (n은 정수) 꼴로 고친다.

[2단계] 삼각함수 정하기

(ⅰ) n이 짝수일 때 $(\pi \pm \theta, 2\pi \pm \theta, \cdots)$

➱ $\sin \to \sin, \ \cos \to \cos, \tan \to \tan$

(ⅱ) n이 홀수일 때 $\left(\dfrac{\pi}{2} \pm \theta, \dfrac{3}{2}\pi \pm \theta, \cdots \right)$

➱ $\sin \to \cos, \cos \to \sin$

[3단계] 부호 정하기

$90° \times n \pm \theta$ 또는 $\dfrac{\pi}{2} \times n \pm \theta$가 제몇 사분면의 각이냐에 따라 부호가

달라진다. 이때 θ는 항상 예각으로 간주하고 동경을 그린 후

(ⅰ) 원래 함수의 부호가 양수이면 $+$를 붙인다.

(ⅱ) 원래 함수의 부호가 음수이면 $-$를 붙인다.

> **보기** $\sin 210°$
> $= \sin(90° \times 2 + 30°)$
> └ $90° \times n \pm \theta$ 꼴로 고친다.
> $= -\sin 30°$
> └ n이 2로 짝수이므로 sin
> 은 그대로 sin이고 원래
> 210°는 제3사분면의 각
> 이므로 sin 210°의 부호
> 는 '$-$'이다.
> $= -\dfrac{1}{2}$

유형·21 복잡한 식의 삼각함수의 값 구하기 (1)   🔑 정답과 풀이 055쪽

23 다음 식의 값을 구하여라.

(1) $\sin\left(-\dfrac{17}{6}\pi \right) + \tan \dfrac{2}{3}\pi + \cos\left(-\dfrac{10}{3}\pi \right)$

> **풀이** $\sin\left(-\dfrac{17}{6}\pi \right) = -\sin \dfrac{17}{6}\pi = -\sin\left(\dfrac{\pi}{2} \times 6 - \dfrac{\pi}{6} \right)$
> $= -\sin \dfrac{\pi}{6} = -\dfrac{1}{2}$
> $\tan \dfrac{2}{3}\pi = \tan\left(\dfrac{\pi}{2} \times 2 - \dfrac{\pi}{3} \right) = -\tan \dfrac{\pi}{3} = -\sqrt{3}$
> $\cos\left(-\dfrac{10}{3}\pi \right) = \cos \dfrac{10}{3}\pi = \cos\left(\dfrac{\pi}{2} \times 6 + \dfrac{\pi}{3} \right)$
> $= -\cos \dfrac{\pi}{3} = -\dfrac{1}{2}$
> ∴ (주어진 식) $= -\dfrac{1}{2} - \sqrt{3} - \dfrac{1}{2} = $ _____

(2) $\dfrac{\cos 750°}{\sin 390° + \sin 225°} - \dfrac{\sin 1140°}{\cos 330° - \cos 135°}$

(3) $\dfrac{\sin\left(\dfrac{\pi}{2} - \dfrac{\pi}{3} \right)}{\sin\left(\dfrac{3}{2}\pi + \dfrac{\pi}{6} \right) + \cos\left(3\pi + \dfrac{\pi}{3} \right)}$

24 다음 식을 간단히 하여라.

(1) $\sin^2 (\pi - \theta) + \sin^2 \left(\dfrac{\pi}{2} + \theta \right)$

▶ 풀이 (주어진 식)$= \sin^2 \theta + \cos^2 \theta = $ ___

(2) $\cos^2 (\pi + \theta) + \cos^2 \left(\dfrac{3}{2} \pi - \theta \right)$

(3) $\sin \left(\dfrac{\pi}{2} + \theta \right) + \cos (\pi - \theta)$

(4) $\cos \left(\dfrac{\pi}{2} - \theta \right) + \sin (2\pi + \theta)$

(5) $\dfrac{\sin \left(\dfrac{\pi}{2} + \theta \right)}{1 + \sin \theta} - \tan (\pi - \theta)$

(6) $\sin \left(\dfrac{5}{2} \pi + \theta \right) \cos (3\pi + \theta)$

$+ \cos \left(\dfrac{3}{2} \pi - \theta \right) \sin (7\pi - \theta)$

(7) $\dfrac{\cos \left(\dfrac{\pi}{2} - \theta \right)}{1 + \cos (\pi - \theta)} + \dfrac{\cos \left(\dfrac{\pi}{2} + \theta \right)}{1 + \cos (\pi + \theta)}$

(8) $\dfrac{\cos (-\theta) \tan (\pi + \theta)}{\sin \left(\dfrac{7}{2} \pi - \theta \right)}$

$- \dfrac{\sin (-\theta) \cos (-\theta)}{\cos \left(\dfrac{3}{2} \pi + \theta \right) \sin \left(\dfrac{\pi}{2} - \theta \right)}$

(9) $\dfrac{\cos (\pi + \theta)}{\sin \left(\dfrac{5}{2} \pi + \theta \right) \cos (\pi - \theta)}$

$+ \dfrac{\cos (\pi - \theta) \tan (\pi - \theta)}{\cos \left(\dfrac{5}{2} \pi + \theta \right)}$

📝 풍쌤 POINT
삼각함수의 각을 변형할 때 원래 삼각함수의 각의 부호를 생각하는 것을 잊지 않도록 한다.

삼각함수표

---

1 삼각함수표

삼각함수표: $0°$에서 $90°$까지 $1°$ 단위로 삼각비의 값을 반올림하여 소수 넷째
자리까지 나타낸 표

2 삼각함수표 읽는 방법

삼각함수표에서 가로줄과 세로줄이
만나는 곳의 수가 삼각함수의 값이다.

예 $\sin 27°=0.4540$

$\cos 28°=0.8829$

$\tan 29°=0.5543$

각	sin	cos	tan
26°	0.4384	0.8988	0.4877
27°	0.4540	0.8910	0.5095
28°	0.4695	0.8829	0.5317
29°	0.4848	0.8746	0.5543
30°	0.5000	0.8660	0.5774

▶삼각함수표에 있는 값은 반올
림한 값이지만 등호를 사용하
여 나타낸다.

유형·23 삼각함수표를 이용하여 삼각함수의 값 구하기

정답과 풀이 055쪽

25 삼각함수표를 이용하여 주어진 식을 만족시키는 x의
값을 구하여라.

(1) $\sin 33°=x$

▶풀이 각의 가로줄과 삼각비의 세로줄이 만나는 곳을 읽으면

$\sin 33°=$ _____

(2) $\sin 47°=x$

(3) $\cos 52°=x$

(4) $\cos 18°=x$

(5) $\tan 72°=x$

(6) $\tan 89°=x$

26 삼각함수표와 계산기를 사용하여 다음 식의 값을 소
수 다섯째 자리에서 반올림하여 소수 넷째 자리까지
구하여라.

(1) $\sin 27°+\cos 10°$

▶풀이 $\sin 27°=0.4540$, $\cos 10°=0.9848$이므로

$\sin 27°+\cos 10°=0.4540+0.9848=$ _____

(2) $\tan 81°-\cos 37°$

(3) $\sin 30°+\cos 30°$

(4) $\dfrac{\sin 22°}{\cos 22°}$

삼각함수를 포함한 최대·최소(1) – 일차식 꼴인 경우

1 **삼각함수가 두 종류 이상이고 일차식 꼴인 경우의 최대 · 최소**

① 삼각함수의 각이 $\frac{\pi}{2}-x$, $2\pi-x$ 등과 같이 여러 가지로 표현되어 있으면 모두 x로 통일한다.

② 한 종류의 삼각함수로 통일한다.

③ 통일한 삼각함수의 최댓값과 최솟값을 이용하여 주어진 식의 최댓값과 최솟값을 구한다.

유형·24 **일차식 꼴인 경우의 최대 · 최소**

정답과 풀이 056쪽

27 다음 함수의 최댓값과 최솟값을 구하여라.

(1) $y=\sin x-\cos\left(\frac{3}{2}\pi-x\right)-1$

➤풀이 $y=\sin x-\cos\left(\frac{3}{2}\pi-x\right)-1$

$\quad=\sin x+\sin x-1=2\sin x-1$

이때 $-1\leq\sin x\leq 1$이므로

$-2\leq 2\sin x\leq 2$ $\therefore$ $-3\leq 2\sin x-1\leq$ ___

따라서 최댓값은 ___, 최솟값은 -3이다.

(2) $y=3\cos x+\sin\left(\frac{\pi}{2}-x\right)+2$

(3) $y=2\sin x+\cos\left(\frac{\pi}{2}-x\right)-2$

(4) $y=\cos x-3\sin\left(\frac{3}{2}\pi+x\right)-2$

(5) $y=\sin\left(\frac{5}{2}\pi-x\right)+2\cos(\pi-x)+1$

(6) $y=\cos(\pi+x)-2\sin\left(\frac{3}{2}\pi-x\right)+5$

10

삼각함수를 포함한 최대·최소(2) – 절댓값 기호를 포함하는 경우

❶ 절댓값 기호를 포함하는 경우의 최대 · 최소

① 주어진 식에 포함된 삼각함수를 t로 치환하여 t에 대한 함수로 변형한다.

② t의 값의 범위를 구한다.

③ t에 대한 함수의 그래프를 그려서 최댓값과 최솟값을 구한다.

유형·25 절댓값 기호를 포함하는 경우의 최대 · 최소

✍ 정답과 풀이 056쪽

28 다음 함수의 최댓값과 최솟값을 구하여라.

(1) $y=|\sin x-3|+1$

> **풀이** $y=|\sin x-3|+1$에서 $\sin x=t$로 치환하면
> $y=|t-3|+1$ (단, $-1 \le t \le 1$)
> 따라서 함수의 그래프는 그림
> 과 같으므로
> $t=-1$일 때 최댓값은 ___,
> $t=1$일 때 최솟값은 ___ 이다.

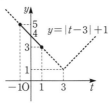

(2) $y=-|\cos x-2|+1$

(3) $y=|\cos x-1|+3$

(4) $y=-|\sin x+2|-5$

(5) $y=|1-\sin x|+2$

(6) $y=|2+\cos x|-2$

삼각함수를 포함한 최대·최소(3) – 이차식 꼴인 경우

1 **삼각함수가 두 종류 이상이고 이차식 꼴인 경우의 최대·최소**

① 주어진 식을 $\sin^2 x + \cos^2 x = 1$을 이용하여 한 종류의 삼각함수로 변형한다.

② 통일된 삼각함수를 t로 치환하여 t에 대한 이차함수로 변형한다.

③ t의 값의 범위를 구한다.

④ t에 대한 함수의 그래프를 그려서 최댓값과 최솟값을 구한다.

유형·26 **이차식 꼴인 경우의 최대·최소**   🖋 정답과 풀이 057쪽

29 다음 함수의 최댓값과 최솟값을 구하여라.

(1) $y = \cos^2 x + 2\sin x$

> ▶ 풀이 $y = \cos^2 x + 2\sin x$
> $\qquad = (1 - \sin^2 x) + 2\sin x$
> $\qquad = -\sin^2 x + 2\sin x + 1$
> $\sin x = t$로 치환하면
> $y = -t^2 + 2t + 1$
> $\quad = -(t-1)^2 + 2$
> $\qquad\qquad (단, -1 \le t \le 1)$
> 따라서 함수의 그래프는
> 그림과 같으므로
> $t = 1$일 때 최댓값은 ___,
> $t = -1$일 때 최솟값은 _____ 이다.

(2) $y = 2\cos^2 x + 4\sin x + 2$

(3) $y = -\sin^2 x + \cos x + 3$

(4) $y = -\cos^2 x + 2\sin x + 1$

(5) $y = \cos\left(\dfrac{\pi}{2} + x\right) - \sin^2\left(\dfrac{\pi}{2} + x\right) + 3$

(6) $y = \cos^2(\pi + x) + 2\cos\left(\dfrac{3}{2}\pi - x\right)$

12 삼각함수를 포함한 최대·최소(4) – 분수식 꼴인 경우

1 삼각함수가 분수식 꼴인 경우의 최대·최소

① 주어진 식에 포함된 삼각함수를 t로 치환하여 t에 대한 함수로 변형한다.

② t의 값의 범위를 구한다.

③ t에 대한 함수의 그래프를 그려서 최댓값과 최솟값을 구한다.

유형·27 분수식 꼴인 경우의 최대·최소

정답과 풀이 057쪽

30 다음 함수의 최댓값과 최솟값을 구하여라.

(1) $y = \dfrac{\cos x - 3}{\cos x - 2}$

> **풀이** $y = \dfrac{\cos x - 3}{\cos x - 2}$에서 $\cos x = t$로 치환하면
>
> $y = \dfrac{t-3}{t-2} = \dfrac{(t-2)-1}{t-2} = 1 - \dfrac{1}{t-2}$ (단, $-1 \le t \le 1$)
>
> 따라서 함수의 그래프는 그림과 같으므로
> $t = 1$일 때 최댓값은 ___,
> $t = -1$일 때 최솟값은 ___ 이다.

(2) $y = -\dfrac{\sin x - 2}{\sin x + 5}$

(3) $y = \dfrac{-2\sin x}{\sin x + 3}$

(4) $y = \dfrac{3\cos x}{\cos x - 4}$

(5) $y = \dfrac{-2\cos x + 5}{\cos x + 2}$

(6) $y = \dfrac{3\sin x - 4}{\sin x - 3}$

13

삼각함수를 포함한 방정식

1 그래프를 이용한 방정식의 풀이

① 주어진 방정식을 $\sin x = k$ (또는 $\cos x = k$ 또는 $\tan x = k$) 꼴로 고친다.

② 함수 $y = \sin x$ (또는 $y = \cos x$ 또는 $y = \tan x$)의 그래프와 직선 $y = k$를 그린다.

③ 주어진 범위에서 함수 $y = \sin x$ (또는 $y = \cos x$ 또는 $y = \tan x$)의 그래프와 직선 $y = k$의 교점의 x좌표를 구한다.

예 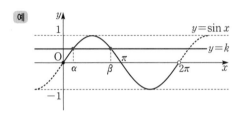 ⇨ $0 \leq x < 2\pi$에서 $x = \alpha$ 또는 $x = \beta$가 방정식 $\sin x = k$의 해이다.

유형·28 삼각함수를 포함한 방정식-일차식 꼴(1)

31 다음 방정식을 풀어라.

(1) $\sin x = -\dfrac{\sqrt{2}}{2}$ (단, $0 \leq x < 2\pi$)

> 풀이 $0 \leq x < 2\pi$에서 함수 $y = \sin x$의 그래프와 직선 $y = -\dfrac{\sqrt{2}}{2}$ 의 교점의 x좌표는

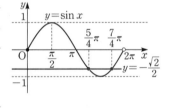

$x = \pi + \dfrac{\pi}{4} = $ ＿＿＿

또는 $x = 2\pi - \dfrac{\pi}{4} = \dfrac{7}{4}\pi$이다.

따라서 주어진 방정식의 해는 두 그래프의 교점의 x좌표와 같으므로 $x = $ ＿＿＿ 또는 $x = \dfrac{7}{4}\pi$이다.

(2) $\cos x = \dfrac{1}{2}$ (단, $0 \leq x < 2\pi$)

(3) $\tan x = 1$ (단, $0 \leq x < \pi$)

(4) $2\cos x = \sqrt{3}$ (단, $0 \leq x < 2\pi$)

32 다음 방정식을 풀어라.

(1) $\sin\left(2x-\dfrac{\pi}{4}\right)=\dfrac{\sqrt{2}}{2}$ (단, $0\leq x<\pi$)

> **풀이** $\sin\left(2x-\dfrac{\pi}{4}\right)=\dfrac{\sqrt{2}}{2}$ 에서 $2x-\dfrac{\pi}{4}=\theta$로 치환하면

$\sin\theta=\dfrac{\sqrt{2}}{2}$

$0\leq x<\pi$에서 $0\leq 2x<2\pi$ $\quad\therefore -\dfrac{\pi}{4}\leq 2x-\dfrac{\pi}{4}<\dfrac{7}{4}\pi$

즉, $-\dfrac{\pi}{4}\leq\theta<\dfrac{7}{4}\pi$에서 $\sin\theta=\dfrac{\sqrt{2}}{2}$의 해를 구하면

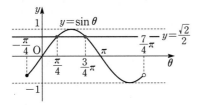

그림에서 $\theta=\dfrac{\pi}{4}$ 또는 $\theta=\dfrac{3}{4}\pi$이다.

따라서 $2x-\dfrac{\pi}{4}=\dfrac{\pi}{4}$ 또는 $2x-\dfrac{\pi}{4}=\dfrac{3}{4}\pi$이므로

$x=$ ____ 또는 $x=$ ____ 이다.

(2) $2\cos 2x=1$ (단, $0\leq x<\pi$)

(3) $\sin\left(x-\dfrac{\pi}{6}\right)=\dfrac{1}{2}$ (단, $0\leq x<2\pi$)

(4) $\cos\left(x+\dfrac{\pi}{4}\right)=-\dfrac{\sqrt{2}}{2}$ (단, $0\leq x<2\pi$)

(5) $\tan\left(x+\dfrac{\pi}{4}\right)=\sqrt{3}$ $\left(단,\ 0\leq x<\dfrac{\pi}{4}\right)$

(6) $\tan\left(x+\dfrac{\pi}{2}\right)=-1$ (단, $0<x<\pi$)

유형·30 삼각함수를 포함한 방정식−이차식 꼴

33 다음 방정식을 풀어라.

(1) $2\cos^2 x+3\sin x-3=0$ (단, $0\le x<2\pi$)

> 풀이 $2\cos^2 x+3\sin x-3=0$에서
> $2(1-\sin^2 x)+3\sin x-3=0$
> $2\sin^2 x-3\sin x+1=0$, $(2\sin x-1)(\sin x-1)=0$
> $\therefore \sin x=\dfrac{1}{2}$ 또는 $\sin x=1$
>
> 따라서 $0\le x<2\pi$에서 그림과 같이
> (ⅰ) $\sin x=\dfrac{1}{2}$의 해는
>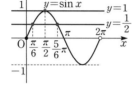
> $x=\dfrac{\pi}{6}$ 또는 $x=\dfrac{5}{6}\pi$
> (ⅱ) $\sin x=1$의 해는
> $x=\underline{\quad}$
> (ⅰ), (ⅱ)에서 $x=\dfrac{\pi}{6}$ 또는 $x=\underline{\quad}$ 또는 $x=\dfrac{5}{6}\pi$이다.

(2) $2\sin^2(\pi-x)-\sin x=0$ (단, $0\le x<2\pi$)

(3) $\tan^2 x-(1-\sqrt{3})\tan x-\sqrt{3}=0$ (단, $0\le x<2\pi$)

■ 풍쌤 POINT
$\sin^2 x+\cos^2 x=1$을 이용하여 한 종류의 삼각함수에 대한 이차방정식을 만든다.

유형·31 삼각함수를 포함한 방정식의 활용

34 다음 함수의 그래프가 x축과 접할 때, θ의 값을 구하여라.

(1) $f(x)=\sqrt{2}x^2+x+\dfrac{1}{4}\sin\theta$ (단, $0\le\theta<2\pi$)

> 풀이 이차함수 $f(x)=\sqrt{2}x^2+x+\dfrac{1}{4}\sin\theta$의 그래프가 x축과 접하므로 이차방정식 $f(x)=0$의 판별식을 D라고 하면
> $D=1^2-4\times\sqrt{2}\times\dfrac{1}{4}\sin\theta$
> $\quad=0$
>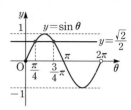
> $\therefore \sin\theta=\dfrac{1}{\sqrt{2}}=\dfrac{\sqrt{2}}{2}$
> 따라서 $0\le\theta<2\pi$에서 구하는 θ의 값은
> $\theta=\underline{\quad}$ 또는 $\theta=\underline{\quad}$ 이다.

(2) $f(x)=x^2+x+\dfrac{1}{2}\sin\theta$ (단, $0\le\theta<2\pi$)

(3) $f(x)=2x^2+2x+\cos\theta$ (단, $0\le\theta<2\pi$)

■ 풍쌤 POINT
이차함수의 그래프가 x축과 접한다.
➡ (판별식)$=0$을 이용!

14

삼각함수를 포함한 부등식

① 그래프를 이용한 부등식의 풀이

① $\sin x > k$ (또는 $\cos x > k$ 또는 $\tan x > k$) 꼴

⇨ $y = \sin x$ (또는 $y = \cos x$ 또는 $y = \tan x$)의 그래프가 직선 $y = k$보다 위쪽에 있는 x의 값의 범위가 부등식의 해이다.

② $\sin x < k$ (또는 $\cos x < k$ 또는 $\tan x < k$) 꼴

⇨ $y = \sin x$ (또는 $y = \cos x$ 또는 $y = \tan x$)의 그래프가 직선 $y = k$보다 아래쪽에 있는 x의 값의 범위가 부등식의 해이다.

예
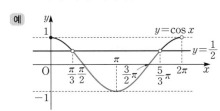
⇨ $0 \le x < 2\pi$에서 $\dfrac{\pi}{3} < x < \dfrac{5}{3}\pi$가 부등식 $\cos x < \dfrac{1}{2}$의 해이다.

유형·32 삼각함수를 포함한 부등식−일차식 꼴(1)

🔖 정답과 풀이 061쪽

35 다음 부등식을 풀어라.

(1) $\cos x > \dfrac{\sqrt{3}}{2}$ (단, $0 \le x < 2\pi$)

▶ 풀이 $0 \le x < 2\pi$에서 함수 $y = \cos x$의 그래프와 직선 $y = \dfrac{\sqrt{3}}{2}$의 교점의 x좌표는 $\dfrac{\pi}{6}$ 또는 $2\pi - \dfrac{\pi}{6} = \dfrac{11}{6}\pi$이다.

따라서 주어진 부등식의 해는 함수 $y = \cos x$의 그래프가 직선 $y = \dfrac{\sqrt{3}}{2}$보다 위쪽에 있는 부분의 x의 값의 범위이므로 $0 \le x < \dfrac{\pi}{6}$ 또는 ____ $\pi < x < $ ____ 이다.

(2) $\sin x \ge \dfrac{\sqrt{3}}{2}$ (단, $0 \le x < 2\pi$)

(3) $\cos x \le \dfrac{1}{2}$ (단, $0 \le x < 2\pi$)

(4) $\tan x < 1$ $\left(\text{단, } 0 \le x < \dfrac{\pi}{2}\right)$

36 다음 부등식을 풀어라.

(1) $\cos\left(x-\dfrac{\pi}{3}\right)\leq-\dfrac{1}{2}$ (단, $0\leq x<2\pi$)

> **풀이** $\cos\left(x-\dfrac{\pi}{3}\right)\leq-\dfrac{1}{2}$ 에서 $x-\dfrac{\pi}{3}=\theta$ 로 치환하면
>
> $\cos\theta\leq-\dfrac{1}{2}$
>
> $0\leq x<2\pi$ 에서 $-\dfrac{\pi}{3}\leq x-\dfrac{\pi}{3}<\dfrac{5}{3}\pi$
>
> 즉, $-\dfrac{\pi}{3}\leq\theta<\dfrac{5}{3}\pi$ 에서
>
> $\cos\theta\leq-\dfrac{1}{2}$ 의 해를
>
> 구하면
>
> $\dfrac{2}{3}\pi\leq\theta\leq\dfrac{4}{3}\pi$
>
> 따라서
>
> $\dfrac{2}{3}\pi\leq x-\dfrac{\pi}{3}\leq\dfrac{4}{3}\pi$ 에서 ___$\leq x\leq$____

(2) $\cos\left(x-\dfrac{\pi}{4}\right)>\dfrac{1}{2}$ (단, $0\leq x<2\pi$)

(3) $\cos\left(x+\dfrac{\pi}{2}\right)\leq\dfrac{\sqrt{2}}{2}$ (단, $0\leq x<2\pi$)

(4) $\sin\left(x+\dfrac{\pi}{3}\right)\leq\dfrac{1}{2}$ (단, $0\leq x<2\pi$)

(5) $\tan\left(x-\dfrac{\pi}{6}\right)\geq1$ (단, $0\leq x<\pi$)

(6) $\tan\left(x+\dfrac{\pi}{3}\right)<1$ (단, $0\leq x<2\pi$)

유형·34 삼각함수를 포함한 부등식−이차식 꼴

37 다음 부등식을 풀어라.

(1) $5\sin x + 2\cos^2 x - 4 > 0$ (단, $0 \le x < 2\pi$)

> **풀이** $5\sin x + 2\cos^2 x - 4 > 0$에서
> $5\sin x + 2(1 - \sin^2 x) - 4 > 0$, $2\sin^2 x - 5\sin x + 2 < 0$
> $\therefore (2\sin x - 1)(\sin x - 2) < 0$
> 그런데 $-1 \le \sin x \le 1$에서 $\sin x - 2 < 0$이므로
> $2\sin x - 1 > 0$
> $\therefore \sin x > \dfrac{1}{2}$
>
>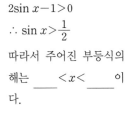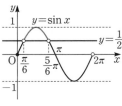
>
> 따라서 주어진 부등식의
> 해는 ___ $< x <$ ___ 이
> 다.

(2) $2\cos^2 x + 5\cos x - 3 \le 0$ (단, $0 \le x < 2\pi$)

(3) $2\sin^2 x - 7\cos x + 2 > 0$ (단, $0 \le x \le 2\pi$)

■ **풍쌤 POINT**
$\sin^2 x + \cos^2 x = 1$을 이용하여 한 종류의 삼각함수에 대한 이차부등식을 만든다.

유형·35 삼각함수를 포함한 부등식의 활용

38 모든 실수 x에 대하여 다음 부등식이 항상 성립하도록 θ의 값의 범위를 구하여라. (단, $0 \le \theta < 2\pi$)

(1) $x^2 - 2(\sin\theta + 1)x + 1 > 0$

> **풀이** 모든 실수 x에 대하여 부등식
> $x^2 - 2(\sin\theta + 1)x + 1 > 0$이 항상 성립할 조건은
> 이차방정식 $x^2 - 2(\sin\theta + 1)x + 1 = 0$의 판별식을 D라
> 고 할 때 $D < 0$이다.
> 즉, $\dfrac{D}{4} = (\sin\theta + 1)^2 - 1 < 0$에서
> $\sin^2\theta + 2\sin\theta < 0$, $\sin\theta(\sin\theta + 2) < 0$
> 그런데 $-1 \le \sin\theta \le 1$에서
> $\sin\theta + 2 > 0$이므로
> $\sin\theta < 0$
>
>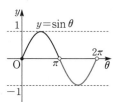
>
> 따라서 구하는 θ의 값의 범위
> 는 ___ $< \theta <$ ___ 이다.

(2) $x^2 + 2\sqrt{2}x\sin\theta - 3\cos\theta > 0$

■ **풍쌤 POINT**
모든 실수 x에 대하여 이차부등식 $ax^2 + bx + c > 0$이 성립할 조건은 이차방정식 $ax^2 + bx + c = 0$의 판별식을 D라고 할 때, $a > 0$, $D < 0$이다.

·중단원 점검문제·

01

함수 $f(x)$의 주기가 2이고, $f(2)=4$일 때, $f(20)$의 값을 구하여라.

02

함수 $y=\sin x$의 그래프를 x축의 방향으로 $\dfrac{\pi}{2}$만큼 평행이동한 후, x축에 대하여 대칭이동한 그래프의 식을 구하여라.

03

함수 $y=\tan\dfrac{\pi}{2}x$의 그래프를 x축의 방향으로 $\dfrac{1}{2}$만큼 평행이동한 그래프가 점 $\left(\dfrac{7}{6},\ a\right)$를 지날 때, a의 값을 구하여라.

04

함수 $f(x)=a\sin\dfrac{1}{2}x+b$의 최댓값이 5, $f\left(\dfrac{\pi}{3}\right)=\dfrac{7}{2}$일 때, 함수 $f(x)$의 최솟값을 구하여라. (단, $a>0$, a, b는 상수이다.)

05

함수 $f(x)=a\cos\left(\pi-\dfrac{x}{b}\right)+c$의 최댓값이 1이고 주기가 4π, $f(\pi)=-1$일 때, 상수 a, b, c에 대하여 abc의 값을 구하여라. (단, $a>0$, $b>0$)

06

함수 $y=a\cos(bx+c)$의 그래프가 그림과 같을 때, 상수 a, b, c에 대하여 abc의 값을 구하여라.

$$\left(\text{단},\ a>0,\ b>0,\ -\dfrac{\pi}{2}\le c\le 0\right)$$

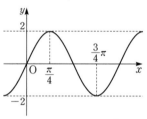

07

함수 $y=|a\sin bx|$의 최댓값이 3, 주기가 $\dfrac{\pi}{2}$일 때, 상수 a, b에 대하여 $a-b$의 값을 구하여라. (단, $a>0$, $b>0$)

08

함수 $f(x)=a|\sin bx|+c$의 주기가 $\dfrac{\pi}{3}$이고, 최댓값이 4, $f\left(\dfrac{\pi}{18}\right)=3$일 때, 상수 a, b, c에 대하여 $\dfrac{ab}{c}$의 값을 구하여라. (단, $a>0$, $b>0$)

09

$\sin\left(\dfrac{\pi}{2}+\dfrac{\pi}{6}\right)+\cos\left(\pi-\dfrac{\pi}{3}\right)+\tan\left(\pi+\dfrac{\pi}{3}\right)$의 값을 구하여라.

10

$\left(\dfrac{1}{\sin 25°}-1\right)\left(\dfrac{1}{\cos 65°}+1\right)\left(1-\dfrac{1}{\sin 65°}\right)\left(1+\dfrac{1}{\cos 25°}\right)$의 값을 구하여라.

11

$0\le x<2\pi$일 때, 함수 $y=\cos^2 x+4\sin x$의 최댓값이 M, 최솟값이 m이다. 이때 Mm의 값을 구하여라.

12

함수 $y=\dfrac{|\sin x|+1}{2|\sin x|+1}$의 치역이 $\{y\,|\,\alpha\le y\le\beta\}$일 때, $\alpha+\beta$의 값을 구하여라.

13

$0\le x<2\pi$일 때, 방정식 $4\sin\left(\dfrac{1}{2}x+\dfrac{\pi}{3}\right)=2\sqrt{3}$의 모든 근의 합을 구하여라.

14

$0\le x<2\pi$일 때, 방정식 $2\cos^2 x-3\sin x-3=0$의 모든 근의 합을 구하여라.

15

$0\le x<2\pi$에서 부등식 $2\cos^2 x+3\sin x-3\ge 0$의 해가 $\alpha\le x\le\beta$일 때, $\alpha+\beta$의 값을 구하여라.

16

모든 실수 x에 대하여 부등식
$x^2-2\sqrt{2}(\sin\theta-1)x+\sin\theta>0$이 항상 성립하도록 θ의 값의 범위를 구하여라. (단, $0\le\theta<2\pi$)

사인법칙

---

1 사인법칙

삼각형 ABC의 외접원의 반지름의 길이를 R라고 할 때,

$$\frac{a}{\sin A}=\frac{b}{\sin B}=\frac{c}{\sin C}=2R$$

2 사인법칙의 변형

① $\sin A=\dfrac{a}{2R}$, $\sin B=\dfrac{b}{2R}$, $\sin C=\dfrac{c}{2R}$

② $a=2R\sin A$, $b=2R\sin B$, $c=2R\sin C$

③ $\sin A : \sin B : \sin C = a : b : c$

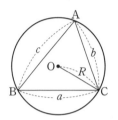

▸삼각형 ABC에서 세 각 ∠A, ∠B, ∠C의 크기를 각각 A, B, C로 나타내고 이들의 대변 BC, CA, AB의 길이를 각각 a, b, c로 나타낸다.

유형·01 사인법칙

01 삼각형 ABC에 대하여 다음을 구하여라.

(1) $a=8$, $A=30°$, $B=45°$일 때, b의 값

▸**풀이** 주어진 조건을 나타내면 그림과 같다.

사인법칙에 의하여

$$\frac{a}{\sin A}=\frac{b}{\sin B}$$

$$\frac{8}{\sin 30°}=\frac{b}{\sin 45°}$$

$8\sin 45°=b\sin 30°$, $8\times\dfrac{\sqrt{2}}{2}=b\times\dfrac{1}{2}$

$\therefore b=$ _____

(2) $b=3$, $B=30°$, $A=45°$일 때, a의 값

(3) $a=6$, $B=75°$, $C=60°$일 때, c의 값

(4) $b=12$, $A=30°$, $B=120°$일 때, c의 값

(5) $b=3$, $c=\sqrt{6}$, $B=60°$일 때, C의 값

(6) $a=2$, $b=2\sqrt{2}$, $A=30°$일 때, B의 값

(7) $b=1$, $c=\sqrt{2}$, $B=45°$일 때, C의 값

(8) $b=2$, $c=2\sqrt{2}$, $C=135°$일 때, A의 값

■ 풍쌤 POINT

한 변의 길이와 대각의 크기를 알거나 대변의 길이를 알 때 대변의 길이 또는 대각의 크기는 사인법칙을 이용하여 구한다.

정답과 풀이 065쪽

02 삼각형 ABC에서 각의 크기와 변의 길이가 다음과 같을 때, 삼각형 ABC의 외접원의 반지름의 길이를 구하여라.

(1) $a=\sqrt{2}$, $A=45°$

▶ 풀이 외접원의 반지름의 길이를 R라 하고 사인법칙을 적용하면

$$\frac{a}{\sin A}=\frac{\sqrt{2}}{\sin 45°}=2R$$

$$\frac{\sqrt{2}}{\frac{\sqrt{2}}{2}}=2R, \underline{\quad}=2R \quad \therefore R=\underline{\quad}$$

(2) $b=12$, $B=120°$

(3) $c=8$, $C=150°$

(4) $A=45°$, $C=75°$, $b=15$

(5) $A=60°$, $C=75°$, $b=8\sqrt{2}$

(6) $A=60°$, $B=75°$, $c=10$

(7) $A=60°$, $B=60°$, $c=\sqrt{3}$

(8) $B=55°$, $C=95°$, $a=12$

(9) $B=90°$, $C=60°$, $a=6$

(10) $b=2$, $c=2$, $A=120°$

▌ 풍쌤 POINT
외접원과 관련된 문제를 보면 사인법칙을 떠올린다.

03 삼각형 ABC에서 다음을 구하여라.

(1) $a : b : c = 5 : 6 : 7$일 때, $\sin A : \sin B : \sin C$

> **풀이** 삼각형 ABC의 외접원의 반지름의 길이를 R라고 하자.
> $a = 5k,\ b = 6k,\ c = 7k\ (k > 0)$라고 하면
> $$\sin A : \sin B : \sin C = \frac{a}{2R} : \frac{b}{2R} : \frac{c}{2R}$$
> $$= \frac{5k}{2R} : \frac{6k}{2R} : \frac{7k}{2R}$$
> $$= \underline{\quad} : \underline{\quad} : \underline{\quad}$$

(2) $a : b : c = 2 : 5 : 6$일 때, $\sin A : \sin B : \sin C$

(3) $(a+b) : (b+c) : (c+a) = 7 : 9 : 8$일 때,
$\sin A : \sin B : \sin C$

(4) $(a+b) : (b+c) : (c+a) = 3 : 4 : 5$일 때,
$\sin A : \sin B : \sin C$

(5) $ab : bc : ca = 5 : 20 : 8$일 때,
$\sin A : \sin B : \sin C$

04 삼각형 ABC에서 다음을 구하여라.

(1) $A : B : C = 1 : 2 : 3$일 때, $a : b : c$

(2) $A : B : C = 1 : 1 : 4$일 때, $a : b : c$

05 삼각형 ABC에서 다음을 구하여라.

(1) $\sin A : \sin B : \sin C = 4 : 3 : 5$ 일 때, $a : b : c$

(2) $\sin A : \sin B : \sin C = \sqrt{2} : \sqrt{3} : 1$일 때, $a : b : c$

(3) $\sin(A+B) : \sin(B+C) : \sin(C+A)$
$= 2 : 5 : 8$일 때, $a : b : c$

02

코사인법칙

❶ 코사인법칙

삼각형 ABC의 세 변의 길이 a, b, c와 세 각의 크기 A, B, C 사이에 다음 코사인법칙
이 성립한다.

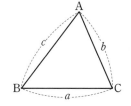

$$a^2=b^2+c^2-2bc \cos A$$
$$b^2=c^2+a^2-2ca \cos B$$
$$c^2=a^2+b^2-2ab \cos C$$

❷ 코사인법칙의 변형

$$\cos A=\frac{b^2+c^2-a^2}{2bc}, \ \cos B=\frac{c^2+a^2-b^2}{2ca}, \ \cos C=\frac{a^2+b^2-c^2}{2ab}$$

유형·04 **코사인법칙**

정답과 풀이 067쪽

06 삼각형 ABC에 대하여 다음을 구하여라.

(1) $b=3$, $c=5$, $A=120°$일 때, a의 값

> 풀이 $a^2=b^2+c^2-2bc\cos A$
> $\qquad =3^2+5^2-2×3×5×\cos 120°$
> $\qquad =9+25-2×3×5×\left(-\dfrac{1}{2}\right)$
> $\qquad =$＿＿＿
> $a>0$이므로 $a=$＿＿

(2) $b=2$, $c=3$, $A=60°$일 때, a의 값

(3) $a=2$, $b=4$, $C=120°$일 때, c의 값

(4) $a=3$, $c=2\sqrt{2}$, $B=135°$일 때, b의 값

(5) $a=5$, $b=7$, $C=60°$일 때, c의 값

(6) $a=6$, $c=3$, $B=60°$일 때, b의 값

(7) $a=4$, $b=7$, $C=120°$일 때, c의 값

(8) $b=12$, $c=6$, $A=120°$일 때, a의 값

> ■ 풍쌤 POINT
> 두 변의 길이와 그 끼인각의 크기를 알고, 대응변의 길이를 구하
> 려고 할 때는 코사인법칙을 이용한다.

07 삼각형 ABC에 대하여 다음을 구하여라.

(1) $a=7$, $b=3$, $c=8$일 때, A의 값

> **풀이** $\cos A = \dfrac{b^2+c^2-a^2}{2bc}$에서
>
> $\cos A = \dfrac{3^2+8^2-7^2}{2\times3\times8} = \dfrac{9+64-49}{48} = $ ___
>
> 이때 $0° < A < 180°$이므로 $A = $ ___

(2) $a=13$, $b=8$, $c=7$일 때, A의 값

(3) $a=1$, $b=\sqrt{3}$, $c=2$일 때, A의 값

(4) $a=2\sqrt{3}$, $b=2$, $c=2$일 때, B의 값

(5) $a=8$, $b=7$, $c=5$일 때, B의 값

(6) $a=\sqrt{3}$, $b=\sqrt{3}$, $c=\sqrt{6}$일 때, B의 값

(7) $a=3$, $b=\sqrt{2}$, $c=\sqrt{5}$일 때, C의 값

(8) $a=2$, $b=1$, $c=\sqrt{7}$일 때, C의 값

(9) $a=\sqrt{3}+1$, $b=\sqrt{6}$, $c=2$일 때, C의 값

(10) $a=\sqrt{6}+\sqrt{2}$, $b=2\sqrt{2}$, $c=2$일 때, B의 값

■ 풍쌤 POINT
세 변의 길이가 주어지면 코사인법칙의 변형 공식을 떠올린다.

유형·06 삼각형의 각의 크기 구하기

08 다음 그림과 같은 삼각형 ABC에서 세 각의 크기를 모두 구하여라.

(1)

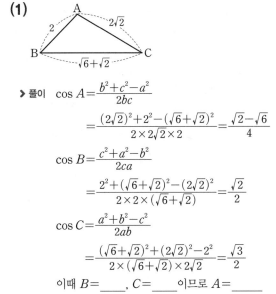

> 풀이 $\cos A = \dfrac{b^2+c^2-a^2}{2bc}$

$$= \dfrac{(2\sqrt{2})^2+2^2-(\sqrt{6}+\sqrt{2})^2}{2\times2\sqrt{2}\times2} = \dfrac{\sqrt{2}-\sqrt{6}}{4}$$

$\cos B = \dfrac{c^2+a^2-b^2}{2ca}$

$$= \dfrac{2^2+(\sqrt{6}+\sqrt{2})^2-(2\sqrt{2})^2}{2\times2\times(\sqrt{6}+\sqrt{2})} = \dfrac{\sqrt{2}}{2}$$

$\cos C = \dfrac{a^2+b^2-c^2}{2ab}$

$$= \dfrac{(\sqrt{6}+\sqrt{2})^2+(2\sqrt{2})^2-2^2}{2\times(\sqrt{6}+\sqrt{2})\times2\sqrt{2}} = \dfrac{\sqrt{3}}{2}$$

이때 $B=$ ____ , $C=$ ____ 이므로 $A=$ ____

(2)

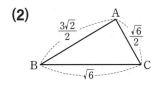

(3)

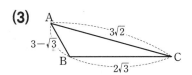

유형·07 삼각형의 변의 길이 구하기

09 다음 그림과 같은 삼각형 ABC에서 주어지지 않은 변의 길이를 구하여라.

(1)

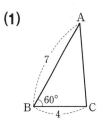

> 풀이 $a=4$, $c=7$, $B=60°$이므로
> $b^2 = c^2 + a^2 - 2ca\cos B$
> $\quad = 7^2 + 4^2 - 2\times7\times4\times\cos60°$
> $\quad = 49 + 16 - 2\times7\times4\times\dfrac{1}{2}$
> $\quad = \underline{\quad}$
> $b>0$이므로 $b=$ ____

(2)

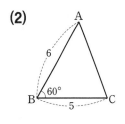

(3)

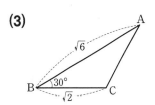

▮ 풍쌤 POINT

세 변의 길이가 주어질 때 또는 두 변의 길이와 그 끼인각의 크기가 주어질 때는 코사인법칙을 떠올린다.

10 삼각형 ABC에 대하여 다음을 구하여라.

(1) $\sin A : \sin B : \sin C = 3 : 5 : 7$일 때, C의 값

> ➤ **풀이** $\sin A : \sin B : \sin C = 3 : 5 : 7$
> 이므로 사인법칙에 의하여 $a : b : c = 3 : 5 : 7$
> $a = 3k$, $b = 5k$, $c = 7k$ $(k > 0)$라 하고,
> 그림에서 코사인법칙을 적용하면
> $\cos C = \dfrac{a^2 + b^2 - c^2}{2ab}$
> $\qquad = \dfrac{(3k)^2 + (5k)^2 - (7k)^2}{2 \times 3k \times 5k}$
> $\qquad = \underline{\qquad}$
> 따라서 $0° < C < 180°$이므로 $C = \underline{\qquad}$

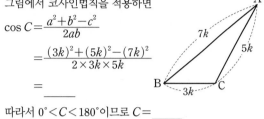

(2) $\sin A : \sin B : \sin C = 8 : 7 : 5$일 때, B의 값

(3) $\sin A : \sin B : \sin C = 1 : \sqrt{2} : \sqrt{3}$일 때, C의 값

(4) $\sin A : \sin B : \sin C = 1 : \sqrt{3} : 2$일 때, A의 값

11 삼각형 ABC에 대하여 다음을 구하여라.

(1) 세 변의 길이가 7, 8, 13인 삼각형에서 가장 큰 각

> ➤ **풀이** $a = 7$, $b = 8$, $c = 13$이라고 하면 가장 큰 각은
> $c = 13$인 변의 대각이다.
> 코사인법칙을 적용하면
> $\cos C = \dfrac{a^2 + b^2 - c^2}{2ab}$
> $\qquad = \dfrac{7^2 + 8^2 - 13^2}{2 \times 7 \times 8}$
> $\qquad = \underline{\qquad}$
> $0° < C < 180°$이므로 $C = \underline{\qquad}$

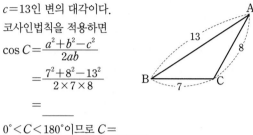

(2) 세 변의 길이가 3, 4, 5인 삼각형에서 가장 큰 각

(3) 세 변의 길이가 $\sqrt{2}$, 2, $\sqrt{10}$인 삼각형에서 가장 큰 각

(4) 세 변의 길이가 1, $\sqrt{3}$, 2인 삼각형에서 가장 작은 각

▌ 풍쌤 POINT
① 대변의 길이가 최대 ➡ 대각의 크기가 가장 크다.
② 대변의 길이가 최소 ➡ 대각의 크기가 가장 작다.

12 다음 등식이 성립할 때, 삼각형 ABC는 어떤 삼각형
인지 구하여라.

(1) $\sin A : \sin B = b : a$

> **풀이** 삼각형 ABC의 외접원의 반지름의 길이를 R라고 하자.
> $\sin A : \sin B = b : a$에서 $a\sin A = b\sin B$ ⋯⋯ ㉠
> 사인법칙에 의하여 $\sin A = \dfrac{a}{2R}$, $\sin B = \dfrac{b}{2R}$
> 이 식을 ㉠에 대입하면 $a \times \dfrac{a}{2R} = b \times \dfrac{b}{2R}$
> ∴ $a^2 = b^2$
> $a > 0$, $b > 0$이므로 $a = b$
> 따라서 삼각형 ABC는 $a = b$인 _____ 삼각형이다.

(2) $a\cos C = c\cos A$

(3) $a\cos B - b\cos A = c$

(4) $\sin A : \sin B = \cos A : \cos B$

(5) $\sin B = 2\sin A\cos C$

(6) $\sin A = 2\sin B\cos C$

■ 풍쌤 POINT
삼각형의 모양을 판정할 때는 사인법칙의 변형 공식과 코사인법
칙의 변형 공식을 이용하여 각에 대한 식을 변에 대한 식으로 고
친 후, 변의 길이 사이의 관계를 조사한다.

생활 속의 삼각함수

❶ 삼각함수를 활용한 실생활 문제 해결

각의 크기를 알고 삼각비를 이용하면 장애물 때문에 직접 거리를 잴 수 없는 두 지점 사이의 거리나 산의 높이 등을 구할 수 있다. 이때 사인법칙 또는 코사인법칙을 적절히 이용한다.

유형·11 **사인법칙을 이용한 실생활 문제**

13 그림과 같이 호수 주위에 세 지점 A, B, C가 있다.
$\angle ABC=72°$, $\angle ACB=78°$, $\overline{BC}=2$ km일 때, A 지점과 C 지점 사이의 거리를 구하여라.
(단, $\sin 72°=0.95$, $\sin 78°=0.98$로 계산한다.)

▶ 풀이 삼각형 ABC에서
$\angle A=180°-(72°+78°)=30°$
$\dfrac{\overline{AC}}{\sin B}=\dfrac{\overline{BC}}{\sin A}$에서 $\dfrac{\overline{AC}}{\sin 72°}=\dfrac{2}{\sin 30°}$
$\therefore \overline{AC}=\dfrac{2}{\sin 30°}\times\sin 72°=\dfrac{2}{\frac{1}{2}}\times 0.95$
$\qquad=\underline{}$ (km)
따라서 A 지점과 C 지점 사이의 거리는 ____ km이다.

14 그림은 클레이 사격을 연습하고 있는 두 사람이 4 m 떨어진 A, B 지점에서 목표물 C를 본 것이다.
$\angle CAB=60°$, $\angle CBA=75°$일 때, B 지점에서 목표물 C까지의 거리를 구하여라.

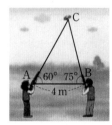

15 그림과 같이 정문과 후문 사이에 연못이 있는 공원이 있다. $\overline{AC}=100$ m, $\angle BCA=40°$, $\angle CBA=80°$일 때, 정문과 후문 사이의 거리를 구하여라.
(단, $\sin 40°=0.64$, $\sin 80°=0.98$로 계산하고, 반올림하여 소수 둘째 자리까지 구한다.)

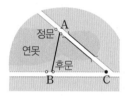

16 그림과 같이 활주로와 $17°$의 각도를 유지하며 150 m/s의 일정한 속력으로 관제탑 위로 상승한 비행기가 이륙 10초 후에 관제탑의 전방 $32°$ 상공에서 관측되었다. 이때 관제탑에서 비행기까지의 거리를 구하여라. (단, $\sin 17°=0.29$, $\sin 32°=0.53$으로 계산하고, 반올림하여 소수 둘째 자리까지 구한다.)

■ 풍쌤 POINT
한 변의 길이와 대각의 크기를 알거나 대변의 길이를 알 때 대변의 길이 또는 대각의 크기는 사인법칙을 떠올린다.

17 성은이가 원탁의 크기를 알아 보기 위하여 원탁의 한쪽 끝 점 A에서 두 점 B와 C까지 의 길이를 재어 보니 각각 1 m와 1.5 m였고, ∠BAC=60°였다. 이 원탁 의 반지름의 길이를 구하여라.

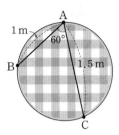

▶ 풀이   삼각형 ABC에서 코사인법칙에 의하여

$$\overline{BC}^2 = \overline{AB}^2 + \overline{AC}^2 - 2\overline{AB} \times \overline{AC} \times \cos A$$
$$= 1^2 + \left(\frac{3}{2}\right)^2 - 2 \times 1 \times \frac{3}{2} \times \cos 60°$$
$$= \frac{7}{4}$$

$\overline{BC} > 0$이므로 $\overline{BC} = \dfrac{\sqrt{7}}{2}$(m)

원탁(외접원)의 반지름의 길이를 R라고 하면 사인법칙 에 의하여

$$2R = \frac{\overline{BC}}{\sin 60°} = \underline{\quad\quad} \qquad \therefore R = \underline{\quad\quad} \text{ (m)}$$

18 민곤이와 진희는 그림과 같 이 라켓볼 시합을 하고 있다. 민곤이가 친 공이 3 m 날아 가서 벽에 맞고 60° 굴절되 어 다시 2 m 날아가 진희에 게 떨어졌다. 이때 민곤이와 진희 사이의 거리를 구하여라.

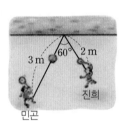

19 그림과 같이 반지름의 길이 가 50 m인 원형 경기장에 상 호, 주희, 예진이가 있다. 상 호가 주희와 예진이를 쳐다볼 때 이루는 각의 크기가 30°이 고, 상호와 주희 사이의 거리 가 80 m일 때, 상호와 예진 사이의 거리를 구하여라. (단, 상호와 예진이는 80 m보다 멀리 떨어져 있다.)

20 그림과 같이 산을 사 이에 두고 두 건물 A, B가 있다. A 건 물에서 B 건물까지 가려면 두 직선 도로 AC와 CB를 지나야 한다. ∠ACB=60°일 때, 산을 뚫어 직선 터널을 만 들면 기존보다 거리가 얼마만큼 단축될 수 있는지 구 하여라. (단, $\sqrt{3}=1.73$으로 계산한다.)

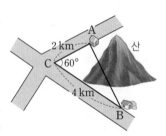

> **📕 풍쌤 POINT**
> 두 변의 길이와 그 끼인각의 크기를 알고, 대응변의 길이를 구하 려고 할 때는 코사인법칙을 이용한다.

O4

삼각형의 넓이

---

1 삼각형의 넓이를 구하는 방법

① 두 변의 길이와 끼인각의 크기가 주어졌을 때 ⇦ 끼인각을 이용한 공식

    삼각형의 넓이 S는

$$S=\frac{1}{2}ab\sin C=\frac{1}{2}bc\sin A=\frac{1}{2}ca\sin B$$

② 세 변의 길이가 주어졌을 때 ⇦ 헤론의 공식

    삼각형 ABC의 세 변의 길이가 a, b, c일 때, 삼각형의 넓이 S는

$$S=\sqrt{s(s-a)(s-b)(s-c)}\left(단, s=\frac{a+b+c}{2}\right)$$

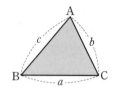

유형·13 두 변의 길이와 끼인각의 크기가 주어진 경우

21 다음과 같이 두 변의 길이와 끼인각의 크기가 주어졌을 때, 삼각형 ABC의 넓이를 구하여라.

(1) $a=6$, $c=5$, $B=120°$

  ▶풀이 삼각형 ABC의 넓이를 S라고 하면

$$S=\frac{1}{2}ca\sin B=\frac{1}{2}\times5\times6\times\sin120°$$

$$=\frac{1}{2}\times5\times6\times\underline{}=\underline{}$$

(2) $a=8$, $b=6$, $C=60°$

(3) $a=8$, $c=6$, $B=30°$

(4) $b=3$, $c=4$, $A=45°$

유형·14 세 변의 길이가 주어진 경우

22 다음과 같이 세 변의 길이가 주어졌을 때, 삼각형 ABC의 넓이를 구하여라.

(1) $a=5$, $b=8$, $c=9$

  ▶풀이 $s=\frac{5+8+9}{2}=11$이므로

    삼각형의 ABC의 넓이를 S라고 하면

$$S=\sqrt{11(11-5)(11-8)(11-9)}$$

$$=\sqrt{11\times6\times3\times2}=\sqrt{11\times36}=\underline{}$$

(2) $a=3$, $b=3$, $c=2$

(3) $a=6$, $b=3$, $c=5$

(4) $a=6$, $b=8$, $c=10$

유형·15 코사인법칙과 사각형의 넓이

23 다음 그림과 같은 사각형 ABCD의 넓이를 구하여라.

(1)

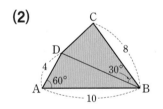

> **풀이** 삼각형 ABD에서 코사인법칙에 의하여
> $$\overline{DB}^2 = 5^2 + 8^2 - 2 \times 5 \times 8 \times \cos 60°$$
> $$= 25 + 64 - 2 \times 5 \times 8 \times \frac{1}{2} = 49$$
>
> $\overline{DB} > 0$이므로 $\overline{DB} = \underline{}$
> 사각형 ABCD의 넓이를 S라고 하면 S는 삼각형 ABD
> 와 삼각형 CDB의 넓이의 합이므로
> $$S = \frac{1}{2} \times 5 \times 8 \times \sin 60° + \frac{1}{2} \times 2\sqrt{6} \times 7 \times \sin 45°$$
> $$= \frac{1}{2} \times 5 \times 8 \times \frac{\sqrt{3}}{2} + \frac{1}{2} \times 2\sqrt{6} \times 7 \times \frac{\sqrt{2}}{2}$$
> $$= 10\sqrt{3} + 7\sqrt{3} = \underline{}$$

(2)

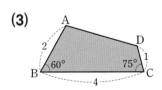

(3)

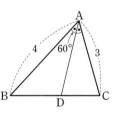

유형·16 삼각형 넓이의 활용

24 그림과 같은 삼각형
ABC에서 ∠A=120°,
$\overline{AB}=12$, $\overline{AC}=8$이다.
∠A의 이등분선이 $\overline{BC}$와 만나는 점을 D라고 할 때,
$\overline{AD}$의 길이를 구하여라.

> **풀이** $\overline{AD}=x$라고 하면
> $$\frac{1}{2} \times 12 \times 8 \times \sin 120°$$
> $$= \frac{1}{2} \times 12 \times x \times \sin 60° + \frac{1}{2} \times x \times 8 \times \sin 60°$$
> $$24\sqrt{3} = 3\sqrt{3}x + 2\sqrt{3}x, \quad 24\sqrt{3} = 5\sqrt{3}x$$
> $$\therefore x = \underline{}$$

25 그림과 같은 삼각형 ABC에
서 ∠A=60°, $\overline{AB}=4$,
$\overline{AC}=3$이다. ∠A의 이등분
선이 $\overline{BC}$와 만나는 점을 D
라고 할 때, $\overline{AD}$의 길이를
구하여라.

사각형의 넓이

1 사각형의 넓이를 구하는 방법

① 평행사변형의 넓이

이웃하는 두 변의 길이가 a, b이고, 그 끼인각의 크기가 θ일 때

$$S = ab\sin\theta$$

② 대각선의 길이가 주어진 사각형의 넓이

두 대각선의 길이가 a, b이고, 두 대각선이 이루는 각의 크기가 θ일 때

$$S = \frac{1}{2}ab\sin\theta$$

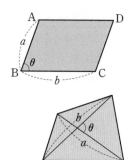

🏆 정답과 풀이 073쪽

유형·17 평행사변형의 넓이

26 다음 그림과 같은 평행사변형 ABCD의 넓이를 구하여라.

(1)

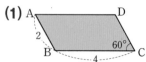

▶ **풀이** 평행사변형의 성질에 의하여 이웃하는 두 각의 크기의 합은 180°이므로

∠B=120°

따라서 평행사변형의 넓이를 S라고 하면

$S = \overline{\text{AB}} \times \overline{\text{BC}} \times \sin 120° = 2 \times 4 \times \underline{\quad} = \underline{\quad}$

(2)

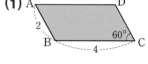

(3)

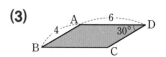

유형·18 대각선의 길이가 주어진 사각형의 넓이

27 다음 그림과 같은 사각형의 넓이를 구하여라.

(1)

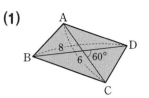

▶ **풀이** 사각형 ABCD의 넓이를 S라고 하면

$S = \frac{1}{2} \times \overline{\text{AC}} \times \overline{\text{BD}} \times \sin 60°$

$= \frac{1}{2} \times 6 \times 8 \times \underline{\quad} = \underline{\quad}$

(2)

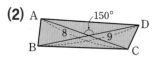

(3)

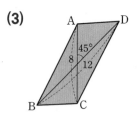

·중단원 점검문제·

🏆 정답과 풀이 073쪽

01

삼각형 ABC에서 $a=8$, $B=75°$, $C=60°$일 때, c의 값을 구하여라.

02

그림과 같이 삼각형 ABC의 외접원의 반지름의 길이가 5이고 $C=60°$일 때, c의 값을 구하여라.

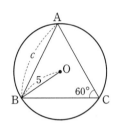

03

삼각형 ABC에서
$$(a+b):(b+c):(c+a)=5:7:6$$
일 때, $\sin A : \sin B : \sin C$를 구하여라.

04

삼각형 ABC에서 $a=2$, $b=2\sqrt{3}$, $c=4$일 때, A의 값을 구하여라.

05

삼각형 ABC에서 $a:b:c=2:5:6$일 때, $\cos A$의 값을 구하여라.

06

삼각형 ABC의 세 변의 길이 a, b, c에 대하여
$$\frac{a+b}{7}=\frac{b+c}{9}=\frac{c+a}{8}$$
가 성립할 때, 삼각형 ABC의 가장 작은 각의 크기가 θ이다. 이때 $\cos\theta$의 값을 구하여라.

07

삼각형 ABC에서 $2\sqrt{3}\sin A=2\sin B=\sqrt{3}\sin C$가 성립할 때, A의 값을 구하여라. (단, $0°<A<90°$)

08

삼각형 ABC가 다음 조건을 만족시킬 때, 이 삼각형은 어떤 삼각형인지 구하여라.

$$\sin A = 2\sin\left(\frac{A-B+C}{2}\right)\sin C$$

09

그림과 같이 $\overline{BC}=6$, $\overline{AC}=9$, $C=135°$인 삼각형 ABC의 넓이를 구하여라.

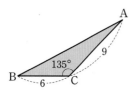

10

그림과 같이 $\overline{AB}=7$, $\overline{BC}=5$, $\overline{CA}=6$인 삼각형 ABC의 넓이를 구하여라.

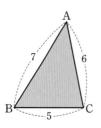

11

그림과 같이 세 변의 길이가 14, 16, 18인 삼각형의 넓이를 구하여라.

12

그림과 같이 $\overline{AB}=2$, $\overline{BC}=4$, $\overline{CD}=3$, $\angle ABC=60°$, $\angle ACD=45°$인 사각형 ABCD의 넓이를 구하여라.

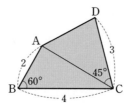

13

그림과 같이 평행사변형 ABCD에서 $\overline{AB}=6$, $\overline{AD}=9$, $A=120°$일 때, 이 평행사변형의 넓이를 구하여라.

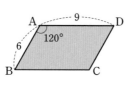

14

그림과 같이 평행사변형 $\overline{AC}=12$, $\overline{BD}=9$, $\angle COD=60°$인 사각형 ABCD의 넓이를 구하여라.

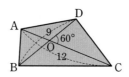

Ⅲ
수열

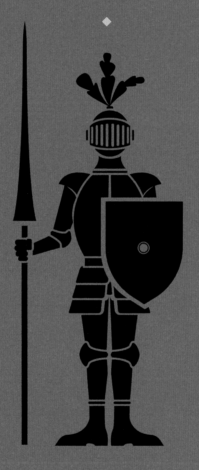

등차수열

---

1 수열

① 수열: 일정한 규칙에 따라 놓여진 수의 배열

② 항: 수열을 이루는 각각의 수

③ 일반항: 수열 $\{a_n\}$에서 n번째에 나타나는 항

2 등차수열

① 등차수열: 첫째항부터 차례로 일정한 수를 더해 만들어지는 수열

② 공차: 등차수열에서 더해지는 일정한 수

3 등차수열의 일반항

첫째항이 a이고 공차가 d인 등차수열의 일반항 a_n은

$$a_n = a + (n-1)d \text{ (단, } n=1, 2, 3, \cdots)$$

> **▶등차수열의 관계식**
> 수열 $\{a_n\}$이 공차가 d인 등차수열이라고 할 때, 제m항 a_n과 제$(n+1)$항 a_{n+1} 사이에는 다음 관계가 성립한다.
> $a_{n+1} = a_n + d$
> $\iff a_{n+1} - a_n = d$
> (단, $n=1, 2, 3, \cdots$)

유형·01 등차수열의 일반항 (1)

01 다음 등차수열의 일반항 a_n을 구하여라.

(1) 2, 6, 10, 14, ⋯

> **▶풀이** 첫째항은 $a=2$, 공차는 $d=6-2=4$
> $\therefore a_n = a+(n-1)d = 2+(n-1)\times 4 = \underline{\qquad}$

(2) $-3, -\dfrac{5}{2}, -2, -\dfrac{3}{2}, \cdots$

(3) $-3, 0, 3, 6, \cdots$

(4) $-20, -14, -8, -2, \cdots$

(5) 5, 11, 17, 23, ⋯

(6) $-5, -1, 3, 7, \cdots$

(7) 7, 12, 17, 22, ⋯

(8) 22, 14, 6, -2, ⋯

> **■ 풍쌤 POINT**
> 등차수열의 일반항은 첫째항과 공차만 알면 구할 수 있다.

02 일반항이 다음과 같은 수열이 등차수열임을 보이고, 첫째항과 공차를 구하여라.

(1) $a_n = 2n + 7$

> 풀이 $a_n = 2n + 7$에서 $a_{n+1} = 2(n+1) + 7 = 2n + 9$
> $\therefore d = a_{n+1} - a_n = (2n+9) - (2n+7) = $____
> 또, $a_1 = 2 \times 1 + 7 = 9$
> 따라서 수열 $\{a_n\}$은 첫째항이 9, 공차가 ____인 등차수열이다.

(2) $a_n = 5n + 2$

(3) $a_n = 6n + 7$

(4) $a_n = 3n - 2$

(5) $a_n = 6n - 7$

(6) $a_n = -4n + 3$

(7) $a_n = -3n + 7$

(8) $a_n = -n + 2$

◼ 풍쌤 POINT

등차수열의 일반항은 n에 대한 일차식으로 나타난다.
이때 n의 계수가 공차이다.

➡ $a_n = a + (n-1)d = \overset{\text{공차}}{d}n + (a-d)$

03 다음 물음에 답하여라.

(1) 제2항이 3, 제7항이 13인 등차수열의 제15항을 구하여라.

> ▶ **풀이** 등차수열의 첫째항을 a, 공차를 d, 일반항을 a_n이라고 하면 $a_n = a + (n-1)d$
> $a_2 = 3$이므로 $a + d = 3$ ······ ㉠
> $a_7 = 13$이므로 $a + 6d = 13$ ······ ㉡
> ㉠, ㉡을 연립하여 풀면 $a = 1$, $d = $ ___
> $\therefore a_{15} = a + 14d = $ ____

(2) 제3항이 5, 제8항이 -5인 등차수열의 제19항을 구하여라.

(3) 제2항이 8, 제6항이 16인 등차수열의 제25항을 구하여라.

(4) 제3항이 6, 제10항이 -8인 등차수열의 제31항을 구하여라.

(5) 제3항이 7이고, 제11항이 39인 등차수열의 제28항을 구하여라.

(6) 제3항이 -10, 제7항이 10인 등차수열의 제38항을 구하여라.

(7) 제11항이 86, 제19항이 142인 등차수열의 제27항을 구하여라.

(8) 제7항이 23, 제23항이 71인 등차수열의 제37항을 구하여라.

04 다음 물음에 답하여라.

(1) 등차수열 $\{a_n\}$에 대하여 $a_5=4a_3$, $a_2+a_4=4$가 성립할 때, a_6의 값을 구하여라.

> **풀이** 등차수열의 첫째항을 a, 공차를 d라고 하면
> $$a_n=a+(n-1)d$$
> $a_5=4a_3$에서 $a+4d=4(a+2d)$
> $$\therefore\ 3a+4d=0 \qquad\qquad \cdots\cdots \text{㉠}$$
> $a_2+a_4=4$에서 $a+d+a+3d=4$
> $$\therefore\ 2a+4d=4 \qquad\qquad \cdots\cdots \text{㉡}$$
> ㉠, ㉡을 연립하여 풀면 $a=\underline{}$, $d=3$
> $$\therefore\ a_6=a+5d=\underline{}$$

(2) 등차수열 $\{a_n\}$에 대하여 $a_9=-5a_4$, $a_2+a_6=-10$이 성립할 때, a_{12}의 값을 구하여라.

(3) 등차수열 $\{a_n\}$에 대하여 $a_1=4a_5$, $a_2+a_{11}=-1$이 성립할 때, a_6의 값을 구하여라.

(4) 등차수열 $\{a_n\}$에 대하여 $a_7=5a_2$, $a_8-a_3=20$이 성립할 때, a_{15}의 값을 구하여라.

05 다음 물음에 답하여라.

(1) 제3항과 제9항은 절댓값이 같고 부호가 반대이며, 제13항이 -14인 등차수열 $\{a_n\}$의 첫째항과 공차를 구하여라.

> **풀이** 등차수열의 첫째항을 a, 공차를 d라고 하면
> 제3항과 제9항은 절댓값이 같고 부호가 반대이므로
> $$a_3=-a_9,\ a+2d=-(a+8d)$$
> $$2a+10d=0 \quad\therefore\ a+5d=0 \qquad \cdots\cdots \text{㉠}$$
> $a_{13}=-14$에서 $a+12d=-14$ $\qquad \cdots\cdots \text{㉡}$
> ㉠, ㉡을 연립하여 풀면 $a=\underline{}$, $d=\underline{}$

(2) 제5항과 제11항은 절댓값이 같고 부호가 반대이며, 제7항이 4인 등차수열 $\{a_n\}$의 첫째항과 공차를 구하여라.

06 다음 물음에 답하여라.

(1) 등차수열 $\{a_n\}$에 대하여 $a_3=11$, $a_6:a_{10}=5:8$이 성립할 때, a_{15}의 값을 구하여라.

> **풀이** 등차수열의 첫째항을 a, 공차를 d라고 하면
> $$a_n=a+(n-1)d$$
> $a_3=11$에서 $a+2d=11$ $\qquad\qquad \cdots\cdots \text{㉠}$
> $a_6:a_{10}=5:8$에서 $8a_6=5a_{10}$
> $$8(a+5d)=5(a+9d) \quad\therefore\ 3a-5d=0 \qquad \cdots\cdots \text{㉡}$$
> ㉠, ㉡을 연립하여 풀면 $a=5$, $d=\underline{}$
> $$\therefore\ a_{15}=a+14d=\underline{}$$

(2) 등차수열 $\{a_n\}$에 대하여
$(a_1+a_2):(a_3+a_4)=1:2$가 성립할 때, $\dfrac{a_4}{a_1}$의 값을 구하여라. (단, $a_1\neq 0$)

07 다음 물음에 답하여라.

(1) 첫째항이 -22, 공차가 3인 등차수열에서 처음으로 양수가 되는 항은 제몇 항인지 구하여라.

> ▶ 풀이 주어진 수열의 일반항을 a_n이라고 하면
> $$a_n = -22 + (n-1) \times 3 = 3n - 25$$
> 제n항이 처음으로 양수가 된다고 하면
> $$3n - 25 > 0 \qquad \therefore n > \frac{25}{3} = 8.333\cdots$$
> 이때 n이 자연수이므로 _____ 이 처음으로 양수가 된다.

(2) 첫째항이 107, 공차가 -6인 등차수열에서 처음으로 음수가 되는 항은 제몇 항인지 구하여라.

(3) 첫째항이 100, 공차가 -3인 등차수열에서 처음으로 음수가 되는 항은 제몇 항인지 구하여라.

(4) 첫째항이 -25, 공차가 2인 등차수열에서 처음으로 양수가 되는 항은 제몇 항인지 구하여라.

(5) 제7항이 50, 제11항이 26인 등차수열에서 처음으로 음수가 되는 항은 제몇 항인지 구하여라.

(6) 제4항이 47, 제10항이 23인 등차수열에서 처음으로 음수가 되는 항은 제몇 항인지 구하여라.

(7) 제14항이 53, 제28항이 11인 등차수열에서 처음으로 음수가 되는 항은 제몇 항인지 구하여라.

(8) 첫째항이 -5, 공차가 $\frac{2}{3}$인 등차수열에서 처음으로 30보다 커지는 항은 제몇 항인지 구하여라.

정답과 풀이 077쪽

08 다음 두 수 사이에 세 개의 수를 넣어서 전체가 등차수열을 이루도록 하려고 한다. 이 세 수를 작은 순서로 나열하여라.

(1) 두 수 -6과 14 사이

> **풀이** 두 수 -6과 14 사이에 세 개의 수를 넣으면 첫째항이 -6, 제5항이 14가 된다.
> 첫째항을 a, 공차를 d, 일반항을 a_n이라고 하면
> $a_5 = a + 4d = 14$, $-6 + 4d = 14$ $\therefore d = 5$
> -6에서부터 14까지 공차 5씩 더해 가면
> -6, -1, ___, 9, 14
> 따라서 구하는 세 수를 작은 순서로 나열하면 -1, ___, 9이다.

(2) 두 수 -1과 -29 사이

(3) 두 수 3과 19 사이

09 다음 두 수 사이에 네 개의 수를 넣어서 전체가 등차수열을 이루도록 하려고 한다. 이 네 수를 작은 순서로 나열하여라.

(1) 두 수 4와 39 사이

> **풀이** 두 수 4와 39 사이에 네 개의 수를 넣으면 첫째항이 4, 제6항이 39가 된다.
> 첫째항을 a, 공차를 d, 일반항을 a_n이라고 하면
> $a_6 = a + 5d = 39$, $4 + 5d = 39$ $\therefore d = 7$
> 4에서부터 39까지 공차 7씩 더해 가면
> 4, 11, 18, ___, 32, 39
> 따라서 구하는 네 수를 작은 순서로 나열하면 11, 18, ___, 32이다.

(2) 두 수 10과 -5 사이

(3) 두 수 -4와 $-\dfrac{22}{3}$ 사이

■ 풍쌤 POINT
두 수 a, b 사이에 n개의 수를 넣어서 등차수열을 만들면
➡ a는 첫째항이고 b는 제$(n+2)$항이다.

세 수가 등차수열을 이룰 때의 계산

❶ 등차중항

세 수 a, b, c가 이 순서로 등차수열을 이룰 때, b를 a, c의 <mark>등차중항</mark>이라고 한다. 이때 $b-a=c-b$이므로

$$b=\frac{a+c}{2}$$

가 성립한다.

> **참고** 등차수열 $\{a_n\}$의 연속하는 세 항 a_n, a_{n+1}, a_{n+2}에 대하여
> $$2a_{n+1}=a_n+a_{n+2} \Longleftrightarrow a_{n+1}=\frac{a_n+a_{n+2}}{2} \ (\text{단, } n=1, 2, 3, \cdots)$$

> **보기** 세 수 1, x, 7이 이 순서로 등차수열을 이루면 x는 1과 7의 등차중항이므로
> $$x=\frac{1+7}{2}=4$$

유형·07 등차수열을 이루는 세 수 – 등차중항

👑 정답과 풀이 078쪽

10 다음 세 수가 이 순서로 등차수열을 이룰 때, x의 값을 구하여라.

(1) x, $2x+3$, $6x$

> ▶ **풀이** 세 수 x, $2x+3$, $6x$가 이 순서로 등차수열을 이루므로
> $2(2x+3)=x+6x$, $4x+6=7x$
> $\therefore x=\underline{\quad}$

(2) $2x$, $3x-1$, x^2-2

(3) x, x^2-1, $2x+3$

(4) $3x$, x^2-3, $15-2x$

11 등차수열을 이루는 세 수가 다음 조건을 만족시킬 때, 이 세 수를 작은 수부터 나열하여라.

(1) 세 수의 합: 21, 세 수의 곱: 280

> ▶ **풀이** 등차수열의 첫째항을 a, 공차를 d라고 하면 등차수열을 이루는 세 수를 $a-d$, a, $a+d$로 놓을 수 있다.
> 세 수의 합이 21이므로 $(a-d)+a+(a+d)=21$
> $3a=21$ $\therefore a=\underline{\quad}$
> 세 수의 곱이 280이므로 $(a-d)\times a\times(a+d)=280$
> $a^3-ad^2=280$, $7^3-7\times d^2=280$
> $d^2=9$ $\therefore d=-3$ 또는 $d=3$
> (i) $a=7$, $d=-3$일 때, 세 수는 10, 7, 4
> (ii) $a=7$, $d=3$일 때, 세 수는 4, 7, 10
> 따라서 (i), (ii)로부터 등차수열을 이루는 세 수를 작은 수부터 나열하면 4, 7, $\underline{\quad}$이다.

(2) 세 수의 합: 15, 세 수의 곱: 105

(3) 세 수의 합: 3, 세 수의 곱: -8

> ▣ **풍쌤 POINT**
> 등차수열을 이루는 세 수는 $a-d$, a, $a+d$로 놓는다.

03

등차수열의 합

---

1 등차수열의 합

첫째항이 a, 공차가 d, 제n항이 l인 등차수열의 첫째항부터 제n항까지의 합을 S_n이라고 하면

① 첫째항 a와 제n항 l을 알 때,

$$S_n = \frac{n(a+l)}{2}$$

② 첫째항 a와 공차 d를 알 때,

$$S_n = \frac{n\{2a+(n-1)d\}}{2}$$

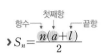

> $S_n = \dfrac{n(a+l)}{2}$

정답과 풀이 079쪽

유형·08 첫째항과 끝항을 알 때	유형·09 첫째항과 공차를 알 때

12 다음 등차수열의 합을 구하여라.

(1) 첫째항이 2, 끝항이 86, 항수가 22

> **풀이** 첫째항부터 제n항까지의 합을 S_n이라고 하면
> $$S_{22} = \frac{22 \times (2+86)}{2} = \underline{\quad\quad}$$

(2) 첫째항이 7, 끝항이 35, 항수가 15

(3) 첫째항이 2, 끝항이 27, 항수가 8

(4) 첫째항이 3, 끝항이 78, 항수가 16

13 다음 등차수열의 합을 구하여라.

(1) 첫째항이 4, 공차가 5, 항수가 10

> **풀이** 첫째항부터 제n항까지의 합을 S_n이라고 하면
> $$S_{10} = \frac{10 \times \{2 \times 4 + (10-1) \times 5\}}{2}$$
> $$= \underline{\quad\quad}$$

(2) 첫째항이 -6, 공차가 3, 항수가 15

(3) 첫째항이 2, 공차가 -3, 항수가 11

(4) 첫째항이 -4, 공차가 -2, 항수가 20

---

14 다음 물음에 답하여라.

(1) 등차수열 35, 32, 29, 26, …의 첫째항부터 제12항까지의 합을 구하여라.

> ▶ 풀이 첫째항이 35, 공차가 $32-35=-3$이므로 첫째항부터 제n항까지의 합을 S_n이라고 하면
> $$S_{12}=\frac{12\times\{2\times35+(12-1)\times(-3)\}}{2}=\underline{\hspace{1.5cm}}$$

(2) 등차수열 -1, 2, 5, 8, …의 첫째항부터 제20항까지의 합을 구하여라.

(3) 등차수열 4, 8, 12, 16, …의 첫째항부터 제18항까지의 합을 구하여라.

(4) 등차수열 -1, -5, -9, -13, …의 첫째항부터 제10항까지의 합을 구하여라.

(5) 등차수열 11, 5, -1, -7, …의 첫째항부터 제20항까지의 합을 구하여라.

15 다음 등차수열의 합을 구하여라.

(1) 42, 29, 16, 3, …, -88

> ▶ 풀이 첫째항이 42, 공차가 $29-42=-13$이므로 끝항 -88을 제n항이라고 하면
> $$42+(n-1)\times(-13)=-88,\ 13n=143 \quad \therefore n=11$$
> 따라서 항수는 11이다.
> 첫째항부터 제n항까지의 합을 S_n이라고 하면
> $$S_{11}=\frac{11\times(42-88)}{2}=\underline{\hspace{1.5cm}}$$

(2) 15, 8, 1, -6, …, -69

(3) 3, 5, 7, 9, …, 77

(4) 4, 8, 12, 16, …, 104

(5) -19, -16, -13, -10, …, 20

◼ 풍쌤 POINT

공차를 구할 수 있는 경우 등차수열의 합은

➡ 공식 $S_n=\dfrac{n\{2a+(n-1)d\}}{2}$ 를 이용!

◼ 풍쌤 POINT

끝항이 주어진 경우 등차수열의 합은

➡ 공식 $S_n=\dfrac{n(a+l)}{2}$ 을 이용!

이때 항의 개수에 유의한다.

유형·12 합이 주어진 등차수열

16 다음 수열의 첫째항과 공차를 구하여라.

(1) 제20항이 -17이고, 첫째항부터 제20항까지의 합이 230인 등차수열

> **풀이** 첫째항을 a, 공차를 d라고 하면 제20항이 -17이므로
> $$a+19d=-17 \quad\quad \cdots\cdots \text{㉠}$$
> 첫째항부터 제n항까지의 합을 S_n이라고 하면
> $$S_{20}=\frac{20\{2a+(20-1)d\}}{2}=230$$
> $$\therefore 2a+19d=23 \quad\quad \cdots\cdots \text{㉡}$$
> ㉠, ㉡을 연립하여 풀면 $a=\underline{\quad}$, $d=\underline{\quad}$

(2) 제3항이 49이고, 첫째항부터 제10항까지의 합이 390인 등차수열

17 다음 수열의 일반항 a_n을 구하여라.

(1) 첫째항부터 제5항까지의 합이 95이고, 첫째항부터 제10항까지의 합이 365인 등차수열

(2) 첫째항부터 제10항까지의 합이 115이고, 첫째항부터 제20항까지의 합이 730인 등차수열

유형·13 합이 최대 또는 최소가 되는 항 찾기

18 다음 물음에 답하여라.

(1) 첫째항이 30, 공차가 -4인 등차수열에서 첫째항부터 제몇 항까지의 합이 최대가 되는지 구하고, 그때의 최댓값을 구하여라.

> **풀이** 일반항 a_n을 구하면
> $$a_n=30+(n-1)\times(-4)=-4n+34$$
> $a_n<0$인 경우는 $-4n+34<0$에서
> $$n>\frac{34}{4}=8.5$$
> 따라서 제8항까지는 양수이고, 제9항부터는 음수이므로 첫째항부터 제___항까지의 합이 최대가 된다.
> 이때 첫째항부터 제n항까지의 합을 S_n이라고 하면 구하는 최댓값은
> $$S_8=\frac{8\times\{2\times30+(8-1)\times(-4)\}}{2}=\underline{\quad}$$

(2) 첫째항이 19, 공차가 -2인 등차수열에서 첫째항부터 제몇 항까지의 합이 최대가 되는지 구하고, 그때의 최댓값을 구하여라.

(3) 첫째항이 -44, 공차가 3인 등차수열에서 첫째항부터 제몇 항까지의 합이 최소가 되는지 구하고, 그때의 최솟값을 구하여라.

> **풍쌤 POINT**
> ① 등차수열의 합이 최대: 양수인 항들을 모두 더한다.
> ➡ 일반항을 구하여 처음으로 음수가 되는 항을 찾는다.
> ② 등차수열의 합이 최소: 음수인 항들을 모두 더한다.
> ➡ 일반항을 구하여 처음으로 양수가 되는 항을 찾는다.

19 다음 물음에 답하여라.

(1) -1과 49 사이에 n개의 수 a_1, a_2, a_3, $\cdots$, a_n을 넣어 공차가 d인 등차수열 -1, a_1, a_2, a_3, $\cdots$, a_n, 49를 만들었다. 이 수열의 모든 항의 합이 264일 때, n, d의 값을 구하여라.

▶풀이 첫째항이 -1, 끝항이 49, 항수가 $n+2$인 등차수열의 합이 264이므로

$$\frac{(n+2)(-1+49)}{2}=264,\ n+2=11 \quad \therefore n=\underline{\quad}$$

따라서 49가 제11항이므로

$$-1+10d=49,\ 10d=50 \quad \therefore d=\underline{\quad}$$

(2) 52와 8 사이에 n개의 수 a_1, a_2, a_3, $\cdots$, a_n을 넣어 공차가 d인 등차수열 52, a_1, a_2, a_3, $\cdots$, a_n, 8을 만들었다. 이 수열의 모든 항의 합이 360일 때, n, d의 값을 구하여라.

(3) -7과 63 사이에 n개의 수 a_1, a_2, a_3, $\cdots$, a_n을 넣어 공차가 d인 등차수열 -7, a_1, a_2, a_3, $\cdots$, a_n, 63을 만들었다. 이 수열의 모든 항의 합이 420일 때, n, d의 값을 구하여라.

20 다음 물음에 답하여라.

(1) 1과 100 사이에 있는 자연수 중 6의 배수의 총합을 구하여라.

▶풀이 1과 100 사이에 있는 6의 배수는

6, 12, 18, 24, $\cdots$, 90, 96

이때 $96=6\times16$이므로 항수는 16이다.

따라서 구하는 총합은 첫째항이 6, 끝항이 96, 항수가 16인 등차수열의 합이므로

$$\frac{16\times(6+96)}{2}=\underline{\quad}$$

(2) 1과 100 사이에 있는 자연수 중 7의 배수의 총합을 구하여라.

■ 풍쌤 POINT

n의 배수는 공차가 n인 등차수열이다.

O4

수열의 합과 일반항 사이의 관계

> **1 수열의 합 S_n과 일반항 a_n 사이의 관계**
>
> 수열 $\{a_n\}$의 첫째항부터 제n항까지의 합을 S_n이라고 하면
>
> $$a_1 = S_1,\ a_n = S_n - S_{n-1}\ (\text{단},\ n \geq 2)$$
>
> 참고 등차수열의 합 $S_n = An^2 + Bn + C$ (A, B, C는 상수)에서
> ① $C = 0$이면 수열 $\{a_n\}$은 첫째항부터 등차수열을 이룬다.
> ② $C \neq 0$이면 수열 $\{a_n\}$은 둘째항부터 등차수열을 이룬다.

유형·16 수열의 합과 일반항 사이의 관계

정답과 풀이 081쪽

21 수열 $\{a_n\}$의 첫째항부터 제n항까지의 합 S_n이 다음과 같을 때, 일반항 a_n을 구하여라.

(1) $S_n = n^2 + n$

> 풀이 (i) $n = 1$일 때,
> $$a_1 = S_1 = 1^2 + 1 = 2$$
> (ii) $n \geq 2$일 때,
> $$a_n = S_n - S_{n-1} = (n^2 + n) - \{(n-1)^2 + n - 1\}$$
> $$= (n^2 + n) - (n^2 - n) = \underline{\quad\quad} \quad\quad \cdots\cdots \ \bigcirc$$
> 그런데 $a_1 = 2$는 $\bigcirc$에 $n = 1$을 대입한 값과 같으므로
> $$a_n = \underline{\quad\quad}$$

(2) $S_n = 2n^2 - 3n$

(3) $S_n = 3n^2 + 9n$

(4) $S_n = n^2 - 3n + 1$

(5) $S_n = 3n^2 + n + 1$

(6) $S_n = -2n^2 + 7n - 1$

05

등비수열

1 등비수열

① 등비수열: 첫째항부터 차례로 일정한 수를 곱해 만들어지는 수열

② 공비: 등비수열에서 곱해지는 일정한 수

2 등비수열의 일반항

첫째항이 a이고 공비가 r $(r \neq 0)$인 등비수열의 일반항 a_n은

$$a_n = ar^{n-1} \ (단, n=1, 2, 3, \cdots)$$

> **등비수열의 관계식**
>
> 수열 $\{a_n\}$이 공비가 r인 등비수열이라고 할 때, 제n항 a_n과 제$(n+1)$항 a_{n+1} 사이에는 다음 관계가 성립한다.
>
> $$a_{n+1} = ra_n \Longleftrightarrow \frac{a_{n+1}}{a_n} = r$$
>
> (단, $n=1, 2, 3, \cdots$)

유형·17 등비수열의 일반항 (1)

22 다음 등비수열의 일반항 a_n을 구하여라.

(1) 1, 3, 9, 27, $\cdots$

> **풀이** 첫째항은 $a=1$, 공비는 $r=\dfrac{3}{1}=3$이므로
>
> $a_n = 1 \times \underline{}^{n-1} = \underline{}$

(2) 5, 10, 20, 40, $\cdots$

(3) 1, 10, 10^2, 10^3, $\cdots$

(4) 2, 1, $\dfrac{1}{2}$, $\dfrac{1}{4}$, $\cdots$

(5) 4, 1, $\dfrac{1}{4}$, $\dfrac{1}{16}$, $\cdots$

(6) 6, 2, $\dfrac{2}{3}$, $\dfrac{2}{9}$, $\cdots$

(7) -2, 4, -8, 16, $\cdots$

(8) 10, -5, $\dfrac{5}{2}$, $-\dfrac{5}{4}$, $\cdots$

> **풍쌤 POINT**
> 등비수열의 일반항은 첫째항과 공비만 알면 구할 수 있다.

23 다음 물음에 답하여라.

(1) 등비수열 3, 6, 12, 24, …에서 768은 제몇 항인지 구하여라.

> ▶ **풀이** 첫째항이 3, 공비가 $\dfrac{6}{3}=2$이므로 등비수열의 일반항을 a_n이라고 하면
> $a_n=3\times2^{n-1}$
> 768이 제n항이라고 하면
> $3\times2^{n-1}=768$에서 $2^{n-1}=256$, $2^{n-1}=2^8$
> 즉, $n-1=8$에서 $n=9$
> 따라서 768은 제___항이다.

(2) 등비수열 $\dfrac{1}{27}$, $\dfrac{1}{9}$, $\dfrac{1}{3}$, 1, …에서 243은 제몇 항인지 구하여라.

(3) 등비수열 10, $-\dfrac{5}{2}$, $\dfrac{5}{8}$, $-\dfrac{5}{32}$, …에서 $\dfrac{5}{2048}$는 제몇 항인지 구하여라.

(4) 등비수열 1, $\sqrt{2}$, 2, $2\sqrt{2}$, …에서 64는 제몇 항인지 구하여라.

24 일반항이 다음과 같은 등비수열의 첫째항과 공비를 구하여라.

(1) $a_n=3^n$

> ▶ **풀이** $a_1=3^1=3$, $a_2=3^2=9$이므로
> $\dfrac{a_2}{a_1}=\dfrac{9}{3}=3$
> 따라서 주어진 등비수열의 첫째항은 3, 공비는 3이다.

(2) $a_n=-3\times2^{n+1}$

(3) $a_n=3\times2^{-n+3}$

(4) $a_n=5\times2^{1-2n}$

(5) $a_n=8\times(-3)^{n-3}$

> ▣ **풍쌤 POINT**
> 등비수열에서 두 개의 항을 알면 공비를 구할 수 있다.

25 다음 등비수열의 일반항 a_n을 구하여라.

(1) 각 항이 실수이고, 제4항이 -8, 제7항이 64인 등비수열

> ▶ 풀이 등비수열의 첫째항을 a, 공비를 r라고 하면
> $a_n = ar^{n-1}$
> $a_4 = -8$이므로 $ar^3 = -8$ ...... ㉠
> $a_7 = 64$이므로 $ar^6 = 64$ ...... ㉡
> ㉡÷㉠을 하면 $\dfrac{ar^6}{ar^3} = \dfrac{64}{-8} = -8$ $\therefore r^3 = -8$
> 이때 r는 실수이므로 $r = $ _____
> 이 값을 ㉠에 대입하면 $-8a = -8$ $\therefore a = 1$
> $\therefore a_n = $ _____

(2) 각 항이 실수이고, 제2항이 -6, 제5항이 48인 등비수열

(3) 각 항이 실수이고, 제3항이 5, 제6항이 40인 등비수열

26 다음 등비수열의 첫째항과 공비를 구하여라.
(단, 공비는 양수이다.)

(1) 첫째항과 제2항의 합이 6, 제3항과 제4항의 합이 18인 등비수열

> ▶ 풀이 등비수열의 첫째항을 a, 공비를 r, 일반항을 a_n이라고 하면 $a_n = ar^{n-1}$
> $a + a_2 = 6$이므로 $a + ar = 6$
> $a(1+r) = 6$ ...... ㉠
> $a_3 + a_4 = 18$이므로 $ar^2 + ar^3 = 18$
> $ar^2(1+r) = 18$ ...... ㉡
> ㉡÷㉠을 하면 $\dfrac{ar^2(1+r)}{a(1+r)} = \dfrac{18}{6} = 3$ $\therefore r^2 = 3$
> 이때 r는 양수이므로 $r = \sqrt{3}$
> 이 값을 ㉠에 대입하면 $(1+\sqrt{3})a = 6$ $\therefore a = $ _____
> 따라서 주어진 등비수열의 첫째항은 _____, 공비는 $\sqrt{3}$이다.

(2) 제2항과 제3항의 합이 120, 제4항과 제5항의 합이 480인 등비수열

(3) 첫째항과 제2항의 합이 $\dfrac{15}{8}$, 제3항과 제4항의 합이 $\dfrac{15}{128}$인 등비수열

■ 풍쌤 POINT
  등비수열에서 두 항을 알면 첫째항과 공비에 대한 방정식을 세울 수 있기 때문에 일반항을 구할 수 있다.

27 다음 두 수 사이에 세 개의 양수를 넣어서 전체가 등비수열을 이루도록 하려고 한다. 이 세 수를 작은 순서로 나열하여라.

(1) 두 수 5와 80 사이

▶ 풀이 등비수열의 첫째항이 5, 제5항이 80이므로 공비를 r, 일반항을 a_n이라고 하면

$a_n = 5 \times r^{n-1}$

$a_5 = 5 \times r^4 = 80$에서 $r^4 = 16$

이때 이 등비수열의 모든 항이 양수이므로 $r = 2$

5에서부터 80까지 공비 2씩 곱해 가면

5, 10, 20, ____, 80

따라서 구하는 세 수를 작은 순서로 나열하면 10, 20, ____이다.

(2) 두 수 36과 $\dfrac{4}{9}$ 사이

(3) 두 수 $\sqrt{2}$와 $4\sqrt{2}$ 사이

28 다음 두 수 사이에 네 개의 실수를 넣어서 전체가 등비수열을 이루도록 하려고 한다. 이 네 수를 작은 순서로 나열하여라.

(1) 두 수 2와 486 사이

▶ 풀이 등비수열의 첫째항이 2, 제6항이 486이므로 공비를 r, 일반항을 a_n이라고 하면

$a_n = 2 \times r^{n-1}$

$a_6 = 2 \times r^5 = 486$에서 $r^5 = 243$ ∴ $r = 3$

2에서부터 486까지 공비 3씩 곱해 가면

2, 6, 18, ____, 162, 486

따라서 구하는 네 수를 작은 순서로 나열하면 6, 18, ____, 162이다.

(2) 두 수 3과 96 사이

(3) 두 수 $\dfrac{1}{24}$과 $\dfrac{81}{8}$ 사이

◤ 풍쌤 POINT

두 수 a, b 사이에 n개의 수를 넣어서 등비수열을 만들면

➡ a는 첫째항이고, b는 제$(n+2)$항이다.

29 다음 물음에 답하여라.

(1) 등비수열 1, 5, 25, 125, …에서 처음으로 10000보다 커지는 항은 제몇 항인지 구하여라.

> 풀이 첫째항이 1, 공비가 5인 등비수열의 일반항 a_n은
> $a_n = 1 \times 5^{n-1} = 5^{n-1}$
> 제n항이 처음으로 10000보다 커진다고 하면
> $5^{n-1} > 10000$, $5^n \times 5^{-1} > 10000$, $5^n \times \dfrac{1}{5} > 10000$
> $5^n > 50000$
> 이때 $5^6 = 15625$, $5^7 = 78125$이므로 $n \geq$ ___
> 따라서 처음으로 10000보다 커지는 항은 제___항이다.

(2) 등비수열 3, 6, 12, 24, …에서 처음으로 1000보다 커지는 항은 제몇 항인지 구하여라.

(3) 등비수열 2, 10, 50, 250, …에서 처음으로 50000보다 커지는 항은 제몇 항인지 구하여라.

(4) 첫째항이 300이고 공비가 $\dfrac{1}{3}$인 등비수열에서 처음으로 1보다 작아지는 항은 제몇 항인지 구하여라.

(5) 첫째항이 1024이고 공비가 $\dfrac{1}{2}$인 등비수열에서 처음으로 2보다 작아지는 항은 제몇 항인지 구하여라.

(6) 첫째항이 9이고 공비가 $\dfrac{1}{3}$인 등비수열에서 처음으로 $\dfrac{1}{500}$보다 작아지는 항은 제몇 항인지 구하여라.

세 수가 등비수열을 이룰 때의 계산

1 등비중항

세 수 a, b, c가 이 순서로 등비수열을 이룰 때, b를 a, c의 **등비중항**이라고 한다. 이때 $\dfrac{b}{a}=\dfrac{c}{b}$이므로

$$b^2=ac$$

가 성립한다.

> **참고** 등비수열 $\{a_n\}$의 연속하는 세 항 a_n, a_{n+1}, a_{n+2}에 대하여
> $(a_{n+1})^2=a_n a_{n+2}$ (단, $n=1, 2, 3, \cdots$)

> **보기** 세 수 2, x, 8이 이 순서로 등비수열을 이루면 x는 2와 8의 등비중항이므로
> $x^2=2\times8=16$
> $\therefore x=-4$ 또는 $x=4$

유형·22 등비수열을 이루는 세 수 – 등비중항

▼ 정답과 풀이 084쪽

30 다음 세 수가 이 순서로 등비수열을 이룰 때, x의 값을 모두 구하여라.

(1) x, $x+6$, $9x$

> **풀이** 세 수 x, $x+6$, $9x$가 이 순서로 등비수열을 이루므로
> $(x+6)^2=x\times9x$에서 $8x^2-12x-36=0$
> $2x^2-3x-9=0$, $(2x+3)(x-\underline{\quad})=0$
> $\therefore x=-\dfrac{3}{2}$ 또는 $x=\underline{\quad}$

(2) x, $x+3$, $4x$

(3) $x-4$, $x-1$, $3x+1$

(4) $x-2$, $x+10$, $x+6$

31 등비수열을 이루는 세 실수가 다음 조건을 만족시킬 때, 이 세 수를 작은 수부터 나열하여라.

(1) 세 수의 합: 7, 세 수의 곱: 8

> **풀이** 세 수를 a, ar, ar^2으로 놓으면
> 세 수의 합이 7이므로 $a+ar+ar^2=7$
> $\therefore a(1+r+r^2)=7$ ...... ㉠
> 세 수의 곱이 8이므로 $a\times ar\times ar^2=8$, $(ar)^3=8$
> $\therefore ar=2$ ...... ㉡
> ㉠÷㉡을 하면 $\dfrac{a(1+r+r^2)}{ar}=\dfrac{7}{2}$, $\dfrac{1+r+r^2}{r}=\dfrac{7}{2}$
> $2+2r+2r^2=7r$, $2r^2-5r+2=0$
> $(r-2)(2r-1)=0$ $\therefore r=2$ 또는 $r=\dfrac{1}{2}$
> ㉡에서 $r=2$일 때 $a=1$이므로 세 실수는 1, 2, 4,
> $r=\dfrac{1}{2}$일 때 $a=4$이므로 세 실수는 4, 2, 1이다.
> 따라서 세 수를 작은 수부터 나열하면 1, $\underline{\quad}$, $\underline{\quad}$이다.

(2) 세 수의 합: -6, 세 수의 곱: 64

> ■ **풍쌤 POINT**
> 등비수열을 이루는 세 수는 a, ar, ar^2으로 놓는다.

등비수열의 합

1 등비수열의 합

첫째항이 a, 공비가 r인 등비수열의 첫째항부터 제n항까지의 합을 S_n이라고 하면

① $r \neq 1$일 때, $S_n = \dfrac{a(1-r^n)}{1-r} = \dfrac{a(r^n-1)}{r-1}$

② $r = 1$일 때, $S_n = na$

▶(i) $r > 1$일 때,
$$S_n = \frac{a(r^n-1)}{r-1}$$
(ii) $r < 1$일 때,
$$S_n = \frac{a(1-r^n)}{1-r}$$
을 이용하면 계산이 편리하다.

유형·23 등비수열의 합 (1)

32 다음 등비수열의 첫째항부터 제n항까지의 합 S_n을 구하여라.

(1) 3, 9, 27, 81, $\cdots$

▶ 풀이 첫째항이 3, 공비가 3이므로
$$S_n = \frac{3 \times (3^n - 1)}{3 - 1} = \underline{\qquad}$$

(2) $\dfrac{1}{4}$, 1, 4, 16, $\cdots$

(3) 5, 25, 125, 625, $\cdots$

(4) 1, $\sqrt{2}$, 2, $2\sqrt{2}$, $\cdots$

(5) 1, $\dfrac{1}{3}$, $\dfrac{1}{9}$, $\dfrac{1}{27}$, $\cdots$

(6) 125, 25, 5, 1, $\cdots$

(7) $\dfrac{1}{2}$, $-\dfrac{1}{4}$, $\dfrac{1}{8}$, $-\dfrac{1}{16}$, $\cdots$

(8) 27, -9, 3, -1, $\cdots$

■ 풍쌤 POINT

분모가 양수인 것이 계산하기 편하므로

$r > 1$일 때 ➡ $S_n = \dfrac{a(r^n-1)}{r-1}$

$r < 1$일 때 ➡ $S_n = \dfrac{a(1-r^n)}{1-r}$

유형·24 등비수열의 합 (2)

33 다음 등비수열의 합을 구하여라.

(1) 1, 2, 4, $\cdots$, 256

> **풀이** 256을 제n항이라고 하면 첫째항이 1, 공비가 2이므로
> $2^{n-1}=256$에서 $2^{n-1}=2^8$, $n-1=8$ $\therefore n=9$
> 첫째항부터 제n항까지의 합을 S_n이라고 하면
> $S_9=\dfrac{2^9-1}{2-1}=$ _____

(2) 2, 8, 32, $\cdots$, 2048

(3) 2, -6, 18, $\cdots$, 1458

(4) 1, 10, 10^2, $\cdots$, 10^7

(5) 4, -2, 1, $\cdots$, $-\dfrac{1}{128}$

■ 풍쌤 POINT
등비수열의 합을 구하기 위해서는 첫째항, 공비, 항의 개수를 알아야 한다.

유형·25 조건이 주어진 등비수열의 합

34 다음 물음에 답하여라.

(1) 공비가 양수인 등비수열에서 첫째항과 제3항의 합이 25이고, 제3항과 제5항의 합이 100일 때, 첫째항부터 제6항까지의 합을 구하여라.

> **풀이** 첫째항을 a, 공비를 r, 일반항을 a_n, 첫째항부터 제n항까지의 합을 S_n이라고 하면
> $a_1+a_3=25$이므로 $a+ar^2=25$
> $\therefore a(1+r^2)=25$ ······ ㉠
> $a_3+a_5=100$이므로 $ar^2+ar^4=100$
> $\therefore ar^2(1+r^2)=100$ ······ ㉡
> ㉡÷㉠을 하면 $\dfrac{ar^2(1+r^2)}{a(1+r^2)}=\dfrac{100}{25}=4$ $\therefore r^2=4$
> 이때 r는 양수이므로 $r=2$
> 이 값을 ㉠에 대입하면 $5a=25$ $\therefore a=$ ___
> $\therefore S_6=\dfrac{5\times(2^6-1)}{2-1}=$ _____

(2) 공비가 양수인 등비수열에서 첫째항과 제3항의 합이 $3\sqrt{2}$이고, 제3항과 제5항의 합이 $6\sqrt{2}$일 때, 첫째항부터 제5항까지의 합을 구하여라.

(3) 공비가 양수인 등비수열에서 제2항과 제4항의 합이 30이고, 제4항과 제6항의 합이 120일 때, 첫째항부터 제6항까지의 합을 구하여라.

35 다음 물음에 답하여라.

(1) 공비가 실수인 등비수열에서 첫째항부터 제3항까지의 합이 13이고, 첫째항부터 제6항까지의 합이 364일 때, 일반항 a_n을 구하여라.

> ▶ **풀이** 첫째항을 a, 공비를 r, 첫째항부터 제n항까지의 합을 S_n이라고 하면
>
> $S_3 = 13$이므로 $\dfrac{a(1-r^3)}{1-r} = 13$ ...... ㉠
>
> $S_6 = 364$이므로 $\dfrac{a(1-r^6)}{1-r} = 364$
>
> $\therefore \dfrac{a(1-r^3)(1+r^3)}{1-r} = 364$ ...... ㉡
>
> ㉠을 ㉡에 대입하면 $13(1+r^3) = 364$, $1+r^3 = 28$
>
> $r^3 = 27$
>
> 이때 r는 실수이므로 $r = \underline{\quad}$
>
> 이 값을 ㉠에 대입하면 $-26a = -26$ $\quad \therefore a = \underline{\quad}$
>
> $\therefore a_n = \underline{\qquad}$

(2) 공비가 실수인 등비수열에서 첫째항부터 제3항까지의 합이 -26이고, 첫째항부터 제6항까지의 합이 -728일 때, 일반항 a_n을 구하여라.

(3) 공비가 실수인 등비수열에서 첫째항부터 제5항까지의 합이 $\dfrac{31}{32}$이고, 첫째항부터 제10항까지의 합이 $\dfrac{1023}{1024}$일 때, 일반항 a_n을 구하여라.

36 다음 등비수열의 첫째항부터 제n항까지의 합 S_n을 구하여라.

(1) 1, $x+1$, $(x+1)^{2n}$, $\cdots$ (단, $x \neq -1$)

> ▶ **풀이** 첫째항이 1, 공비가 $x+1$이므로
>
> (ⅰ) $x+1 = 1$일 때, 즉 $x = 0$일 때,
>
> $S_n = 1+1+1+\cdots+1 = \underline{\quad}$
>
> (ⅱ) $x+1 \neq 1$일 때, 즉 $x \neq 0$일 때,
>
> $S_n = \dfrac{1 \times \{(x+1)^n - 1\}}{(x+1)-1} = \underline{\qquad}$

(2) x, $x(x+1)$, $x(x+1)^2$, $\cdots$ (단, $x > 0$)

(3) x, $x(x+1)^2$, $x(x+1)^4$, $\cdots$ (단, $x > 0$)

(4) x, $-x^2$, x^3, $\cdots$

■ **풍쌤 POINT**

공비가 문자일 때, (공비)$\neq$1, (공비)$=$1의 두 가지 경우로 나누어 생각한다.

37 수열 $\{a_n\}$의 첫째항부터 제n항까지의 합 S_n이 다음과 같을 때, 이 수열의 일반항 a_n을 구하여라.

(1) $S_n = 3^{n+1} - 3$

> **풀이** (i) $n=1$일 때, $a_1 = S_1 = 3^2 - 3 = 6$
>
> (ii) $n \geq 2$일 때,
> $$a_n = S_n - S_{n-1} = (3^{n+1} - 3) - (3^n - 3) = 3^{n+1} - 3^n$$
> $$= 3 \times 3^n - 3^n = (3-1) \times 3^n$$
> $$= \underline{} \qquad \cdots\cdots \; \textcircled{\small ㄱ}$$
>
> 그런데 $a_1 = 6$은 $\textcircled{\small ㄱ}$에 $n=1$을 대입한 값과 같으므로
> $$a_n = \underline{}$$

(2) $S_n = 4^{n+1} - 4$

(3) $S_n = 5^n - 1$

(4) $S_n = 2^n + 1$

(5) $S_n = 5^{n+1} - 1$

38 수열 $\{a_n\}$의 첫째항부터 제n항까지의 합 S_n이 다음과 같을 때, 이 수열이 첫째항부터 등비수열을 이루도록 하는 상수 k의 값을 구하여라.

(1) $S_n = 3 \times 4^n + k$

> **풀이** (i) $n=1$일 때, $a_1 = S_1 = 12 + k \qquad \cdots\cdots \; \textcircled{\small ㄱ}$
>
> (ii) $n \geq 2$일 때,
> $$a_n = S_n - S_{n-1}$$
> $$= (3 \times 4^n + k) - (3 \times 4^{n-1} + k)$$
> $$= 3 \times 4 \times 4^{n-1} - 3 \times 4^{n-1} = (12-3) \times 4^{n-1}$$
> $$= 9 \times 4^{n-1} \qquad \cdots\cdots \; \textcircled{\small ㄴ}$$
>
> 첫째항부터 등비수열을 이루려면 $\textcircled{\small ㄴ}$에 $n=1$을 대입한 값이 $\textcircled{\small ㄱ}$과 같아야 하므로
> $$9 \times 4^{1-1} = 12 + k, \; \underline{} = 12 + k \quad \therefore k = \underline{}$$

(2) $S_n = 2 \times 3^n + k$

(3) $S_n = 4 \times 5^n + k$

(4) $S_n = 2 \times 3^{2n+1} + k$

▇ 풍쌤 POINT

수열 $\{a_n\}$의 첫째항부터 제n항까지의 합 S_n이
$S_n = Ar^n + B$ ($r \neq 0$, $r \neq 1$, A, B는 상수) 꼴일 때
① $A + B = 0$이면 수열 $\{a_n\}$은 첫째항부터 등비수열을 이룬다.
② $A + B \neq 0$이면 수열 $\{a_n\}$은 제2항부터 등비수열을 이룬다.

O8

|Ⅲ-1. 등차수열과 등비수열|

등비수열의 활용: 원리합계

❶ 정기적금의 원리합계: 매년 초에 적립

매년 초에 a원씩 연이율 r인 복리로 n년 동안 적립했을 때, n년 말의 원리합계 S는

$S = a(1+r) + a(1+r)^2 + \cdots + a(1+r)^n$ ← 첫째항이 $a(1+r)$, 공비가 $1+r$인 등비수열

$= \dfrac{a(1+r)\{(1+r)^n - 1\}}{(1+r)-1} = \dfrac{a(1+r)\{(1+r)^n-1\}}{r}$ (원)

❷ 정기적금의 원리합계: 매년 말에 적립

매년 말에 a원씩 연이율 r인 복리로 n년 동안 적립했을 때, n년 말의 원리합계 S는

$S = a + a(1+r) + a(1+r)^2 + \cdots + a(1+r)^{n-1}$ ← 첫째항이 a, 공비가 $1+r$인 등비수열

$= \dfrac{a\{(1+r)^n - 1\}}{(1+r)-1} = \dfrac{a\{(1+r)^n-1\}}{r}$ (원)

> **참고**
> ① 단리법
> 원금에만 이자를 더하여 원리합계를 계산하는 방법
> $S = a(1+rn)$ (원)
> ⇨ 공차가 ar인 등차수열
> ② 복리법
> 일정한 기간마다 이자를 원금에 더하여 그 원리합계를 다음 기간의 원금으로 계산하는 방법, 즉 이자에 다시 이자가 붙는 방법
> $S = a(1+r)^n$ (원)
> ⇨ 공비가 $1+r$인 등비수열

유형·29 원리합계 – 단리법

39 다음 물음에 답하여라.

(1) 원금 20만 원을 연이율 5 %의 단리로 예금할 때, 10년 후의 원리합계를 구하여라.

> **풀이** 1년 후의 원리합계는
> $20 + (20 \times 0.05) = 20(1 + 0.05)$ (만 원)
> 2년 후의 원리합계는
> $20 + (20 \times 0.05) + (20 \times 0.05)$
> $= 20(1 + 2 \times 0.05)$ (만 원)
> 3년 후의 원리합계는
> $20 + (20 \times 0.05) + (20 \times 0.05) + (20 \times 0.05)$
> $= 20(1 + 3 \times 0.05)$ (만 원)
> $\vdots$
> 이므로 10년 후의 원리합계는
> $20(1 + 10 \times 0.05) = 20 \times \underline{\quad} = \underline{\quad}$ (만 원)

(2) 원금 100만 원을 연이율 2 %의 단리로 예금할 때, 10년 후의 원리합계를 구하여라.

유형·30 원리합계 – 복리법

40 다음 물음에 답하여라.

(1) 원금 20만 원을 연이율 5 %의 복리로 예금할 때, 10년 후의 원리합계를 구하여라.

(단, $1.05^{10} = 1.6$으로 계산한다.)

> **풀이** 1년 후의 원리합계는
> $20 + 20 \times 0.05 = 20(1 + 0.05)$ (만 원)
> 2년 후의 원리합계는
> $20(1 + 0.05) + 20(1 + 0.05) \times 0.05$
> $= 20(1 + 0.05)(1 + 0.05) = 20(1 + 0.05)^2$ (만 원)
> 3년 후의 원리합계는
> $20(1 + 0.05)^2 + 20(1 + 0.05)^2 \times 0.05$
> $= 20(1 + 0.05)^2(1 + 0.05) = 20(1 + 0.05)^3$ (만 원)
> $\vdots$
> 이므로 10년 후의 원리합계는
> $20(1 + 0.05)^{10} = 20 \times 1.05^{10} = 20 \times 1.6 = \underline{\quad}$ (만 원)

(2) 원금 100만 원을 연이율 2 %의 복리로 예금할 때, 10년 후의 원리합계를 구하여라.

(단, $1.02^{10} = 1.2$로 계산한다.)

---

41 다음 물음에 답하여라.

(1) 연이율 6 %, 1년마다 복리로 매년 초에 30만 원씩 적립할 때, 10년 후의 원리합계를 구하여라.

(단, $1.06^{10} = 1.8$로 계산한다.)

▶ **풀이** 10년 후의 원리합계를 S라고 하면

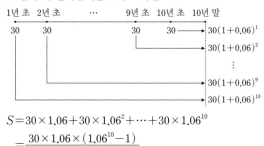

$S = 30 \times 1.06 + 30 \times 1.06^2 + \cdots + 30 \times 1.06^{10}$

$= \dfrac{30 \times 1.06 \times (1.06^{10} - 1)}{1.06 - 1}$

$= \dfrac{30 \times 1.06 \times (1.8 - 1)}{0.06} = $ ____(만 원)

(2) 연이율 5 %, 1년마다 복리로 매년 초에 40만 원씩 적립할 때, 10년 후의 원리합계를 구하여라.

(단, $1.05^{10} = 1.6$으로 계산한다.)

(3) 연이율 2 %, 1년마다 복리로 매년 초에 80만 원씩 적립할 때, 10년 후의 원리합계를 구하여라.

(단, $1.02^{10} = 1.2$로 계산한다.)

42 다음 물음에 답하여라.

(1) 연이율 12 %, 1년마다 복리로 매년 말에 100만 원씩 적립할 때, 10년 후의 원리합계를 구하여라.

(단, $1.12^{10} = 3.1$로 계산한다.)

▶ **풀이** 10년 후의 원리합계를 S라고 하면

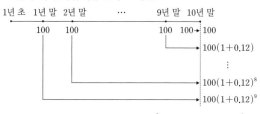

$S = 100 + 100 \times 1.12 + 100 \times 1.12^2 + \cdots + 100 \times 1.12^9$

$= \dfrac{100 \times (1.12^{10} - 1)}{1.12 - 1} = \dfrac{100 \times (3.1 - 1)}{0.12}$

$= $ ____(만 원)

(2) 연이율 5 %, 1년마다 복리로 매년 말에 300만 원씩 적립할 때, 10년 후의 원리합계를 구하여라.

(단, $1.05^{10} = 1.6$으로 계산한다.)

(3) 연이율 4 %, 1년마다 복리로 매년 말에 80만 원씩 적립할 때, 10년 후의 원리합계를 구하여라.

(단, $1.04^{10} = 1.5$로 계산한다.)

📌 풍쌤 POINT

정기적금의 원리합계는

① 넣는 시점에 따라 첫째항이 달라진다. 즉, '초'에 넣으면 이자를 한 번 더 받고, '말'에 넣으면 이자는 없다.

② 마지막에 넣는 금액이 첫째항이 되며 공비는 항상 1 + (이율)이다.

·중단원 점검문제·

01

제6항이 28, 제10항이 52인 등차수열의 일반항 a_n을 구하여라.

02

등차수열 $\{a_n\}$에 대하여 $(a_1+a_2):(a_3+a_4)=2:3$이 성립할 때, $\dfrac{a_8}{a_1}$의 값을 구하여라. (단, $a_1 \neq 0$)

03

제3항이 51, 제7항이 35인 등차수열에서 처음으로 음수가 되는 항은 제몇 항인지 구하여라.

04

두 수 3과 102 사이에 10개의 수 a_1, a_2, a_3, $\cdots$, a_{10}을 넣어 전체가 등차수열을 이루도록 만들었다. 이때 a_3의 값을 구하여라.

05

등차수열을 이루는 세 수가 있다. 세 수의 합이 18이고, 세 수의 제곱의 합이 140일 때, 세 수 중 가장 큰 수를 구하여라.

06

첫째항이 30, 첫째항부터 제10항까지의 합이 210인 등차수열의 일반항 a_n을 구하여라.

07

첫째항부터 제5항까지의 합이 -10, 첫째항부터 제10항까지의 합이 80인 등차수열의 제11항부터 제20항까지의 합을 구하여라.

08

수열 $\{a_n\}$의 첫째항부터 제n항까지의 합 S_n이 $S_n=3n^2-2n$일 때, 이 수열의 일반항 a_n을 구하여라.

09

각 항이 실수이고 제2항이 3, 제5항이 24인 등비수열의 일반항 a_n을 구하여라.

10

공비가 양수인 등비수열 $\{a_n\}$에 대하여 $a_2+a_3=18$, $a_4=24$일 때, a_5의 값을 구하여라.

11

두 수 4와 128 사이에 네 개의 실수를 넣어서 전체가 등비수열을 이루도록 만들었다. 이때 네 수 중 가장 큰 수를 구하여라.

12

각 항이 양의 실수이고, 제3항이 5, 제6항이 40인 등비수열에서 처음으로 3000보다 커지는 항은 제몇 항인지 구하여라.

13

양수 x, y에 대하여 2, x, y는 이 순서로 등차수열을 이루고, x, y, 9는 이 순서로 등비수열을 이룰 때, $x+y$의 값을 구하여라.

14

첫째항이 a, 공비가 2인 등비수열의 첫째항부터 제6항까지의 합이 21일 때, a의 값을 구하여라.

15

수열 $\{a_n\}$의 첫째항부터 제n항까지의 합 S_n이 $S_n=3^{n+1}+k$일 때, 이 수열이 첫째항부터 등비수열을 이루도록 상수 k의 값을 정하여라.

16

연이율 5 %, 1년마다 복리로 매년 초 80만 원씩 적립할 때, 30년 후의 원리합계를 구하여라.

(단, $1.05^{30}=4.3$으로 계산한다.)

시그마의 뜻

---

1 합의 기호 $\sum$의 뜻

수열 $\{a_n\}$의 첫째항부터 제n항까지의 합 $a_1+a_2+a_3+\cdots+a_n$을 합의 기호 $\sum$를 사용하여 $\displaystyle\sum_{k=1}^{n} a_k$로 나타낼 수 있다.

$$a_1+a_2+a_3+\cdots+a_n=\sum_{k=1}^{n} a_k$$

제n항까지 ↘ ← 일반항
제1항부터 ↗

이때 $\displaystyle\sum_{k=1}^{n} a_k$는 수열의 일반항 a_k의 k에 $1, 2, 3, \cdots, n$을 차례로 대입하여 얻은

$a_1, a_2, a_3, \cdots, a_n$의 합을 뜻한다.

참고 $\displaystyle\sum_{k=1}^{n} a_k$에서 문자 k 대신에 i 등의 다른 문자를 사용할 수 있다. 즉, $\displaystyle\sum_{k=1}^{n} a_k=\sum_{i=1}^{n} a_i$이다.

> 기호 $\sum$는 합을 나타내는 영어 sum의 첫 글자 s에 해당하는 그리스 문자로, 시그마라고 읽는다.

유형·01 합의 기호 $\sum$의 뜻

01 다음을 기호 $\sum$를 사용하지 않은 합의 꼴로 나타내어라.

(1) $\displaystyle\sum_{k=1}^{5} 2k$

> 풀이 $2k$의 k에 1부터 ___까지 대입하여 더한 것이므로
> $$\sum_{k=1}^{5} 2k=2+4+6+8+\underline{\quad}$$

(2) $\displaystyle\sum_{k=1}^{4} 3^k$

(3) $\displaystyle\sum_{i=1}^{7} \frac{1}{i}$

(4) $\displaystyle\sum_{j=1}^{6} j(j+1)$

(5) $\displaystyle\sum_{k=1}^{5} \frac{k+1}{k}$

(6) $\displaystyle\sum_{k=1}^{n} (3k+5)$

(7) $\displaystyle\sum_{k=1}^{n} 2^{k-1}$

(8) $\displaystyle\sum_{i=1}^{n} \frac{1}{2i-1}$

(9) $\displaystyle\sum_{j=1}^{n} \frac{1}{j(j+2)}$

(10) $\displaystyle\sum_{k=1}^{n} (-1)^k \times k$

02 다음 합을 기호 $\sum$ 를 사용하여 나타내어라.

(1) $3+5+7+\cdots+(2n+1)$

> **풀이** $2k+1$ 의 k 에 1부터 n 까지 대입하여 더한 것이므로
>
> $3+5+7+\cdots+(2n+1)=\displaystyle\sum_{k=1}^{n}$ _____

(2) $1+3+5+\cdots+(2n-1)$

(3) $\dfrac{1}{2}+\dfrac{1}{4}+\dfrac{1}{8}+\cdots+\dfrac{1}{2^n}$

(4) $1+7+7^2+\cdots+7^{n-1}$

(5) $-1+\dfrac{1}{2}-\dfrac{1}{3}+\cdots+\dfrac{(-1)^n}{n}$

(6) $1\times 2+2\times 3+3\times 4+\cdots+9\times 10$

(7) $1+4+7+\cdots+28$

(8) $\dfrac{1}{2}+\dfrac{2}{3}+\dfrac{3}{4}+\cdots+\dfrac{8}{9}$

(9) $3+6+9+\cdots+90$

(10) $5+5^2+5^3+\cdots+5^{20}$

◤ 풍쌤 POINT

$a_1+a_2+a_3+\cdots+a_n=\displaystyle\sum_{k=1}^{n}a_k$

시그마의 기본 성질

1 $\sum$의 기본 성질

a, b가 실수이고, m, n이 자연수일 때,

① $\displaystyle\sum_{k=1}^{n}(a_k+b_k)=\sum_{k=1}^{n}a_k+\sum_{k=1}^{n}b_k$

② $\displaystyle\sum_{k=1}^{n}(a_k-b_k)=\sum_{k=1}^{n}a_k-\sum_{k=1}^{n}b_k$

③ $\displaystyle\sum_{k=1}^{n}ca_k=c\sum_{k=1}^{n}a_k$ (단, c는 상수이다.)

④ $\displaystyle\sum_{k=1}^{n}c=cn$ (단, c는 상수이다.)

▶ $\sum$의 계산에서 다음에 주의한다.

① $\displaystyle\sum_{k=1}^{n}a_k\neq\sum_{k=1}^{n}a_n$

② $\displaystyle\sum_{k=1}^{n}a_kb_k\neq\sum_{k=1}^{n}a_k\sum_{k=1}^{n}b_k$

③ $\displaystyle\sum_{k=1}^{n}a_k^2\neq\left(\sum_{k=1}^{n}a_k\right)^2$

④ $\displaystyle\sum_{k=1}^{n}\frac{a_k}{b_k}\neq\frac{\displaystyle\sum_{k=1}^{n}a_k}{\displaystyle\sum_{k=1}^{n}b_k}$

유형·02 시그마의 기본 성질

▼ 정답과 풀이 092쪽

03 $\displaystyle\sum_{k=1}^{10}a_k=5$, $\displaystyle\sum_{k=1}^{10}a_k^2=15$일 때, 다음 식의 값을 구하여라.

(1) $\displaystyle\sum_{k=1}^{10}(a_k+1)^2$

▶ 풀이 $\displaystyle\sum_{k=1}^{10}(a_k+1)^2=\sum_{k=1}^{10}(a_k^2+2a_k+1)$
$\displaystyle=\sum_{k=1}^{10}a_k^2+2\sum_{k=1}^{10}a_k+\sum_{k=1}^{10}1$
$=15+2\times\underline{}+10=\underline{}$

(2) $\displaystyle\sum_{k=1}^{10}(2a_k-1)^2$

04 $\displaystyle\sum_{k=1}^{10}a_k=10$, $\displaystyle\sum_{k=1}^{10}b_k=15$일 때, 다음 식의 값을 구하여라.

(1) $\displaystyle\sum_{k=1}^{10}(2a_k+4b_k)$

▶ 풀이 $\displaystyle\sum_{k=1}^{10}(2a_k+4b_k)=2\sum_{k=1}^{10}a_k+4\sum_{k=1}^{10}b_k$
$=2\times10+4\times15=\underline{}$

(2) $\displaystyle\sum_{k=1}^{10}(-a_k+2b_k)$

05 다음을 계산하여라.

(1) $\displaystyle\sum_{k=1}^{10}(k+2)-\sum_{k=1}^{10}(k-2)$

▶ 풀이 $\displaystyle\sum_{k=1}^{10}(k+2)-\sum_{k=1}^{10}(k-2)=\sum_{k=1}^{10}\{(k+2)-(\underline{})\}$
$\displaystyle=\sum_{k=1}^{10}4=4\times10=\underline{}$

(2) $\displaystyle\sum_{k=1}^{10}(k^2+4)-\sum_{k=1}^{10}(k^2-5)$

(3) $\displaystyle\sum_{k=1}^{10}(k^2-2)-\sum_{k=3}^{10}(k^2-2)$

(4) $\displaystyle\sum_{k=1}^{10}(k^2+3)-\sum_{k=1}^{8}(k^2+3)$

> ■ 풍쌤 POINT
>
> $\displaystyle\sum_{k=1}^{n}(pa_k+qb_k)=p\sum_{k=1}^{n}a_k+q\sum_{k=1}^{n}b_k$ (단, p, q는 상수이다.)

03

자연수의 거듭제곱의 합

1 자연수의 거듭제곱의 합

① $\sum_{k=1}^{n} k = 1 + 2 + 3 + \cdots + n = \dfrac{n(n+1)}{2}$

② $\sum_{k=1}^{n} k^2 = 1^2 + 2^2 + 3^2 + \cdots + n^2 = \dfrac{n(n+1)(2n+1)}{6}$

③ $\sum_{k=1}^{n} k^3 = 1^3 + 2^3 + 3^3 + \cdots + n^3 = \left\{\dfrac{n(n+1)}{2}\right\}^2$

참고

① $\sum_{k=1}^{n} k(k+1)$
$= \dfrac{n(n+1)(n+2)}{3}$

② $\sum_{k=1}^{n} (2k-1) = n^2$

🏆 정답과 풀이 092쪽

유형·03 다항식의 시그마 계산

06 다음을 계산하여라.

(1) $\sum_{k=1}^{n} (2k-5)$

▶풀이 $\sum_{k=1}^{n} (2k-5) = \sum_{k=1}^{n} 2k - \sum_{k=1}^{n} 5 = 2\sum_{k=1}^{n} k - 5n$

$= 2 \times \underline{\qquad\qquad} - 5n = \underline{\qquad\qquad}$

(2) $\sum_{k=1}^{10} (k+4)$

(3) $\sum_{k=1}^{n} (2k+1)^2$

(4) $\sum_{k=1}^{10} (k^2+k+1)$

유형·04 지수식의 시그마 계산

07 다음을 계산하여라.

(1) $\sum_{k=1}^{5} (2^k - 8k)$

▶풀이 $\sum_{k=1}^{5} (2^k - 8k) = \sum_{k=1}^{5} 2^k - 8\sum_{k=1}^{5} k$

$= 2^1 + 2^2 + 2^3 + 2^4 + 2^5 - 8 \times \dfrac{5 \times 6}{2}$

$= \underline{\qquad\qquad} - 120$

$= \underline{\qquad}$

(2) $\sum_{k=1}^{5} (3^k + 3k)$

(3) $\sum_{k=1}^{6} (2^{k-1} + 10)$

(4) $\sum_{k=1}^{6} (4^k - 1)$

04

시그마를 사용한 수열의 합

❶ 시그마를 사용한 수열의 합

$\sum$를 사용하여 수열의 합을 구하려면 $S_n = \sum\limits_{k=1}^{n} a_k$임을 이용한다.

[1단계] 제k항인 a_k를 구한다.

[2단계] a_k 앞에 $\sum$를 붙인다.

[3단계] 시작과 끝을 정하고 시그마를 계산한다.

유형·05 시그마를 사용하여 수열의 합 구하기

08 다음 수열의 첫째항부터 제n항까지의 합 S_n을 구하여라.

(1) $1 \times 2,\ 3 \times 4,\ 5 \times 6,\ 7 \times 8,\ \cdots$

> **풀이** 제k항을 a_k라고 하면 $a_k = (2k-1) \times 2k = 4k^2 - 2k$
>
> $\therefore S_n = \sum\limits_{k=1}^{n}(4k^2 - 2k) = 4\sum\limits_{k=1}^{n}k^2 - 2\sum\limits_{k=1}^{n}k$
>
> $= 4 \times \dfrac{n(n+1)(2n+1)}{6} - 2 \times \dfrac{n(n+1)}{2}$
>
> $= \underline{\hspace{3cm}}$

(2) $2 \times 1,\ 4 \times 4,\ 6 \times 7,\ 8 \times 10,\ \cdots$

(3) $3,\ 3 \times 4,\ 3 \times 4^2,\ 3 \times 4^3,\ \cdots$

09 다음 수열의 첫째항부터 제n항까지의 합 S_n을 구하여라.

(1) $1,\ 1+2,\ 1+2+3,\ 1+2+3+4,\ \cdots$

> **풀이** 제k항을 a_k라고 하면
>
> $a_k = 1 + 2 + 3 + \cdots + k = \dfrac{k(k+1)}{2} = \dfrac{k^2}{2} + \dfrac{k}{2}$
>
> $\therefore S_n = \sum\limits_{k=1}^{n}\left(\dfrac{k^2}{2} + \dfrac{k}{2}\right) = \dfrac{1}{2}\sum\limits_{k=1}^{n}k^2 + \dfrac{1}{2}\sum\limits_{k=1}^{n}k$
>
> $= \dfrac{1}{2} \times \dfrac{n(n+1)(2n+1)}{6} + \dfrac{1}{2} \times \dfrac{n(n+1)}{2}$
>
> $= \underline{\hspace{3cm}}$

(2) $1,\ 1+3,\ 1+3+5,\ 1+3+5+7,\ \cdots$

(3) $1,\ 1+4,\ 1+4+4^2,\ 1+4+4^2+4^3,\ \cdots$

10 수열 $\{a_n\}$에 대하여 $\sum\limits_{k=1}^{n} a_k = n^2 - 2n$일 때, $\sum\limits_{k=1}^{4} a_{2k}$의 값을 구하여라.

▶ 풀이 $S_n = \sum\limits_{k=1}^{n} a_k = n^2 - 2n$이라고 하면

(i) $n=1$일 때, $a_1 = S_1 = -1$ ······ ㉠

(ii) $n \geq 2$일 때,

$a_n = S_n - S_{n-1} = (n^2 - 2n) - \{(n-1)^2 - 2(n-1)\}$
$\qquad = 2n - 3$

그런데 $a_1 = -1$은 ㉠에 $n=1$을 대입한 값과 같다.

$\therefore a_n = 2n - 3$

$a_{2k} = 2 \times 2k - 3 = 4k - 3$이므로

$\sum\limits_{k=1}^{4} a_{2k} = \sum\limits_{k=1}^{4}(4k-3) = 4\sum\limits_{k=1}^{4}k - \sum\limits_{k=1}^{4}3$

$\qquad\qquad = 4 \times \underline{\qquad} - 3 \times 4 = \underline{\qquad}$

11 수열 $\{a_n\}$에 대하여 $\sum\limits_{k=1}^{n} a_k = n^2 - n$일 때, $\sum\limits_{k=1}^{5} a_{3k}$의 값을 구하여라.

12 수열 $\{a_n\}$에 대하여 $\sum\limits_{k=1}^{n} a_k = n^2 + 2n$일 때, $\sum\limits_{k=1}^{6} a_{2k+1}$의 값을 구하여라.

13 수열 $\{a_n\}$에 대하여 $\sum\limits_{k=1}^{n} a_k = n^2 + 5n$일 때, $\sum\limits_{k=1}^{5}(ka_{2k})$의 값을 구하여라.

14 수열 $\{a_n\}$에 대하여 $\sum\limits_{k=1}^{n} a_k = 2^n - 1$일 때, $\sum\limits_{k=1}^{4} a_{2k-1}$의 값을 구하여라.

15 수열 $\{a_n\}$에 대하여 $\sum\limits_{k=1}^{n} a_k = 2^n - 1$일 때, $\sum\limits_{k=1}^{4} a_{3k}$의 값을 구하여라.

16 수열 $\{a_n\}$에 대하여 $\sum\limits_{k=1}^{n} a_k = 3^n - 1$일 때, $\sum\limits_{k=1}^{4} a_{2k}$의 값을 구하여라.

17 수열 $\{a_n\}$에 대하여 $\sum\limits_{k=1}^{n} a_k = 3^n - 1$일 때, $\sum\limits_{k=1}^{4} \dfrac{a_{2k}}{a_{2k-1}}$의 값을 구하여라.

◾ 풍쌤 POINT

$\sum\limits_{k=1}^{n} a_k = S_n$일 때, $a_1 = S_1$, $a_n = S_n - S_{n-1}$ $(n \geq 2)$임을 이용하여 일반항 a_n을 구한다.

18 다음을 계산하여라.

(1) $\sum\limits_{m=1}^{10}\left\{\sum\limits_{n=1}^{10}(2m+n)\right\}$

> 풀이　$\sum\limits_{n=1}^{10}(2m+n)=\sum\limits_{n=1}^{10}2m+\sum\limits_{n=1}^{10}n$

$$=20m+\frac{10\times11}{2}=20m+55$$

$$\therefore\ (주어진\ 식)=\sum\limits_{m=1}^{10}(20m+55)$$

$$=20\sum\limits_{m=1}^{10}m+\sum\limits_{m=1}^{10}55$$

$$=20\times\underline{\hphantom{xxxxxx}}+55\times10=\underline{\hphantom{xxxx}}$$

(2) $\sum\limits_{m=1}^{7}\left\{\sum\limits_{n=1}^{7}(m-n)\right\}$

(3) $\sum\limits_{i=1}^{5}\left\{\sum\limits_{j=1}^{5}(j-2i)\right\}$

(4) $\sum\limits_{m=1}^{5}\left(\sum\limits_{n=1}^{5}mn\right)$

(5) $\sum\limits_{m=1}^{6}\left(\sum\limits_{n=1}^{6}m^2n\right)$

(6) $\sum\limits_{i=1}^{4}\left\{\sum\limits_{j=1}^{4}(ij)^2\right\}$

(7) $\sum\limits_{i=1}^{6}\left\{\sum\limits_{j=1}^{i}\left(\sum\limits_{k=1}^{j}j\right)\right\}$

(8) $\sum\limits_{i=1}^{4}\left\{\sum\limits_{j=1}^{i}\left(\sum\limits_{k=1}^{j}2k\right)\right\}$

(9) $\sum\limits_{i=1}^{4}\left\{\sum\limits_{j=1}^{i}\left(\sum\limits_{k=1}^{j}3i\right)\right\}$

(10) $\sum\limits_{i=1}^{7}\left\{\sum\limits_{j=1}^{i}\left(\sum\limits_{k=1}^{j}10\right)\right\}$

■ 풍쌤 POINT

시그마를 여러 개 포함한 식은 변수와 상수를 구분하여 계산한다.

① $\sum\limits_{j=1}^{n}j=\dfrac{n(n+1)}{2}$ ➡ 변수가 j

② $\sum\limits_{j=1}^{n}ij=i\sum\limits_{j=1}^{n}j=i\times\dfrac{n(n+1)}{2}$ ➡ 변수가 j, 상수는 i

05

여러 가지 수열의 합

1 분모가 곱으로 된 수열의 합

부분분수로 변형하여 전개한다.

① $\dfrac{1}{k(k+a)}=\dfrac{1}{a}\left(\dfrac{1}{k}-\dfrac{1}{k+a}\right)$

② $\dfrac{1}{(k+a)(k+b)}=\dfrac{1}{b-a}\left(\dfrac{1}{k+a}-\dfrac{1}{k+b}\right)$

2 분모가 무리식인 수열의 합

분모를 유리화하여 전개한다.

$$\dfrac{1}{\sqrt{a}+\sqrt{b}}=\dfrac{\sqrt{a}-\sqrt{b}}{(\sqrt{a}+\sqrt{b})(\sqrt{a}-\sqrt{b})}=\dfrac{\sqrt{a}-\sqrt{b}}{a-b}$$

> **부분분수로 변형하는 방법**
> $$\dfrac{1}{AB}=\dfrac{1}{B-A}\times\dfrac{B-A}{AB}$$
> $$=\dfrac{1}{B-A}\left(\dfrac{1}{A}-\dfrac{1}{B}\right)$$
> (단, $A\neq B$)

유형·08 부분분수 꼴

정답과 풀이 095쪽

19 다음을 계산하여라.

(1) $\dfrac{1}{1\times2}+\dfrac{1}{2\times3}+\dfrac{1}{3\times4}+\cdots+\dfrac{1}{9\times10}$

> **풀이** 제k항을 a_k라고 하면
> $$a_k=\dfrac{1}{k(k+1)}=\dfrac{1}{k}-\dfrac{1}{k+1}$$이므로
> (주어진 식)$=\left(1-\dfrac{1}{2}\right)+\left(\dfrac{1}{2}-\dfrac{1}{3}\right)+\left(\dfrac{1}{3}-\dfrac{1}{4}\right)+\cdots$
> $$+\left(\dfrac{1}{8}-\dfrac{1}{9}\right)+\left(\dfrac{1}{9}-\dfrac{1}{10}\right)$$
> $$=1-\underline{\quad}=\underline{\quad}$$

(2) $\dfrac{2}{1\times3}+\dfrac{2}{3\times5}+\dfrac{2}{5\times7}+\cdots+\dfrac{2}{19\times21}$

(3) $\dfrac{2}{1\times3}+\dfrac{2}{2\times4}+\dfrac{2}{3\times5}+\cdots+\dfrac{2}{10\times12}$

20 다음 수열의 첫째항부터 제n항까지의 합을 구하여라.

(1) $\dfrac{1}{2\times4},\ \dfrac{1}{3\times5},\ \dfrac{1}{4\times6},\ \dfrac{1}{5\times7},\ \cdots$

> **풀이** 주어진 수열의 제n항을 a_n이라고 하면
> $$a_n=\dfrac{1}{(n+1)(n+3)}=\dfrac{1}{2}\left(\dfrac{1}{n+1}-\dfrac{1}{n+3}\right)$$
> $$\therefore S_n=\dfrac{1}{2\times4}+\dfrac{1}{3\times5}+\dfrac{1}{4\times6}+\dfrac{1}{5\times7}$$
> $$+\cdots+\dfrac{1}{(n+1)(n+3)}$$
> $$=\dfrac{1}{2}\left\{\left(\dfrac{1}{2}-\dfrac{1}{4}\right)+\left(\dfrac{1}{3}-\dfrac{1}{5}\right)+\left(\dfrac{1}{4}-\dfrac{1}{6}\right)+\left(\dfrac{1}{5}-\dfrac{1}{7}\right)\right.$$
> $$\left.+\cdots+\left(\dfrac{1}{n}-\dfrac{1}{n+2}\right)+\left(\dfrac{1}{n+1}-\dfrac{1}{n+3}\right)\right\}$$
> $$=\dfrac{1}{2}\left(\dfrac{1}{2}+\dfrac{1}{3}-\underline{\quad}-\dfrac{1}{n+3}\right)$$
> $$=\dfrac{1}{2}\times\dfrac{5n^2+13n}{6(n+2)(n+3)}=\underline{\qquad\qquad}$$

(2) $\dfrac{1}{2^2-1},\ \dfrac{1}{4^2-1},\ \dfrac{1}{6^2-1},\ \dfrac{1}{8^2-1},\ \cdots$

21 다음을 계산하여라.

(1) $\dfrac{1}{1+\sqrt{3}}+\dfrac{1}{\sqrt{3}+\sqrt{5}}+\dfrac{1}{\sqrt{5}+\sqrt{7}}+\cdots+\dfrac{1}{\sqrt{99}+\sqrt{101}}$

> **풀이** 제k항을 a_k라고 하면

$$a_k=\dfrac{1}{\sqrt{2k-1}+\sqrt{2k+1}}$$

$$=\dfrac{\sqrt{2k-1}-\sqrt{2k+1}}{(\sqrt{2k-1}+\sqrt{2k+1})(\sqrt{2k-1}-\sqrt{2k+1})}$$

$$=-\dfrac{1}{2}(\sqrt{2k-1}-\sqrt{2k+1})$$

$$\therefore \text{(주어진 식)}=\sum_{k=1}^{50}a_k=-\dfrac{1}{2}\sum_{k=1}^{50}(\sqrt{2k-1}-\sqrt{2k+1})$$

$$=-\dfrac{1}{2}\{(1-\sqrt{3})+(\sqrt{3}-\sqrt{5})+(\sqrt{5}-\sqrt{7})$$

$$+\cdots+(\sqrt{97}-\sqrt{99})+(\sqrt{99}-\sqrt{101})\}$$

$$=\underline{\qquad\qquad}$$

(2) $\dfrac{2}{\sqrt{4}+\sqrt{2}}+\dfrac{2}{\sqrt{6}+\sqrt{4}}+\dfrac{2}{\sqrt{8}+\sqrt{6}}+\cdots$

$$+\dfrac{2}{\sqrt{100}+\sqrt{98}}$$

(3) $\dfrac{2}{1+\sqrt{2}}+\dfrac{2}{\sqrt{2}+\sqrt{3}}+\dfrac{2}{\sqrt{3}+\sqrt{4}}+\cdots+\dfrac{2}{\sqrt{99}+\sqrt{100}}$

22 다음 수열의 첫째항부터 제n항까지의 합 S_n을 구하여라.

(1) $\dfrac{1}{1+\sqrt{2}},\ \dfrac{1}{\sqrt{2}+\sqrt{3}},\ \dfrac{1}{\sqrt{3}+\sqrt{4}},\ \dfrac{1}{\sqrt{4}+\sqrt{5}},\ \cdots$

> **풀이** 제k항을 a_k라고 하면

$$a_k=\dfrac{1}{\sqrt{k}+\sqrt{k+1}}$$

$$=\dfrac{\sqrt{k}-\sqrt{k+1}}{(\sqrt{k}+\sqrt{k+1})(\sqrt{k}-\sqrt{k+1})}$$

$$=\sqrt{k+1}-\sqrt{k}$$

$$\therefore S_n=\sum_{k=1}^{n}a_k=\sum_{k=1}^{n}(\sqrt{k+1}-\sqrt{k})$$

$$=(\sqrt{2}-1)+(\sqrt{3}-\sqrt{2})+(\sqrt{4}-\sqrt{3})$$

$$+\cdots+(\sqrt{n}-\sqrt{n-1})+(\sqrt{n+1}-\sqrt{n})$$

$$=\underline{\qquad\qquad}$$

(2) $\dfrac{2}{\sqrt{3}+1},\ \dfrac{2}{\sqrt{5}+\sqrt{3}},\ \dfrac{2}{\sqrt{7}+\sqrt{5}},\ \dfrac{2}{\sqrt{9}+\sqrt{7}},\ \cdots$

(3) $\dfrac{2}{\sqrt{4}+\sqrt{2}},\ \dfrac{2}{\sqrt{6}+\sqrt{4}},\ \dfrac{2}{\sqrt{8}+\sqrt{6}},\ \dfrac{2}{\sqrt{10}+\sqrt{8}},\ \cdots$

🏆 정답과 풀이 095쪽

23 다음을 계산하여라.

(1) $\sum\limits_{k=1}^{10} \log\left(1+\dfrac{2}{k}\right)$

> **풀이** $1+\dfrac{2}{k}=\dfrac{k+2}{k}$ 이므로

$$\sum\limits_{k=1}^{10} \log\left(1+\dfrac{2}{k}\right)$$

$$=\sum\limits_{k=1}^{10} \log\dfrac{k+2}{k}$$

$$=\log\dfrac{3}{1}+\log\dfrac{4}{2}+\log\dfrac{5}{3}+\cdots$$

$$\qquad\qquad +\log\dfrac{10}{8}+\log\dfrac{11}{9}+\log\dfrac{12}{10}$$

$$=\log\left(\dfrac{3}{1}\times\dfrac{4}{2}\times\dfrac{5}{3}\times\cdots\times\dfrac{10}{8}\times\dfrac{11}{9}\times\dfrac{12}{10}\right)$$

$$=\underline{\qquad}$$

(2) $\sum\limits_{k=1}^{99} \log\dfrac{k+1}{k}$

(3) $\sum\limits_{k=1}^{10} \log\left(\dfrac{1}{k+1}+1\right)$

(4) $\sum\limits_{k=2}^{10} \log\dfrac{k^2-1}{k^2}$

(5) $\sum\limits_{k=1}^{15} \log_2\dfrac{\sqrt{k+1}}{\sqrt{k}}$

(6) $\sum\limits_{k=1}^{30} \left[\log_5\left\{\log_{k+1}(k+2)\right\}\right]$

24 수열 $\{a_n\}$에 대하여 $\sum\limits_{k=1}^{n} a_k = n^2 + n$일 때, $\sum\limits_{k=1}^{n} \dfrac{1}{a_k a_{k+1}}$을 n에 대한 식으로 나타내어라.

▶ 풀이 $S_n = \sum\limits_{k=1}^{n} a_k = n^2 + n$이라고 하면

(ⅰ) $n=1$일 때, $a_1 = S_1 = 1^2 + 1 = 2$

(ⅱ) $n \geq 2$일 때,

$a_n = S_n - S_{n-1} = (n^2 + n) - \{(n-1)^2 + (n-1)\}$
$= 2n$ ...... ㉠

그런데 $a_1 = 2$는 ㉠에 $n=1$을 대입한 값과 같으므로

$a_n = 2n$

$a_k = 2k$, $a_{k+1} = 2(k+1) = 2k+2$이므로

$\displaystyle\sum_{k=1}^{n} \frac{1}{a_k a_{k+1}} = \sum_{k=1}^{n} \frac{1}{2k(2k+2)}$

$= \dfrac{1}{2} \displaystyle\sum_{k=1}^{n} \left(\dfrac{1}{2k} - \dfrac{1}{2k+2} \right)$

$= \dfrac{1}{2} \left\{ \left(\dfrac{1}{2} - \dfrac{1}{4} \right) + \left(\dfrac{1}{4} - \dfrac{1}{6} \right) + \left(\dfrac{1}{6} - \dfrac{1}{8} \right) \right.$

$\left. + \cdots + \left(\dfrac{1}{2n} - \dfrac{1}{2n+2} \right) \right\}$

$= \dfrac{1}{2} \left(\dfrac{1}{2} - \dfrac{1}{2n+2} \right) = $ _____

25 수열 $\{a_n\}$에 대하여 $\sum\limits_{k=1}^{n} a_k = n^2 + 3n$일 때, $\sum\limits_{k=1}^{n} \dfrac{1}{a_k a_{k+1}}$을 n에 대한 식으로 나타내어라.

26 수열 $\{a_n\}$에 대하여 $\sum\limits_{k=1}^{n} a_k = n(n+1)$일 때, $\sum\limits_{k=1}^{n} a_k^2$을 n에 대한 식으로 나타내어라.

27 수열 $\{a_n\}$에 대하여 $\sum\limits_{k=1}^{n} a_k = \dfrac{n}{n+1}$일 때, $\sum\limits_{k=1}^{10} \dfrac{1}{a_k}$의 값을 구하여라.

28 수열 $\{a_n\}$에 대하여 $\sum\limits_{k=1}^{n} a_k = 2n^2 - 3n$일 때, $\sum\limits_{k=1}^{10} a_k$의 값을 구하여라.

29 수열 $\{a_n\}$에 대하여 $\sum\limits_{k=1}^{n} a_k = n^2 + 2n$일 때, $\sum\limits_{k=1}^{10} k a_{3k}$의 값을 구하여라.

■ 풍쌤 POINT

$\sum\limits_{k=1}^{n} a_k = S_n$일 때, $S_n = a_n - a_{n-1} (n \geq 2)$, $S_1 = a_1$을 이용하여 일반항을 먼저 구한다.

06

(등차수열)×(등비수열) 꼴의 합

❶ (등차수열)×(등비수열) 꼴의 합

수열 1×2, 2×2^2, 3×2^3, $\cdots$, $n\times2^n$, $\cdots$과 같이 두 수의 곱이 앞의 수는 등차수열, 뒤의 수는 등비수열로 진행될 때의 수열의 합은 다음과 같은 순서로 구한다.

① 주어진 수열의 합 S에 등비수열의 공비 r를 곱한다.

② $S-rS$ 꼴로 만들어 이 식으로부터 S의 값을 구한다.

▶ 수열 $\{a_n\}$에 대하여
$$a_1+a_2r+a_3r^2+\cdots+a_nr^{n-1}$$
을 멱급수라고 한다.

유형·12 (등차수열)×(등비수열) 꼴의 합

▶ 정답과 풀이 098쪽

30 다음 S의 값을 구하여라.

(1) $S=1\times3+2\times3^2+3\times3^3+\cdots+10\times3^{10}$

▶ 풀이 등비수열의 공비가 3이므로 주어진 식의 양변에 3을 곱하여 변끼리 빼면

$$\begin{array}{r} S=1\times3+2\times3^2+3\times3^3+\cdots+9\times3^9+10\times3^{10} \\ -)3S=\qquad 1\times3^2+2\times3^3+\cdots+8\times3^9+9\times3^{10}+10\times3^{11} \\ \hline -2S=(3+3^2+3^3+\cdots+3^{10})-10\times3^{11} \end{array}$$

$$=\frac{3(3^{10}-1)}{3-1}-10\times3^{11}=\frac{3}{2}(3^{10}-1)-10\times3^{11}$$

$$\therefore S=-\frac{3}{4}(3^{10}-1)+5\times3^{11}$$

$$=\underline{\qquad}\times3^{11}+\frac{3}{4}$$

(2) $S=1+2\times4+3\times4^2+\cdots+10\times4^9$

(3) $S=10\times1+9\times2+8\times2^2+\cdots+1\times2^9$

(4) $S=\dfrac{1}{2}+\dfrac{2}{2^2}+\dfrac{3}{2^3}+\cdots+\dfrac{10}{2^{10}}$

· 중단원 점검문제 ·

01

$\sum\limits_{k=1}^{20} a_k{}^2 = 30$, $\sum\limits_{k=1}^{20} a_k = 10$일 때, $\sum\limits_{k=1}^{20} (3a_k-1)^2$의 값을 구하여라.

02

$\sum\limits_{k=1}^{10} a_k = 8$, $\sum\limits_{k=1}^{10} b_k = 16$일 때, $\sum\limits_{k=1}^{10} (2a_k-b_k+7)$의 값을 구하여라.

03

$\sum\limits_{k=1}^{n} (a_k+b_k)^2 = 100$, $\sum\limits_{k=1}^{n} a_k b_k = 25$일 때, $\sum\limits_{k=1}^{n} (a_k{}^2+b_k{}^2)$의 값을 구하여라.

04

$\sum\limits_{k=1}^{10} (k^2+3) - \sum\limits_{k=1}^{10} (k^2-2)$의 값을 구하여라.

05

$\sum\limits_{k=1}^{n} (k-2)^2 - \sum\limits_{k=1}^{n} (k^2-4k)$를 계산하여라.

06

$\sum\limits_{k=1}^{n} (k+1) - \sum\limits_{k=1}^{n-1} (k-1) = 38$을 만족시키는 자연수 n의 값을 구하여라.

07

$\sum\limits_{k=1}^{n} (k+2)(k-2)$를 계산하여라.

08

$\sum\limits_{k=1}^{6} (2^k+k^3+3)$을 계산하여라.

09

$\displaystyle\sum_{k=5}^{n+5}(2k+3)=an^2+bn+c$일 때, 상수 a, b, c에 대하여 $\dfrac{a+c}{b}$의 값을 구하여라.

10

다음 수열의 합을 구하여라.

$$2,\ 2+4,\ 2+4+6,\ \cdots,\ 2+4+6+\cdots+2n$$

11

수열 $\{a_n\}$에 대하여 $\displaystyle\sum_{k=1}^{n}a_k=n^2+10n$일 때, $\displaystyle\sum_{k=1}^{10}a_{2k}$의 값을 구하여라.

12

$\displaystyle\sum_{l=1}^{n}\left\{\sum_{k=1}^{l}(12k-6)\right\}$을 계산하여라.

13

첫째항이 4, 공차가 2인 등차수열 $\{a_n\}$에 대하여

$$\dfrac{2}{\sqrt{a_1}+\sqrt{a_2}}+\dfrac{2}{\sqrt{a_2}+\sqrt{a_3}}+\dfrac{2}{\sqrt{a_3}+\sqrt{a_4}}+\cdots+\dfrac{2}{\sqrt{a_{48}}+\sqrt{a_{49}}}$$

의 값을 구하여라.

14

양수 a, b에 대하여 $f(a,\ b)=\sqrt{a}+\sqrt{b}$라고 할 때, $\displaystyle\sum_{k=1}^{48}\dfrac{1}{f(k,\ k+1)}$의 값을 구하여라.

15

$\displaystyle\sum_{k=2}^{8}\log_6\left(\dfrac{k+1}{k-1}\right)$의 값을 구하여라.

16

$S=2\times3+4\times3^2+6\times3^3+8\times3^4+\cdots+20\times3^{10}$일 때, S의 값을 구하여라.

01
수열의 귀납적 정의

1 수열의 귀납적 정의

수열 $\{a_n\}$을

① 첫째항 a_1의 값

② 이웃하는 항 a_n과 a_{n+1} 사이의 관계식

으로 정의하는 것을 수열의 귀납적 정의라고 한다. (단, $n=1, 2, 3, \cdots$)

▶②의 관계식에 $n=1, 2, 3, \cdots$ 을 대입하면 수열 $\{a_n\}$의 모든 항을 구할 수 있다.

유형·01 귀납적 정의로 나타낸 수열에서 항의 값

🖋 정답과 풀이 100쪽

01 다음과 같이 정의된 수열 $\{a_n\}$의 제4항을 구하여라.

(단, $n=1, 2, 3, \cdots$)

(1) $a_1=5$, $a_{n+1}=3a_n-1$

▶ 풀이 $n=1$일 때, $a_2=3a_1-1=3\times5-1=14$

$n=2$일 때, $a_3=3a_2-1=3\times14-1=$ ___

$n=3$일 때, $a_4=3a_3-1=3\times$ ___ $-1=$ ___

(2) $a_1=2$, $a_{n+1}=a_n+7$

(3) $a_1=4$, $a_{n+1}=a_n-3$

(4) $a_1=4$, $a_{n+1}=2a_n$

(5) $a_1=3$, $a_{n+1}=5a_n$

(6) $a_1=1$, $a_2=3$, $2a_{n+1}=a_n+a_{n+2}$

(7) $a_1=2$, $a_2=4$, $a_{n+1}^2=a_na_{n+2}$

(8) $a_1=3$, $a_2=12$, $a_{n+1}=\dfrac{a_n+a_{n+2}}{2}$

등차수열과 등비수열의 귀납적 정의

① 등차수열의 귀납적 정의

수열 $\{a_n\}$에서 $n=1, 2, 3, \cdots$일 때,

① $a_{n+1}=a_n+d$ ➡ $a_{n+1}-a_n=d$ (일정)　　← 공차가 d인 등차수열

② $2a_{n+1}=a_n+a_{n+2}$ ➡ $a_{n+1}-a_n=a_{n+2}-a_{n+1}$　← 등차중항

> 첫째항이 a, 공차가 d인 등차수열 ➡ $a_1=a$, $a_{n+1}=a_n+d$

② 등비수열의 귀납적 정의

수열 $\{a_n\}$에서 $n=1, 2, 3, \cdots$일 때,

① $a_{n+1}=ra_n$ ➡ $a_{n+1}\div a_n=r$ (일정)　　← 공비가 r인 등비수열

② $a_{n+1}{}^2=a_n a_{n+2}$ ➡ $a_{n+1}\div a_n=a_{n+2}\div a_{n+1}$　← 등비중항

> 첫째항이 a, 공비가 r인 등비수열 ➡ $a_1=a$, $a_{n+1}=ra_n$

정답과 풀이 100쪽

유형·02 등차수열의 귀납적 정의

02 다음과 같이 정의된 수열 $\{a_n\}$의 일반항을 구하여라.

(단, $n=1, 2, 3, \cdots$)

(1) $a_1=3$, $a_{n+1}=a_n+4$

> 풀이　첫째항이 3, 공차가 4인 등차수열이므로
> $a_n=3+(n-1)\times 4=$ ＿＿＿＿

(2) $a_1=-2$, $a_{n+1}=a_n-5$

(3) $a_1=-3$, $a_2=2$, $2a_{n+1}=a_n+a_{n+2}$

(4) $a_1=5$, $a_2=11$, $2a_{n+1}=a_n+a_{n+2}$

유형·03 등비수열의 귀납적 정의

03 다음과 같이 정의된 수열 $\{a_n\}$의 일반항을 구하여라.

(단, $n=1, 2, 3, \cdots$)

(1) $a_1=4$, $a_{n+1}=\dfrac{1}{2}a_n$

> 풀이　첫째항이 4, 공비가 $\dfrac{1}{2}$인 등비수열이므로
> $a_n=4\times\left(\dfrac{1}{2}\right)^{n-1}=2^2\times(2^{-1})^{n-1}=2^2\times 2^{1-n}=$ ＿＿＿

(2) $a_1=-2$, $a_{n+1}=-2a_n$

(3) $a_1=3$, $a_2=9$, $a_{n+1}{}^2=a_n a_{n+2}$

(4) $a_1=-4$, $a_2=8$, $a_{n+1}{}^2=a_n a_{n+2}$

여러 가지 수열의 귀납적 정의

1 $a_{n+1}=a_n+f(n)$ 꼴

n에 1, 2, 3, $\cdots$, $n-1$을 차례로 대입한 후 변끼리 더하면 양변의 a_2, a_3, $\cdots$, a_{n-1}이 소거된다.

➡ $a_n=a_1+f(1)+f(2)+f(3)+\cdots+f(n-1)=a_1+\sum\limits_{k=1}^{n-1}f(k)$

> $a_2=a_1+f(1)$
> $a_3=a_2+f(2)$
> $a_4=a_3+f(3)$
> $\vdots$
> $+)a_n=a_{n-1}+f(n-1)$
> $a_n=a_1+f(1)+f(2)+$
> $\cdots+f(n-1)$

2 $a_{n+1}=a_nf(n)$ 꼴

n에 1, 2, 3, $\cdots$, $n-1$을 차례로 대입한 후 변끼리 곱하면 양변의 $a_2a_3\cdots a_{n-1}$이 약분된다.

➡ $a_n=a_1f(1)f(2)f(3)\cdots f(n-1)$

> $a_2=a_1f(1)$
> $a_3=a_2f(2)$
> $a_4=a_3f(3)$
> $\vdots$
> $\times)a_n=a_{n-1}f(n-1)$
> $a_n=a_1f(1)f(2)\cdots f(n-1)$

유형·04 $a_{n+1}=a_n+f(n)$ 꼴

04 다음과 같이 정의된 수열 $\{a_n\}$의 일반항 a_n을 구하여라. (단, $n=1, 2, 3, \cdots$)

(1) $a_1=1$, $a_{n+1}=a_n+n$

> **풀이** $a_{n+1}=a_n+n$의 n에 1, 2, 3, $\cdots$, $n-1$을 차례로 대입한 후 변끼리 더하면
>
> $a_2=a_1+1$
> $a_3=a_2+2$
> $a_4=a_3+3$
> $\vdots$
> $+)a_n=a_{n-1}+n-1$
> $a_n=a_1+\{1+2+3+\cdots+(n-1)\}$
>
> $\therefore a_n=a_1+\sum\limits_{k=1}^{n-1}k=1+$ _____
>
> $=$ _____

(2) $a_1=2$, $a_{n+1}=a_n+3n$

(3) $a_1=2$, $a_{n+1}=a_n+2^n$

유형·05 $a_{n+1}=a_n f(n)$ 꼴

05 다음과 같이 정의된 수열 $\{a_n\}$의 일반항 a_n을 구하여라. (단, $n=1, 2, 3, \cdots$)

(1) $a_1=2$, $a_{n+1}=\dfrac{n+1}{n}a_n$

▶ 풀이 $a_{n+1}=\dfrac{n+1}{n}a_n$의 n에 $1, 2, 3, \cdots, n-1$을 차례로 대입한 후 변끼리 곱하면

$$a_2=2a_1$$
$$a_3=\frac{3}{2}a_2$$
$$a_4=\frac{4}{3}a_3$$
$$\vdots$$
$$\times\ \Big)\ a_n=\frac{n}{n-1}a_{n-1}$$
$$a_n=a_1\times\left(2\times\frac{3}{2}\times\frac{4}{3}\times\cdots\times\frac{n}{n-1}\right)$$

$\therefore a_n=a_1\times\underline{\quad}=\underline{\quad\quad}$

(2) $a_1=1$, $a_{n+1}=\dfrac{n+3}{n+1}a_n$

(3) $a_1=1$, $a_{n+1}=3^n a_n$

유형·06 수열의 귀납적 정의의 활용

06 10 L의 물이 들어 있는 물통에서 물의 절반을 사용하고 4 L의 물을 넣었다. 이와 같은 과정을 n번 반복한 후 물통에 남아 있는 물의 양을 a_n L라고 할 때, 다음을 구하여라.

(1) a_1

▶ 풀이 a_1 L는 10 L의 절반을 버리고 다시 ___ L를 넣은 물의 양이므로

$$a_1=10\times\frac{1}{2}+\underline{\quad}=\underline{\quad}$$

(2) a_n과 a_{n+1}의 관계식

▶ 풀이 $(n+1)$번 반복한 후 물통에 남아 있는 물의 양 a_{n+1} L는 n번 반복한 후 남은 양의 절반을 버리고 다시 4 L를 넣은 물의 양이므로

$$a_{n+1}=\underline{\quad\quad\quad}\quad (단, n=1, 2, 3, \cdots)$$

07 어느 용기 안에 세균이 100마리 들어 있다. 이 세균은 한 시간이 지날 때마다 10마리는 죽고 나머지는 각각 2마리로 분열한다고 한다. n시간 후 살아 있는 세균의 수를 a_n이라고 할 때, 다음을 구하여라.

(1) a_1

(2) a_n과 a_{n+1}의 관계식

O4

수학적 귀납법

---

❶ 수학적 귀납법

자연수 n에 대한 명제 $p(n)$이 모든 자연수 n에 대하여 성립함을 증명하려면 다음 두 가지를 보이면 된다.

① $n=1$일 때, 명제 $p(n)$이 성립한다.

② $n=k$일 때, 명제 $p(n)$이 성립한다고 가정하면

　　$n=k+1$일 때, 명제 $p(n)$이 성립한다.

이와 같은 방법으로 어떤 명제가 참임을 증명하는 방법을 수학적 귀납법이라고 한다.

> $n \geq a$ (a는 자연수)인 모든 자연수 n에 대하여 명제 $p(n)$이 성립함을 증명하려면
> ① $n=a$일 때, 명제 $p(n)$이 성립한다.
> ② $n=k$ $(k \geq a)$일 때, 명제 $p(n)$이 성립한다고 가정하면 $n=k+1$일 때도 명제 $p(n)$이 성립한다.

유형·07 등식의 증명

08 모든 자연수 n에 대하여 다음 등식이 성립함을 수학적 귀납법으로 증명하여라.

(1) $1+3+5+\cdots+(2n-1)=n^2$

> **풀이** (ⅰ) $n=1$일 때,
> 　　(좌변)$=2 \times 1-1=1$, (우변)$=1^2=1$
> 　　따라서 주어진 등식이 성립한다.
> (ⅱ) $n=k$일 때, 주어진 등식이 성립한다고 가정하면
> 　　$1+3+5+\cdots+2k-1=k^2$ 　　　…… ㉠
> 　　㉠의 양변에 $2k+1$을 더하면
> 　　$1+3+5+\cdots+(2k-1)+(2k+1)$
> 　　$=k^2+\underline{\qquad}=\underline{\qquad}$
> 　　즉, $n=k+1$일 때도 주어진 등식이 성립한다.
> 따라서 (ⅰ), (ⅱ)에서 모든 자연수 n에 대하여 주어진 등식이 성립한다.

(2) $2+4+6+\cdots+2n=n(n+1)$

(3) $1^3+2^3+3^3+\cdots+n^3=\dfrac{n^2(n+1)^2}{4}$

(4) $1 \times 2+2 \times 3+3 \times 4+\cdots$
　　　　$+n(n+1)=\dfrac{n(n+1)(n+2)}{3}$

09 모든 자연수 n에 대하여 다음 부등식이 성립함을 수학적 귀납법으로 증명하여라.

$$(a+b)^n \geq a^n + b^n \ (단, \ a>0, \ b>0)$$

▶ 풀이 (i) $n=1$일 때,

(좌변)$=a+b$, (우변)$=a+b$

이므로 주어진 부등식이 성립한다.

(ii) $n=k$일 때, 주어진 부등식이 성립한다고 가정하면

$$(a+b)^k \geq a^k + b^k \qquad \cdots\cdots \ \bigcirc$$

$\bigcirc$의 양변에 $a+b$를 곱하면

$$(a+b)^{k+1} \geq (a^k + b^k)(a+b)$$
$$= a^{k+1} + b^{k+1} + a^k b + ab^k$$
$$> \underline{}$$
$$(\because a>0, \ b>0이므로 \ a^k b + ab^k > 0)$$

$$\therefore (a+b)^{k+1} \geq a^{k+1} + b^{k+1}$$

즉, $n=k+1$일 때도 주어진 부등식이 성립한다.

따라서 (i), (ii)에서 모든 자연수 n에 대하여 주어진 부등식이 성립한다.

10 $n \geq 2$인 모든 자연수 n에 대하여 다음 부등식이 성립함을 수학적 귀납법으로 증명하여라.

$$1 + \frac{1}{2^2} + \frac{1}{3^2} + \frac{1}{4^2} + \cdots + \frac{1}{n^2} < 2 - \frac{1}{n}$$

11 $n \geq 4$인 모든 자연수 n에 대하여 다음 부등식이 성립함을 수학적 귀납법으로 증명하여라.

$$3n+2 < 2^n$$

12 $n \geq 5$인 모든 자연수 n에 대하여 다음 부등식이 성립함을 수학적 귀납법으로 증명하여라.

$$2^n > n^2$$

· 중단원 점검문제 ·

01

다음과 같이 귀납적으로 정의된 수열 $\{a_n\}$의 일반항을 구하여라.

$$a_1=-10,\ a_{n+1}=a_n+7\ (\text{단},\ n=1,\,2,\,3,\,\cdots)$$

02

다음과 같이 귀납적으로 정의된 수열 $\{a_n\}$의 일반항을 구하여라.

$$a_1=2,\ a_{n+1}=4a_n\ (\text{단},\ n=1,\,2,\,3,\,\cdots)$$

03

다음과 같이 귀납적으로 정의된 수열 $\{a_n\}$의 일반항을 구하여라.

$$a_1=1,\ a_{n+1}=a_n-2n\ (\text{단},\ n=1,\,2,\,3,\,\cdots)$$

04

다음과 같이 귀납적으로 정의된 수열 $\{a_n\}$의 일반항을 구하여라.

$$a_1=3,\ a_{n+1}=a_n+3^n\ (\text{단},\ n=1,\,2,\,3,\,\cdots)$$

05

다음과 같이 귀납적으로 정의된 수열 $\{a_n\}$의 일반항을 구하여라.

$$a_1=3,\ a_{n+1}=\frac{2n+1}{2n-1}a_n\ (\text{단},\ n=1,\,2,\,3,\,\cdots)$$

06

다음과 같이 귀납적으로 정의된 수열 $\{a_n\}$의 일반항을 구하여라.

$$a_1=2,\ a_{n+1}=2^{n-1}a_n\ (\text{단},\ n=1,\,2,\,3,\,\cdots)$$

07

다음과 같이 귀납적으로 정의된 수열 $\{a_n\}$의 일반항을 구하여라.

$$a_1=1,\ a_{n+1}=2a_n+1\ (\text{단},\ n=1,\,2,\,3,\,\cdots)$$

08

p L의 물이 들어 있는 물통에서 $\frac{1}{3}$을 덜어 내고 남아 있는 물의 양을 a_1 L라 하고, a_1 L의 물이 들어 있는 물통에서 $\frac{1}{3}$을 덜어 내고 남아 있는 물의 양을 a_2 L라고 하자. 이와 같은 과정을 계속하여 n번째에 이 물통에 남아 있는 물의 양을 a_n L라고 할 때, 이 수열 $\{a_n\}$의 귀납적 정의를 구하여라.

09

다음은 모든 자연수 n에 대하여 등식

$$\frac{1}{1\times 2}+\frac{1}{2\times 3}+\frac{1}{3\times 4}+\cdots+\frac{1}{n(n+1)}=\frac{n}{n+1}$$

이 성립함을 수학적 귀납법으로 증명하는 과정이다.

(i) $n=1$일 때,

(좌변)$=\dfrac{1}{1\times 2}=\dfrac{1}{2}$, (우변)$=\dfrac{1}{1+1}=\dfrac{1}{2}$

이므로 주어진 등식이 성립한다.

(ii) $n=k$일 때, 주어진 등식이 성립한다고 가정하면

$$\frac{1}{1\times 2}+\frac{1}{2\times 3}+\frac{1}{3\times 4}+\cdots+\frac{1}{k(k+1)}=\frac{k}{k+1}$$

위의 식의 양변에 $\boxed{\text{(가)}}$ 을 더하면

$$\frac{1}{1\times 2}+\frac{1}{2\times 3}+\frac{1}{3\times 4}+\cdots+\frac{1}{k(k+1)}+\boxed{\text{(가)}}$$

$$=\boxed{\text{(나)}}+\frac{1}{(k+1)(k+2)}=\boxed{\text{(다)}}$$

즉, $n=k+1$일 때도 주어진 등식이 성립한다.

따라서 (i), (ii)에서 모든 자연수 n에 대하여 주어진 등식이 성립한다.

이 때 (가), (나), (다)에 알맞은 식을 구하여라.

10

다음은 $n\geq 3$인 모든 자연수 n에 대하여 등식

$$1\times 2\times 3\times\cdots\times n>2^{n-1}$$

이 성립함을 수학적 귀납법으로 증명하는 과정이다.

(i) $n=3$일 때,

(좌변)$=1\times 2\times 3=6>2^{3-1}=4=$(우변)

이므로 주어진 등식이 성립한다.

(ii) $n=k\ (k\geq 3)$일 때, 주어진 등식이 성립한다고 가정하면

$$1\times 2\times 3\times\cdots\times k>2^{k-1}$$

위의 식의 양변에 $\boxed{\text{(가)}}$ 을 곱하면

$$1\times 2\times 3\times\cdots\times k\times\boxed{\text{(가)}}>2^{k-1}\times\boxed{\text{(가)}}$$

이때 $\boxed{\text{(가)}}\geq 4$이므로

$$2^{k-1}\times\boxed{\text{(가)}}>\boxed{\text{(나)}}$$

∴ $1\times 2\times 3\times\cdots\times k\times(k+1)>\boxed{\text{(나)}}$

즉, $n=k+1$일 때도 주어진 등식이 성립한다.

따라서 (i), (ii)에서 $n\geq 3$인 모든 자연수 n에 대하여 주어진 등식이 성립한다.

이 때 (가), (나)에 알맞은 식을 구하여라.

상용로그표

수	0	1	2	3	4	5	6	7	8	9
1.0	.0000	.0043	.0086	.0128	.0170	.0212	.0253	.0294	.0334	.0374
1.1	.0414	.0453	.0492	.0531	.0569	.0607	.0645	.0682	.0719	.0755
1.2	.0792	.0828	.0864	.0899	.0934	.0969	.1004	.1038	.1072	.1106
1.3	.1139	.1173	.1206	.1239	.1271	.1303	.1335	.1367	.1399	.1430
1.4	.1461	.1492	.1523	.1553	.1584	.1614	.1644	.1673	.1703	.1732
1.5	.1761	.1790	.1818	.1847	.1875	.1903	.1931	.1959	.1987	.2014
1.6	.2041	.2068	.2095	.2122	.2148	.2175	.2201	.2227	.2253	.2279
1.7	.2304	.2330	.2355	.2380	.2405	.2430	.2455	.2480	.2504	.2529
1.8	.2553	.2577	.2601	.2625	.2648	.2672	.2695	.2718	.2742	.2765
1.9	.2788	.2810	.2833	.2856	.2878	.2900	.2923	.2945	.2967	.2989
2.0	.3010	.3032	.3054	.3075	.3096	.3118	.3139	.3160	.3181	.3201
2.1	.3222	.3243	.3263	.3284	.3304	.3324	.3345	.3365	.3385	.3404
2.2	.3424	.3444	.3464	.3483	.3502	.3522	.3541	.3560	.3579	.3598
2.3	.3617	.3636	.3655	.3674	.3692	.3711	.3729	.3747	.3766	.3784
2.4	.3802	.3820	.3838	.3856	.3874	.3892	.3909	.3927	.3945	.3962
2.5	.3979	.3997	.4014	.4031	.4048	.4065	.4082	.4099	.4116	.4133
2.6	.4150	.4166	.4183	.4200	.4216	.4232	.4249	.4265	.4281	.4298
2.7	.4314	.4330	.4346	.4362	.4378	.4393	.4409	.4425	.4440	.4456
2.8	.4472	.4487	.4502	.4518	.4533	.4548	.4564	.4579	.4594	.4609
2.9	.4624	.4639	.4654	.4669	.4683	.4698	.4713	.4728	.4742	.4757
3.0	.4771	.4786	.4800	.4814	.4829	.4843	.4857	.4871	.4886	.4900
3.1	.4914	.4928	.4942	.4955	.4969	.4983	.4997	.5011	.5024	.5038
3.2	.5051	.5065	.5079	.5092	.5105	.5119	.5132	.5145	.5159	.5172
3.3	.5185	.5198	.5211	.5224	.5237	.5250	.5263	.5276	.5289	.5302
3.4	.5315	.5328	.5340	.5353	.5366	.5378	.5391	.5403	.5416	.5428
3.5	.5441	.5453	.5465	.5478	.5490	.5502	.5514	.5527	.5539	.5551
3.6	.5563	.5575	.5587	.5599	.5611	.5623	.5635	.5647	.5658	.5670
3.7	.5682	.5694	.5705	.5717	.5729	.5740	.5752	.5763	.5775	.5786
3.8	.5798	.5809	.5821	.5832	.5843	.5855	.5866	.5877	.5888	.5899
3.9	.5911	.5922	.5933	.5944	.5955	.5966	.5977	.5988	.5999	.6010
4.0	.6021	.6031	.6042	.6053	.6064	.6075	.6085	.6096	.6107	.6117
4.1	.6128	.6138	.6149	.6160	.6170	.6180	.6191	.6201	.6212	.6222
4.2	.6232	.6243	.6253	.6263	.6274	.6284	.6294	.6304	.6314	.6325
4.3	.6335	.6345	.6355	.6365	.6375	.6385	.6395	.6405	.6415	.6425
4.4	.6435	.6444	.6454	.6464	.6474	.6484	.6493	.6503	.6513	.6522
4.5	.6532	.6542	.6551	.6561	.6571	.6580	.6590	.6599	.6609	.6618
4.6	.6628	.6637	.6646	.6656	.6665	.6675	.6684	.6693	.6702	.6712
4.7	.6721	.6730	.6739	.6749	.6758	.6767	.6776	.6785	.6794	.6803
4.8	.6812	.6821	.6830	.6839	.6848	.6857	.6866	.6875	.6884	.6893
4.9	.6902	.6911	.6920	.6928	.6937	.6946	.6955	.6964	.6972	.6981
5.0	.6990	.6998	.7007	.7016	.7024	.7033	.7042	.7050	.7059	.7067
5.1	.7076	.7084	.7093	.7101	.7110	.7118	.7126	.7135	.7143	.7152
5.2	.7160	.7168	.7177	.7185	.7193	.7202	.7210	.7218	.7226	.7235
5.3	.7243	.7251	.7259	.7267	.7275	.7284	.7292	.7300	.7308	.7316
5.4	.7324	.7332	.7340	.7348	.7356	.7364	.7372	.7380	.7388	.7396

수	0	1	2	3	4	5	6	7	8	9
5.5	.7404	.7412	.7419	.7427	.7435	.7443	.7451	.7459	.7466	.7474
5.6	.7482	.7490	.7497	.7505	.7513	.7520	.7528	.7536	.7543	.7551
5.7	.7559	.7566	.7574	.7582	.7589	.7597	.7604	.7612	.7619	.7627
5.8	.7634	.7642	.7649	.7657	.7664	.7672	.7679	.7686	.7694	.7701
5.9	.7709	.7716	.7723	.7731	.7738	.7745	.7752	.7760	.7767	.7774
6.0	.7782	.7789	.7796	.7803	.7810	.7818	.7825	.7832	.7839	.7846
6.1	.7853	.7860	.7868	.7875	.7882	.7889	.7896	.7903	.7910	.7917
6.2	.7924	.7931	.7938	.7945	.7952	.7959	.7966	.7973	.7980	.7987
6.3	.7993	.8000	.8007	.8014	.8021	.8028	.8035	.8041	.8048	.8055
6.4	.8062	.8069	.8075	.8082	.8089	.8096	.8102	.8109	.8116	.8122
6.5	.8129	.8136	.8142	.8149	.8156	.8162	.8169	.8176	.8182	.8189
6.6	.8195	.8202	.8209	.8215	.8222	.8228	.8235	.8241	.8248	.8254
6.7	.8261	.8267	.8274	.8280	.8287	.8293	.8299	.8306	.8312	.8319
6.8	.8325	.8331	.8338	.8344	.8351	.8357	.8363	.8370	.8376	.8382
6.9	.8388	.8395	.8401	.8407	.8414	.8420	.8426	.8432	.8439	.8445
7.0	.8451	.8457	.8463	.8470	.8476	.8482	.8488	.8494	.8500	.8506
7.1	.8513	.8519	.8525	.8531	.8537	.8543	.8549	.8555	.8561	.8567
7.2	.8573	.8579	.8585	.8591	.8597	.8603	.8609	.8615	.8621	.8627
7.3	.8633	.8639	.8645	.8651	.8657	.8663	.8669	.8675	.8681	.8686
7.4	.8692	.8698	.8704	.8710	.8716	.8722	.8727	.8733	.8739	.8745
7.5	.8751	.8756	.8762	.8768	.8774	.8779	.8785	.8791	.8797	.8802
7.6	.8808	.8814	.8820	.8825	.8831	.8837	.8842	.8848	.8854	.8859
7.7	.8865	.8871	.8876	.8882	.8887	.8893	.8899	.8904	.8910	.8915
7.8	.8921	.8927	.8932	.8938	.8943	.8949	.8954	.8960	.8965	.8971
7.9	.8976	.8982	.8987	.8993	.8998	.9004	.9009	.9015	.9020	.9025
8.0	.9031	.9036	.9042	.9047	.9053	.9058	.9063	.9069	.9074	.9079
8.1	.9085	.9090	.9096	.9101	.9106	.9112	.9117	.9122	.9128	.9133
8.2	.9138	.9143	.9149	.9154	.9159	.9165	.9170	.9175	.9180	.9186
8.3	.9191	.9196	.9201	.9206	.9212	.9217	.9222	.9227	.9232	.9238
8.4	.9243	.9248	.9253	.9258	.9263	.9269	.9274	.9279	.9284	.9289
8.5	.9294	.9299	.9304	.9309	.9315	.9320	.9325	.9330	.9335	.9340
8.6	.9345	.9350	.9355	.9360	.9365	.9370	.9375	.9380	.9385	.9390
8.7	.9395	.9400	.9405	.9410	.9415	.9420	.9425	.9430	.9435	.9440
8.8	.9445	.9450	.9455	.9460	.9465	.9469	.9474	.9479	.9484	.9489
8.9	.9494	.9499	.9504	.9509	.9513	.9518	.9523	.9528	.9533	.9538
9.0	.9542	.9547	.9552	.9557	.9562	.9566	.9571	.9576	.9581	.9586
9.1	.9590	.9595	.9600	.9605	.9609	.9614	.9619	.9624	.9628	.9633
9.2	.9638	.9643	.9647	.9652	.9657	.9661	.9666	.9671	.9675	.9680
9.3	.9685	.9689	.9694	.9699	.9703	.9708	.9713	.9717	.9722	.9727
9.4	.9731	.9736	.9741	.9745	.9750	.9754	.9759	.9763	.9768	.9773
9.5	.9777	.9782	.9786	.9791	.9795	.9800	.9805	.9809	.9814	.9818
9.6	.9823	.9827	.9832	.9836	.9841	.9845	.9850	.9854	.9859	.9863
9.7	.9868	.9872	.9877	.9881	.9886	.9890	.9894	.9899	.9903	.9908
9.8	.9912	.9917	.9921	.9926	.9930	.9934	.9939	.9943	.9948	.9952
9.9	.9956	.9961	.9965	.9969	.9974	.9978	.9983	.9987	.9991	.9996

삼각함수표

각	sin	cos	tan	각	sin	cos	tan
0°	.0000	1.0000	.0000	45°	.7071	.7071	1.0000
1°	.0175	.9998	.0175	46°	.7193	.6947	1.0355
2°	.0349	.9994	.0349	47°	.7314	.6820	1.0724
3°	.0523	.9986	.0524	48°	.7431	.6691	1.1106
4°	.0698	.9976	.0699	49°	.7547	.6561	1.1504
5°	.0872	.9962	.0875	50°	.7660	.6428	1.1918
6°	.1045	.9945	.1051	51°	.7771	.6293	1.2349
7°	.1219	.9925	.1228	52°	.7880	.6157	1.2799
8°	.1392	.9903	.1405	53°	.7986	.6018	1.3270
9°	.1564	.9877	.1584	54°	.8090	.5878	1.3764
10°	.1736	.9848	.1763	55°	.8192	.5736	1.4281
11°	.1908	.9816	.1944	56°	.8290	.5592	1.4826
12°	.2079	.9781	.2126	57°	.8387	.5446	1.5399
13°	.2250	.9744	.2309	58°	.8480	.5299	1.6003
14°	.2419	.9703	.2493	59°	.8572	.5150	1.6643
15°	.2588	.9659	.2679	60°	.8660	.5000	1.7321
16°	.2756	.9613	.2867	61°	.8746	.4848	1.8040
17°	.2924	.9563	.3057	62°	.8829	.4695	1.8807
18°	.3090	.9511	.3249	63°	.8910	.4540	1.9626
19°	.3256	.9455	.3443	64°	.8988	.4384	2.0503
20°	.3420	.9397	.3640	65°	.9063	.4226	2.1445
21°	.3584	.9336	.3839	66°	.9135	.4067	2.2460
22°	.3746	.9272	.4040	67°	.9205	.3907	2.3559
23°	.3907	.9205	.4245	68°	.9272	.3746	2.4751
24°	.4067	.9135	.4452	69°	.9336	.3584	2.6051
25°	.4226	.9063	.4663	70°	.9397	.3420	2.7475
26°	.4384	.8988	.4877	71°	.9455	.3256	2.9042
27°	.4540	.8910	.5095	72°	.9511	.3090	3.0777
28°	.4695	.8829	.5317	73°	.9563	.2924	3.2709
29°	.4848	.8746	.5543	74°	.9613	.2756	3.4874
30°	.5000	.8660	.5774	75°	.9659	.2588	3.7321
31°	.5150	.8572	.6009	76°	.9703	.2419	4.0108
32°	.5299	.8480	.6249	77°	.9744	.2250	4.3315
33°	.5446	.8387	.6494	78°	.9781	.2079	4.7046
34°	.5592	.8290	.6745	79°	.9816	.1908	5.1446
35°	.5736	.8192	.7002	80°	.9848	.1736	5.6713
36°	.5878	.8090	.7265	81°	.9877	.1564	6.3138
37°	.6018	.7986	.7536	82°	.9903	.1392	7.1154
38°	.6157	.7880	.7813	83°	.9925	.1219	8.1443
39°	.6293	.7771	.8098	84°	.9945	.1045	9.5144
40°	.6428	.7660	.8391	85°	.9962	.0872	11.4301
41°	.6561	.7547	.8693	86°	.9976	.0698	14.3007
42°	.6691	.7431	.9004	87°	.9986	.0523	19.0811
43°	.6820	.7314	.9325	88°	.9994	.0349	28.6363
44°	.6947	.7193	.9657	89°	.9998	.0175	57.2900
45°	.7071	.7071	1.0000	90°	1.0000	.0000	

Ⅰ 지수함수와 로그함수

Ⅰ-1 | 지수와 로그

01 (1) 2 또는 $-1 \pm \sqrt{3}i$ (2) -2 또는 $1 \pm \sqrt{3}i$
(3) ± 2 또는 $\pm 2i$ (4) ± 3 또는 $\pm 3i$

02 (1) 거듭제곱근: -1 또는 $\dfrac{1 \pm \sqrt{3}i}{2}$, 실수: -1
(2) 거듭제곱근: -3 또는 $\dfrac{3 \pm 3\sqrt{3}i}{2}$, 실수: -3
(3) 거듭제곱근: ± 1 또는 $\pm i$, 실수: -1, 1
(4) 거듭제곱근: ± 5 또는 $\pm 5i$, 실수: -5, 5

03 (1) 2 (2) 3 (3) 4 (4) 3 (5) $\dfrac{1}{4}$

04 (1) 3 (2) $\dfrac{1}{2}$ (3) 5 (4) 3 (5) $\dfrac{1}{2}$

05 (1) 2 (2) 3 (3) 2 (4) $\dfrac{1}{9}$

06 (1) $\sqrt[3]{2}$ (2) $\sqrt[4]{3}$ (3) $\sqrt[3]{4}$ (4) $\sqrt[3]{9}$

07 (1) 2 (2) 3 (3) $\dfrac{1}{8}$
(4) 2 (5) 4 (6) $\sqrt{2}$

08 (1) $\sqrt[12]{a}$ (2) 1 (3) 1

09 (1) 3 (2) 2 (3) 9

10 (1) $\sqrt{2} < \sqrt[6]{10} < \sqrt[3]{4}$ (2) $\sqrt[3]{5} < \sqrt[6]{26} < \sqrt{3}$
(3) $\sqrt[6]{2} < \sqrt[4]{3} < \sqrt[3]{3}$ (4) $\sqrt[5]{3} < \sqrt{2} < \sqrt[4]{5}$

11 (1) a^8 (2) a^6 (3) a^{-10} (4) a^{10}

12 (1) $\dfrac{2}{3}$ (2) $\dfrac{625}{81}$ (3) 49

13 (1) $a^{\frac{7}{40}}$ (2) $a^{\frac{7}{12}}$ (3) $a^{\frac{11}{8}}$ (4) $a^{\frac{11}{6}}$ (5) $a^{\frac{7}{8}}$

14 (1) $a-b$ (2) $\sqrt{a}-\sqrt{b}$ (3) -4 (4) 1 (5) 8

15 (1) 14 (2) 194 (3) 52 (4) $\pm 2\sqrt{3}$ (5) $\pm 8\sqrt{3}$

16 (1) 5 (2) 82 (3) 15 (4) 24

17 (1) 256 (2) $\dfrac{1}{27}$ (3) 64 (4) 243 (5) 125

18 (1) $-\dfrac{5}{3}$ (2) $-\dfrac{7}{9}$ (3) $\dfrac{3}{5}$ (4) $\dfrac{2+\sqrt{2}}{2}$

19 (1) -3 (2) -2 (3) -1 (4) 2

20 (1) 0 (2) 0 (3) 0 (4) 0

21 (1) $\sqrt{2}$ (2) 81 (3) $25\sqrt{5}$ (4) 27 (5) $\sqrt{2}$

22 (1) $\dfrac{1}{4}$ (2) 4 (3) 2 (4) 5

23 (1) $2 < x < 3$ 또는 $3 < x < 5$
(2) $3 < x < 5$ 또는 $5 < x < 6$
(3) $x < -4$ 또는 $x > 6$
(4) $-1 < x < 0$ 또는 $0 < x < 2$
(5) $1 < x < 2$ 또는 $2 < x < 5$
(6) $2 < x < 3$ 또는 $3 < x < 7$
(7) $3 < x < 4$ 또는 $x > 4$
(8) $3 < x < 4$ 또는 $4 < x < 8$

24 (1) -2 (2) 0 (3) 5 (4) 1 (5) $\dfrac{1}{2}$
(6) $-\dfrac{3}{2}$ (7) $\dfrac{3}{5}$ (8) $\dfrac{2}{3}$ (9) 6 (10) $\dfrac{3}{2}$

25 (1) 4 (2) 1 (3) 2 (4) 3 (5) 1
(6) 6 (7) $\dfrac{1}{2}$ (8) $-\dfrac{3}{2}$ (9) $\dfrac{3}{2}$ (10) $\dfrac{1}{2}$
(11) $\dfrac{1}{2}$

26 (1) 3 (2) 2 (3) $\dfrac{2}{3}$ (4) 0

27 (1) 5 (2) 27 (3) 64 (4) 16

28 (1) $1-a$ (2) $\dfrac{1+a}{b}$ (3) $2a+2b-3$
(4) $\dfrac{2a+b}{a+2b}$ (5) $\dfrac{2b-a}{1-a}$ (6) $\dfrac{2a+b}{2a+2b}$

29 (1) $\dfrac{ab+b+2}{ab+2b+1}$ (2) $\dfrac{ab+2b+2}{2ab+b+2}$
(3) $\dfrac{2ab+b+1}{ab+b+1}$ (4) $\dfrac{8ab}{ab+2b+1}$

30 (1) $\dfrac{y}{3x}$ (2) $\dfrac{3y}{2x}$ (3) $\dfrac{4y}{x}$ (4) $\dfrac{2y}{3x}$ (5) $-\dfrac{3y}{x}$

31 (1) $x+2y+3z$ (2) $2x+y-2z$
(3) $-3x+4y+z$ (4) $\dfrac{3z}{x+y}$
(5) $\dfrac{z}{3x+3y}$

32 (1) $\dfrac{1}{2}$ (2) $-\dfrac{9}{2}$ **33** (1) 12 (2) $\dfrac{15}{4}$

34 (1) 2 (2) 2 (3) 4 (4) 3

35 (1) -1 (2) 1 **36** (1) 1 (2) 1

37 (1) 14 (2) 25 **38** (1) 23 (2) 6

39 (1) -1 (2) -1 (3) -3 (4) $\dfrac{3}{2}$ (5) -4

40 (1) 1.5276 (2) 3.5276 (3) -0.4724

41 (1) 4.2122 (2) -1.7878 (3) -3.7878

42 (1) 1.2040 (2) 1.4313 (3) 1.5050 (4) 1.2552
(5) 1.3801 (6) 1.8572 (7) 1.1761 (8) 1.3010
(9) 1.3980 (10) 1.4771

43 8.59배 　　　　**44** 74 %

45 6년 　　　　**46** 11번

47 20 　　　　**48** 60℃

49 (1) 10자리 　　(2) 소수점 아래 31번째 자리
　　(3) 12자리 정수

50 (1) 16자리 정수 　　(2) 소수점 아래 8번째 자리
　　(3) 21자리 정수

51 (1) 1 　(2) 2 　(3) 3 　(4) 1 　(5) 3 　(6) 3

52 (1) 10 또는 $10\sqrt{10}$ 　(2) 1 또는 $\sqrt{10}$
　　(3) 100 또는 $100\sqrt{10}$ 　(4) $\dfrac{\sqrt{10}}{10}$ 또는 $\dfrac{1}{10}$

중단원 점검문제 ǀ I-1. 지수와 로그	030-031쪽

01 1 　　　　**02** 23

03 $\pm\sqrt{14}$ 　　　　**04** $\dfrac{651}{25}$

05 15 　　　　**06** 3

07 $3A-B-2C$ 　　　　**08** $\dfrac{5a+2b}{3}$

09 12 　　　　**10** 3

11 9 　　　　**12** -1

13 3850 　　　　**14** 24자리

15 1 　　　　**16** -8

I-2 ǀ 지수함수와 로그함수　　032~060쪽

01 풀이 참조 　　　　**02** 풀이 참조

03 (1) 그래프는 풀이 참조,
　　치역: $\{y|y>1\}$, 점근선의 방정식: $y=1$
　　(2) 그래프는 풀이 참조,
　　치역: $\{y|y>-2\}$, 점근선의 방정식: $y=-2$
　　(3) 그래프는 풀이 참조
　　치역: $\{y|y>2\}$, 점근선의 방정식: $y=2$
　　(4) 그래프는 풀이 참조
　　치역: $\{y|y>-1\}$, 점근선의 방정식: $y=-1$
　　(5) 그래프는 풀이 참조,
　　치역: $\{y|y>-3\}$, 점근선의 방정식: $y=-3$

04 $y=-2^{x+2}-1$

05 $y=-3^{x-1}-1$

06 $y=4^{x+1}-2$

07 ㄱ, ㄷ 　　　　**08** ㄴ, ㄷ

---

09 (1) $\dfrac{1}{8}<\sqrt[4]{32}<4^{\frac{3}{2}}$ 　(2) $\sqrt[3]{4}<8^{7}<4^{11}$
　　(3) $4^{0.5}<\sqrt[3]{16}<\sqrt{8}$ 　(4) $\sqrt[3]{0.01}<\sqrt[5]{0.001}<\sqrt{0.1}$
　　(5) $\sqrt{\dfrac{1}{8}}<\sqrt[3]{\dfrac{1}{16}}<\sqrt[6]{\dfrac{1}{32}}$ 　(6) $\sqrt[3]{\dfrac{1}{9}}<\sqrt[4]{27}<\sqrt[5]{81}$

10 (1) 최댓값: 5, 최솟값: -2
　　(2) 최댓값: 6, 최솟값: $\dfrac{5}{2}$
　　(3) 최댓값: 79, 최솟값: $-\dfrac{5}{3}$

11 (1) 최댓값: $-\dfrac{1}{2}$, 최솟값: $-\dfrac{31}{32}$
　　(2) 최댓값: -3, 최솟값: $-\dfrac{96}{25}$

12 (1) 최댓값: 5, 최솟값: $\dfrac{11}{4}$
　　(2) 최댓값: 40, 최솟값: -9
　　(3) 최댓값: -5, 최솟값: -21
　　(4) 최댓값: 13, 최솟값: 2

13 (1) 최댓값: 없다., 최솟값: $\dfrac{1}{9}$
　　(2) 최댓값: 4, 최솟값: 없다.
　　(3) 최댓값: 32, 최솟값: 2

14 (1) 4 　(2) 32 　(3) 16 　(4) 18 　(5) 54

15 (1) 8 　(2) 6 　(3) 250

16 (1) 3 　(2) 4

17 (1) $x=-5$ 　(2) $x=3$ 　(3) $x=4$
　　(4) $x=-2$ 　(5) $x=-\dfrac{5}{4}$ 　(6) $x=0$ 또는 $x=5$

18 (1) $x=1$ 또는 $x=10$ 　(2) $x=1$ 또는 $x=2$
　　(3) $x=1$ 또는 $x=5$ 　(4) $x=1$ 또는 $x=2$
　　(5) $x=1$ 또는 $x=2$ 또는 $x=3$ 　(6) $x=2$ 또는 $x=3$
　　(7) $x=0$ 또는 $x=4$ 　(8) $x=0$ 또는 $x=6$
　　(9) $x=3$ 또는 $x=5$ 　(10) $x=5$ 또는 $x=30$

19 (1) $x=0$ 또는 $x=1$ 　(2) $x=1$ 또는 $x=2$
　　(3) $x=2$ 　(4) $x=3$ 　(5) $x=2$
　　(6) $x=2$ 　(7) $x=1$ 　(8) $x=-3$ 또는 $x=-1$
　　(9) $x=2$ 또는 $x=3$ 　(10) $x=0$

20 (1) 1 　(2) 1 　(3) 9 　(4) 25

21 11시간 　　　　**22** $\dfrac{25}{2}$ m

23 (1) $x>\dfrac{1}{2}$ 　(2) $x>-4$ 　(3) $x\le4$
　　(4) $x>\dfrac{5}{4}$ 　(5) $-3<x<4$ 　(6) $-5<x<4$

24 (1) $0<x\le1$ 또는 $x\ge3$ 　(2) $1<x<3$
　　(3) $1\le x\le2$ 　(4) $1<x<4$
　　(5) $0<x\le1$ 또는 $x\ge3$ 　(6) $0<x<1$ 또는 $x>3$
　　(7) $1\le x\le5$ 　(8) $x>1$
　　(9) $0\le x\le1$ 　(10) $1<x\le4$

25 (1) $1 \le x \le 2$ (2) $x \ge 1$ (3) $x \le 2$ (4) $x > 1$

   (5) $x \ge -1$ (6) $x \le -3$ (7) $x \le -2$ 또는 $x \ge -1$

   (8) $x > 1$ (9) $x < 2$ (10) $x \le 1$

26 (1) $y = \log_2 (x-5) + 3$ (2) $y = \log_4 (x+3) - 1$

   (3) $y = \left(\dfrac{1}{3}\right)^{x-1}$ (4) $y = 3^{x-2} - 3$

27 풀이 참조   **28** 풀이 참조

29 (1) 그래프는 풀이 참조.
     정의역: $\{x \,|\, x > -1\}$, 점근선의 방정식: $x = -1$

   (2) 그래프는 풀이 참조.
     정의역: $\{x \,|\, x > 2\}$, 점근선의 방정식: $x = 2$

   (3) 그래프는 풀이 참조.
     정의역: $\{x \,|\, x > -2\}$, 점근선의 방정식: $x = -2$

   (4) 그래프는 풀이 참조.
     정의역: $\{x \,|\, x > -3\}$, 점근선의 방정식: $x = -3$

   (5) 그래프는 풀이 참조.
     정의역: $\{x \,|\, x > 4\}$, 점근선의 방정식: $x = 4$

30 $y = -\log_2 (x+1) + 2$

31 $y = \log_{\frac{1}{3}} (-x+3) - 1$

32 $m = -2$, $n = 3$

33 30   **34** 16

35 24   **36** 6

37 (1) $\log_2 3 < \log_2 5 < 3$ (2) $\log_{\frac{1}{3}} 2 < \log_{\frac{1}{3}} \dfrac{1}{4} < 2$

   (3) $2 < \log_3 10 < 4\log_3 2$ (4) $\log_{\frac{1}{2}} \sqrt{10} < \log_{\frac{1}{2}} 3 < 1$

   (5) $\log_4 16 < 2\log_2 3 < 4$ (6) $\log_3 \sqrt{5} < \log_3 4 < 2$

   (7) $\log_2 \dfrac{1}{3} < \log_2 3 < \log_4 10$ (8) $1 < \log_{\frac{1}{3}} \dfrac{1}{4} < \log_3 5$

38 (1) 최댓값: 4, 최솟값: 2
   (2) 최댓값: -3, 최솟값: -4
   (3) 최댓값: 5, 최솟값: 3

39 (1) 최댓값: -2, 최솟값: -5
   (2) 최댓값: -3, 최솟값: -4

40 (1) 최댓값: 2, 최솟값: $\log_3 5$
   (2) 최댓값: 3, 최솟값: 2
   (3) 최댓값: 0, 최솟값: -1

41 (1) 최댓값: 3, 최솟값: -5
   (2) 최댓값: 12, 최솟값: -4
   (3) 최댓값: 2, 최솟값: -2

42 10000   **43** 1

44 100   **45** 3

46 $4\sqrt{2}$ **47** -2

48 (1) $x = 1$ 또는 $x = 2$ (2) $x = 4$
   (3) $x = 3$ 또는 $x = 6$ (4) $x = 2$ (5) $x = 0$

49 (1) $x = 3$ 또는 $x = 243$ (2) $x = \dfrac{1}{32}$ 또는 $x = 8$

   (3) $x = \dfrac{1}{27}$ 또는 $x = 3$ (4) $x = \dfrac{1}{4}$ 또는 $x = 64$

   (5) $x = \dfrac{1}{5}$ 또는 $x = 25$ (6) $x = 2$ 또는 $x = 16$

   (7) $x = \dfrac{1}{3}$ 또는 $x = 9$ (8) $x = \dfrac{1}{25}$ 또는 $x = 5$

   (9) $x = \dfrac{1}{64}$ 또는 $x = 2$ (10) $x = \dfrac{1}{729}$ 또는 $x = 3$

50 (1) $x = \dfrac{1}{2}$ 또는 $x = 4$ (2) $x = \dfrac{1}{2}$ 또는 $x = 8$

   (3) $x = \dfrac{1}{3}$ 또는 $x = 27$ (4) $x = \dfrac{1}{2}$ 또는 $x = 64$

   (5) $x = \dfrac{1}{1000}$ 또는 $x = 10$ (6) $x = \dfrac{1}{625}$ 또는 $x = 5$

   (7) $x = \dfrac{1}{128}$ 또는 $x = 2$ (8) $x = \dfrac{1}{243}$ 또는 $x = 3$

   (9) $x = 1$ 또는 $x = 10$ (10) $x = 100$

51 (1) $a = \dfrac{1}{4}$ 또는 $a = 64$ (2) $a = 3$ 또는 $a = 27$

   (3) $a = 2$ 또는 $a = 4$

   (4) $a = \dfrac{1}{100000}$ 또는 $a = 10000000$

52 (1) 16   (2) 10   (3) 9   (4) 25

53 (1) $0 < x < 1$ 또는 $x > 3$ (2) $3 < x < 5$

   (3) $x > -\dfrac{4}{3}$ (4) $2 < x \le 3$

54 (1) $2 < x < 8$ (2) $0 < x < 2$ 또는 $x > 4$

   (3) $\dfrac{1}{243} < x < \dfrac{1}{3}$ (4) $\dfrac{1}{25} \le x \le 5$

55 (1) $\dfrac{1}{5} < x < 25$ (2) $0 < x < \dfrac{1}{2}$ 또는 $x > 16$

   (3) $0 < x < \dfrac{1}{625}$ 또는 $x > 5$ (4) $\dfrac{1}{1000} < x < 10$

56 (1) $2 \le x < 16$ (2) $1 < x < 10000$

57 5년   **58** 7장

중단원 점검문제 | I-2. 지수함수와 로그함수   **061-062쪽**

01 5   **02** $\left(\dfrac{1}{81}\right)^{\frac{1}{4}} \cdot \left(\dfrac{1}{9}\right)^{\frac{1}{6}} \cdot \left(\dfrac{1}{3}\right)^{\frac{1}{3}}$

03 $\dfrac{17}{4}$ **04** $\dfrac{19}{4}$

05 -3 **06** 4

07 -4 **08** 0

09 5   **10** 50

11 2   **12** 10

13 -12 **14** $x = 8$

15 2   **16** $\dfrac{\sqrt{10}}{10}$배

Ⅱ 삼각함수

01 (1) $360° \times n + 30°$ (단, n은 정수)
    (2) $360° \times n + 120°$ (단, n은 정수)
    (3) $360° \times n + 250°$ (단, n은 정수)

02 ㄷ, ㅁ

03 ㄱ, ㄹ

04 (1) 제1사분면   (2) 제2사분면   (3) 제3사분면
    (4) 제2사분면   (5) 제4사분면   (6) 제4사분면

05 (1) 제1사분면, 제3사분면
    (2) 제1사분면, 제2사분면, 제4사분면
    (3) 제1사분면, 제3사분면, 제4사분면

06 (1) $15°$, $45°$, $75°$ (2) $135°$ (3) $60°$ (4) $162°$

07 (1) $18°$ (2) $72°$ (3) $\dfrac{2}{3}\pi$ (4) $\dfrac{5}{6}\pi$ (5) $\dfrac{5}{4}\pi$

08 (1) $\theta = 2n\pi + \dfrac{\pi}{4}$ (단, n은 정수)
    (2) $\theta = 2n\pi + \dfrac{\pi}{3}$ (단, n은 정수)
    (3) $\theta = 2n\pi + \dfrac{7}{5}\pi$ (단, n은 정수)
    (4) $\theta = 2n\pi + \dfrac{7}{4}\pi$ (단, n은 정수)
    (5) $\theta = 2n\pi + \pi$ (단, n은 정수)

09 (1) 호의 길이: $\dfrac{20}{3}\pi$, 넓이: $\dfrac{40}{3}\pi$
    (2) 호의 길이: 15π, 넓이: 75π

10 (1) 중심각의 크기: $\dfrac{\pi}{6}$, 넓이: 3π
    (2) 중심각의 크기: $\dfrac{\pi}{8}$, 넓이: π

11 (1) 반지름의 길이: 4, 호의 길이: π
    (2) 반지름의 길이: 6, 호의 길이: π

12 (1) 중심각의 크기: $\dfrac{\pi}{2}$, 반지름의 길이: 2
    (2) 중심각의 크기: $\dfrac{2}{9}\pi$, 반지름의 길이: 6

13 (1) 중심각의 크기: π, 호의 길이: 6π
    (2) 중심각의 크기: $\dfrac{3}{4}\pi$, 호의 길이: 15π

14 (1) 최댓값: $\dfrac{25}{4}$, 반지름의 길이: $\dfrac{5}{2}$
    (2) 최댓값: 9, 반지름의 길이: 3
    (3) 최댓값: 16, 반지름의 길이: 4
    (4) 최댓값: $\dfrac{81}{4}$, 반지름의 길이: $\dfrac{9}{2}$
    (5) 최댓값: 36, 반지름의 길이: 6

15 (1) $\dfrac{3}{5}$ (2) $\dfrac{4}{5}$ (3) $\dfrac{3}{4}$

16 (1) $\dfrac{12}{13}$ (2) $\dfrac{5}{13}$ (3) $\dfrac{12}{5}$

17 (1) $\sin 390° = \dfrac{1}{2}$, $\cos 390° = \dfrac{\sqrt{3}}{2}$, $\tan 390° = \dfrac{1}{\sqrt{3}}$
    (2) $\sin 480° = \dfrac{\sqrt{3}}{2}$, $\cos 480° = -\dfrac{1}{2}$, $\tan 480° = -\sqrt{3}$
    (3) $\sin 585° = -\dfrac{1}{\sqrt{2}}$, $\cos 585° = -\dfrac{1}{\sqrt{2}}$, $\tan 585° = 1$

18 (1) $\sin \dfrac{7}{3}\pi = \dfrac{\sqrt{3}}{2}$, $\cos \dfrac{7}{3}\pi = \dfrac{1}{2}$, $\tan \dfrac{7}{3}\pi = \sqrt{3}$
    (2) $\sin \dfrac{17}{6}\pi = \dfrac{1}{2}$, $\cos \dfrac{17}{6}\pi = -\dfrac{\sqrt{3}}{2}$,
       $\tan \dfrac{17}{6}\pi = -\dfrac{1}{\sqrt{3}}$
    (3) $\sin \dfrac{13}{4}\pi = -\dfrac{1}{\sqrt{2}}$, $\cos \dfrac{13}{4}\pi = -\dfrac{1}{\sqrt{2}}$, $\tan \dfrac{13}{4}\pi = 1$

19 (1) $\sin \theta = \dfrac{3}{5}$, $\cos \theta = \dfrac{4}{5}$, $\tan \theta = \dfrac{3}{4}$
    (2) $\sin \theta = -\dfrac{3}{5}$, $\cos \theta = -\dfrac{4}{5}$, $\tan \theta = \dfrac{3}{4}$
    (3) $\sin \theta = -\dfrac{3}{5}$, $\cos \theta = \dfrac{4}{5}$, $\tan \theta = -\dfrac{3}{4}$
    (4) $\sin \theta = \dfrac{8}{17}$, $\cos \theta = -\dfrac{15}{17}$, $\tan \theta = -\dfrac{8}{15}$
    (5) $\sin \theta = -\dfrac{8}{17}$, $\cos \theta = -\dfrac{15}{17}$, $\tan \theta = \dfrac{8}{15}$

20 (1) $\sin \theta = \dfrac{1}{\sqrt{2}}$, $\cos \theta = -\dfrac{1}{\sqrt{2}}$, $\tan \theta = -1$
    (2) $\sin \theta = -\dfrac{1}{2}$, $\cos \theta = \dfrac{\sqrt{3}}{2}$, $\tan \theta = -\dfrac{1}{\sqrt{3}}$
    (3) $\sin \theta = -\dfrac{\sqrt{3}}{2}$, $\cos \theta = -\dfrac{1}{2}$, $\tan \theta = \sqrt{3}$
    (4) $\sin \theta = \dfrac{\sqrt{3}}{2}$, $\cos \theta = \dfrac{1}{2}$, $\tan \theta = \sqrt{3}$

21 (1) 제2사분면   (2) 제3사분면   (3) 제3사분면

22 (1) $\tan \theta$ (2) $\tan \theta$

23 (1) $\sin \theta$ (2) $-\tan \theta$

24 (1) $-\cos \theta$ (2) $-\sin \theta$ (3) $-\cos \theta$

25 (1) 2   (2) $\dfrac{2}{\cos \theta}$ (3) 1   (4) 2

26 (1) $\sin \theta = \dfrac{5}{13}$, $\tan \theta = -\dfrac{5}{12}$
    (2) $\cos \theta = \dfrac{\sqrt{3}}{2}$, $\tan \theta = -\dfrac{1}{\sqrt{3}}$
    (3) $\cos \theta = -\dfrac{1}{2}$, $\tan \theta = \sqrt{3}$
    (4) $\sin \theta = -\dfrac{4}{5}$, $\tan \theta = -\dfrac{4}{3}$

27 (1) $-\dfrac{3}{8}$ (2) $\pm\dfrac{\sqrt{7}}{2}$ (3) $\pm\dfrac{\sqrt{7}}{4}$ (4) $\dfrac{11}{16}$ (5) $-\dfrac{8}{3}$

28 (1) $-\dfrac{\sqrt{35}}{5}$ (2) $-\dfrac{\sqrt{6}}{2}$ (3) $\dfrac{\sqrt{21}}{3}$ (4) $-\sqrt{2}$

29 (1) $\dfrac{3}{4}$ (2) $-\dfrac{5}{6}$ (3) $-\dfrac{15}{8}$ (4) $2\sqrt{2}$

01 $\theta=360°\times n+285°$ (단, n은 정수)

02 ㄴ, ㄹ

03 $120°$　　　　**04** $120°$

05 ㄱ, ㄹ, ㅁ　　　**06** 117π

07 $-\dfrac{7}{13}$　　　**08** 1

09 제2사분면　　　**10** $2\tan\theta$

11 $2(\sin\theta-\cos\theta)$

12 $\dfrac{2}{1-2\cos^2\theta}$ $\left(또는\ \dfrac{2}{2\sin^2\theta-1}\right)$

13 $\dfrac{12}{5}$　　　**14** $\dfrac{8}{3}$

15 $\dfrac{\sqrt{3}}{4}$　　　**16** $-\dfrac{1}{2}$

Ⅱ-2 | 삼각함수의 그래프　080~107쪽

01 (1) 2　　　(2) -1　　　(3) 3

02 (1) 기　　(2) 우　　(3) 기　　(4) 우

03 (1) 최댓값: 2, 최솟값: -2, 주기: 2π, 풀이 참조
　(2) 최댓값: 1, 최솟값: -1, 주기: π, 풀이 참조
　(3) 최댓값: 2, 최솟값: -2, 주기: π, 풀이 참조
　(4) 최댓값: 2, 최솟값: -2, 주기: 4π, 풀이 참조

04 (1) 풀이 참조, 최댓값: 1, 최솟값: -1, 주기: 2π
　(2) 풀이 참조, 최댓값: 1, 최솟값: -1, 주기: 2π
　(3) 풀이 참조, 최댓값: 2, 최솟값: 0, 주기: 2π
　(4) 풀이 참조, 최댓값: -1, 최솟값: -3, 주기: 2π
　(5) 풀이 참조, 최댓값: 2, 최솟값: -2, 주기: 2π
　(6) 풀이 참조, 최댓값: $\dfrac{1}{2}$, 최솟값: $-\dfrac{1}{2}$, 주기: 2π
　(7) 풀이 참조, 최댓값: 5, 최솟값: 1, 주기: 2π
　(8) 풀이 참조, 최댓값: $-\dfrac{3}{2}$, 최솟값: $-\dfrac{5}{2}$, 주기: 2π

05 (1) $a=6$, $b=2$, $c=2$　　(2) $a=4$, $b=2$, $c=2$
　(3) $a=4$, $b=1$, $c=1$　　(4) $a=3$, $b=1$, $c=1$

06 $a=3$, $b=2$, $c=\dfrac{\pi}{2}$

07 $a=2$, $b=1$, $c=\dfrac{\pi}{6}$

08 (1) 최댓값: 3, 최솟값: -3, 주기: 2π, 풀이 참조
　(2) 최댓값: 1, 최솟값: -1, 주기: 8π, 풀이 참조
　(3) 최댓값: 3, 최솟값: -3, 주기: π, 풀이 참조
　(4) 최댓값: $\dfrac{1}{2}$, 최솟값: $-\dfrac{1}{2}$, 주기: 4π, 풀이 참조

09 (1) 풀이 참조, 최댓값: 1, 최솟값: -1, 주기: 2π
　(2) 풀이 참조, 최댓값: 1, 최솟값: -1, 주기: 2π
　(3) 풀이 참조, 최댓값: 3, 최솟값: 1, 주기: 2π
　(4) 풀이 참조, 최댓값: -2, 최솟값: -4, 주기: 2π
　(5) 풀이 참조, 최댓값: 2, 최솟값: -2, 주기: 2π
　(6) 풀이 참조, 최댓값: $\dfrac{1}{2}$, 최솟값: $-\dfrac{1}{2}$, 주기: 2π
　(7) 풀이 참조, 최댓값: 2, 최솟값: -4, 주기: 2π
　(8) 풀이 참조, 최댓값: $\dfrac{7}{2}$, 최솟값: $\dfrac{5}{2}$, 주기: 2π

10 (1) $a=2$, $b=2$, $c=1$　　(2) $a=1$, $b=1$, $c=2$
　(3) $a=1$, $b=1$, $c=-2$　　(4) $a=2$, $b=2$, $c=3$

11 $a=1$, $b=2$, $c=1$

12 $a=3$, $b=1$, $c=\dfrac{\pi}{6}$

13 (1) 최댓값, 최솟값: 없다., 주기: π, 풀이 참조
　(2) 최댓값, 최솟값: 없다., 주기: π, 풀이 참조
　(3) 최댓값, 최솟값: 없다., 주기: 4π, 풀이 참조
　(4) 최댓값, 최솟값: 없다., 주기: $\dfrac{\pi}{4}$, 풀이 참조

14 (1) 풀이 참조, 최댓값, 최솟값: 없다., 주기: π
　(2) 풀이 참조, 최댓값, 최솟값: 없다., 주기: π
　(3) 풀이 참조, 최댓값, 최솟값: 없다., 주기: π
　(4) 풀이 참조, 최댓값, 최솟값: 없다., 주기: π
　(5) 풀이 참조, 최댓값, 최솟값: 없다., 주기: π
　(6) 풀이 참조, 최댓값, 최솟값: 없다., 주기: π
　(7) 풀이 참조, 최댓값, 최솟값: 없다., 주기: π
　(8) 풀이 참조, 최댓값, 최솟값: 없다., 주기: π

15 (1) $x=2n\pi+\pi$ (단, n은 정수)
　(2) $x=\dfrac{n}{3}\pi+\dfrac{\pi}{6}$ (단, n은 정수)
　(3) $x=\dfrac{n}{4}\pi+\dfrac{\pi}{8}$ (단, n은 정수)
　(4) $x=n\pi+\dfrac{\pi}{3}$ (단, n은 정수)
　(5) $x=n\pi+\dfrac{5}{6}\pi$ (단, n은 정수)
　(6) $x=n\pi+\dfrac{3}{4}\pi$ (단, n은 정수)
　(7) $x=n\pi$ (단, n은 정수)
　(8) $x=\dfrac{n}{2}\pi+\dfrac{3}{8}\pi$ (단, n은 정수)
　(9) $x=\dfrac{n}{3}\pi+\dfrac{\pi}{9}$ (단, n은 정수)
　(10) $x=\dfrac{n}{2}\pi+\dfrac{3}{4}\pi$ (단, n은 정수)

16 (1) 풀이 참조, 최댓값: 1, 최솟값: 0, 주기: π
　(2) 풀이 참조, 최댓값: 1, 최솟값: 0, 주기: $\dfrac{\pi}{2}$
　(3) 풀이 참조, 최댓값: 1, 최솟값: 0, 주기: 2π
　(4) 풀이 참조, 최댓값: 2, 최솟값: 0, 주기: π
　(5) 풀이 참조, 최댓값: $\dfrac{1}{2}$, 최솟값: 0, 주기: π
　(6) 풀이 참조, 최댓값: 2, 최솟값: 0, 주기: $\dfrac{\pi}{2}$

17 (1) 풀이 참조, 최댓값: 1, 최솟값: 0, 주기: π

(2) 풀이 참조, 최댓값: 1, 최솟값: 0, 주기: $\dfrac{\pi}{3}$

(3) 풀이 참조, 최댓값: 3, 최솟값: 0, 주기: π

(4) 풀이 참조, 최댓값: $\dfrac{1}{3}$, 최솟값: 0, 주기: π

(5) 풀이 참조, 최댓값: 3, 최솟값: 0, 주기: $\dfrac{\pi}{2}$

(6) 풀이 참조, 최댓값: $\dfrac{1}{2}$, 최솟값: 0, 주기: $\dfrac{\pi}{4}$

18 (1) 풀이 참조, 최댓값: 없다.., 최솟값: 0, 주기: π

(2) 풀이 참조, 최댓값: 없다.., 최솟값: 0, 주기: 4π

(3) 풀이 참조, 최댓값: 없다.., 최솟값: 0, 주기: π

(4) 풀이 참조, 최댓값: 없다.., 최솟값: 0, 주기: π

(5) 풀이 참조, 최댓값: 없다.., 최솟값: 0, 주기: 2π

(6) 풀이 참조, 최댓값: 없다.., 최솟값: 0, 주기: $\dfrac{\pi}{2}$

19 (1) $\dfrac{\sqrt{3}}{2}$　(2) $\dfrac{1}{2}$　(3) $\dfrac{\sqrt{3}}{2}$

(4) $\dfrac{1}{2}$　(5) $\sqrt{3}$　(6) 1

20 (1) $-\dfrac{1}{2}$　(2) $-\dfrac{1}{\sqrt{2}}$　(3) $\dfrac{1}{2}$

(4) $\dfrac{\sqrt{3}}{2}$　(5) -1　(6) $-\sqrt{3}$

21 (1) $-\dfrac{1}{2}$　(2) $\dfrac{1}{2}$　(3) $-\dfrac{1}{\sqrt{2}}$

(4) $-\dfrac{1}{\sqrt{2}}$　(5) $\sqrt{3}$　(6) $-\sqrt{3}$

22 (1) $\dfrac{1}{2}$　(2) $\dfrac{\sqrt{3}}{2}$　(3) $\dfrac{1}{\sqrt{2}}$

(4) $-\dfrac{1}{2}$　(5) $-\dfrac{\sqrt{3}}{2}$　(6) $-\dfrac{1}{\sqrt{2}}$

23 (1) $-1-\sqrt{3}$　　(2) $-\sqrt{3}-3$　　(3) $\dfrac{1-\sqrt{3}}{2}$

24 (1) 1　　(2) 1　　(3) 0

(4) $2\sin\theta$　(5) $\dfrac{1}{\cos\theta}$　(6) -1

(7) 0　　(8) $1-\tan\theta$　(9) $\dfrac{1}{\cos\theta}-1$

25 (1) 0.5446　(2) 0.7314　(3) 0.6157

(4) 0.9511　(5) 3.0777　(6) 57.2900

26 (1) 1.4388　(2) 5.5152　(3) 1.3660　(4) 0.4040

27 (1) 최댓값: 1, 최솟값: -3　　(2) 최댓값: 6, 최솟값: -2

(3) 최댓값: 1, 최솟값: -5　　(4) 최댓값: 2, 최솟값: -6

(5) 최댓값: 2, 최솟값: 0　　(6) 최댓값: 6, 최솟값: 4

28 (1) 최댓값: 5, 최솟값: 3

(2) 최댓값: 0, 최솟값: -2

(3) 최댓값: 5, 최솟값: 3

(4) 최댓값: -6, 최솟값: -8

(5) 최댓값: 4, 최솟값: 2

(6) 최댓값: 1, 최솟값: -1

29 (1) 최댓값: 2, 최솟값: -2

(2) 최댓값: 6, 최솟값: -2

(3) 최댓값: 4, 최솟값: $\dfrac{7}{4}$

(4) 최댓값: 3, 최솟값: -1

(5) 최댓값: 4, 최솟값: $\dfrac{7}{4}$

(6) 최댓값: 2, 최솟값: -2

30 (1) 최댓값: 2, 최솟값: $\dfrac{4}{3}$

(2) 최댓값: $\dfrac{3}{4}$, 최솟값: $\dfrac{1}{6}$

(3) 최댓값: 1, 최솟값: $-\dfrac{1}{2}$

(4) 최댓값: $\dfrac{3}{5}$, 최솟값: -1

(5) 최댓값: 7, 최솟값: 1

(6) 최댓값: $\dfrac{7}{4}$, 최솟값: $\dfrac{1}{2}$

31 (1) $x=\dfrac{5}{4}\pi$ 또는 $x=\dfrac{7}{4}\pi$　　(2) $x=\dfrac{\pi}{3}$ 또는 $x=\dfrac{5}{3}\pi$

(3) $x=\dfrac{\pi}{4}$　　(4) $x=\dfrac{\pi}{6}$ 또는 $x=\dfrac{11}{6}\pi$

32 (1) $x=\dfrac{\pi}{4}$ 또는 $x=\dfrac{\pi}{2}$　　(2) $x=\dfrac{\pi}{6}$ 또는 $x=\dfrac{5}{6}\pi$

(3) $x=\dfrac{\pi}{3}$ 또는 $x=\pi$　　(4) $x=\dfrac{\pi}{2}$ 또는 $x=\pi$

(5) $x=\dfrac{\pi}{12}$　　(6) $x=\dfrac{\pi}{4}$

33 (1) $x=\dfrac{\pi}{6}$ 또는 $x=\dfrac{\pi}{2}$ 또는 $x=\dfrac{5}{6}\pi$

(2) $x=0$ 또는 $x=\dfrac{\pi}{6}$ 또는 $x=\dfrac{5}{6}\pi$ 또는 $x=\pi$

(3) $x=\dfrac{\pi}{4}$ 또는 $x=\dfrac{2}{3}\pi$ 또는 $x=\dfrac{5}{4}\pi$ 또는 $x=\dfrac{5}{3}\pi$

34 (1) $\theta=\dfrac{\pi}{4}$ 또는 $\theta=\dfrac{3}{4}\pi$

(2) $\theta=\dfrac{\pi}{6}$ 또는 $\theta=\dfrac{5}{6}\pi$

(3) $\theta=\dfrac{\pi}{3}$ 또는 $\theta=\dfrac{5}{3}\pi$

35 (1) $0\le x<\dfrac{\pi}{6}$ 또는 $\dfrac{11}{6}\pi<x<2\pi$　　(2) $\dfrac{\pi}{3}\le x\le\dfrac{2}{3}\pi$

(3) $\dfrac{\pi}{3}\le x\le\dfrac{5}{3}\pi$　　(4) $0\le x<\dfrac{\pi}{4}$

36 (1) $\pi\le x\le\dfrac{5}{3}\pi$

(2) $0\le x<\dfrac{7}{12}\pi$ 또는 $\dfrac{23}{12}\pi<x<2\pi$

(3) $0\le x\le\dfrac{5}{4}\pi$ 또는 $\dfrac{7}{4}\pi\le x<2\pi$

(4) $\dfrac{\pi}{2}\le x\le\dfrac{11}{6}\pi$

(5) $\dfrac{5}{12}\pi\le x<\dfrac{2}{3}\pi$

(6) $\dfrac{\pi}{6}<x<\dfrac{11}{12}\pi$ 또는 $\dfrac{7}{6}\pi<x<\dfrac{23}{12}\pi$

37 (1) $\dfrac{\pi}{6}<x<\dfrac{5}{6}\pi$ (2) $\dfrac{\pi}{3}\le x\le\dfrac{5}{3}\pi$

     (3) $\dfrac{\pi}{3}<x<\dfrac{5}{3}\pi$

38 (1) $\pi<\theta<2\pi$ (2) $\dfrac{2}{3}\pi<\theta<\dfrac{4}{3}\pi$

중단원 점검문제 | Ⅱ-2. 삼각함수의 그래프   108-109쪽

01 4   **02** $y=\cos x$

03 $\sqrt{3}$ **04** -1

05 -4 **06** -2π

07 1   **08** 3

09 $\dfrac{3\sqrt{3}-1}{2}$ **10** -1

11 -16 **12** $\dfrac{5}{3}$

13 $\dfrac{2}{3}\pi$ **14** $\dfrac{9}{2}\pi$

15 π **16** $\dfrac{\pi}{6}<\theta<\dfrac{5}{6}\pi$

Ⅱ-3 | 삼각함수의 활용   110~122쪽

01 (1) $8\sqrt{2}$ (2) $3\sqrt{2}$ (3) $3\sqrt{6}$ (4) $4\sqrt{3}$ (5) $45°$
     (6) $45°$ 또는 $135°$ (7) $90°$ (8) $15°$

02 (1) 1   (2) $4\sqrt{3}$ (3) 8   (4) $5\sqrt{3}$ (5) 8
     (6) $5\sqrt{2}$ (7) 1   (8) 12   (9) 6   (10) 2

03 (1) $5:6:7$ (2) $2:5:6$ (3) $3:4:5$
     (4) $2:1:3$ (5) $2:5:8$

04 (1) $1:\sqrt{3}:2$ (2) $1:1:\sqrt{3}$

05 (1) $4:3:5$ (2) $\sqrt{2}:\sqrt{3}:1$ (3) $5:8:2$

06 (1) 7   (2) $\sqrt{7}$ (3) $2\sqrt{7}$ (4) $\sqrt{29}$
     (5) $\sqrt{39}$ (6) $3\sqrt{3}$ (7) $\sqrt{93}$ (8) $6\sqrt{7}$

07 (1) $60°$ (2) $120°$ (3) $30°$ (4) $30°$ (5) $60°$
     (6) $45°$ (7) $45°$ (8) $120°$ (9) $45°$ (10) $45°$

08 (1) $A=105°$, $B=45°$, $C=30°$
     (2) $A=90°$, $B=30°$, $C=60°$
     (3) $A=45°$, $B=120°$, $C=15°$

09 (1) $\sqrt{37}$ (2) $\sqrt{31}$ (3) $\sqrt{2}$

10 (1) $120°$ (2) $60°$ (3) $90°$ (4) $30°$

11 (1) $120°$ (2) $90°$ (3) $135°$ (4) $30°$

---

12 (1) $a=b$인 이등변삼각형
     (2) $a=c$인 이등변삼각형
     (3) $A=90°$인 직각삼각형
     (4) $a=b$인 이등변삼각형
     (5) $a=c$인 이등변삼각형
     (6) $b=c$인 이등변삼각형

13 3.8 km   **14** $2\sqrt{6}$ m

15 65.31 m   **16** 820.75 m

17 $\dfrac{\sqrt{21}}{6}$ m   **18** $\sqrt{7}$ m

19 $(30+40\sqrt{3})$ m   **20** 2.54 km

21 (1) $\dfrac{15\sqrt{3}}{2}$ (2) $12\sqrt{3}$ (3) 12   (4) $3\sqrt{2}$

22 (1) $6\sqrt{11}$ (2) $2\sqrt{2}$ (3) $2\sqrt{14}$ (4) 24

23 (1) $17\sqrt{3}$ (2) $10\sqrt{3}+4\sqrt{19}$ (3) $2\sqrt{3}+\dfrac{\sqrt{6}}{2}$

24 $\dfrac{24}{5}$ **25** $\dfrac{12\sqrt{3}}{7}$

26 (1) $4\sqrt{3}$ (2) $10\sqrt{2}$ (3) 12

27 (1) $12\sqrt{3}$ (2) 18   (3) $24\sqrt{2}$

중단원 점검문제 | Ⅱ-3. 삼각함수의 활용   123-124쪽

01 $4\sqrt{6}$ **02** $5\sqrt{3}$

03 $2:3:4$ **04** $30°$

05 $\dfrac{19}{20}$ **06** $\dfrac{4}{5}$

07 $30°$ **08** $b=c$인 이등변삼각형

09 $\dfrac{27\sqrt{2}}{2}$ **10** $6\sqrt{6}$

11 $48\sqrt{5}$ **12** $\dfrac{4\sqrt{3}+3\sqrt{6}}{2}$

13 $27\sqrt{3}$ **14** $27\sqrt{3}$

Ⅲ 수열

Ⅲ-1 등차수열과 등비수열　126~149쪽

01 (1) $a_n = 4n - 2$　(2) $a_n = \dfrac{n}{2} - \dfrac{7}{2}$

　(3) $a_n = 3n - 6$　(4) $a_n = 6n - 26$

　(5) $a_n = 6n - 1$　(6) $a_n = 4n - 9$

　(7) $a_n = 5n + 2$　(8) $a_n = -8n + 30$

02 (1) 풀이 참조, 첫째항: 9, 공차: 2

　(2) 풀이 참조, 첫째항: 7, 공차: 5

　(3) 풀이 참조, 첫째항: 13, 공차: 6

　(4) 풀이 참조, 첫째항: 1, 공차: 3

　(5) 풀이 참조, 첫째항: -1, 공차: 6

　(6) 풀이 참조, 첫째항: -1, 공차: -4

　(7) 풀이 참조, 첫째항: 4, 공차: -3

　(8) 풀이 참조, 첫째항: 1, 공차: -1

03 (1) 29　(2) -27　(3) 54　(4) -50

　(5) 107　(6) 165　(7) 198　(8) 113

04 (1) 11　(2) 43　(3) 1　(4) 57

05 (1) 첫째항: 10, 공차: -2　(2) 첫째항: 28, 공차: -4

06 (1) 47　(2) 3

07 (1) 제9항　(2) 제19항　(3) 제35항　(4) 제14항

　(5) 제16항　(6) 제16항　(7) 제32항　(8) 제54항

08 (1) -1, 4, 9　(2) -22, -15, -8

　(3) 7, 11, 15

09 (1) 11, 18, 25, 32　(2) -2, 1, 4, 7

　(3) $-\dfrac{20}{3}$, -6, $-\dfrac{16}{3}$, $-\dfrac{14}{3}$

10 (1) 2　(2) 0, 4　(3) $\dfrac{5}{2}$, -1　(4) $\dfrac{7}{2}$, -3

11 (1) 4, 7, 10　(2) 3, 5, 7　(3) -2, 1, 4

12 (1) 968　(2) 315　(3) 116　(4) 648

13 (1) 265　(2) 225　(3) -143　(4) -460

14 (1) 222　(2) 550　(3) 684　(4) -190　(5) -920

15 (1) -253　(2) -351　(3) 1520　(4) 1404　(5) 7

16 (1) 첫째항: 40, 공차: -3　(2) 첫째항: 57, 공차: -4

17 (1) $a_n = 7n - 2$　(2) $a_n = 5n - 16$

18 (1) 제8항까지의 합, 128　(2) 제10항까지의 합, 100

　(3) 제15항까지의 합, -345

19 (1) $n = 9$, $d = 5$　(2) $n = 10$, $d = -4$

　(3) $n = 13$, $d = 5$

20 (1) 816　(2) 735

21 (1) $a_n = 2n$

　(2) $a_n = 4n - 5$

　(3) $a_n = 6n + 6$

　(4) $a_1 = -1$, $a_n = 2n - 4$ (단, $n \geq 2$)

　(5) $a_1 = 5$, $a_n = 6n - 2$ (단, $n \geq 2$)

　(6) $a_1 = 4$, $a_n = -4n + 9$ (단, $n \geq 2$)

22 (1) $a_n = 3^{n-1}$　(2) $a_n = 5 \times 2^{n-1}$

　(3) $a_n = 10^{n-1}$　(4) $a_n = 2^{-n+2}$

　(5) $a_n = 2^{-2n+4}$　(6) $a_n = 2 \times 3^{-n+2}$

　(7) $a_n = (-2)^n$　(8) $a_n = (-5) \times (-2)^{-n+2}$

23 (1) 제9항　(2) 제9항　(3) 제7항　(4) 제13항

24 (1) 첫째항: 3, 공비: 3　(2) 첫째항: -12, 공비: 2

　(3) 첫째항: 12, 공비: $\dfrac{1}{2}$　(4) 첫째항: $\dfrac{5}{2}$, 공비: $\dfrac{1}{4}$

　(5) 첫째항: $\dfrac{8}{9}$, 공비: -3

25 (1) $a_n = (-2)^{n-1}$　(2) $a_n = 3 \times (-2)^{n-1}$

　(3) $a_n = 5 \times 2^{n-3}$

26 (1) 첫째항: $3\sqrt{3} - 3$, 공비: $\sqrt{3}$

　(2) 첫째항: 20, 공비: 2　(3) 첫째항: $\dfrac{3}{2}$, 공비: $\dfrac{1}{4}$

27 (1) 10, 20, 40　(2) $\dfrac{4}{3}$, 4, 12

　(3) 2, $2\sqrt{2}$, 4

28 (1) 6, 18, 54, 162　(2) 6, 12, 24, 48

　(3) $\dfrac{1}{8}$, $\dfrac{3}{8}$, $\dfrac{9}{8}$, $\dfrac{27}{8}$

29 (1) 제7항　(2) 제10항　(3) 제8항　(4) 제7항

　(5) 제11항　(6) 제9항

30 (1) $-\dfrac{3}{2}$, 3　(2) -1, 3　(3) $-\dfrac{1}{2}$, 5　(4) -7

31 (1) 1, 2, 4　(2) -8, -2, 4

32 (1) $S_n = \dfrac{3}{2}(3^n - 1)$　(2) $S_n = \dfrac{1}{12}(4^n - 1)$

　(3) $S_n = \dfrac{5}{4}(5^n - 1)$　(4) $S_n = (\sqrt{2} + 1)\{(\sqrt{2})^n - 1\}$

　(5) $S_n = \dfrac{3}{2}\left\{1 - \left(\dfrac{1}{3}\right)^n\right\}$　(6) $S_n = \dfrac{625}{4}\left\{1 - \left(\dfrac{1}{5}\right)^n\right\}$

　(7) $S_n = \dfrac{1}{3}\left\{1 - \left(-\dfrac{1}{2}\right)^n\right\}$　(8) $S_n = \dfrac{81}{4}\left\{1 - \left(-\dfrac{1}{3}\right)^n\right\}$

33 (1) 511　(2) 2730　(3) 1094

　(4) 11111111　(5) $\dfrac{341}{128}$

34 (1) 315　(2) $6 + 7\sqrt{2}$　(3) 189

35 (1) $a_n = 3^{n-1}$　(2) $a_n = -2 \times 3^{n-1}$

　(3) $a_n = \left(\dfrac{1}{2}\right)^n$

36 (1) $x \neq 0$일 때 $S_n = \dfrac{(x+1)^n - 1}{x}$, $x = 0$일 때 $S_n = n$

　(2) $S_n = (x+1)^n - 1$

(3) $S_n = \dfrac{(x+1)^{2n}-1}{x+2}$

(4) $x \neq -1$일 때 $S_n = \dfrac{x\{1-(-x)^n\}}{1+x}$,

　　$x = -1$일 때 $S_n = -n$

37 (1) $a_n = 2 \times 3^n$ 　　(2) $a_n = 3 \times 4^n$

(3) $a_n = \dfrac{4}{5} \times 5^n$ 　　(4) $a_1 = 3$, $a_n = 2^{n-1}$ (단, $n \geq 2$)

(5) $a_1 = 24$, $a_n = 4 \times 5^n$ (단, $n \geq 2$)

38 (1) -3 　　(2) -2 　　(3) -4 　　(4) -6

39 (1) 30만 원 　　(2) 120만 원

40 (1) 32만 원 　　(2) 120만 원

41 (1) 424만 원 　　(2) 504만 원

(3) 816만 원

42 (1) 1750만 원 　　(2) 3600만 원

(3) 1000만 원

중단원 점검문제 ❘ Ⅲ-1. 등차수열과 등비수열　150-151쪽

01 $a_n = 6n - 8$ 　　**02** 3

03 제16항 　　**04** 30

05 10 　　**06** $a_n = -2n + 32$

07 480 　　**08** $a_n = 6n - 5$

09 $a_n = 3 \times 2^{n-2}$ 　　**10** 48

11 64 　　**12** 제13항

13 10 　　**14** $\dfrac{1}{3}$

15 -3 　　**16** 5544만 원

Ⅲ-2 ❘ 수열의 합　152~163쪽

01 (1) $2 + 4 + 6 + 8 + 10$

(2) $3 + 3^2 + 3^3 + 3^4$ (또는 $3 + 9 + 27 + 81$)

(3) $1 + \dfrac{1}{2} + \dfrac{1}{3} + \dfrac{1}{4} + \dfrac{1}{5} + \dfrac{1}{6} + \dfrac{1}{7}$

(4) $1 \times 2 + 2 \times 3 + 3 \times 4 + 4 \times 5 + 5 \times 6 + 6 \times 7$

　　(또는 $2 + 6 + 12 + 20 + 30 + 42$)

(5) $2 + \dfrac{3}{2} + \dfrac{4}{3} + \dfrac{5}{4} + \dfrac{6}{5}$

(6) $8 + 11 + 14 + \cdots + (3n + 5)$

(7) $1 + 2 + 4 + \cdots + 2^{n-1}$

(8) $1 + \dfrac{1}{3} + \dfrac{1}{5} + \cdots + \dfrac{1}{2n-1}$

(9) $\dfrac{1}{3} + \dfrac{1}{8} + \dfrac{1}{15} + \cdots + \dfrac{1}{n(n+2)}$

(10) $-1 + 2 - 3 + \cdots + (-1)^n \times n$

---

02 (1) $\displaystyle\sum_{k=1}^{n}(2k+1)$ 　(2) $\displaystyle\sum_{k=1}^{n}(2k-1)$ 　(3) $\displaystyle\sum_{k=1}^{n}\dfrac{1}{2^k}$

(4) $\displaystyle\sum_{k=1}^{n}7^{k-1}$ 　(5) $\displaystyle\sum_{k=1}^{n}\dfrac{(-1)^k}{k}$ 　(6) $\displaystyle\sum_{k=1}^{9}(k^2+k)$

(7) $\displaystyle\sum_{k=1}^{10}(3k-2)$ 　(8) $\displaystyle\sum_{k=1}^{8}\dfrac{k}{k+1}$ 　(9) $\displaystyle\sum_{k=1}^{30}3k$

(10) $\displaystyle\sum_{k=1}^{20}5^k$

03 (1) 35 　(2) 50

04 (1) 80 　(2) 20

05 (1) 40 　(2) 90 　(3) 1 　(4) 187

06 (1) $n^2 - 4n$ (2) 95 　(3) $\dfrac{4}{3}n^3 + 4n^2 + \dfrac{11}{3}n$ 　(4) 450

07 (1) -58 　(2) 408 　(3) 123 　(4) 5454

08 (1) $S_n = \dfrac{n(n+1)(4n-1)}{3}$ 　(2) $S_n = n(n+1)(2n-1)$

(3) $S_n = 4^n - 1$

09 (1) $S_n = \dfrac{n(n+1)(n+2)}{6}$

(2) $S_n = \dfrac{n(n+1)(2n+1)}{6}$

(3) $S_n = \dfrac{4^{n+1}}{9} - \dfrac{n}{3} - \dfrac{4}{9}$

10 28 　　**11** 80

12 102 　　**13** 280

14 85 　　**15** 2340

16 4920 　　**17** 12

18 (1) 1650 　(2) 0 　(3) -75 　(4) 225 　(5) 1911

(6) 900 　(7) 196 　(8) 70 　(9) 195 　(10) 840

19 (1) $\dfrac{9}{10}$ 　(2) $\dfrac{20}{21}$ 　(3) $\dfrac{175}{132}$

20 (1) $S_n = \dfrac{n(5n+13)}{12(n+2)(n+3)}$ 　(2) $S_n = \dfrac{n}{2n+1}$

21 (1) $\dfrac{\sqrt{101}-1}{2}$ 　(2) $10 - \sqrt{2}$ 　(3) 18

22 (1) $S_n = \sqrt{n+1} - 1$ 　(2) $S_n = \sqrt{2n+1} - 1$

(3) $S_n = \sqrt{2n+2} - \sqrt{2}$

23 (1) $\log 66$ 　(2) 2 　(3) $\log 6$ 　(4) $\log \dfrac{11}{20}$

(5) 2 　(6) 1

24 $\dfrac{n}{4n+4}$ 　　**25** $\dfrac{n}{8n+16}$

26 $\dfrac{2n(n+1)(2n+1)}{3}$ 　　**27** 440

28 170 　　**29** 2365

30 (1) $\dfrac{19}{4} \times 3^{11} + \dfrac{3}{4}$ 　(2) $\dfrac{29}{9} \times 4^{10} + \dfrac{1}{9}$

(3) $2^{11} - 12$ 　(4) $-3\left(\dfrac{1}{2}\right)^8 + 2$

01 230　　　**02** 70

03 50　　　**04** 50

05 $4n$　　　**06** 13

07 $\dfrac{2n^3+3n^2-23n}{6}$　　　**08** 585

09 1　　　**10** $\dfrac{n(n+1)(n+2)}{3}$

11 310　　　**12** $n(n+1)(2n+1)$

13 8　　　**14** 6

15 2　　　**16** $\dfrac{19}{2}\times3^{11}+\dfrac{3}{2}$

Ⅲ-3 | 수학적 귀납법　　166~171쪽

01 (1) 122　(2) 23　(3) -5　(4) 32
　　(5) 375　(6) 7　(7) 16　(8) 30

02 (1) $a_n=4n-1$　　(2) $a_n=-5n+3$
　　(3) $a_n=5n-8$　　(4) $a_n=6n-1$

03 (1) $a_n=2^{3-n}$　　(2) $a_n=(-2)^n$
　　(3) $a_n=3^n$　　(4) $a_n=-(-2)^{n+1}$

04 (1) $a_n=\dfrac{n^2-n+2}{2}$　　(2) $a_n=\dfrac{3n^2-3n+4}{2}$
　　(3) $a_n=2^n$

05 (1) $a_n=2n$　　(2) $a_n=\dfrac{(n+1)(n+2)}{6}$
　　(3) $a_n=3^{\frac{n(n-1)}{2}}$

06 (1) 9　　(2) $a_{n+1}=\dfrac{1}{2}a_n+4$ (단, $n=1, 2, 3, \cdots$)

07 (1) 180　　(2) $a_{n+1}=2a_n-20$ (단, $n=1, 2, 3, \cdots$)

08 (1) 풀이 참조　　(2) 풀이 참조
　　(3) 풀이 참조　　(4) 풀이 참조

09 풀이 참조　　**10** 풀이 참조

11 풀이 참조　　**12** 풀이 참조

01 $a_n=7n-17$　　　**02** $a_n=2^{2n-1}$

03 $a_n=-n^2+n+1$　　　**04** $a_n=\dfrac{3^n+3}{2}$

05 $a_n=6n-3$　　　**06** $2^{\frac{n^2-3n+4}{2}}$

07 $a_n=2^n-1$

08 $a_1=\dfrac{2}{3}p$, $a_{n+1}=\dfrac{2}{3}a_n$ (단, $n=1, 2, 3, \cdots$)

09 (가) $\dfrac{1}{(k+1)(k+2)}$, (나) $\dfrac{k}{k+1}$, (다) $\dfrac{k+1}{(k+1)+1}$

10 (가) $k+1$, (나) 2^k

고등 풍산자와 함께하면
개념부터 ~ 고난도 문제까지!
어떤 시험 문제도 익숙해집니다!

고등 풍산자 1등급 로드맵

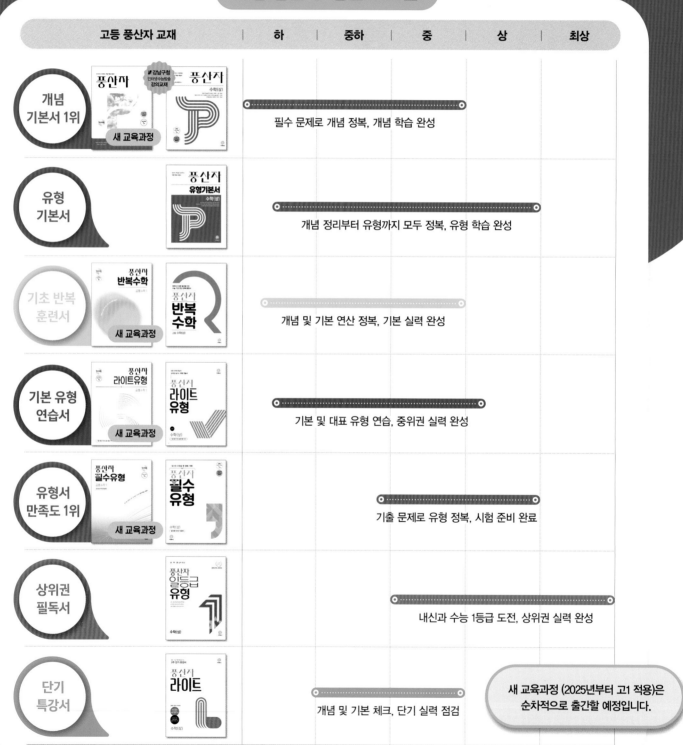

고등 풍산자 교재	하	중하	중	상	최상
개념 기본서 1위	필수 문제로 개념 정복, 개념 학습 완성				
유형 기본서	개념 정리부터 유형까지 모두 정복, 유형 학습 완성				
기초 반복 훈련서	개념 및 기본 연산 정복, 기본 실력 완성				
기본 유형 연습서	기본 및 대표 유형 연습, 중위권 실력 완성				
유형서 만족도 1위		기출 문제로 유형 정복, 시험 준비 완료			
상위권 필독서			내신과 수능 1등급 도전, 상위권 실력 완성		
단기 특강서	개념 및 기본 체크, 단기 실력 점검				

새 교육과정 (2025년부터 고1 적용)은 순차적으로 출간할 예정입니다.

정확하고 빠른 풀이를 위한
연산 반복 훈련서

풍산자

반복수학

수학I

정답과 풀이

지학사

풍산자 반복수학

수학Ⅰ

정답과 풀이

I

지수함수와 로그함수

01 답 (1) 2 또는 $-1\pm\sqrt{3}i$

(2) -2 또는 $1\pm\sqrt{3}i$

(3) ± 2 또는 $\pm 2i$

(4) ± 3 또는 $\pm 3i$

풀이 (1) 8의 세제곱근은 방정식 $x^3=8$의 근이므로

$x^3-8=0$, $(x-2)(x^2+2x+4)=0$

$\therefore x=2$ 또는 $x=\underline{-1\pm\sqrt{3}i}$

(2) -8의 세제곱근은 방정식 $x^3=-8$의 근이므로

$x^3+8=0$, $(x+2)(x^2-2x+4)=0$

$\therefore x=-2$ 또는 $x=1\pm\sqrt{3}i$

(3) 16의 네제곱근은 방정식 $x^4=16$의 근이므로

$x^4-16=0$, $(x^2-4)(x^2+4)=0$

$(x-2)(x+2)(x^2+4)=0$

$\therefore x=\pm 2$ 또는 $x=\pm 2i$

(4) 81의 네제곱근은 방정식 $x^4=81$의 근이므로

$x^4-81=0$, $(x^2-9)(x^2+9)=0$

$(x-3)(x+3)(x^2+9)=0$

$\therefore x=\pm 3$ 또는 $x=\pm 3i$

02 답 (1) 거듭제곱근: -1 또는 $\dfrac{1\pm\sqrt{3}i}{2}$, 실수: -1

(2) 거듭제곱근: -3 또는 $\dfrac{3\pm 3\sqrt{3}i}{2}$, 실수: -3

(3) 거듭제곱근: ± 1 또는 $\pm i$, 실수: -1, 1

(4) 거듭제곱근: ± 5 또는 $\pm 5i$, 실수: -5, 5

풀이 (1) -1의 세제곱근은 방정식 $x^3=-1$의 근이므로

$x^3+1=0$, $(x+1)(x^2-x+1)=0$

$\therefore x=-1$ 또는 $x=\dfrac{1\pm\sqrt{3}i}{2}$

이 중에서 실수인 것은 $\underline{-1}$이다.

(2) -27의 세제곱근은 방정식 $x^3=-27$의 근이므로

$x^3+27=0$, $(x+3)(x^2-3x+9)=0$

$\therefore x=-3$ 또는 $x=\dfrac{3\pm 3\sqrt{3}i}{2}$

이 중에서 실수인 것은 -3이다.

(3) 1의 네제곱근은 방정식 $x^4=1$의 근이므로

$x^4-1=0$, $(x^2-1)(x^2+1)=0$

$(x-1)(x+1)(x^2+1)=0$

$\therefore x=\pm 1$ 또는 $x=\pm i$

이 중에서 실수인 것은 -1, 1이다.

(4) 625의 네제곱근은 방정식 $x^4=625$의 근이므로

$x^4-625=0$, $(x^2-25)(x^2+25)=0$

$(x-5)(x+5)(x^2+25)=0$

$\therefore x=\pm 5$ 또는 $x=\pm 5i$

이 중에서 실수인 것은 -5, 5이다.

03 답 (1) 2   (2) 3   (3) 4   (4) 3   (5) $\dfrac{1}{4}$

풀이 (1) $\sqrt[3]{2}\times\sqrt[3]{4}=\sqrt[3]{2\times 4}=\sqrt[3]{2^3}=\underline{2}$

(2) $\sqrt[3]{3}\times\sqrt[3]{9}=\sqrt[3]{3\times 9}=\sqrt[3]{3^3}=3$

(3) $\sqrt[3]{16}\times\sqrt[3]{4}=\sqrt[3]{16\times 4}=\sqrt[3]{4^3}=4$

(4) $\sqrt[4]{3}\times\sqrt[4]{27}=\sqrt[4]{3\times 27}=\sqrt[4]{3^4}=3$

(5) $\sqrt[4]{\dfrac{1}{64}}\times\sqrt[4]{\dfrac{1}{4}}=\sqrt[4]{\dfrac{1}{64}\times\dfrac{1}{4}}=\sqrt[4]{\left(\dfrac{1}{4}\right)^4}=\dfrac{1}{4}$

04 답 (1) 3   (2) $\dfrac{1}{2}$ (3) 5   (4) 3   (5) $\dfrac{1}{2}$

풀이 (1) $\dfrac{\sqrt[3]{81}}{\sqrt[3]{3}}=\sqrt[3]{\dfrac{81}{3}}=\sqrt[3]{27}=\sqrt[3]{3^3}=\underline{3}$

(2) $\dfrac{\sqrt[3]{2}}{\sqrt[3]{16}}=\sqrt[3]{\dfrac{2}{16}}=\sqrt[3]{\dfrac{1}{8}}=\sqrt[3]{\left(\dfrac{1}{2}\right)^3}=\dfrac{1}{2}$

(3) $\dfrac{\sqrt[3]{625}}{\sqrt[3]{5}}=\sqrt[3]{\dfrac{625}{5}}=\sqrt[3]{125}=\sqrt[3]{5^3}=5$

(4) $\dfrac{\sqrt[4]{243}}{\sqrt[4]{3}}=\sqrt[4]{\dfrac{243}{3}}=\sqrt[4]{81}=\sqrt[4]{3^4}=3$

(5) $\dfrac{\sqrt[4]{4}}{\sqrt[4]{64}}=\sqrt[4]{\dfrac{4}{64}}=\sqrt[4]{\dfrac{1}{16}}=\sqrt[4]{\left(\dfrac{1}{2}\right)^4}=\dfrac{1}{2}$

05 답 (1) 2   (2) 3   (3) 2   (4) $\dfrac{1}{9}$

풀이 (1) $(\sqrt[4]{4})^2=\sqrt[4]{4^2}=\sqrt[4]{2^4}=\underline{2}$

(2) $(\sqrt[6]{27})^2=\sqrt[6]{27^2}=\sqrt[6]{3^6}=3$

(3) $(\sqrt[8]{16})^2=\sqrt[8]{16^2}=\sqrt[8]{2^8}=2$

(4) $\left(\sqrt[8]{\dfrac{1}{81}}\right)^4=\sqrt[8]{\left(\dfrac{1}{81}\right)^4}=\sqrt[8]{\left(\dfrac{1}{9}\right)^8}=\dfrac{1}{9}$

06 답 (1) $\sqrt[3]{2}$ (2) $\sqrt[4]{3}$ (3) $\sqrt[3]{4}$ (4) $\sqrt[3]{9}$

풀이 (1) $\sqrt{\sqrt[3]{4}}=\sqrt[3]{\sqrt{4}}=\sqrt[3]{\sqrt{2^2}}=\underline{\sqrt[3]{2}}$

(2) $\sqrt[3]{\sqrt[4]{27}}=\sqrt[4]{\sqrt[3]{27}}=\sqrt[4]{\sqrt[3]{3^3}}=\sqrt[4]{3}$

(3) $\sqrt[4]{\sqrt[3]{256}}=\sqrt[3]{\sqrt[4]{256}}=\sqrt[3]{\sqrt[4]{4^4}}=\sqrt[3]{4}$

(4) $\sqrt{\sqrt[3]{81}}=\sqrt[3]{\sqrt{81}}=\sqrt[3]{\sqrt{9^2}}=\sqrt[3]{9}$

07 답 (1) 2   (2) 3   (3) $\dfrac{1}{8}$

(4) 2   (5) 4   (6) $\sqrt{2}$

풀이 (1) $\sqrt[12]{8^4}=\sqrt[3]{8}=\sqrt[3]{2^3}=\underline{2}$

(2) $\sqrt[6]{27^2}=\sqrt[3]{27}=\sqrt[3]{3^3}=3$

(3) $\sqrt[6]{\left(\dfrac{1}{4}\right)^9}=\sqrt{\left(\dfrac{1}{4}\right)^3}=\sqrt{\left(\dfrac{1}{8}\right)^2}=\dfrac{1}{8}$

(4) $\sqrt[3]{2}\times\sqrt[6]{16}=\sqrt[3]{2}\times\sqrt[6]{2^4}=\sqrt[3]{2}\times\sqrt[3]{2^2}=\sqrt[3]{2^3}=2$

(5) $\sqrt[8]{16}\times\sqrt[4]{64}=\sqrt[8]{2^4}\times\sqrt[4]{8^2}=\sqrt{2}\times\sqrt{8}=\sqrt{4^2}=4$

(6) $\sqrt[18]{8^2}\times\sqrt[6]{\sqrt{2}}=\sqrt[18]{8^2}\times\sqrt[18]{2^3}=\sqrt[18]{2^6}\times\sqrt[18]{2^3}=\sqrt[18]{2^9}=\sqrt{2}$

08 답 (1) $\sqrt[12]{a}$ (2) 1   (3) 1

풀이 (1) $\sqrt{\dfrac{\sqrt[3]{a}}{\sqrt[4]{a}}}\times\sqrt[4]{\dfrac{\sqrt{a}}{\sqrt[3]{a}}}=\dfrac{\sqrt[6]{a}}{\sqrt[8]{a}}\times\dfrac{\sqrt[8]{a}}{\sqrt[12]{a}}=\dfrac{\sqrt[6]{a}}{\sqrt[12]{a}}=\dfrac{\sqrt[12]{a^2}}{\sqrt[12]{a}}$

$=\underline{\sqrt[12]{a}}$

(2) $\sqrt[4]{\dfrac{\sqrt[3]{a}}{\sqrt{a}}}\times\sqrt{\dfrac{\sqrt[4]{a}}{\sqrt[6]{a}}}=\dfrac{\sqrt[12]{a}}{\sqrt[8]{a}}\times\dfrac{\sqrt[8]{a}}{\sqrt[12]{a}}=1$

(3) $\sqrt[3]{\dfrac{\sqrt[4]{a}}{\sqrt{a}}}\times\sqrt{\dfrac{\sqrt[3]{a}}{\sqrt[4]{a}}}\times\sqrt[4]{\dfrac{\sqrt{a}}{\sqrt[3]{a}}}=\dfrac{\sqrt[12]{a}}{\sqrt[6]{a}}\times\dfrac{\sqrt[6]{a}}{\sqrt[8]{a}}\times\dfrac{\sqrt[8]{a}}{\sqrt[12]{a}}=1$

09 답 (1) 3 (2) 2 (3) 9

풀이 (1) $\sqrt[3]{\dfrac{9^8+3^{11}}{9^4+3^{13}}}=\sqrt[3]{\dfrac{(3^2)^8+3^{11}}{(3^2)^4+3^{13}}}=\sqrt[3]{\dfrac{3^{16}+3^{11}}{3^8+3^{13}}}$

$\qquad =\sqrt[3]{\dfrac{3^{11}(3^5+1)}{3^8(1+3^5)}}=\sqrt[3]{\dfrac{3^{11}}{3^8}}=\sqrt[3]{3^3}=\underline{3}$

(2) $\sqrt[6]{\dfrac{8^4+4^8}{8^2+4^5}}=\sqrt[6]{\dfrac{(2^3)^4+(2^2)^8}{(2^3)^2+(2^2)^5}}=\sqrt[6]{\dfrac{2^{12}+2^{16}}{2^6+2^{10}}}$

$\qquad =\sqrt[6]{\dfrac{2^{12}(1+2^4)}{2^6(1+2^4)}}=\sqrt[6]{\dfrac{2^{12}}{2^6}}=\sqrt[6]{2^6}=2$

(3) $\sqrt[4]{\dfrac{9^{10}+27^8}{9^8+27^4}}=\sqrt[4]{\dfrac{(3^2)^{10}+(3^3)^8}{(3^2)^8+(3^3)^4}}=\sqrt[4]{\dfrac{3^{20}+3^{24}}{3^{16}+3^{12}}}$

$\qquad =\sqrt[4]{\dfrac{3^{20}(1+3^4)}{3^{12}(3^4+1)}}=\sqrt[4]{\dfrac{3^{20}}{3^{12}}}=\sqrt[4]{3^8}$

$\qquad =\sqrt[4]{(3^2)^4}=\sqrt[4]{9^4}=9$

10 답 (1) $\sqrt{2}<\sqrt[6]{10}<\sqrt[3]{4}$ (2) $\sqrt[3]{5}<\sqrt[6]{26}<\sqrt{3}$
(3) $\sqrt[6]{2}<\sqrt[4]{3}<\sqrt[3]{3}$ (4) $\sqrt[5]{3}<\sqrt{2}<\sqrt[4]{5}$

풀이 (1) 2, 3, 6의 최소공배수인 6으로 근호 앞 수를 통일하면
$\sqrt{2}=\sqrt[6]{2^3}=\sqrt[6]{8},\ \sqrt[3]{4}=\sqrt[6]{4^2}=\sqrt[6]{16}$
이때 $\sqrt[6]{8}<\sqrt[6]{10}<\sqrt[6]{16}$이므로 $\sqrt{2}<\sqrt[6]{10}<\sqrt[3]{4}$

(2) 2, 3, 6의 최소공배수인 6으로 근호 앞 수를 통일하면
$\sqrt{3}=\sqrt[6]{3^3}=\sqrt[6]{27},\ \sqrt[3]{5}=\sqrt[6]{5^2}=\sqrt[6]{25}$
이때 $\sqrt[6]{25}<\sqrt[6]{26}<\sqrt[6]{27}$이므로 $\sqrt[3]{5}<\sqrt[6]{26}<\sqrt{3}$

(3) 3, 4, 6의 최소공배수인 12로 근호 앞 수를 통일하면
$\sqrt[3]{3}=\sqrt[12]{3^4}=\sqrt[12]{81},\ \sqrt[4]{3}=\sqrt[12]{3^3}=\sqrt[12]{27}$,
$\sqrt[6]{2}=\sqrt[12]{2^2}=\sqrt[12]{4}$
이때 $\sqrt[12]{4}<\sqrt[12]{27}<\sqrt[12]{81}$이므로 $\sqrt[6]{2}<\sqrt[4]{3}<\sqrt[3]{3}$

(4) 2, 5, 4의 최소공배수인 20으로 근호 앞 수를 통일하면
$\sqrt{2}=\sqrt[20]{2^{10}}=\sqrt[20]{1024},\ \sqrt[5]{3}=\sqrt[20]{3^4}=\sqrt[20]{81}$,
$\sqrt[4]{5}=\sqrt[20]{5^5}=\sqrt[20]{3125}$
이때 $\sqrt[20]{81}<\sqrt[20]{1024}<\sqrt[20]{3125}$이므로
$\sqrt[5]{3}<\sqrt{2}<\sqrt[4]{5}$

11 답 (1) a^8 (2) a^6 (3) a^{-10} (4) a^{10}

풀이 (1) $a^4\times a^2\div a^{-2}=a^{4+2-(-2)}=\underline{a^8}$
(2) $(a^5\div a^8)^{-2}=(a^{5-8})^{-2}=(a^{-3})^{-2}=a^{(-3)\times(-2)}=a^6$
(3) $a^{-2}\times(a^{-4})^2=a^{-2}\times a^{-8}=a^{-2+(-8)}=a^{-10}$
(4) $(a^{-3})^2\times(a^4)^3\div a^{-4}$
$\qquad =a^{-6}\times a^{12}\div a^{-4}$
$\qquad =a^{-6+12-(-4)}=a^{10}$

12 답 (1) $\dfrac{2}{3}$ (2) $\dfrac{625}{81}$ (3) 49

풀이 (1) $\left\{\left(\dfrac{27}{8}\right)^{-\frac{5}{6}}\right\}^{\frac{2}{5}}=\left(\dfrac{27}{8}\right)^{-\frac{5}{6}\times\frac{2}{5}}=\left(\dfrac{27}{8}\right)^{-\frac{1}{3}}$

$\qquad =\left\{\left(\dfrac{3}{2}\right)^3\right\}^{-\frac{1}{3}}=\left(\dfrac{3}{2}\right)^{-1}=\underline{\dfrac{2}{3}}$

(2) $\left\{\left(\dfrac{9}{25}\right)^{-\frac{7}{3}}\right\}^{\frac{6}{7}}=\left(\dfrac{9}{25}\right)^{-\frac{7}{3}\times\frac{6}{7}}=\left(\dfrac{9}{25}\right)^{-2}$

$\qquad =\left\{\left(\dfrac{3}{5}\right)^2\right\}^{-2}=\left(\dfrac{3}{5}\right)^{-4}=\left(\dfrac{5}{3}\right)^4=\dfrac{625}{81}$

(3) $7^{\frac{7}{4}}\times7^{-\frac{5}{2}}\div7^{-\frac{11}{4}}=7^{\frac{7}{4}+\left(-\frac{5}{2}\right)-\left(-\frac{11}{4}\right)}=7^2=49$

13 답 (1) $a^{\frac{7}{40}}$ (2) $a^{\frac{7}{12}}$ (3) $a^{\frac{11}{8}}$ (4) $a^{\frac{11}{6}}$ (5) $a^{\frac{7}{8}}$

풀이 (1) $\sqrt[4]{\sqrt{a}\times\sqrt[5]{a}}=\left(a^{\frac{1}{2}}\times a^{\frac{1}{5}}\right)^{\frac{1}{4}}=\left(a^{\frac{1}{2}+\frac{1}{5}}\right)^{\frac{1}{4}}$

$\qquad =\left(a^{\frac{7}{10}}\right)^{\frac{1}{4}}=\underline{a^{\frac{7}{40}}}$

(2) $\sqrt[3]{\dfrac{a^2}{\sqrt{a}}\times\sqrt[4]{a}}=\left(a^2\div a^{\frac{1}{2}}\times a^{\frac{1}{4}}\right)^{\frac{1}{3}}=\left(a^{2-\frac{1}{2}+\frac{1}{4}}\right)^{\frac{1}{3}}$

$\qquad =\left(a^{\frac{7}{4}}\right)^{\frac{1}{3}}=a^{\frac{7}{12}}$

(3) $\sqrt{a\sqrt{a^2\sqrt{a^3}}}=\left\{a\times\left(a^2\times a^{\frac{3}{2}}\right)^{\frac{1}{2}}\right\}^{\frac{1}{2}}$

$\qquad =\left\{a\times\left(a^{\frac{7}{2}}\right)^{\frac{1}{2}}\right\}^{\frac{1}{2}}=\left(a^{1+\frac{7}{4}}\right)^{\frac{1}{2}}$

$\qquad =\left(a^{\frac{11}{4}}\right)^{\frac{1}{2}}=a^{\frac{11}{8}}$

(4) $\sqrt{a^2\sqrt{a^2\sqrt[3]{a^2}}}=\left(a^2\times a\times a^{\frac{2}{3}}\right)^{\frac{1}{2}}$

$\qquad =\left(a^{2+1+\frac{2}{3}}\right)^{\frac{1}{2}}=\left(a^{\frac{11}{3}}\right)^{\frac{1}{2}}=a^{\frac{11}{6}}$

(5) $\sqrt{a\sqrt[3]{a^2\sqrt[4]{a}}}=\left\{a\times\left(a^2\times a^{\frac{1}{4}}\right)^{\frac{1}{3}}\right\}^{\frac{1}{2}}$

$\qquad =\left\{a\times\left(a^{\frac{9}{4}}\right)^{\frac{1}{3}}\right\}^{\frac{1}{2}}$

$\qquad =\left(a^{1+\frac{3}{4}}\right)^{\frac{1}{2}}=\left(a^{\frac{7}{4}}\right)^{\frac{1}{2}}$

$\qquad =a^{\frac{7}{8}}$

14 답 (1) $a-b$ (2) $\sqrt{a}-\sqrt{b}$ (3) -4 (4) 1 (5) 8

풀이 (1) $\left(a^{\frac{1}{2}}+b^{\frac{1}{2}}\right)\left(a^{\frac{1}{2}}-b^{\frac{1}{2}}\right)=\left(a^{\frac{1}{2}}\right)^2-\left(b^{\frac{1}{2}}\right)^2=\underline{a-b}$

(2) $\left(a^{\frac{1}{4}}+b^{\frac{1}{4}}\right)\left(a^{\frac{1}{4}}-b^{\frac{1}{4}}\right)=\left(a^{\frac{1}{4}}\right)^2-\left(b^{\frac{1}{4}}\right)^2=a^{\frac{1}{2}}-b^{\frac{1}{2}}$

$\qquad =\sqrt{a}-\sqrt{b}$

(3) $\left(a^{\frac{1}{2}}-a^{-\frac{1}{2}}\right)^2-\left(a^{\frac{1}{2}}+a^{-\frac{1}{2}}\right)^2$

$\qquad =\left(a-2\times a^{\frac{1}{2}}\times a^{-\frac{1}{2}}+a^{-1}\right)$

$\qquad\quad -\left(a+2\times a^{\frac{1}{2}}\times a^{-\frac{1}{2}}+a^{-1}\right)$

$\qquad =(a-2+a^{-1})-(a+2+a^{-1})=\underline{-4}$

(4) $\left(2^{\frac{1}{2}}+1\right)\left(2^{\frac{1}{2}}-1\right)=\left(2^{\frac{1}{2}}\right)^2-1^2=2-1=1$

(5) $\left(3^{\frac{1}{3}}-3^{-\frac{2}{3}}\right)^3+\left(3^{\frac{1}{3}}+3^{-\frac{2}{3}}\right)^3$

$\quad =\left\{\left(3^{\frac{1}{3}}\right)^3-3\times\left(3^{\frac{1}{3}}\right)^2\times3^{-\frac{2}{3}}+3\times3^{\frac{1}{3}}\times\left(3^{-\frac{2}{3}}\right)^2-\left(3^{-\frac{2}{3}}\right)^3\right\}$

$\quad\ +\left\{\left(3^{\frac{1}{3}}\right)^3+3\times\left(3^{\frac{1}{3}}\right)^2\times3^{-\frac{2}{3}}+3\times3^{\frac{1}{3}}\times\left(3^{-\frac{2}{3}}\right)^2+\left(3^{-\frac{2}{3}}\right)^3\right\}$

$\quad =\left(3-3\times3^{\frac{2}{3}}\times3^{-\frac{2}{3}}+3\times3^{\frac{1}{3}}\times3^{-\frac{4}{3}}-3^{-2}\right)$

$\qquad\quad +\left(3+3\times3^{\frac{2}{3}}\times3^{-\frac{2}{3}}+3\times3^{\frac{1}{3}}\times3^{-\frac{4}{3}}+3^{-2}\right)$

$\quad =3+3\times3^{\frac{1}{3}}\times3^{-\frac{4}{3}}+3+3\times3^{\frac{1}{3}}\times3^{-\frac{4}{3}}$

$$=6+2\times3\times3^{\frac{1}{3}}\times3^{-\frac{4}{3}}$$
$$=6+2\times\left(3^{1+\frac{1}{3}-\frac{4}{3}}\right)=6+2\times3^0=8$$

15 답 (1) 14　　(2) 194　　(3) 52
　　　(4) $\pm2\sqrt{3}$　　(5) $\pm8\sqrt{3}$

풀이 (1) $a^{\frac{1}{2}}+a^{-\frac{1}{2}}=4$의 양변을 제곱하면
$$a+2+a^{-1}=\underline{16}$$
$$\therefore a+a^{-1}=\underline{14}$$
(2) (1)의 $a+a^{-1}=14$의 양변을 제곱하면
$$a^2+2+a^{-2}=196\qquad\therefore a^2+a^{-2}=194$$
(3) $a^{\frac{1}{2}}+a^{-\frac{1}{2}}=4$의 양변을 세제곱하면
$$a^{\frac{3}{2}}+3\times a\times a^{-\frac{1}{2}}+3\times a^{\frac{1}{2}}\times a^{-1}+a^{-\frac{3}{2}}=64$$
$$a^{\frac{3}{2}}+a^{-\frac{3}{2}}+3\left(a^{\frac{1}{2}}+a^{-\frac{1}{2}}\right)=64$$
$$a^{\frac{3}{2}}+a^{-\frac{3}{2}}+3\times4=64$$
$$\therefore a^{\frac{3}{2}}+a^{-\frac{3}{2}}=52$$
(4) $\left(a^{\frac{1}{2}}-a^{-\frac{1}{2}}\right)^2=a-2+a^{-1}$
　　이때 (1)에서 $a+a^{-1}=14$이므로
$$\left(a^{\frac{1}{2}}-a^{-\frac{1}{2}}\right)^2=12\qquad\therefore a^{\frac{1}{2}}-a^{-\frac{1}{2}}=\pm2\sqrt{3}$$
(5) $(a-a^{-1})^2=a^2-2+a^{-2}$
　　이때 (2)에서 $a^2+a^{-2}=194$이므로
$$(a-a^{-1})^2=192\qquad\therefore a-a^{-1}=\pm8\sqrt{3}$$

16 답 (1) 5　　(2) 82　　(3) 15　　(4) 24

풀이 (1) $x^3=\left(2^{\frac{1}{3}}\right)^3+\left(2^{-\frac{1}{3}}\right)^3+3\times2^{\frac{1}{3}}\times2^{-\frac{1}{3}}\left(2^{\frac{1}{3}}+2^{-\frac{1}{3}}\right)$
$$=2+2^{-1}+3x$$
$$=\frac{5}{2}+3x$$
　　따라서 $x^3-3x=\frac{5}{2}$이므로
$$2x^3-6x=2(x^3-3x)=\underline{5}$$
(2) $x^3=\left(3^{\frac{2}{3}}\right)^3+\left(3^{-\frac{2}{3}}\right)^3+3\times3^{\frac{2}{3}}\times3^{-\frac{2}{3}}\left(3^{\frac{2}{3}}+3^{-\frac{2}{3}}\right)$
$$=3^2+3^{-2}+3x$$
$$=\frac{82}{9}+3x$$
　　따라서 $x^3-3x=\frac{82}{9}$이므로
$$9x^3-27x=9(x^3-3x)=82$$
(3) $x^3=\left(2^{\frac{2}{3}}\right)^3-\left(2^{-\frac{2}{3}}\right)^3-3\times2^{\frac{2}{3}}\times2^{-\frac{2}{3}}\left(2^{\frac{2}{3}}-2^{-\frac{2}{3}}\right)$
$$=2^2-2^{-2}-3x=\frac{15}{4}-3x$$
　　따라서 $x^3+3x=\frac{15}{4}$이므로
$$4x^3+12x=4(x^3+3x)=15$$
(4) $x^3=\left(3^{\frac{1}{3}}\right)^3-\left(3^{-\frac{1}{3}}\right)^3-3\times3^{\frac{1}{3}}\times3^{-\frac{1}{3}}\left(3^{\frac{1}{3}}-3^{-\frac{1}{3}}\right)$
$$=3-3^{-1}-3x=\frac{8}{3}-3x$$

따라서 $x^3+3x=\frac{8}{3}$이므로
$$9x^3+27x=9(x^3+3x)=24$$

17 답 (1) 256　　(2) $\frac{1}{27}$　　(3) 64　　(4) 243　　(5) 125

풀이 (1) $\left(\frac{1}{81}\right)^{-4x}=(3^{-4})^{-4x}=3^{16x}$
$$=(3^{2x})^8=(9^x)^8=2^8=\underline{256}$$
(2) $\left(\frac{1}{\sqrt{8}}\right)^{2x}=\left(2^{-\frac{3}{2}}\right)^{2x}=2^{-3x}$
$$=(2^x)^{-3}=3^{-3}=\frac{1}{27}$$
(3) $\left(\frac{1}{125}\right)^{-2x}=(5^{-3})^{-2x}=5^{6x}$
$$=(5^{2x})^3=(25^x)^3=4^3=64$$
(4) $32^{4x}=(2^5)^{4x}=2^{20x}$
$$=(2^{4x})^5=(16^x)^5=3^5=243$$
(5) $\left(\frac{1}{27}\right)^{2x}=(3^{-3})^{2x}=3^{-6x}$
$$=(3^{-2x})^3=\left\{\left(\frac{1}{9}\right)^x\right\}^3=5^3=125$$

18 답 (1) $-\frac{5}{3}$　　(2) $-\frac{7}{9}$　　(3) $\frac{3}{5}$　　(4) $\frac{2+\sqrt{2}}{2}$

풀이 (1) $\frac{a+a^{-1}}{a-a^{-1}}$의 분모, 분자에 각각 $a+a^{-1}$을 곱하면
$$\frac{(a+a^{-1})^2}{a^2-a^{-2}}=\frac{a^2+2+a^{-2}}{a^2-a^{-2}}$$
　　이때 $a^{-2}=4$, $a^2=\frac{1}{4}$을 위의 식에 대입하면
$$\frac{a^2+2+a^{-2}}{a^2-a^{-2}}=\frac{\frac{1}{4}+2+4}{\frac{1}{4}-4}=-\frac{5}{3}$$
(2) $\frac{a^3-a^{-3}}{a^3+a^{-3}}$의 분모, 분자에 각각 a^3-a^{-3}을 곱하면
$$\frac{(a^3-a^{-3})^2}{a^6-a^{-6}}=\frac{a^6-2+a^{-6}}{a^6-a^{-6}}$$
　　이때 $a^{-2}=2$이므로 $a^{-6}=(a^{-2})^3=2^3=8$,
$$a^6=\frac{1}{8}$$을 위의 식에 대입하면
$$\frac{a^6-2+a^{-6}}{a^6-a^{-6}}=\frac{\frac{1}{8}-2+8}{\frac{1}{8}-8}=-\frac{7}{9}$$
(3) $\frac{a^x-a^{-x}}{a^x+a^{-x}}$의 분모, 분자에 각각 a^x을 곱하면
$$\frac{a^{2x}-1}{a^{2x}+1}$$
　　이때 $a^{2x}=4$를 위의 식에 대입하면
$$\frac{4-1}{4+1}=\frac{3}{5}$$
(4) $\frac{a^{3x}-a^{-x}}{a^x+a^{-3x}}$의 분모, 분자에 각각 a^x을 곱하면
$$\frac{a^{4x}-1}{a^{2x}+a^{-2x}}$$
　　이때 $a^{2x}=\sqrt{2}+1$, $a^{-2x}=\frac{1}{\sqrt{2}+1}=\sqrt{2}-1$을 위의 식에
　　대입하면
$$\frac{(\sqrt{2}+1)^2-1}{\sqrt{2}+1+\sqrt{2}-1}=\frac{2+\sqrt{2}}{2}$$

19 답 (1) -3　(2) -2　(3) -1　(4) 2

풀이 (1) $3^x=32$에서 $3=32^{\frac{1}{x}}=(2^5)^{\frac{1}{x}}=2^{\frac{5}{x}}$ 　　…… ㉠

$24^y=256$에서 $24=256^{\frac{1}{y}}=(2^8)^{\frac{1}{y}}=2^{\frac{8}{y}}$ 　　…… ㉡

㉠$\div$㉡을 하면 $\dfrac{3}{24}=2^{\frac{5}{x}}\div 2^{\frac{8}{y}}$

$\dfrac{1}{8}=2^{\frac{5}{x}-\frac{8}{y}}$, $2^{-3}=2^{\frac{5}{x}-\frac{8}{y}}$

$\therefore \dfrac{5}{x}-\dfrac{8}{y}=\underline{-3}$

(2) $4^x=27$에서 $4=27^{\frac{1}{x}}=(3^3)^{\frac{1}{x}}=3^{\frac{3}{x}}$ 　　…… ㉠

$36^y=81$에서 $36=81^{\frac{1}{y}}=(3^4)^{\frac{1}{y}}=3^{\frac{4}{y}}$ 　　…… ㉡

㉠$\div$㉡을 하면 $\dfrac{4}{36}=3^{\frac{3}{x}}\div 3^{\frac{4}{y}}$

$\dfrac{1}{9}=3^{\frac{3}{x}-\frac{4}{y}}$, $3^{-2}=3^{\frac{3}{x}-\frac{4}{y}}$

$\therefore \dfrac{3}{x}-\dfrac{4}{y}=-2$

(3) $6^x=25$에서 $6=25^{\frac{1}{x}}=(5^2)^{\frac{1}{x}}=5^{\frac{2}{x}}$ 　　…… ㉠

$30^y=125$에서 $30=125^{\frac{1}{y}}=(5^3)^{\frac{1}{y}}=5^{\frac{3}{y}}$ 　　…… ㉡

㉠$\div$㉡을 하면 $\dfrac{6}{30}=5^{\frac{2}{x}}\div 5^{\frac{3}{y}}$

$\dfrac{1}{5}=5^{\frac{2}{x}-\frac{3}{y}}$, $5^{-1}=5^{\frac{2}{x}-\frac{3}{y}}$

$\therefore \dfrac{2}{x}-\dfrac{3}{y}=-1$

(4) $20^x=64$에서 $20=64^{\frac{1}{x}}=(2^6)^{\frac{1}{x}}=2^{\frac{6}{x}}$ 　　…… ㉠

$5^y=128$에서 $5=128^{\frac{1}{y}}=(2^7)^{\frac{1}{y}}=2^{\frac{7}{y}}$ 　　…… ㉡

㉠$\div$㉡을 하면 $\dfrac{20}{5}=2^{\frac{6}{x}}\div 2^{\frac{7}{y}}$

$4=2^{\frac{6}{x}-\frac{7}{y}}$, $2^2=2^{\frac{6}{x}-\frac{7}{y}}$

$\therefore \dfrac{6}{x}-\dfrac{7}{y}=2$

20 답 (1) 0　(2) 0　(3) 0　(4) 0

풀이 (1) $2^x=4^y=8^z=k$로 놓으면 $k>0$이고, $xyz\neq0$에서 $k\neq1$이다.

$2^x=k$에서 $2=k^{\frac{1}{x}}$ 　　…… ㉠

$4^y=k$에서 $4=k^{\frac{1}{y}}$ 　　…… ㉡

$8^z=k$에서 $8=k^{\frac{1}{z}}$ 　　…… ㉢

㉠$\times$㉡$\div$㉢을 하면

$\dfrac{2\times4}{8}=k^{\frac{1}{x}}\times k^{\frac{1}{y}}\div k^{\frac{1}{z}}$, $1=k^{\frac{1}{x}+\frac{1}{y}-\frac{1}{z}}$

$k>0$이고, $k\neq1$이므로

$\dfrac{1}{x}+\dfrac{1}{y}-\dfrac{1}{z}=\underline{0}$

(2) $3^x=5^y=15^z=k$로 놓으면 $k>0$이고, $xyz\neq0$에서 $k\neq1$이다.

$3^x=k$에서 $3=k^{\frac{1}{x}}$ 　　…… ㉠

$5^y=k$에서 $5=k^{\frac{1}{y}}$ 　　…… ㉡

$15^z=k$에서 $15=k^{\frac{1}{z}}$ 　　…… ㉢

㉠$\times$㉡$\div$㉢을 하면

$\dfrac{3\times5}{15}=k^{\frac{1}{x}}\times k^{\frac{1}{y}}\div k^{\frac{1}{z}}$, $1=k^{\frac{1}{x}+\frac{1}{y}-\frac{1}{z}}$

$k>0$이고, $k\neq1$이므로

$\dfrac{1}{x}+\dfrac{1}{y}-\dfrac{1}{z}=0$

(3) $2^x=5^y=10^z=k$로 놓으면 $k>0$이고, $xyz\neq0$에서 $k\neq1$이다.

$2^x=k$에서 $2=k^{\frac{1}{x}}$ 　　…… ㉠

$5^y=k$에서 $5=k^{\frac{1}{y}}$ 　　…… ㉡

$10^z=k$에서 $10=k^{\frac{1}{z}}$ 　　…… ㉢

㉠$\times$㉡$\div$㉢을 하면

$\dfrac{2\times5}{10}=k^{\frac{1}{x}}\times k^{\frac{1}{y}}\div k^{\frac{1}{z}}$, $1=k^{\frac{1}{x}+\frac{1}{y}-\frac{1}{z}}$

$k>0$이고, $k\neq1$이므로

$\dfrac{1}{x}+\dfrac{1}{y}-\dfrac{1}{z}=0$

(4) $4^x=5^y=20^z=k$로 놓으면 $k>0$이고, $xyz\neq0$에서 $k\neq1$이다.

$4^x=k$에서 $4=k^{\frac{1}{x}}$ 　　…… ㉠

$5^y=k$에서 $5=k^{\frac{1}{y}}$ 　　…… ㉡

$20^z=k$에서 $20=k^{\frac{1}{z}}$ 　　…… ㉢

㉠$\times$㉡$\div$㉢을 하면

$\dfrac{4\times5}{20}=k^{\frac{1}{x}}\times k^{\frac{1}{y}}\div k^{\frac{1}{z}}$, $1=k^{\frac{1}{x}+\frac{1}{y}-\frac{1}{z}}$

$k>0$이고, $k\neq1$이므로

$\dfrac{1}{x}+\dfrac{1}{y}-\dfrac{1}{z}=0$

21 답 (1) $\sqrt{2}$　(2) 81　(3) $25\sqrt{5}$　(4) 27　(5) $\sqrt{2}$

풀이 (1) $\log_2 x=\dfrac{1}{2}$에서 $x=2^{\frac{1}{2}}=\underline{\sqrt{2}}$

(2) $\log_3 x=4$에서 $x=3^4=81$

(3) $\log_5 x=\dfrac{5}{2}$에서 $x=5^{\frac{5}{2}}=\sqrt{5^5}=25\sqrt{5}$

(4) $\log_9 x=\dfrac{3}{2}$에서 $x=9^{\frac{3}{2}}=\sqrt{9^3}=27$

(5) $\log_2(\log_4 x)=-2$에서 $\log_4 x=2^{-2}=\dfrac{1}{4}$

$\log_4 x=\dfrac{1}{4}$에서 $x=4^{\frac{1}{4}}=(2^2)^{\frac{1}{4}}=2^{\frac{1}{2}}=\sqrt{2}$

22 답 (1) $\dfrac{1}{4}$　(2) 4　(3) 2　(4) 5

풀이 (1) $\log_x 64=-3$에서 $x^{-3}=64$

양변에 $-\dfrac{1}{3}$제곱을 하면 $(x^{-3})^{-\frac{1}{3}}=64^{-\frac{1}{3}}$

$\therefore x=(2^6)^{-\frac{1}{3}}=2^{-2}=\underline{\dfrac{1}{4}}$

(2) $\log_x 16=2$에서 $x^2=16$

양변에 $\dfrac{1}{2}$제곱을 하면 $(x^2)^{\frac{1}{2}}=16^{\frac{1}{2}}$

$\therefore x=(2^4)^{\frac{1}{2}}=2^2=4$

(3) $\log_x \dfrac{1}{32} = -5$에서 $x^{-5} = \dfrac{1}{32}$

양변에 $-\dfrac{1}{5}$제곱을 하면 $(x^{-5})^{-\frac{1}{5}} = \left(\dfrac{1}{32}\right)^{-\frac{1}{5}}$

$\therefore x = (2^{-5})^{-\frac{1}{5}} = 2$

(4) $\log_x 25 = 2$에서 $x^2 = 25$

양변에 $\dfrac{1}{2}$제곱을 하면 $(x^2)^{\frac{1}{2}} = 25^{\frac{1}{2}}$

$\therefore x = (5^2)^{\frac{1}{2}} = 5$

23 답 (1) $2 < x < 3$ 또는 $3 < x < 5$

(2) $3 < x < 5$ 또는 $5 < x < 6$

(3) $x < -4$ 또는 $x > 6$

(4) $-1 < x < 0$ 또는 $0 < x < 2$

(5) $1 < x < 2$ 또는 $2 < x < 5$

(6) $2 < x < 3$ 또는 $3 < x < 7$

(7) $3 < x < 4$ 또는 $x > 4$

(8) $3 < x < 4$ 또는 $4 < x < 8$

풀이 (1) 밑의 조건에서 $x - 2 > 0$, $x - 2 \neq 1$

$\therefore x > 2$, $x \neq 3$ ...... ㉠

진수의 조건에서 $5 - x > 0$

$\therefore x < 5$ ...... ㉡

㉠, ㉡의 공통부분을 구하면

$\underline{2 < x < 3\ \text{또는}\ 3 < x < 5}$

(2) 밑의 조건에서 $6 - x > 0$, $6 - x \neq 1$

$\therefore x < 6$, $x \neq 5$ ...... ㉠

진수의 조건에서 $x - 3 > 0$

$\therefore x > 3$ ...... ㉡

㉠, ㉡의 공통부분을 구하면

$3 < x < 5$ 또는 $5 < x < 6$

(3) 진수의 조건에서 $x^2 - 2x - 24 > 0$

$(x + 4)(x - 6) > 0$

$\therefore x < -4$ 또는 $x > 6$

(4) 밑의 조건에서 $x + 1 > 0$, $x + 1 \neq 1$

$\therefore x > -1$, $x \neq 0$ ...... ㉠

진수의 조건에서 $-x^2 - x + 6 > 0$

$x^2 + x - 6 < 0$, $(x + 3)(x - 2) < 0$

$\therefore -3 < x < 2$ ...... ㉡

㉠, ㉡의 공통부분을 구하면

$-1 < x < 0$ 또는 $0 < x < 2$

(5) 밑의 조건에서 $x - 1 > 0$, $x - 1 \neq 1$

$\therefore x > 1$, $x \neq 2$ ...... ㉠

진수의 조건에서 $-x^2 + 6x - 5 > 0$

$x^2 - 6x + 5 < 0$, $(x - 1)(x - 5) < 0$

$\therefore 1 < x < 5$ ...... ㉡

㉠, ㉡의 공통부분을 구하면

$1 < x < 2$ 또는 $2 < x < 5$

(6) 밑의 조건에서 $x - 2 > 0$, $x - 2 \neq 1$

$\therefore x > 2$, $x \neq 3$ ...... ㉠

진수의 조건에서 $-x^2 + 5x + 14 > 0$

$x^2 - 5x - 14 < 0$, $(x + 2)(x - 7) < 0$

$\therefore -2 < x < 7$ ...... ㉡

㉠, ㉡의 공통부분을 구하면

$2 < x < 3$ 또는 $3 < x < 7$

(7) 밑의 조건에서 $x - 3 > 0$, $x - 3 \neq 1$

$\therefore x > 3$, $x \neq 4$ ...... ㉠

진수의 조건에서 $x^2 - 3x + 2 > 0$

$(x - 1)(x - 2) > 0$

$\therefore x < 1$, $x > 2$ ...... ㉡

㉠, ㉡의 공통부분을 구하면

$3 < x < 4$ 또는 $x > 4$

(8) 밑의 조건에서 $x - 3 > 0$, $x - 3 \neq 1$

$\therefore x > 3$, $x \neq 4$ ...... ㉠

진수의 조건에서 $-x^2 + 11x - 24 > 0$

$x^2 - 11x + 24 < 0$, $(x - 3)(x - 8) < 0$

$\therefore 3 < x < 8$ ...... ㉡

㉠, ㉡의 공통부분을 구하면

$3 < x < 4$ 또는 $4 < x < 8$

24 답 (1) -2 (2) 0 (3) 5 (4) 1 (5) $\dfrac{1}{2}$

(6) $-\dfrac{3}{2}$ (7) $\dfrac{3}{5}$ (8) $\dfrac{2}{3}$ (9) 6 (10) $\dfrac{3}{2}$

풀이 (1) $\log_2 \dfrac{1}{4} = \log_2 2^{-2} = -2\log_2 2 = \underline{-2}$

다른 풀이 $\log_2 \dfrac{1}{4} = \log_2 1 - \log_2 4$

$= \log_2 1 - \log_2 2^2$

$= 0 - 2\log_2 2 = -2$

(2) $\log_2 1 = 0$

(3) $\log_3 243 = \log_3 3^5 = 5\log_3 3 = 5$

(4) $\log_5 5 = 1$

(5) $\log_2 \sqrt{2} = \log_2 2^{\frac{1}{2}} = \dfrac{1}{2}\log_2 2 = \dfrac{1}{2}$

(6) $\log_2 \dfrac{1}{2\sqrt{2}} = \log_2 \dfrac{1}{2 \times 2^{\frac{1}{2}}} = \log_2 \dfrac{1}{2^{\frac{3}{2}}}$

$= \log_2 2^{-\frac{3}{2}} = -\dfrac{3}{2}\log_2 2 = -\dfrac{3}{2}$

(7) $\log_3 \sqrt[5]{27} = \log_3 27^{\frac{1}{5}} = \log_3 (3^3)^{\frac{1}{5}}$

$= \log_3 3^{\frac{3}{5}} = \dfrac{3}{5}\log_3 3 = \dfrac{3}{5}$

(8) $\log_5 \sqrt[3]{25} = \log_5 25^{\frac{1}{3}} = \log_5 (5^2)^{\frac{1}{3}}$

$= \log_5 5^{\frac{2}{3}} = \dfrac{2}{3}\log_5 5 = \dfrac{2}{3}$

(9) $\log_{\sqrt{2}} 8 = \log_{\sqrt{2}} 2^3 = \log_{\sqrt{2}} \{(\sqrt{2})^2\}^3$

$= \log_{\sqrt{2}} (\sqrt{2})^6 = 6\log_{\sqrt{2}} \sqrt{2} = 6$

(10) $\log_{10} \sqrt{1000} = \log_{10} 1000^{\frac{1}{2}} = \log_{10} (10^3)^{\frac{1}{2}}$

$= \log_{10} 10^{\frac{3}{2}} = \dfrac{3}{2}\log_{10} 10 = \dfrac{3}{2}$

25 답 (1) 4 (2) 1 (3) 2 (4) 3

(5) 1 (6) 6 (7) $\dfrac{1}{2}$ (8) $-\dfrac{3}{2}$

(9) $\dfrac{3}{2}$　　(10) $\dfrac{1}{2}$　　(11) $\dfrac{1}{2}$

풀이 (1) $\log_2 \dfrac{4}{3}+2\log_2 \sqrt{12}=\log_2 \dfrac{4}{3}+\log_2 (\sqrt{12})^2$

$\qquad\qquad\qquad\qquad =\log_2 \dfrac{4}{3}+\log_2 12$

$\qquad\qquad\qquad\qquad =\log_2 \left(\dfrac{4}{3}\times 12\right)$

$\qquad\qquad\qquad\qquad =\log_2 16=\log_2 2^4=\underline{4}$

(2) $\log_{15} 3+\log_{15} 5=\log_{15} (3\times 5)=\log_{15} 15=1$

(3) $\log_2 5+\log_2 \dfrac{4}{5}=\log_2 \left(5\times\dfrac{4}{5}\right)=\log_2 4=\log_2 2^2=2$

(4) $\log_3 \dfrac{9}{2}+\log_3 6=\log_3 \left(\dfrac{9}{2}\times 6\right)=\log_3 27$

$\qquad\qquad\qquad\qquad =\log_3 3^3=3$

(5) $\log_3 75+2\log_3 \dfrac{1}{5}=\log_3 75+\log_3 \left(\dfrac{1}{5}\right)^2$

$\qquad\qquad\qquad\qquad =\log_3 75+\log_3 \dfrac{1}{25}$

$\qquad\qquad\qquad\qquad =\log_3 \left(75\times\dfrac{1}{25}\right)$

$\qquad\qquad\qquad\qquad =\log_3 3=1$

(6) $\log_2 100-2\log_2 \dfrac{5}{4}=\log_2 100-\log_2 \left(\dfrac{5}{4}\right)^2$

$\qquad\qquad\qquad\qquad =\log_2 100-\log_2 \dfrac{25}{16}$

$\qquad\qquad\qquad\qquad =\log_2 \left(100\times\dfrac{16}{25}\right)=\log_2 64$

$\qquad\qquad\qquad\qquad =\log_2 2^6=6$

(7) $\log_5 \sqrt{10}+\dfrac{1}{2}\log_5 3-\dfrac{3}{2}\log_5 \sqrt[3]{6}$

$\quad =\log_5 \sqrt{10}+\log_5 3^{\frac{1}{2}}-\log_5 (6^{\frac{1}{3}})^{\frac{3}{2}}$

$\quad =\log_5 \sqrt{10}+\log_5 \sqrt{3}-\log_5 \sqrt{6}$

$\quad =\log_5 \left(\dfrac{\sqrt{10}\times\sqrt{3}}{\sqrt{6}}\right)=\log_5 \sqrt{5}$

$\quad =\log_5 5^{\frac{1}{2}}=\dfrac{1}{2}$

(8) $\log_5 3-2\log_5 \sqrt[4]{15}-\log_5 \sqrt{75}$

$\quad =\log_5 3-\log_5 (15^{\frac{1}{4}})^2-\log_5 5\sqrt{3}$

$\quad =\log_5 3-\log_5 \sqrt{15}-\log_5 5\sqrt{3}$

$\quad =\log_5 \left(\dfrac{3}{\sqrt{15}}\times\dfrac{1}{5\sqrt{3}}\right)=\log_5 \dfrac{1}{5\sqrt{5}}$

$\quad =\log_5 5^{-\frac{3}{2}}=-\dfrac{3}{2}$

(9) $\log_2 \sqrt{3}-2\log_2 \dfrac{1}{2}-\dfrac{1}{2}\log_2 6$

$\quad =\log_2 \sqrt{3}-\log_2 \left(\dfrac{1}{2}\right)^2-\log_2 6^{\frac{1}{2}}$

$\quad =\log_2 \sqrt{3}-\log_2 \dfrac{1}{4}-\log_2 \sqrt{6}$

$\quad =\log_2 \left(\sqrt{3}\times 4\times\dfrac{1}{\sqrt{6}}\right)=\log_2 2\sqrt{2}$

$\quad =\log_2 2^{\frac{3}{2}}=\dfrac{3}{2}$

(10) $\log_3 2+\log_3 \sqrt{6}-\dfrac{1}{2}\log_3 8$

$\quad =\log_3 2+\log_3 \sqrt{6}-\log_3 8^{\frac{1}{2}}$

$\quad =\log_3 2+\log_3 \sqrt{6}-\log_3 \sqrt{8}$

$\quad =\log_3 \left(\dfrac{2\times\sqrt{6}}{\sqrt{8}}\right)=\log_3 \sqrt{3}$

$\quad =\log_3 3^{\frac{1}{2}}=\dfrac{1}{2}$

(11) $\log_5 3+\log_5 \sqrt{15}-\dfrac{1}{2}\log_5 27$

$\quad =\log_5 3+\log_5 \sqrt{15}-\log_5 27^{\frac{1}{2}}$

$\quad =\log_5 3+\log_5 \sqrt{15}-\log_5 \sqrt{27}$

$\quad =\log_5 \left(\dfrac{3\times\sqrt{15}}{\sqrt{27}}\right)=\log_5 \sqrt{5}$

$\quad =\log_5 5^{\frac{1}{2}}=\dfrac{1}{2}$

26 답 (1) 3　　(2) 2　　(3) $\dfrac{2}{3}$　　(4) 0

풀이 (1) $\log_2 3\times\log_3 5\times\log_5 8$

$\quad =\dfrac{\log_{10} 3}{\log_{10} 2}\times\dfrac{\log_{10} 5}{\log_{10} 3}\times\dfrac{\log_{10} 8}{\log_{10} 5}$

$\quad =\dfrac{\log_{10} 2^3}{\log_{10} 2}=\dfrac{3\log_{10} 2}{\log_{10} 2}=\underline{3}$

(2) $\dfrac{1}{\log_{16} 8}+\dfrac{1}{\log_4 8}=\log_8 16+\log_8 4$

$\qquad\qquad\qquad\quad =\log_8 (16\times 4)=\log_8 64$

$\qquad\qquad\qquad\quad =\log_8 8^2=2$

다른 풀이 $\dfrac{1}{\log_{16} 8}+\dfrac{1}{\log_4 8}$

$\quad =\log_8 16+\log_8 4$

$\quad =\log_{2^3} 2^4+\log_{2^3} 2^2$

$\quad =\dfrac{4}{3}\log_2 2+\dfrac{2}{3}\log_2 2$

$\quad =\dfrac{4}{3}+\dfrac{2}{3}=2$

(3) $\log_{27} 9=\log_{3^3} 3^2=\dfrac{2}{3}\log_3 3=\dfrac{2}{3}$

(4) $\log_4 3-\log_2 \sqrt{3}=\log_{2^2} 3-\log_2 \sqrt{3}$

$\qquad\qquad\qquad =\dfrac{1}{2}\log_2 3-\log_2 \sqrt{3}$

$\qquad\qquad\qquad =\log_2 3^{\frac{1}{2}}-\log_2 \sqrt{3}$

$\qquad\qquad\qquad =\log_2 \sqrt{3}-\log_2 \sqrt{3}=0$

27 답 (1) 5　　(2) 27　　(3) 64　　(4) 16

풀이 (1) $4^{\log_4 5}=5^{\log_4 4}=\underline{5}$

(2) $8^{\log_2 3}=3^{\log_2 8}=3^{\log_2 2^3}=3^{3\log_2 2}=3^3=27$

(3) $9^{\log_3 4+\log_3 2}=9^{\log_3 (4\times 2)}=9^{\log_3 8}$

$\qquad\qquad\qquad =8^{\log_3 9}=8^{\log_3 3^2}=8^{2\log_3 3}$

$\qquad\qquad\qquad =8^2=64$

(4) 주어진 식의 지수 부분을 정리하면

$\quad 2\log_2 5-2\log_{\frac{1}{2}} 4-2\log_2 10$

$\quad =\log_2 5^2-\log_{2^{-1}} 4^2-\log_2 10^2$

$\quad =\log_2 25+\log_2 2^4-\log_2 100$

$\quad =\log_2 \left(\dfrac{25\times 16}{100}\right)=\log_2 4=\log_2 2^2=2$

$\quad \therefore 4^{2\log_2 5-2\log_{\frac{1}{2}} 4-2\log_2 10}=4^2=16$

28 답 (1) $1-a$ (2) $\dfrac{1+a}{b}$ (3) $2a+2b-3$

(4) $\dfrac{2a+b}{a+2b}$ (5) $\dfrac{2b-a}{1-a}$ (6) $\dfrac{2a+b}{2a+2b}$

풀이 (1) $\log_{10} 5=\log_{10}\dfrac{10}{2}=\log_{10}10-\log_{10}2=\underline{1-a}$

(2) $\log_3 20=\dfrac{\log_{10}20}{\log_{10}3}=\dfrac{\log_{10}(10\times2)}{\log_{10}3}$

$\qquad\quad =\dfrac{\log_{10}10+\log_{10}2}{\log_{10}3}=\dfrac{1+a}{b}$

(3) $\log_{10}0.036=\log_{10}\dfrac{36}{1000}=\log_{10}36-\log_{10}1000$

$\qquad\qquad\quad =\log_{10}6^2-\log_{10}10^3$

$\qquad\qquad\quad =2\log_{10}(2\times3)-3\log_{10}10$

$\qquad\qquad\quad =2(\log_{10}2+\log_{10}3)-3$

$\qquad\qquad\quad =2(a+b)-3=2a+2b-3$

(4) $\log_{18}12=\dfrac{\log_{10}12}{\log_{10}18}=\dfrac{\log_{10}(2^2\times3)}{\log_{10}(3^2\times2)}$

$\qquad\quad =\dfrac{2\log_{10}2+\log_{10}3}{2\log_{10}3+\log_{10}2}=\dfrac{2a+b}{a+2b}$

(5) $\log_5\dfrac{9}{2}=\log_5 3^2-\log_5 2$

$\qquad\quad =\dfrac{2\log_{10}3}{\log_{10}5}-\dfrac{\log_{10}2}{\log_{10}5}=\dfrac{2\log_{10}3-\log_{10}2}{\log_{10}5}$

$\qquad\quad =\dfrac{2\log_{10}3-\log_{10}2}{\log_{10}\dfrac{10}{2}}=\dfrac{2\log_{10}3-\log_{10}2}{\log_{10}10-\log_{10}2}$

$\qquad\quad =\dfrac{2b-a}{1-a}$

(6) $\log_6\sqrt{12}=\dfrac{\log_{10}2\sqrt{3}}{\log_{10}6}=\dfrac{\log_{10}2+\log_{10}3^{\frac{1}{2}}}{\log_{10}(2\times3)}$

$\qquad\quad =\dfrac{\log_{10}2+\dfrac{1}{2}\log_{10}3}{\log_{10}2+\log_{10}3}=\dfrac{a+\dfrac{1}{2}b}{a+b}$

$\qquad\quad =\dfrac{2a+b}{2a+2b}$

29 답 (1) $\dfrac{ab+b+2}{ab+2b+1}$ (2) $\dfrac{ab+2b+2}{2ab+b+2}$

(3) $\dfrac{2ab+b+1}{ab+b+1}$ (4) $\dfrac{8ab}{ab+2b+1}$

풀이 (1) 주어진 조건식의 로그의 밑을 3으로 통일하면

$\log_5 3=\dfrac{1}{\log_3 5}=b$ $\therefore \log_3 5=\dfrac{1}{b}$

$\log_{90}150=\dfrac{\log_3 150}{\log_3 90}=\dfrac{\log_3(2\times3\times5^2)}{\log_3(2\times3^2\times5)}$

$\qquad\quad =\dfrac{\log_3 2+\log_3 3+2\log_3 5}{\log_3 2+2\log_3 3+\log_3 5}$

$\qquad\quad =\dfrac{a+1+\dfrac{2}{b}}{a+2+\dfrac{1}{b}}=\dfrac{ab+b+2}{ab+2b+1}$

(2) 주어진 조건식의 로그의 밑을 3으로 통일하면

$\log_5 3=\dfrac{1}{\log_3 5}=b$ $\therefore \log_3 5=\dfrac{1}{b}$

$\log_{300}450=\dfrac{\log_3 450}{\log_3 300}=\dfrac{\log_3(2\times3^2\times5^2)}{\log_3(2^2\times3\times5^2)}$

$\qquad\quad =\dfrac{\log_3 2+2\log_3 3+2\log_3 5}{2\log_3 2+\log_3 3+2\log_3 5}$

$\qquad\quad =\dfrac{a+2+\dfrac{2}{b}}{2a+1+\dfrac{2}{b}}=\dfrac{ab+2b+2}{2ab+b+2}$

(3) 주어진 조건식의 로그의 밑을 3으로 통일하면

$\log_7 3=\dfrac{1}{\log_3 7}=b$ $\therefore \log_3 7=\dfrac{1}{b}$

$\log_{42}84=\dfrac{\log_3 84}{\log_3 42}=\dfrac{\log_3(2^2\times3\times7)}{\log_3(2\times3\times7)}$

$\qquad\quad =\dfrac{2\log_3 2+\log_3 3+\log_3 7}{\log_3 2+\log_3 3+\log_3 7}$

$\qquad\quad =\dfrac{2a+1+\dfrac{1}{b}}{a+1+\dfrac{1}{b}}=\dfrac{2ab+b+1}{ab+b+1}$

(4) 주어진 조건식의 로그의 밑을 3으로 통일하면

$\log_7 3=\dfrac{1}{\log_3 7}=b$ $\therefore \log_3 7=\dfrac{1}{b}$

$\log_{126}256=\dfrac{\log_3 256}{\log_3 126}=\dfrac{\log_3 2^8}{\log_3(2\times3^2\times7)}$

$\qquad\quad =\dfrac{8\log_3 2}{\log_3 2+2\log_3 3+\log_3 7}$

$\qquad\quad =\dfrac{8a}{a+2+\dfrac{1}{b}}=\dfrac{8ab}{ab+2b+1}$

30 답 (1) $\dfrac{y}{3x}$ (2) $\dfrac{3y}{2x}$ (3) $\dfrac{4y}{x}$

(4) $\dfrac{2y}{3x}$ (5) $-\dfrac{3y}{x}$

풀이 $3^x=a$, $3^y=b$에서 $x=\log_3 a$, $y=\log_3 b$

(1) $\log_{a^3}b=\dfrac{1}{3}\log_a b=\dfrac{1}{3}\times\dfrac{\log_3 b}{\log_3 a}=\dfrac{y}{3x}$

(2) $\log_{a^2}b^3=\dfrac{3}{2}\log_a b=\dfrac{3}{2}\times\dfrac{\log_3 b}{\log_3 a}=\dfrac{3y}{2x}$

(3) $\log_{\sqrt{a}}b^2=\log_{a^{\frac{1}{2}}}b^2=4\log_a b=4\times\dfrac{\log_3 b}{\log_3 a}=\dfrac{4y}{x}$

(4) $\log_{\sqrt{a}}\sqrt[3]{b}=\log_{a^{\frac{1}{2}}}b^{\frac{1}{3}}=\dfrac{2}{3}\log_a b=\dfrac{2}{3}\times\dfrac{\log_3 b}{\log_3 a}=\dfrac{2y}{3x}$

(5) $\log_{\sqrt[7]{a}}\dfrac{1}{b}=\log_{a^{\frac{1}{3}}}b^{-1}=-3\log_a b$

$\qquad\quad =-3\times\dfrac{\log_3 b}{\log_3 a}=-\dfrac{3y}{x}$

31 답 (1) $x+2y+3z$ (2) $2x+y-2z$

(3) $-3x+4y+z$ (4) $\dfrac{3z}{x+y}$

(5) $\dfrac{z}{3x+3y}$

풀이 $5^x=a$, $5^y=b$, $5^z=c$에서

$\quad x=\log_5 a$, $y=\log_5 b$, $z=\log_5 c$

(1) $\log_5 ab^2c^3=\log_5 a+2\log_5 b+3\log_5 c$

$\qquad\qquad\quad =x+2y+3z$

(2) $\log_5\dfrac{a^2b}{c^2}=\log_5 a^2b-\log_5 c^2$

$\qquad\qquad =2\log_5 a+\log_5 b-2\log_5 c$

$\qquad\qquad =2x+y-2z$

(3) $\log_5\dfrac{b^4c}{a^3}=\log_5 b^4c-\log_5 a^3$

$\qquad\qquad =4\log_5 b+\log_5 c-3\log_5 a$

$\qquad\qquad =-3x+4y+z$

(4) $\log_{ab} c^3 = \dfrac{\log_5 c^3}{\log_5 ab} = \dfrac{3\log_5 c}{\log_5 a + \log_5 b} = \dfrac{3z}{x+y}$

(5) $\log_{ab} \sqrt[3]{c} = \dfrac{\log_5 \sqrt[3]{c}}{\log_5 ab} = \dfrac{\frac{1}{3}\log_5 c}{\log_5 a + \log_5 b} = \dfrac{\frac{1}{3}z}{x+y} = \dfrac{z}{3x+3y}$

32 답 (1) $\dfrac{1}{2}$　(2) $-\dfrac{9}{2}$

풀이 (1) $a^3 b^2 = 1$의 양변에 밑이 a인 로그를 취하면

$\log_a a^3 b^2 = \log_a 1$

$\log_a a^3 + \log_a b^2 = 0$, $3 + 2\log_a b = 0$　∴ $\log_a b = -\dfrac{3}{2}$

∴ $\log_a a^2 b = \log_a a^2 + \log_a b$

$\qquad\qquad = 2 + \log_a b = 2 - \dfrac{3}{2} = \underline{\dfrac{1}{2}}$

(2) (1)에서 $\log_a b = -\dfrac{3}{2}$이므로

$\log_a a^3 b^5 = \log_a a^3 + \log_a b^5$

$\qquad\qquad = 3 + 5\log_a b = 3 + 5 \times \left(-\dfrac{3}{2}\right) = -\dfrac{9}{2}$

33 답 (1) 12　(2) $\dfrac{15}{4}$

풀이 (1) $a^3 = b^4$의 양변에 밑이 a인 로그를 취하면

$\log_a a^3 = \log_a b^4$, $3 = 4\log_a b$　∴ $\log_a b = \dfrac{3}{4}$

∴ $16\log_a b = 16 \times \dfrac{3}{4} = 12$

(2) (1)에서 $\log_a b = \dfrac{3}{4}$이므로

$\log_a a^3 b = \log_a a^3 + \log_a b$

$\qquad\qquad = 3 + \log_a b = 3 + \dfrac{3}{4} = \dfrac{15}{4}$

34 답 (1) 2　(2) 2　(3) 4　(4) 3

풀이 (1) $36^x = 9$, $4^y = 27$에서 $x = \log_{36} 9$, $y = \log_4 27$

∴ $\dfrac{2}{x} - \dfrac{3}{y} = \dfrac{2}{\log_{36} 9} - \dfrac{3}{\log_4 27} = \dfrac{2}{\log_{36} 3^2} - \dfrac{3}{\log_4 3^3}$

$\qquad = \dfrac{2}{2\log_{36} 3} - \dfrac{3}{3\log_4 3} = \dfrac{1}{\log_{36} 3} - \dfrac{1}{\log_4 3}$

$\qquad = \log_3 36 - \log_3 4 = \log_3 \dfrac{36}{4} = \log_3 9$

$\qquad = \log_3 3^2 = \underline{2}$

(2) $80^x = 16$, $5^y = 64$에서 $x = \log_{80} 16$, $y = \log_5 64$

∴ $\dfrac{2}{x} - \dfrac{3}{y} = \dfrac{2}{\log_{80} 16} - \dfrac{3}{\log_5 64} = \dfrac{2}{\log_{80} 4^2} - \dfrac{3}{\log_5 4^3}$

$\qquad = \dfrac{2}{2\log_{80} 4} - \dfrac{3}{3\log_5 4} = \dfrac{1}{\log_{80} 4} - \dfrac{1}{\log_5 4}$

$\qquad = \log_4 80 - \log_4 5 = \log_4 \dfrac{80}{5} = \log_4 16$

$\qquad = \log_4 4^2 = 2$

(3) $150^x = 25$, $6^y = 125$에서 $x = \log_{150} 25$, $y = \log_6 125$

∴ $\dfrac{4}{x} - \dfrac{6}{y}$

$\qquad = \dfrac{4}{\log_{150} 25} - \dfrac{6}{\log_6 125} = \dfrac{4}{\log_{150} 5^2} - \dfrac{6}{\log_6 5^3}$

$\qquad = \dfrac{4}{2\log_{150} 5} - \dfrac{6}{3\log_6 5} = 2\left(\dfrac{1}{\log_{150} 5} - \dfrac{1}{\log_6 5}\right)$

$\qquad = 2(\log_5 150 - \log_5 6) = 2\log_5 \dfrac{150}{6} = 2\log_5 25$

$\qquad = 2\log_5 5^2 = 4$

(4) $56^x = 8$, $7^y = 16$에서 $x = \log_{56} 8$, $y = \log_7 16$

∴ $\dfrac{3}{x} - \dfrac{4}{y} = \dfrac{3}{\log_{56} 8} - \dfrac{4}{\log_7 16} = \dfrac{3}{\log_{56} 2^3} - \dfrac{4}{\log_7 2^4}$

$\qquad = \dfrac{3}{3\log_{56} 2} - \dfrac{4}{4\log_7 2} = \dfrac{1}{\log_{56} 2} - \dfrac{1}{\log_7 2}$

$\qquad = \log_2 56 - \log_2 7 = \log_2 \dfrac{56}{7} = \log_2 8$

$\qquad = \log_2 2^3 = 3$

35 답 (1) -1　(2) 1

풀이 이차방정식의 근과 계수의 관계에 의하여

$\alpha + \beta = 3$, $\alpha\beta = 1$

(1) $\log_3 \dfrac{\alpha\beta}{\alpha+\beta} = \log_3 \dfrac{1}{3} = \log_3 3^{-1} = \underline{-1}$

(2) $\log_3 (\alpha^{-1} + \beta^{-1}) = \log_3 \left(\dfrac{1}{\alpha} + \dfrac{1}{\beta}\right) = \log_3 \dfrac{\alpha+\beta}{\alpha\beta}$

$\qquad\qquad = \log_3 3 = 1$

36 답 (1) 1　(2) 1

풀이 이차방정식의 근과 계수의 관계에 의하여

$\alpha + \beta = 2$, $\alpha\beta = 1$

(1) $\log_2 (\alpha^2 + \beta^2) = \log_2 \{(\alpha+\beta)^2 - 2\alpha\beta\}$

$\qquad\qquad = \log_2 2 = 1$

(2) $\log_4 (\alpha + \alpha^{-1}) + \log_4 (\beta + \beta^{-1})$

$= \log_4 \left\{\left(\alpha + \dfrac{1}{\alpha}\right)\left(\beta + \dfrac{1}{\beta}\right)\right\}$

$= \log_4 \left(\alpha\beta + \dfrac{1}{\alpha\beta} + \dfrac{\beta}{\alpha} + \dfrac{\alpha}{\beta}\right)$

$= \log_4 \left(\alpha\beta + \dfrac{1}{\alpha\beta} + \dfrac{\alpha^2 + \beta^2}{\alpha\beta}\right)$

$= \log_4 \left\{\alpha\beta + \dfrac{1}{\alpha\beta} + \dfrac{(\alpha+\beta)^2 - 2\alpha\beta}{\alpha\beta}\right\}$

$= \log_4 (1 + 1 + 2)$

$= \log_4 4 = 1$

37 답 (1) 14　(2) 25

풀이 (1) 이차방정식의 근과 계수의 관계에 의하여

$\log_2 a + \log_2 b = 8$, $\log_2 a \times \log_2 b = 4$

∴ $\log_a b + \log_b a$

$= \dfrac{\log_2 b}{\log_2 a} + \dfrac{\log_2 a}{\log_2 b}$

$= \dfrac{(\log_2 b)^2 + (\log_2 a)^2}{\log_2 a \times \log_2 b}$

$= \dfrac{(\log_2 a + \log_2 b)^2 - 2 \times \log_2 a \times \log_2 b}{\log_2 a \times \log_2 b}$

$= \dfrac{8^2 - 2 \times 4}{4} = \underline{14}$

(2) 이차방정식의 근과 계수의 관계에 의하여

$\log_2 a + \log_2 b = 9$, $\log_2 a \times \log_2 b = 3$

∴ $\log_a b + \log_b a$

$= \dfrac{\log_2 b}{\log_2 a} + \dfrac{\log_2 a}{\log_2 b}$

$= \dfrac{(\log_2 b)^2 + (\log_2 a)^2}{\log_2 a \times \log_2 b}$

$= \dfrac{(\log_2 a + \log_2 b)^2 - 2 \times \log_2 a \times \log_2 b}{\log_2 a \times \log_2 b}$

$= \dfrac{9^2 - 2 \times 3}{3} = 25$

38 답 (1) 23 (2) 6

풀이 (1) 이차방정식의 근과 계수의 관계에 의하여
$$\log_3 a + \log_3 b = 5, \ \log_3 a \times \log_3 b = 1$$
$$\therefore \log_a b + \log_b a$$
$$= \frac{\log_3 b}{\log_3 a} + \frac{\log_3 a}{\log_3 b}$$
$$= \frac{(\log_3 b)^2 + (\log_3 a)^2}{\log_3 a \times \log_3 b}$$
$$= \frac{(\log_3 a + \log_3 b)^2 - 2 \times \log_3 a \times \log_3 b}{\log_3 a \times \log_3 b}$$
$$= \frac{5^2 - 2 \times 1}{1} = 23$$

(2) 이차방정식의 근과 계수의 관계에 의하여
$$\log_3 a + \log_3 b = -4, \ \log_3 a \times \log_3 b = 2$$
$$\therefore \log_a b + \log_b a$$
$$= \frac{\log_3 b}{\log_3 a} + \frac{\log_3 a}{\log_3 b}$$
$$= \frac{(\log_3 b)^2 + (\log_3 a)^2}{\log_3 a \times \log_3 b}$$
$$= \frac{(\log_3 a + \log_3 b)^2 - 2 \times \log_3 a \times \log_3 b}{\log_3 a \times \log_3 b}$$
$$= \frac{(-4)^2 - 2 \times 2}{2} = 6$$

39 답 (1) -1 (2) -1 (3) -3 (4) $\dfrac{3}{2}$ (5) -4

풀이 (1) $\log \dfrac{1}{10} = \log_{10} 10^{-1} = \underline{-1}$

(2) $\log \dfrac{1}{\sqrt{100}} = \log \dfrac{1}{\sqrt{10^2}} = \log \dfrac{1}{10} = \log_{10} 10^{-1} = -1$

(3) $\log 0.001 = \log \dfrac{1}{1000} = \log \dfrac{1}{10^3}$
$$= \log_{10} 10^{-3} = -3$$

(4) $\log \sqrt{1000} = \log (10^3)^{\frac{1}{2}} = \log_{10} 10^{\frac{3}{2}} = \dfrac{3}{2}$

(5) $\log \dfrac{1}{10000} = \log \dfrac{1}{10^4} = \log_{10} 10^{-4} = -4$

40 답 (1) 1.5276 (2) 3.5276 (3) -0.4724

풀이 (1) $\log 33.7 = \log (3.37 \times 10) = \log 3.37 + \log 10$
$$= 0.5276 + 1 = \underline{1.5276}$$

(2) $\log 3370 = \log (3.37 \times 1000) = \log 3.37 + \log 10^3$
$$= 0.5276 + 3 = 3.5276$$

(3) $\log 0.337 = \log \left(3.37 \times \dfrac{1}{10}\right) = \log 3.37 + \log \dfrac{1}{10}$
$$= 0.5276 + (-1) = -0.4724$$

41 답 (1) 4.2122 (2) -1.7878 (3) -3.7878

풀이 (1) $\log 16300 = \log (1.63 \times 10000)$
$$= \log 1.63 + \log 10^4$$
$$= 0.2122 + 4 = 4.2122$$

(2) $\log 0.0163 = \log \left(1.63 \times \dfrac{1}{100}\right)$
$$= \log 1.63 + \log 10^{-2}$$
$$= 0.2122 + (-2) = -1.7878$$

(3) $\log 0.000163 = \log \left(1.63 \times \dfrac{1}{10000}\right)$
$$= \log 1.63 + \log 10^{-4}$$
$$= 0.2122 + (-4) = -3.7878$$

42 답 (1) 1.2040 (2) 1.4313 (3) 1.5050
(4) 1.2552 (5) 1.3801 (6) 1.8572
(7) 1.1761 (8) 1.3010 (9) 1.3980
(10) 1.4771

풀이 (1) $\log 16 = \log 2^4 = 4\log 2 = 4 \times 0.3010$
$$= \underline{1.2040}$$

(2) $\log 27 = \log 3^3 = 3\log 3 = 3 \times 0.4771$
$$= 1.4313$$

(3) $\log 32 = \log 2^5 = 5\log 2 = 5 \times 0.3010$
$$= 1.5050$$

(4) $\log 18 = \log (2 \times 3^2) = \log 2 + 2\log 3$
$$= 0.3010 + 2 \times 0.4771$$
$$= 1.2552$$

(5) $\log 24 = \log (2^3 \times 3) = 3\log 2 + \log 3$
$$= 3 \times 0.3010 + 0.4771$$
$$= 1.3801$$

(6) $\log 72 = \log (2^3 \times 3^2) = 3\log 2 + 2\log 3$
$$= 3 \times 0.3010 + 2 \times 0.4771$$
$$= 1.8572$$

(7) $\log 15 = \log (3 \times 5) = \log 3 + \log 5$
이때 $\log 5 = \log \dfrac{10}{2} = \log 10 - \log 2 = 1 - 0.3010$
$$= 0.6990$$
이므로
$\log 15 = \log 3 + \log 5 = 0.4771 + 0.6990 = 1.1761$

(8) $\log 20 = \log (4 \times 5) = \log 4 + \log 5 = 2\log 2 + \log 5$
이때 (7)에서 $\log 5 = 0.6990$이므로
$\log 20 = \log (4 \times 5) = 2\log 2 + \log 5$
$$= 2 \times 0.3010 + 0.6990 = 1.3010$$

다른풀이 $\log 20 = \log (2 \times 10) = \log 2 + \log 10$
$$= 0.3010 + 1 = 1.3010$$

(9) $\log 25 = \log 5^2 = 2\log 5$
이때 (7)에서 $\log 5 = 0.6990$이므로
$\log 25 = 2\log 5 = 2 \times 0.6990 = 1.3980$

(10) $\log 30 = \log (2 \times 3 \times 5) = \log 2 + \log 3 + \log 5$
이때 (7)에서 $\log 5 = 0.6990$이므로
$\log 30 = \log 2 + \log 3 + \log 5$
$$= 0.3010 + 0.4771 + 0.6990 = 1.4771$$

참고 $30 = 3 \times 10$으로 고쳐서 풀어도 된다.

43 답 8.59배

풀이 처음 금액을 a원이라 하고, 10년이 지난 후에 처음
금액의 $k \, (k>0)$배가 된다고 하면
$$a(1+0.24)^{10} = ka$$
$$\therefore k = 1.24^{10} \qquad \cdots\cdots \ \text{㉠}$$
㉠의 양변에 상용로그를 취하면

$\log k = 10\log 1.24$

상용로그표에서 $\log 1.24 = 0.0934$이므로

$\log k = 10 \times 0.0934 = 0.9340$

상용로그표에서 $\log 8.59 = 0.9340$이므로

$k = \underline{8.59}$

따라서 10년 후에는 처음 금액의 $\underline{8.59}$배가 된다.

44 답 74 %

풀이 처음 곰팡이의 수를 a, 매시간 증가율을 r라고 하면
10시간 동안 2배 증가하였으므로

$a(1+r)^{10} = 2a$ $\therefore$ $(1+r)^{10} = 2$

8시간 후의 곰팡이의 수는

$a(1+r)^8 = a\{(1+r)^{10}\}^{\frac{8}{10}} = 2^{\frac{4}{5}} \times a$

$x = 2^{\frac{4}{5}}$로 놓고 양변에 상용로그를 취하면 상용로그표에서
$\log 2 = 0.30$이므로

$\log x = \dfrac{4}{5}\log 2 = \dfrac{4}{5} \times 0.30 = 0.24$

상용로그표에서 $0.24 = \log 1.74$이므로

$x = 1.74$

따라서 8시간 후의 곰팡이의 수는 $1.74a$이므로 처음보다
74 % 증가하였다.

45 답 6년

풀이 올해 생산량을 a라고 하면 n년 후의 생산량은

$a(1+0.14)^n$

즉, $a(1+0.14)^n \geq 2a$가 되는 n을 구하면 되므로

$1.14^n \geq 2$의 양변에 상용로그를 취하면

$\log 1.14^n \geq \log 2$

$n\log 1.14 \geq \log 2$, $n \times 0.0569 \geq 0.3010$

$\therefore$ $n \geq 5.28 \cdots$

따라서 처음으로 현재 생산량의 2배 이상이 되는 것은 6년
후부터이다.

46 답 11번

풀이 폐수가 폐수 처리 기계를 1번 통과하면 그 농도가

$30 \times \dfrac{9}{10}$ ppm,

폐수가 폐수 처리 기계를 2번 통과하면 그 농도가

$30 \times \left(\dfrac{9}{10}\right)^2$ ppm

$\cdots$

이므로 폐수가 폐수 처리 기계를 n번 통과하면 그 농도가

$30 \times \left(\dfrac{9}{10}\right)^n$ ppm이 된다.

$30 \times \left(\dfrac{9}{10}\right)^n \leq 10$의 양변에 상용로그를 취하면

$\log \left\{30 \times \left(\dfrac{9}{10}\right)^n\right\} \leq \log 10$

$\log 30 + n\log \dfrac{9}{10} \leq 1$

$\log 3 + 1 + n(2\log 3 - 1) \leq 1$

$\therefore n \geq \dfrac{-\log 3}{2\log 3 - 1} = \dfrac{-0.4771}{2 \times 0.4771 - 1} = \dfrac{-0.4771}{-0.0458}$

$= 10.41 \cdots$

따라서 최소한 11번 통과시키면 폐수의 농도가 10 ppm 이
하로 떨어진다.

47 답 20

풀이 $P_A = 20\log 255 - 10\log E_A$,

$P_B = 20\log 255 - 10\log E_B$

이때 $E_B = 100E_A$이므로

$P_A - P_B = (20\log 255 - 10\log E_A)$

$\qquad\qquad\quad - (20\log 255 - 10\log E_B)$

$= 10(\log E_B - \log E_A)$

$= 10\log \dfrac{E_B}{E_A} = 10\log \dfrac{100E_A}{E_A}$

$= 10\log 100 = \underline{20}$

48 답 60°C

풀이 실내 온도가 20°C인 실험실에 온도가 60°C인 물체를
놓고 1시간이 지났을 때, 물체의 온도가 40°C가 되었으므
로

$\log(40-20) = -k \times 1 + \log(60-20)$

$\log 20 = \log 40 - k$

$\therefore k = \log 40 - \log 20 = \log \dfrac{40}{20} = \log 2$

한편, $\log(T-20) = -\log 2 \times 1 + \log(100-20)$

$\log(T-20) = -\log 2 + \log 80 = \log \dfrac{80}{2} = \log 40$

$\therefore T = 60$

따라서 이 실험실에 온도가 100°C인 물체를 놓고 1시간이
지났을 때, 이 물체의 온도는 60°C이다.

49 답 (1) 10자리   (2) 소수점 아래 31번째 자리
　　 (3) 12자리 정수

풀이 (1) $\log 2^{30} = 30\log 2 = 30 \times 0.3010 = 9.030$

이때 정수 부분이 9이므로 $\underline{10}$자리 정수이다.

(2) $\log \dfrac{1}{2^{100}} = \log 2^{-100} = -100 \times 0.3010$

$\qquad\qquad\quad = -30.10 = -31 + 0.90$

이때 정수 부분이 -31이므로 소수점 아래 31번째 자리
에서 처음으로 0이 아닌 숫자가 나타난다.

(3) $\log(2^{16} \times 3^{13}) = \log 2^{16} + \log 3^{13}$

$= 16 \times 0.3010 + 13 \times 0.4771$

$= 4.8160 + 6.2023 = 11.0183$

이때 정수 부분이 11이므로 12자리 정수이다.

50 답 (1) 16자리 정수   (2) 소수점 아래 8번째 자리
　　 (3) 21자리 정수

풀이 (1) $\log 6^{20} = 20\log(2 \times 3) = 20(\log 2 + \log 3)$

$= 20 \times (0.3010 + 0.4771)$

$= 20 \times 0.7781 = 15.562$

이때 정수 부분이 15이므로 16자리 정수이다.

(2) $\log 3^{-15} = -15 \times 0.4771$

$\qquad = -7.1565 = -8 + 0.8435$

이때 정수 부분이 -8이므로 소수점 아래 8번째 자리에서 처음으로 0이 아닌 숫자가 나타난다.

(3) $\log(3^{25} \times 5^{12}) = \log 3^{25} + \log 5^{12}$

$\qquad = 25\log 3 + 12\log 5$

$\qquad = 25\log 3 + 12\log \dfrac{10}{2}$

$\qquad = 25\log 3 + 12(\log 10 - \log 2)$

$\qquad = 25 \times 0.4771 + 12 \times (1 - 0.3010)$

$\qquad = 11.9275 + 8.3880 = 20.3155$

이때 정수 부분이 20이므로 21자리 정수이다.

51 답 **(1)** 1 　**(2)** 2 　**(3)** 3 　**(4)** 1 　**(5)** 3 　**(6)** 3

풀이 **(1)** $\log 4^{40} = \log(2^2)^{40} = 80\log 2 = 80 \times 0.3010$

$\qquad = 24.080$

이때 소수 부분은 0.080이고, 0.080은

$\log 1.2 = 0.0792$와 $\log 1.3 = 0.1139$ 사이의 수이므로

$\log 1.2 < (\text{소수 부분}) < \log 1.3$

따라서 4^{40}의 최고 자리의 숫자는 1이다.

(2) $\log 3^{24} = 24\log 3 = 24 \times 0.4771 = 11.4504$

이때 소수 부분은 0.4504이고, 0.4504는

$\log 2.8 = 0.4472$와 $\log 2.9 = 0.4624$ 사이의 수이므로

$\log 2.8 < (\text{소수 부분}) < \log 2.9$

따라서 3^{24}의 최고 자리의 숫자는 2이다.

(3) $\log 6^{20} = 20\log(2 \times 3) = 20(\log 2 + \log 3)$

$\qquad = 20 \times (0.3010 + 0.4771)$

$\qquad = 20 \times 0.7781 = 15.562$

이때 소수 부분은 0.562이고, 0.562는

$\log 3.6 = 0.5563$과 $\log 3.7 = 0.5682$ 사이의 수이므로

$\log 3.6 < (\text{소수 부분}) < \log 3.7$

따라서 6^{20}의 최고 자리의 숫자는 3이다.

(4) $\log 18^{20} = 20\log(2 \times 3^2) = 20(\log 2 + 2\log 3)$

$\qquad = 20 \times (0.3010 + 2 \times 0.4771)$

$\qquad = 20 \times 1.2552 = 25.104$

이때 소수 부분은 0.104이고, 0.104는

$\log 1.2 = 0.0792$와 $\log 1.3 = 0.1139$ 사이의 수이므로

$\log 1.2 < (\text{소수 부분}) < \log 1.3$

따라서 18^{20}의 최고 자리의 숫자는 1이다.

(5) $\log\left(\dfrac{9}{2}\right)^{10} = 10\log\dfrac{9}{2} = 10(\log 3^2 - \log 2)$

$\qquad = 10 \times (2 \times 0.4771 - 0.3010)$

$\qquad = 10 \times 0.6532 = 6.532$

이때 소수 부분은 0.532이고, 0.532는

$\log 3.4 = 0.5315$와 $\log 3.5 = 0.5441$ 사이의 수이므로

$\log 3.4 < (\text{소수 부분}) < \log 3.5$

따라서 $\left(\dfrac{9}{2}\right)^{10}$의 최고 자리의 숫자는 3이다.

(6) $\log\left(\dfrac{8}{3}\right)^{20} = 20\log\dfrac{8}{3} = 20(\log 2^3 - \log 3)$

$\qquad = 20 \times (3 \times 0.3010 - 0.4771)$

$\qquad = 20 \times 0.4259 = 8.518$

이때 소수 부분은 0.518이고, 0.518은

$\log 3.2 = 0.5051$과 $\log 3.3 = 0.5185$ 사이의 수이므로

$\log 3.2 < (\text{소수 부분}) < \log 3.3$

따라서 $\left(\dfrac{8}{3}\right)^{20}$의 최고 자리의 숫자는 3이다.

52 답 **(1)** 10 또는 $10\sqrt{10}$ 　**(2)** 1 또는 $\sqrt{10}$

$\qquad$ **(3)** 100 또는 $100\sqrt{10}$ 　**(4)** $\dfrac{\sqrt{10}}{10}$ 또는 $\dfrac{1}{10}$

풀이 **(1)** $\log x^2$과 $\log x^4$의 소수 부분이 같으므로

$\log x^4 - \log x^2 = (\text{정수})$ $\quad \therefore 2\log x = (\text{정수})$

$10 \le x < 100$의 각 변에 상용로그를 취하면

$1 \le \log x < 2$ $\quad \therefore 2 \le 2\log x < 4$

이때 $2\log x$는 정수이므로

$2\log x = 2$ 또는 $2\log x = 3$

$2\log x = 2$일 때, $\log x = 1$에서 $x = 10$

$2\log x = 3$일 때, $\log x = \dfrac{3}{2}$에서

$x = 10^{\frac{3}{2}} = 10\sqrt{10}$

$\therefore x = \underline{10}$ 또는 $x = \underline{10\sqrt{10}}$

(2) $\log x$와 $\log x^3$의 소수 부분이 같으므로

$\log x^3 - \log x = (\text{정수})$ $\quad \therefore 2\log x = (\text{정수})$

$1 \le x < 10$의 각 변에 상용로그를 취하면

$0 \le \log x < 1$ $\quad \therefore 0 \le 2\log x < 2$

이때 $2\log x$는 정수이므로

$2\log x = 0$ 또는 $2\log x = 1$

$2\log x = 0$일 때, $\log x = 0$에서 $x = 1$

$2\log x = 1$일 때, $\log x = \dfrac{1}{2}$에서 $x = 10^{\frac{1}{2}} = \sqrt{10}$

$\therefore x = 1$ 또는 $x = \sqrt{10}$

(3) $\log\dfrac{1}{x}$과 $\log\dfrac{1}{x^3}$의 소수 부분이 같으므로

$\log x^{-1} - \log x^{-3} = (\text{정수})$ $\quad \therefore 2\log x = (\text{정수})$

$100 \le x < 1000$의 각 변에 상용로그를 취하면

$2 \le \log x < 3$ $\quad \therefore 4 \le 2\log x < 6$

이때 $2\log x$는 정수이므로

$2\log x = 4$ 또는 $2\log x = 5$

$2\log x = 4$일 때, $\log x = 2$에서 $x = 10^2 = 100$

$2\log x = 5$일 때, $\log x = \dfrac{5}{2}$에서

$x = 10^{\frac{5}{2}} = 100\sqrt{10}$

$\therefore x = 100$ 또는 $x = 100\sqrt{10}$

(4) $\log x^{-2}$과 $\log x^{-4}$의 소수 부분이 같으므로

$\log x^{-4} - \log x^{-2} = (\text{정수})$ $\quad \therefore -2\log x = (\text{정수})$

$\dfrac{1}{10} \le x < 1$의 각 변에 상용로그를 취하면

$-1 \le \log x < 0$ $\quad \therefore 0 < -2\log x \le 2$

이때 $-2\log x$는 정수이므로

$-2\log x = 1$ 또는 $-2\log x = 2$

$-2\log x = 1$일 때, $\log x = -\dfrac{1}{2}$에서

$$x=10^{-\frac{1}{2}}=\frac{1}{\sqrt{10}}=\frac{\sqrt{10}}{10}$$

$-2\log x=2$일 때, $\log x=-1$에서

$$x=10^{-1}=\frac{1}{10}$$

$$\therefore x=\frac{\sqrt{10}}{10} \text{ 또는 } x=\frac{1}{10}$$

중단원 점검문제 ㅣ Ⅰ-1. 지수와 로그 030-031쪽

01 답 1

풀이 $\sqrt[4]{\dfrac{\sqrt[3]{5}}{\sqrt{3}}}\times\sqrt{\dfrac{\sqrt[4]{3}}{\sqrt[6]{5}}}=\dfrac{\sqrt[12]{5}}{\sqrt[8]{3}}\times\dfrac{\sqrt[8]{3}}{\sqrt[12]{5}}=1$

02 답 23

풀이 $\sqrt[4]{a}\times\sqrt[3]{a^2}=\sqrt[12]{a^3}\times\sqrt[12]{a^8}=\sqrt[12]{a^3\times a^8}$
$\qquad\qquad\qquad=\sqrt[12]{a^{11}}$

즉, $\sqrt[12]{a^{11}}=\sqrt[m]{a^n}$이므로

$m=12,\ n=11$

$\therefore m+n=12+11=23$

03 답 $\pm\sqrt{14}$

풀이 $(a-a^{-1})^2=a^2-2\times a\times a^{-1}+a^{-2}$
$\qquad\qquad\quad=a^2+a^{-2}-2$

$a^2+a^{-2}=16$이므로

$(a-a^{-1})^2=16-2=14$

$\therefore a-a^{-1}=\pm\sqrt{14}$

04 답 $\dfrac{651}{25}$

풀이 $\dfrac{a^{6x}-a^{-6x}}{a^{2x}-a^{-2x}}$

$=\dfrac{(a^{2x}-a^{-2x})^3+3\times a^{2x}\times a^{-2x}(a^{2x}-a^{-2x})}{a^{2x}-a^{-2x}}$

$=(a^{2x}-a^{-2x})^2+3$

$=\left(5-\dfrac{1}{5}\right)^2+3=\left(\dfrac{24}{5}\right)^2+3=\dfrac{651}{25}$

05 답 15

풀이 밑의 조건에서 $x-2>0,\ x-2\neq1$
$\therefore x>2,\ x\neq3$ $\qquad\qquad\qquad$ ······ ㉠
진수의 조건에서 $-x^2+8x-7>0$
$x^2-8x+7<0,\ (x-1)(x-7)<0$
$\therefore 1<x<7$ $\qquad\qquad\qquad$ ······ ㉡
㉠, ㉡의 공통 범위를 구하면 $2<x<3$ 또는 $3<x<7$이므로 x가 정수인 것은 $4,\ 5,\ 6$이다.
따라서 모든 정수 x의 값의 합은 $4+5+6=15$

06 답 3

풀이 $\log_2 3-\log_2\dfrac{9}{2}+\log_2 12$

$=\log_2 3-(\log_2 3^2-\log_2 2)+\log_2(3\times2^2)$

$=\log_2 3-(2\log_2 3-1)+\log_2 3+\log_2 2^2$

$=\log_2 3-2\log_2 3+1+\log_2 3+2=1+2=3$

07 답 $3A-B-2C$

풀이 $\log_a\dfrac{x^3}{yz^2}=\log_a x^3-\log_a yz^2$
$\qquad\qquad\quad=3\log_a x-(\log_a y+2\log_a z)$
$\qquad\qquad\quad=3\log_a x-\log_a y-2\log_a z$
$\qquad\qquad\quad=3A-B-2C$

08 답 $\dfrac{5a+2b}{3}$

풀이 $\log_3 10=a$에서 $\log_3(2\times5)=a$
$\therefore \log_3 2+\log_3 5=a$ $\qquad\qquad$ ······ ㉠
$\log_3\dfrac{4}{5}=b$에서 $\log_3 4-\log_3 5=b$
$\therefore 2\log_3 2-\log_3 5=b$ $\qquad\qquad$ ······ ㉡
㉠+㉡을 하면 $3\log_3 2=a+b$
$\therefore \log_3 2=\dfrac{a+b}{3}$
㉠×2-㉡을 하면 $3\log_3 5=2a-b$
$\therefore \log_3 5=\dfrac{2a-b}{3}$
$\therefore \log_3 40=\log_3(2^3\times5)=3\log_3 2+\log_3 5$
$\qquad\qquad=\dfrac{3(a+b)}{3}+\dfrac{2a-b}{3}=\dfrac{5a+2b}{3}$

09 답 12

풀이 $5^0=1$이므로 $\log_3 6+\log_3 2-\log_3 a=0$
$\log_3 6+\log_3 2=\log_3 a$
$\log_3(6\times2)=\log_3 a$
따라서 $\log_3 12=\log_3 a$이므로 $a=12$

10 답 3

풀이 $\log_3 4\times\log_4 5\times\log_5 6\times\cdots\times\log_{26} 27$

$=\dfrac{\log 4}{\log 3}\times\dfrac{\log 5}{\log 4}\times\dfrac{\log 6}{\log 5}\times\cdots\times\dfrac{\log 26}{\log 25}\times\dfrac{\log 27}{\log 26}$

$=\dfrac{\log 27}{\log 3}=\dfrac{\log 3^3}{\log 3}=\dfrac{3\log 3}{\log 3}=3$

11 답 9

풀이 $\dfrac{\log_3 4}{a}=\dfrac{\log_3 8}{b}=\dfrac{\log_3 16}{c}=\log_3 2$에서

$a=\dfrac{\log_3 4}{\log_3 2},\ b=\dfrac{\log_3 8}{\log_3 2},\ c=\dfrac{\log_3 16}{\log_3 2}$

$\therefore a=\dfrac{\log_3 4}{\log_3 2}=\log_2 4=2\log_2 2=2,$

$\quad b=\dfrac{\log_3 8}{\log_3 2}=\log_2 8=3\log_2 2=3,$

$\quad c=\dfrac{\log_3 16}{\log_3 2}=\log_2 16=4\log_2 2=4$

$\therefore a+b+c=2+3+4=9$

12 답 -1

풀이 근과 계수의 관계에 의하여
$\log_2 3+1=-a,\ \log_2 3\times1=b$
따라서 $a=-\log_2 3-1,\ b=\log_2 3$이므로
$a+b=-\log_2 3-1+\log_2 3=-1$

13 <u>답</u> 3850

<u>풀이</u> $3.5855 = 3 + 0.5855 = \log 10^3 + \log 3.85$
$\qquad\qquad = \log(1000 \times 3.85) = \log 3850$

즉, $\log x = \log 3850$이므로 $x = 3850$

14 <u>답</u> 24자리

<u>풀이</u> 3^{100}은 48자리 정수이므로 $47 \le \log 3^{100} < 48$

$47 \le 100\log 3 < 48 \qquad \therefore 0.47 \le \log 3 < 0.48$

5^{100}은 70자리의 정수이므로 $69 \le \log 5^{100} < 70$

$69 \le 100\log 5 < 70 \qquad \therefore 0.69 \le \log 5 < 0.70$

$\log 15^{20} = 20(\log 3 + \log 5)$이고

$1.16 \le \log 3 + \log 5 < 1.18$

$23.2 \le 20(\log 3 + \log 5) < 23.6$이므로

$23.2 \le \log 15^{20} \le 23.6$

따라서 $\log 15^{20}$의 정수 부분이 23이므로 15^{20}은 24자리 정수이다.

15 <u>답</u> 1

<u>풀이</u> $\log 3^{40} = 40\log 3 = 40 \times 0.4771 = 19.084$에서 소수 부분은 0.084이다.

0.084는 $\log 1 = 0$과 $\log 2 = 0.3010$ 사이의 수이므로

$\log 1 < (\text{소수 부분}) < \log 2$

따라서 최고 자리 숫자는 1이다.

16 <u>답</u> -8

<u>풀이</u> $\log a$의 정수 부분을 n, 소수 부분을 α라고 하면 n은 정수이고 $0 \le \alpha < 1$이다.

n, α가 이차방정식 $3x^2 + 10x + k = 0$의 두 근이므로 근과 계수의 관계에 의하여

$n + \alpha = -\dfrac{10}{3}$, $n\alpha = \dfrac{k}{3}$

$-\dfrac{10}{3} = -4 + \dfrac{2}{3}$이므로 $n = -4$, $\alpha = \dfrac{2}{3}$

$\therefore k = 3n\alpha = 3 \times (-4) \times \dfrac{2}{3} = -8$

01 <u>답</u> 풀이 참조

<u>풀이</u> (1)

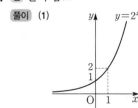

(2)

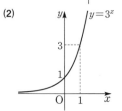

(3)

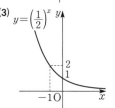

(4)

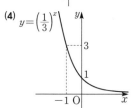

02 <u>답</u> 풀이 참조

<u>풀이</u> (1) $y = \left(\dfrac{1}{4}\right)^x = 4^{-x}$이므로

$y = \left(\dfrac{1}{4}\right)^x$의 그래프는 $y = 4^x$의 그래프를 y축에 대하여 대칭이동한 것이다.

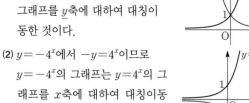

(2) $y = -4^x$에서 $-y = 4^x$이므로 $y = -4^x$의 그래프는 $y = 4^x$의 그래프를 x축에 대하여 대칭이동한 것이다.

(3) $y = 4^{x-3}$의 그래프는 $y = 4^x$의 그래프를 x축의 방향으로 3만큼 평행이동한 것이다.

(4) $y = 4^{x+2}$의 그래프는 $y = 4^x$의 그래프를 x축의 방향으로 -2만큼 평행이동한 것이다.

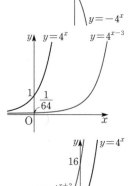

(5) $y=4^x-1$에서 $y+1=4^x$이므로 $y=4^x-1$의 그래프는 $y=4^x$의 그래프를 y축의 방향으로 -1만큼 평행이동한 것이다.

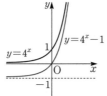

(6) $y=4^x+3$에서 $y-3=4^x$이므로 $y=4^x+3$의 그래프는 $y=4^x$의 그래프를 y축의 방향으로 3만큼 평행이동한 것이다.

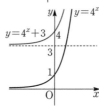

03 답 (1) 그래프는 풀이 참조,
       치역: $\{y|y>1\}$, 점근선의 방정식: $y=1$
  (2) 그래프는 풀이 참조,
       치역: $\{y|y>-2\}$, 점근선의 방정식: $y=-2$
  (3) 그래프는 풀이 참조
       치역: $\{y|y>2\}$, 점근선의 방정식: $y=2$
  (4) 그래프는 풀이 참조
       치역: $\{y|y>-1\}$, 점근선의 방정식: $y=-1$
  (5) 그래프는 풀이 참조
       치역: $\{y|y>-3\}$, 점근선의 방정식: $y=-3$

풀이 **(1)** 함수 $y=2^{x-1}+1$의 그래프는 함수 $y=2^x$의 그래프를 x축의 방향으로 1만큼, y축의 방향으로 1만큼 평행이동한 것이므로 그림과 같다. 따라서 치역은 $\{y|y>1\}$이고, 점근선의 방정식은 $y=1$이다.

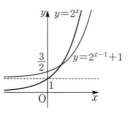

(2) 함수 $y=3^{x+2}-2$의 그래프는 함수 $y=3^x$의 그래프를 x축의 방향으로 -2만큼, y축의 방향으로 -2만큼 평행이동한 것이므로 그림과 같다.
따라서 치역은 $\{y|y>-2\}$이고, 점근선의 방정식은 $y=-2$이다.

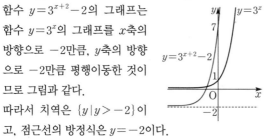

(3) 함수 $y=3^{x+1}+2$의 그래프는 함수 $y=3^x$의 그래프를 x축의 방향으로 -1만큼, y축의 방향으로 2만큼 평행이동한 것이므로 그림과 같다.
따라서 치역은 $\{y|y>2\}$이고, 점근선의 방정식은 $y=2$이다.

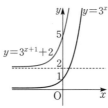

(4) 함수 $y=\left(\dfrac{1}{2}\right)^x-1$의 그래프는 함수 $y=\left(\dfrac{1}{2}\right)^x$의 그래프를 y축의 방향으로 -1만큼 평행이동한 것이므로 그림과 같다.

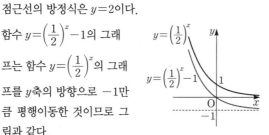

따라서 치역은 $\{y|y>-1\}$이고, 점근선의 방정식은 $y=-1$이다.

(5) 함수 $y=\left(\dfrac{1}{3}\right)^{x-1}-3$의 그래프는 함수 $y=\left(\dfrac{1}{3}\right)^x$의 그래프를 x축의 방향으로 1만큼, y축의 방향으로 -3만큼 평행이동한 것이므로 그림과 같다. 따라서 치역은 $\{y|y>-3\}$이고, 점근선의 방정식은 $y=-3$이다.

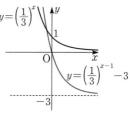

04 답 $y=-2^{x+2}-1$
풀이 $y=2^x$의 그래프를 x축의 방향으로 -2만큼, y축의 방향으로 1만큼 평행이동한 그래프의 식은
$y-1=2^{x+2}$ $\quad\therefore y=2^{x+2}+1$
$y=2^{x+2}+1$의 그래프를 x축에 대하여 대칭이동한 그래프의 식은 $-y=2^{x+2}+1$
$\therefore y=-2^{x+2}-1$

05 답 $y=-3^{x-1}-1$
풀이 $y=3^x$의 그래프를 x축의 방향으로 1만큼, y축의 방향으로 1만큼 평행이동한 그래프의 식은
$y-1=3^{x-1}$ $\quad\therefore y=3^{x-1}+1$
$y=3^{x-1}+1$의 그래프를 x축에 대하여 대칭이동한 그래프의 식은 $-y=3^{x-1}+1$
$\therefore y=-3^{x-1}-1$

06 답 $y=4^{x+1}-2$
풀이 어떤 함수의 그래프를 x축의 방향으로 1만큼, y축의 방향으로 2만큼 평행이동한 그래프의 식이 $y=4^x$이므로 $y=4^x$의 그래프를 x축의 방향으로 -1만큼, y축의 방향으로 -2만큼 평행이동하면 원래 함수의 그래프와 일치한다.
따라서 원래 함수의 식은
$y+2=4^{x+1}$ $\quad\therefore y=4^{x+1}-2$

07 답 ㄱ, ㄷ
풀이 ㄱ. a의 값에 관계없이 항상 점 $(0,\ 1)$을 지난다.   (거짓)
ㄴ. 점근선의 방정식은 $y=0$, 즉 x축이다. (참)
ㄷ. 치역이 양의 실수 전체의 집합이므로 제3사분면과 제4사분면을 지나지 않는다. (거짓)
따라서 옳지 않은 것은 ㄱ, ㄷ이다.

08 답 ㄴ, ㄷ
풀이 $y=a^x$의 그래프를 그려 보면
  (i) $a>1$일 때   (ii) $0<a<1$일 때

 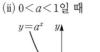

ㄱ. $0<a<1$인 경우에는 $x>0$일 때 x의 값이 커지면 y의 값은 작아진다. (거짓)

ㄴ. 정의역은 실수 전체의 집합이고, 치역은 양의 실수 전체의 집합이다. (참)

ㄷ. 제1사분면과 제2사분면을 지난다. (참)

따라서 옳은 것은 ㄴ, ㄷ이다.

09 답 (1) $\dfrac{1}{8}<\sqrt[4]{32}<4^{\frac{3}{2}}$ (2) $\sqrt[3]{4}<8^7<4^{11}$

(3) $4^{0.5}<\sqrt[3]{16}<\sqrt{8}$ (4) $\sqrt[3]{0.01}<\sqrt[5]{0.001}<\sqrt{0.1}$

(5) $\sqrt{\dfrac{1}{8}}<\sqrt[3]{\dfrac{1}{16}}<\sqrt[6]{\dfrac{1}{32}}$ (6) $\sqrt[3]{\dfrac{1}{9}}<\sqrt[4]{27}<\sqrt[5]{81}$

풀이 (1) $\dfrac{1}{8}$, $4^{\frac{3}{2}}$, $\sqrt[4]{32}$를 밑이 2인 거듭제곱 꼴로 나타내면

$\dfrac{1}{8}=2^{-3}$, $4^{\frac{3}{2}}=(2^2)^{\frac{3}{2}}=2^3$, $\sqrt[4]{32}=\sqrt[4]{2^5}=2^{\frac{5}{4}}$

$-3<\dfrac{5}{4}<3$이고, $y=2^x$은 x의 값이 커질 때 y의 값도 커지므로

$2^{-3}<2^{\frac{5}{4}}<2^3$ ∴ $\underline{\dfrac{1}{8}}<\underline{\sqrt[4]{32}}<\underline{4^{\frac{3}{2}}}$

(2) 4^{11}, 8^7, $\sqrt[3]{4}$를 밑이 2인 거듭제곱 꼴로 나타내면

$4^{11}=(2^2)^{11}=2^{22}$, $8^7=(2^3)^7=2^{21}$,

$\sqrt[3]{4}=(2^2)^{\frac{1}{3}}=2^{\frac{2}{3}}$

$\dfrac{2}{3}<21<22$이고, $y=2^x$은 x의 값이 커질 때 y의 값도 커지므로

$2^{\frac{2}{3}}<2^{21}<2^{22}$ ∴ $\sqrt[3]{4}<8^7<4^{11}$

(3) $\sqrt{8}$, $\sqrt[3]{16}$, $4^{0.5}$을 밑이 2인 거듭제곱 꼴로 나타내면

$\sqrt{8}=(2^3)^{\frac{1}{2}}=2^{\frac{3}{2}}$, $\sqrt[3]{16}=(2^4)^{\frac{1}{3}}=2^{\frac{4}{3}}$,

$4^{0.5}=(2^2)^{\frac{1}{2}}=2$

$1<\dfrac{4}{3}<\dfrac{3}{2}$이고, $y=2^x$은 x의 값이 커질 때 y의 값도 커지므로

$2<2^{\frac{4}{3}}<2^{\frac{3}{2}}$ ∴ $4^{0.5}<\sqrt[3]{16}<\sqrt{8}$

(4) $\sqrt{0.1}$, $\sqrt[3]{0.01}$, $\sqrt[5]{0.001}$을 밑이 $\dfrac{1}{10}$인 거듭제곱 꼴로 나타내면

$\sqrt{0.1}=\left(\dfrac{1}{10}\right)^{\frac{1}{2}}$, $\sqrt[3]{0.01}=\left(\dfrac{1}{100}\right)^{\frac{1}{3}}=\left\{\left(\dfrac{1}{10}\right)^2\right\}^{\frac{1}{3}}=\left(\dfrac{1}{10}\right)^{\frac{2}{3}}$,

$\sqrt[5]{0.001}=\left(\dfrac{1}{1000}\right)^{\frac{1}{5}}=\left\{\left(\dfrac{1}{10}\right)^3\right\}^{\frac{1}{5}}=\left(\dfrac{1}{10}\right)^{\frac{3}{5}}$

$\dfrac{1}{2}<\dfrac{3}{5}<\dfrac{2}{3}$이고, $y=\left(\dfrac{1}{10}\right)^x$은 x의 값이 커질 때 y의 값은 작아지므로

$\left(\dfrac{1}{10}\right)^{\frac{2}{3}}<\left(\dfrac{1}{10}\right)^{\frac{3}{5}}<\left(\dfrac{1}{10}\right)^{\frac{1}{2}}$

∴ $\sqrt[3]{0.01}<\sqrt[5]{0.001}<\sqrt{0.1}$

(5) $\sqrt{\dfrac{1}{8}}$, $\sqrt[3]{\dfrac{1}{16}}$, $\sqrt[6]{\dfrac{1}{32}}$을 밑이 $\dfrac{1}{2}$인 거듭제곱 꼴로 나타내면

$\sqrt{\dfrac{1}{8}}=\left(\dfrac{1}{8}\right)^{\frac{1}{2}}=\left\{\left(\dfrac{1}{2}\right)^3\right\}^{\frac{1}{2}}=\left(\dfrac{1}{2}\right)^{\frac{3}{2}}$,

$\sqrt[3]{\dfrac{1}{16}}=\left(\dfrac{1}{16}\right)^{\frac{1}{3}}=\left\{\left(\dfrac{1}{2}\right)^4\right\}^{\frac{1}{3}}=\left(\dfrac{1}{2}\right)^{\frac{4}{3}}$,

$\sqrt[6]{\dfrac{1}{32}}=\left(\dfrac{1}{32}\right)^{\frac{1}{6}}=\left\{\left(\dfrac{1}{2}\right)^5\right\}^{\frac{1}{6}}=\left(\dfrac{1}{2}\right)^{\frac{5}{6}}$

$\dfrac{5}{6}<\dfrac{4}{3}<\dfrac{3}{2}$이고, $y=\left(\dfrac{1}{2}\right)^x$은 x의 값이 커질 때 y의 값은 작아지므로

$\left(\dfrac{1}{2}\right)^{\frac{3}{2}}<\left(\dfrac{1}{2}\right)^{\frac{4}{3}}<\left(\dfrac{1}{2}\right)^{\frac{5}{6}}$ ∴ $\sqrt{\dfrac{1}{8}}<\sqrt[3]{\dfrac{1}{16}}<\sqrt[6]{\dfrac{1}{32}}$

(6) $\sqrt[4]{27}$, $\sqrt[5]{81}$, $\sqrt[3]{\dfrac{1}{9}}$을 밑이 3인 거듭제곱 꼴로 나타내면

$\sqrt[4]{27}=(27)^{\frac{1}{4}}=(3^3)^{\frac{1}{4}}=3^{\frac{3}{4}}$,

$\sqrt[5]{81}=(81)^{\frac{1}{5}}=(3^4)^{\frac{1}{5}}=3^{\frac{4}{5}}$,

$\sqrt[3]{\dfrac{1}{9}}=\left(\dfrac{1}{9}\right)^{\frac{1}{3}}=(3^{-2})^{\frac{1}{3}}=3^{-\frac{2}{3}}$

$-\dfrac{2}{3}<\dfrac{3}{4}<\dfrac{4}{5}$이고, $y=3^x$은 x의 값이 커질 때 y의 값도 커지므로

$3^{-\frac{2}{3}}<3^{\frac{3}{4}}<3^{\frac{4}{5}}$ ∴ $\sqrt[3]{\dfrac{1}{9}}<\sqrt[4]{27}<\sqrt[5]{81}$

10 답 (1) 최댓값: 5, 최솟값: -2

(2) 최댓값: 6, 최솟값: $\dfrac{5}{2}$

(3) 최댓값: 79, 최솟값: $-\dfrac{5}{3}$

풀이 (1) $y=2^{x+1}-3$에서 밑이 2이고 $2>1$이므로

$-1\leq x\leq2$에서 함수 $y=2^{x+1}-3$은

$x=2$일 때 최대이고, 최댓값은 $2^{2+1}-3=\underline{5}$

$x=-1$일 때 최소이고, 최솟값은 $2^{-1+1}-3=\underline{-2}$

(2) $y=2^{x-2}+2$에서 밑이 2이고 $2>1$이므로

$1\leq x\leq4$에서 함수 $y=2^{x-2}+2$는

$x=4$일 때 최대이고, 최댓값은 $2^{4-2}+2=6$

$x=1$일 때 최소이고, 최솟값은 $2^{1-2}+2=\dfrac{5}{2}$

(3) $y=3^{x+1}-2$에서 밑이 3이고 $3>1$이므로

$-2\leq x\leq3$에서 함수 $y=3^{x+1}-2$는

$x=3$일 때 최대이고, 최댓값은 $3^{3+1}-2=79$

$x=-2$일 때 최소이고, 최솟값은 $3^{-2+1}-2=-\dfrac{5}{3}$

11 답 (1) 최댓값: $-\dfrac{1}{2}$, 최솟값: $-\dfrac{31}{32}$

(2) 최댓값: -3, 최솟값: $-\dfrac{96}{25}$

풀이 (1) $y=\left(\dfrac{1}{2}\right)^{x+2}-1$에서 밑이 $\dfrac{1}{2}$이고 $0<\dfrac{1}{2}<1$이므로

$-1\leq x\leq3$에서 함수 $y=\left(\dfrac{1}{2}\right)^{x+2}-1$은

$x=-1$일 때 최대이고, 최댓값은 $\left(\dfrac{1}{2}\right)^{-1+2}-1=-\dfrac{1}{2}$

$x=3$일 때 최소이고, 최솟값은 $\left(\dfrac{1}{2}\right)^{3+2}-1=-\dfrac{31}{32}$

(2) $y=5^{-x}\times2^x-4$에서 $y=\left(\dfrac{2}{5}\right)^x-4$

이때 밑이 $\dfrac{2}{5}$이고 $0<\dfrac{2}{5}<1$이므로

$0\leq x\leq2$에서 함수 $y=5^{-x}\times2^x-4$는

$x=0$일 때 최대이고, 최댓값은 $\left(\dfrac{2}{5}\right)^0-4=-3$

$x=2$일 때 최소이고, 최솟값은 $\left(\dfrac{2}{5}\right)^2-4=-\dfrac{96}{25}$

12 답 (1) 최댓값: 5, 최솟값: $\dfrac{11}{4}$

(2) 최댓값: 40, 최솟값: -9

(3) 최댓값: -5, 최솟값: -21

(4) 최댓값: 13, 최솟값: 2

풀이 (1) $y=4^x-2^x+3=(2^x)^2-2^x+3$이므로

$2^x=t\ (t>0)$로 치환하면

$y=t^2-t+3=\left(t-\dfrac{1}{2}\right)^2+\dfrac{11}{4}$

이때 $-1\le x\le 1$에서 $2^{-1}\le 2^x\le 2$ $\therefore \dfrac{1}{2}\le t\le 2$

따라서 $\dfrac{1}{2}\le t\le 2$에서 함수 $y=\left(t-\dfrac{1}{2}\right)^2+\dfrac{11}{4}$ 은

$t=2$일 때 최대이고, 최댓값은

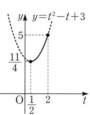

$\left(2-\dfrac{1}{2}\right)^2+\dfrac{11}{4}=\underline{5}$

$t=\dfrac{1}{2}$일 때 최소이고, 최솟값은

$\left(\dfrac{1}{2}-\dfrac{1}{2}\right)^2+\dfrac{11}{4}=\underline{\dfrac{11}{4}}$

(2) $y=9^x-4\times 3^x-5$

$\quad =(3^x)^2-4\times 3^x-5$이므로

$3^x=t\ (t>0)$로 치환하면

$y=t^2-4t-5$

$\quad =(t-2)^2-9$

이때 $0\le x\le 2$에서

$3^0\le 3^x\le 3^2$ $\therefore 1\le t\le 9$

따라서 $1\le t\le 9$에서 함수 $y=(t-2)^2-9$는

$t=9$일 때 최대이고, 최댓값은 $(9-2)^2-9=40$

$t=2$일 때 최소이고, 최솟값은 $(2-2)^2-9=-9$

(3) $y=4^x-2^{x+3}-5$

$\quad =(2^x)^2-8\times 2^x-5$이므로

$2^x=t\ (t>0)$로 치환하면

$y=t^2-8t-5$

$\quad =(t-4)^2-21$

이때 $1\le x\le 3$에서

$2^1\le 2^x\le 2^3$ $\therefore 2\le t\le 8$

따라서 $2\le t\le 8$에서 함수 $y=(t-4)^2-21$은

$t=8$일 때 최대이고, 최댓값은 $(8-4)^2-21=-5$

$t=4$일 때 최소이고, 최솟값은 $(4-4)^2-21=-21$

(4) $y=4^{-x}-\left(\dfrac{1}{2}\right)^{x+1}-1$

$\quad =\left\{\left(\dfrac{1}{2}\right)^x\right\}^2-\dfrac{1}{2}\times\left(\dfrac{1}{2}\right)^x-1$

이므로 $\left(\dfrac{1}{2}\right)^x=t\ (t>0)$로 치환하면

$y=t^2-\dfrac{1}{2}t-1$

$\quad =\left(t-\dfrac{1}{4}\right)^2-\dfrac{17}{16}$

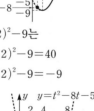

이때 $-2\le x\le -1$에서

$\left(\dfrac{1}{2}\right)^{-1}\le\left(\dfrac{1}{2}\right)^x\le\left(\dfrac{1}{2}\right)^{-2}$ $\therefore 2\le t\le 4$

따라서 $2\le t\le 4$에서 함수 $y=\left(t-\dfrac{1}{4}\right)^2-\dfrac{17}{16}$ 은

$t=4$일 때 최대이고, 최댓값은 $\left(4-\dfrac{1}{4}\right)^2-\dfrac{17}{16}=13$

$t=2$일 때 최소이고, 최솟값은 $\left(2-\dfrac{1}{4}\right)^2-\dfrac{17}{16}=2$

13 답 (1) 최댓값: 없다., 최솟값: $\dfrac{1}{9}$

(2) 최댓값: 4, 최솟값: 없다.

(3) 최댓값: 32, 최솟값: 2

풀이 (1) 함수 $y=3^{x^2-2x-1}$에서 밑이 3이고 $3>1$이므로

x^2-2x-1이 최대일 때 y도 최대, x^2-2x-1이 최소일 때 y도 최소가 된다.

$x^2-2x-1=(x-1)^2-2$이므로 x^2-2x-1의 최댓값은 없고, $x=1$일 때 최솟값은 $\underline{-2}$이다.

따라서 함수 $y=3^{x^2-2x-1}$의 최댓값은 없고, 최솟값은

$3^{-2}=\dfrac{1}{9}$이다.

(2) 함수 $y=2^{-x^2-2x+1}$에서 밑이 2이고 $2>1$이므로

$-x^2+2x+1$이 최대일 때 y도 최대, $-x^2+2x+1$이 최소일 때 y도 최소가 된다.

$-x^2+2x+1=-(x-1)^2+2$이므로

$-x^2+2x+1$의 최솟값은 없고, $x=1$일 때 최댓값은 2이다.

따라서 함수 $y=2^{-x^2+2x+1}$의 최댓값은 $2^2=4$이고, 최솟값은 없다.

(3) 함수 $y=\left(\dfrac{1}{2}\right)^{-x^2+4x-5}$에서 밑이 $\dfrac{1}{2}$이고

$0<\dfrac{1}{2}<1$이므로 $-x^2+4x-5$가 최대일 때 y는 최소, $-x^2+4x-5$가 최소일 때 y는 최대가 된다.

$-x^2+4x-5=-(x-2)^2-1$

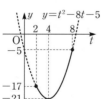

이므로 $1\le x\le 4$에서

$x=2$일 때 최댓값은

$-(2-2)^2-1=-1$,

$x=4$일 때 최솟값은

$-(4-2)^2-1=-5$이다.

따라서 함수 $y=\left(\dfrac{1}{2}\right)^{-x^2+4x-5}$의 최댓값은

$\left(\dfrac{1}{2}\right)^{-5}=32$, 최솟값은 $\left(\dfrac{1}{2}\right)^{-1}=2$이다.

14 답 (1) 4 (2) 32 (3) 16 (4) 18 (5) 54

풀이 (1) $2^x>0$, $2^y>0$이므로 산술평균과 기하평균의 대소 관계에 의하여

$2^x+2^y\ge 2\sqrt{2^x\times 2^y}=2\sqrt{2^{x+y}}=2\sqrt{2^2}=4$

(단, 등호는 $2^x=2^y$, 즉 $x=y$일 때 성립한다.)

따라서 2^x+2^y의 최솟값은 $\underline{4}$

(2) $2^x>0$, $4^y>0$이므로 산술평균과 기하평균의 대소 관계에 의하여

$$2^x+4^y\geq2\sqrt{2^x\times4^y}=2\sqrt{2^x\times2^{2y}}=2\sqrt{2^{x+2y}}$$
$$=2\sqrt{2^8}=32$$
（단, 등호는 $2^x=4^y$, 즉 $x=2y$일 때 성립한다.）
따라서 2^x+4^y의 최솟값은 32이다.

(3) $8^x>0$, $2^y>0$이므로 산술평균과 기하평균의 대소 관계에 의하여
$$8^x+2^y\geq2\sqrt{8^x\times2^y}=2\sqrt{2^{3x}\times2^y}=2\sqrt{2^{3x+y}}$$
$$=2\sqrt{2^6}=16$$
（단, 등호는 $8^x=2^y$, 즉 $3x=y$일 때 성립한다.）
따라서 8^x+2^y의 최솟값은 16이다.

(4) $3^x>0$, $81^y>0$이므로 산술평균과 기하평균의 대소 관계에 의하여
$$3^x+81^y\geq2\sqrt{3^x\times81^y}=2\sqrt{3^x\times3^{4y}}=2\sqrt{3^{x+4y}}$$
$$=2\sqrt{3^4}=18$$
（단, 등호는 $3^x=81^y$, 즉 $x=4y$일 때 성립한다.）
따라서 3^x+81^y의 최솟값은 18이다.

(5) $9^x>0$, $3^y>0$이므로 산술평균과 기하평균의 대소 관계에 의하여
$$9^x+3^y\geq2\sqrt{9^x\times3^y}=2\sqrt{3^{2x}\times3^y}=2\sqrt{3^{2x+y}}$$
$$=2\sqrt{3^6}=54$$
（단, 등호는 $9^x=3^y$, 즉 $2x=y$일 때 성립한다.）
따라서 9^x+3^y의 최솟값은 54이다.

15 답 (1) 8 (2) 6 (3) 250

풀이 (1) $2^{2+x}>0$, $2^{2-x}>0$이므로 산술평균과 기하평균의 대소 관계에 의하여
$$2^{2+x}+2^{2-x}\geq2\sqrt{2^{2+x}\times2^{2-x}}=2\sqrt{2^4}=8$$
（단, 등호는 $2^{2+x}=2^{2-x}$, 즉 $x=0$일 때 성립한다.）
따라서 함수 $y=2^{2+x}+2^{2-x}$의 최솟값은 $\underline{8}$

(2) $3^{1+x}>0$, $3^{1-x}>0$이므로 산술평균과 기하평균의 대소 관계에 의하여
$$3^{1+x}+3^{1-x}\geq2\sqrt{3^{1+x}\times3^{1-x}}=2\sqrt{3^2}=6$$
（단, 등호는 $3^{1+x}=3^{1-x}$, 즉 $x=0$일 때 성립한다.）
따라서 함수 $y=3^{1+x}+3^{1-x}$의 최솟값은 6

(3) $5^{3+x}>0$, $5^{3-x}>0$이므로 산술평균과 기하평균의 대소 관계에 의하여
$$5^{3+x}+5^{3-x}\geq2\sqrt{5^{3+x}\times5^{3-x}}=2\sqrt{5^6}=250$$
（단, 등호는 $5^{3+x}=5^{3-x}$, 즉 $x=0$일 때 성립한다.）
따라서 함수 $y=5^{3+x}+5^{3-x}$의 최솟값은 250

16 답 (1) 3 (2) 4

풀이 (1) $3^{a+x}>0$, $3^{a-x}>0$이므로 산술평균과 기하평균의 대소 관계에 의하여
$$3^{a+x}+3^{a-x}\geq2\sqrt{3^{a+x}\times3^{a-x}}=2\sqrt{3^{2a}}$$
（단, 등호는 $3^{a+x}=3^{a-x}$, 즉 $x=0$일 때 성립한다.）
따라서 $2\sqrt{3^{2a}}=54$이므로 $\sqrt{3^{2a}}=27$, $3^{2a}=27^2$
$3^{2a}=3^6$, $2a=6$ $\therefore a=3$

(2) $2^{a+x}>0$, $2^{a-x}>0$이므로 산술평균과 기하평균의 대소 관계에 의하여

$$2^{a+x}+2^{a-x}\geq2\sqrt{2^{a+x}\times2^{a-x}}=2\sqrt{2^{2a}}$$
（단, 등호는 $2^{a+x}=2^{a-x}$, 즉 $x=0$일 때 성립한다.）
따라서 $2\sqrt{2^{2a}}=32$이므로 $\sqrt{2^{2a}}=16$, $2^{2a}=16^2$
$2^{2a}=2^8$, $2a=8$ $\therefore a=4$

17 답 (1) $x=-5$ (2) $x=3$ (3) $x=4$
(4) $x=-2$ (5) $x=-\dfrac{5}{4}$ (6) $x=0$ 또는 $x=5$

풀이 (1) $2^{x+1}=\dfrac{1}{16}$에서 밑을 2로 통일하면
$2^{x+1}=2^{-4}$이므로
$x+1=-4$ $\therefore x=\underline{-5}$

(2) $2^{5-x}=4^{x-2}$에서 밑을 2로 통일하면
$2^{5-x}=2^{2(x-2)}$이므로
$5-x=2x-4$, $-3x=-9$ $\therefore x=3$

(3) $\dfrac{4^x}{2}=2^{x+3}$에서 밑을 2로 통일하면
$2^{-1}\times2^{2x}=2^{x+3}$, 즉 $2^{2x-1}=2^{x+3}$이므로
$2x-1=x+3$ $\therefore x=4$

(4) $\left(\dfrac{1}{3}\right)^{-x+2}=3^{2x}$에서 밑을 3으로 통일하면
$(3^{-1})^{-x+2}=3^{2x}$, 즉 $3^{x-2}=3^{2x}$이므로
$x-2=2x$ $\therefore x=-2$

(5) $2^{2x}=\dfrac{1}{4\sqrt{2}}$에서 밑을 2로 통일하면
$2^{2x}=\dfrac{1}{2^{\frac{5}{2}}}$, 즉 $2^{2x}=2^{-\frac{5}{2}}$이므로
$2x=-\dfrac{5}{2}$ $\therefore x=-\dfrac{5}{4}$

(6) $25^x=5^{x^2-3x}$에서 밑을 5로 통일하면
$5^{2x}=5^{x^2-3x}$이므로
$2x=x^2-3x$, $x^2-5x=0$
$x(x-5)=0$ $\therefore x=0$ 또는 $x=5$

18 답 (1) $x=1$ 또는 $x=10$ (2) $x=1$ 또는 $x=2$
(3) $x=1$ 또는 $x=5$ (4) $x=1$ 또는 $x=2$
(5) $x=1$ 또는 $x=2$ 또는 $x=3$ (6) $x=2$ 또는 $x=3$
(7) $x=0$ 또는 $x=4$ (8) $x=0$ 또는 $x=6$
(9) $x=3$ 또는 $x=5$ (10) $x=5$ 또는 $x=30$

풀이 (1) $x^{x-5}=x^{15-x}$에서 $x-5=15-x$, $2x=20$
$\therefore x=\underline{10}$
또, $x=1$이면 주어진 방정식은 $1^{-4}=1^{14}=1$로 등식이 성립한다.
$\therefore x=1$ 또는 $x=\underline{10}$

(2) $x^{2x+3}=x^{9-x}$에서 $2x+3=9-x$
$3x=6$ $\therefore x=2$
또, $x=1$이면 주어진 방정식은
$1^5=1^8=1$로 등식이 성립한다.
$\therefore x=1$ 또는 $x=2$

(3) $x^{3x-2}=x^{23-2x}$에서 $3x-2=23-2x$
$5x=25$ $\therefore x=5$
또, $x=1$이면 주어진 방정식은

$1^1=1^{21}=1$로 등식이 성립한다.

$\therefore x=1$ 또는 $x=5$

(4) $(x^x)^x=x^{2x}$에서 $x^{x^2}=x^{2x}$

$x^2=2x$에서 $x^2-2x=0$, $x(x-2)=0$

$\therefore x=0$ 또는 $x=2$

그런데 $x>0$이므로 $x=2$

또, $x=1$이면 주어진 방정식은

$(1^1)^1=1^2=1$로 등식이 성립한다.

$\therefore x=1$ 또는 $x=2$

(5) $x^{x^2}=x^{5x-6}$에서 $x^2=5x-6$

$x^2-5x+6=0$, $(x-2)(x-3)=0$

$\therefore x=2$ 또는 $x=3$

또, $x=1$이면 주어진 방정식은

$1^1=1^{-1}=1$로 등식이 성립한다.

$\therefore x=1$ 또는 $x=2$ 또는 $x=3$

(6) $(x-1)^{2x+3}=(x-1)^{x^2}$에서 $2x+3=x^2$

$x^2-2x-3=0$, $(x+1)(x-3)=0$

$\therefore x=-1$ 또는 $x=3$

그런데 $x>1$이므로 $x=3$

또, $x-1=1$, 즉 $x=2$이면 주어진 방정식은

$1^7=1^4=1$로 등식이 성립한다.

$\therefore x=2$ 또는 $x=3$

(7) $(x+4)^x=8^x$에서 $x+4=8$ $\therefore x=4$

또, $x=0$이면 주어진 방정식은 $4^0=8^0=1$로 등식이 성립한다.

$\therefore x=0$ 또는 $x=4$

(8) $(x+1)^x=7^x$에서 $x+1=7$ $\therefore x=6$

또, $x=0$이면 주어진 방정식은 $1^0=7^0=1$로 등식이 성립한다.

$\therefore x=0$ 또는 $x=6$

(9) $(x-2)^{x-3}=3^{x-3}$에서 $x-2=3$ $\therefore x=5$

또, $x-3=0$, 즉 $x=3$이면 주어진 방정식은

$1^0=3^0=1$로 등식이 성립한다.

$\therefore x=3$ 또는 $x=5$

(10) $(x-3)^{x-5}=27^{x-5}$에서 $x-3=27$ $\therefore x=30$

또, $x-5=0$, 즉 $x=5$이면 주어진 방정식은

$2^0=27^0=1$로 등식이 성립한다.

$\therefore x=5$ 또는 $x=30$

19 답 (1) $x=0$ 또는 $x=1$ (2) $x=1$ 또는 $x=2$

(3) $x=2$ (4) $x=3$ (5) $x=2$

(6) $x=2$ (7) $x=1$ (8) $x=-3$ 또는 $x=-1$

(9) $x=2$ 또는 $x=3$ (10) $x=0$

풀이 (1) $4^x-3\times2^x+2=0$에서 $(2^x)^2-3\times2^x+2=0$

$2^x=t$ $(t>0)$로 치환하면 $t^2-3t+2=0$

$(t-1)(t-2)=0$ $\therefore t=1$ 또는 $t=2$

따라서 $2^x=1$에서 $x=0$, $2^x=2$에서 $x=1$

(2) $4^x-6\times2^x+8=0$에서 $(2^x)^2-6\times2^x+8=0$

$2^x=t$ $(t>0)$로 치환하면 $t^2-6t+8=0$

$(t-2)(t-4)=0$ $\therefore t=2$ 또는 $t=4$

따라서 $2^x=2$에서 $x=1$, $2^x=4$에서 $x=2$

(3) $9^x-3^{x+1}=54$에서 $(3^x)^2-3\times3^x-54=0$

$3^x=t$ $(t>0)$로 치환하면 $t^2-3t-54=0$

$(t+6)(t-9)=0$ $\therefore t=-6$ 또는 $t=9$

그런데 $t>0$이므로 $t=9$

따라서 $3^x=9$에서 $x=2$

(4) $4^x-3\times2^{x+1}-16=0$에서 $(2^x)^2-6\times2^x-16=0$

$2^x=t$ $(t>0)$로 치환하면 $t^2-6t-16=0$

$(t+2)(t-8)=0$ $\therefore t=-2$ 또는 $t=8$

그런데 $t>0$이므로 $t=8$

따라서 $2^x=8$에서 $x=3$

(5) $4^x-2^{x+3}+16=0$에서 $(2^x)^2-8\times2^x+16=0$

$2^x=t$ $(t>0)$로 치환하면 $t^2-8t+16=0$

$(t-4)^2=0$ $\therefore t=4$

따라서 $2^x=4$에서 $x=2$

(6) $3^{2x}-2\times3^{x+1}-27=0$에서 $(3^x)^2-6\times3^x-27=0$

$3^x=t$ $(t>0)$로 치환하면 $t^2-6t-27=0$

$(t+3)(t-9)=0$ $\therefore t=-3$ 또는 $t=9$

그런데 $t>0$이므로 $t=9$

따라서 $3^x=9$에서 $x=2$

(7) $25^x-3\times5^x-10=0$에서 $(5^x)^2-3\times5^x-10=0$

$5^x=t$ $(t>0)$로 치환하면 $t^2-3t-10=0$

$(t+2)(t-5)=0$ $\therefore t=-2$ 또는 $t=5$

그런데 $t>0$이므로 $t=5$

따라서 $5^x=5$에서 $x=1$

(8) $4^{-x}-5\times2^{-x+1}+16=0$에서

$\left\{\left(\dfrac{1}{2}\right)^x\right\}^2-10\times\left(\dfrac{1}{2}\right)^x+16=0$

$\left(\dfrac{1}{2}\right)^x=t$ $(t>0)$로 치환하면 $t^2-10t+16=0$

$(t-2)(t-8)=0$ $\therefore t=2$ 또는 $t=8$

따라서 $\left(\dfrac{1}{2}\right)^x=2$에서 $x=-1$, $\left(\dfrac{1}{2}\right)^x=8$에서 $x=-3$

(9) $2^x+32\times2^{-x}=12$에서

$2^x=t$ $(t>0)$로 치환하면 $2^{-x}=\dfrac{1}{t}$

따라서 주어진 방정식은 $t+32\times\dfrac{1}{t}-12=0$

$t^2-12t+32=0$, $(t-4)(t-8)=0$

$\therefore t=4$ 또는 $t=8$

따라서 $2^x=4$에서 $x=2$, $2^x=8$에서 $x=3$

(10) $2^{3x+2}+5\times4^x-2^{x+2}-5=0$에서

$4\times(2^x)^3+5\times(2^x)^2-4\times2^x-5=0$

$2^x=t$ $(t>0)$로 치환하면

$4t^3+5t^2-4t-5=0$

$(t-1)(4t^2+9t+5)=0$

$(t-1)(t+1)(4t+5)=0$

$\therefore t=-\dfrac{5}{4}$ 또는 $t=-1$ 또는 $t=1$

그런데 $t>0$이므로 $t=1$

따라서 $2^x=1$에서 $x=0$

20 답 (1) 1　(2) 1　(3) 9　(4) 25

풀이 (1) $9^x-2\times3^x+3=0$에서 $(3^x)^2-2\times3^x+3=0$

$3^x=t\ (t>0)$로 치환하면 $t^2-2t+3=0$ ······ ㉠

방정식 $9^x-2\times3^x+3=0$의 두 근이 α, β이므로 ㉠의 두 근은 3^α, 3^β이다.

이차방정식의 근과 계수의 관계에 의하여

$3^\alpha\times3^\beta=3^{\alpha+\beta}=\underline{3}$　$\therefore \alpha+\beta=\underline{1}$

(2) $16^x-5\times4^x+4=0$에서 $(4^x)^2-5\times4^x+4=0$

$4^x=t\ (t>0)$로 치환하면 $t^2-5t+4=0$ ······ ㉠

방정식 $16^x-5\times4^x+4=0$의 두 근이 α, β이므로 ㉠의 두 근은 4^α, 4^β이다.

이차방정식의 근과 계수의 관계에 의하여

$4^\alpha\times4^\beta=4^{\alpha+\beta}=4$　$\therefore \alpha+\beta=1$

(3) $4^x-2^{x+2}+4=0$에서 $(2^x)^2-4\times2^x+4=0$

$2^x=t\ (t>0)$로 치환하면 $t^2-4t+4=0$ ······ ㉠

방정식 $4^x-2^{x+2}+4=0$의 두 근이 α, β이므로 ㉠의 두 근은 2^α, 2^β이다.

이차방정식의 근과 계수의 관계에 의하여

$2^\alpha\times2^\beta=2^{\alpha+\beta}=4=2^2$　$\therefore \alpha+\beta=2$

$\therefore 3^{\alpha+\beta}=3^2=9$

(4) $4^x-7\times2^x+12=0$에서 $(2^x)^2-7\times2^x+12=0$

$2^x=t\ (t>0)$로 치환하면 $t^2-7t+12=0$ ······ ㉠

방정식 $4^x-7\times2^x+12=0$의 두 근이 α, β이므로 ㉠의 두 근은 2^α, 2^β이다.

이차방정식의 근과 계수의 관계에 의하여

$2^\alpha+2^\beta=7$, $2^\alpha\times2^\beta=12$

$\therefore 2^{2\alpha}+2^{2\beta}=(2^\alpha)^2+(2^\beta)^2=(2^\alpha+2^\beta)^2-2\times2^\alpha\times2^\beta$

$=7^2-2\times12=49-24=25$

21 답 11시간

풀이 100마리의 박테리아가 6시간 후 6400마리가 되므로

$100a^6=6400$, $a^6=64$　$\therefore a=2$

따라서 1마리의 박테리아가 x시간 후 2^x마리가 되므로

100마리였던 박테리아가 204800마리가 되려면

$100\times2^x=204800$, $2^x=2048$　$\therefore x=\underline{11}$

즉, $\underline{11}$시간 후에 204800마리가 된다.

22 답 $\dfrac{25}{2}$ m

풀이 물속 어느 지점의 깊이를 d m라고 하면

표면의 밝기는 1, 물속 d m 지점의 밝기는 $\dfrac{1}{32}$이므로

$\dfrac{1}{32}=1\times4^{-0.2d}$

즉, $\dfrac{1}{2^5}=(2^2)^{-0.2d}$, $2^{-5}=2^{-0.4d}$에서

$-5=-0.4d$　$\therefore d=\dfrac{25}{2}$ (m)

따라서 이 지점의 깊이는 $\dfrac{25}{2}$ m이다.

23 답 (1) $x>\dfrac{1}{2}$　(2) $x>-4$　(3) $x\le4$

(4) $x>\dfrac{5}{4}$　(5) $-3<x<4$　(6) $-5<x<4$

풀이 (1) $8^x>2^{x+1}$에서 $2^{3x}>2^{x+1}$

밑이 2이고 $2>1$이므로 $3x>x+1$

$\therefore x>\dfrac{1}{2}$

(2) $9^x>\left(\dfrac{1}{3}\right)^{4-x}$에서 $3^{2x}>3^{x-4}$

밑이 3이고 $3>1$이므로 $2x>x-4$

$\therefore x>-4$

(3) $\left(\dfrac{1}{2}\right)^x\le\left(\dfrac{1}{16}\right)^{x-3}$에서 $\left(\dfrac{1}{2}\right)^x\le\left(\dfrac{1}{2}\right)^{4x-12}$

밑이 $\dfrac{1}{2}$이고 $0<\dfrac{1}{2}<1$이므로 $x\ge4x-12$

$-3x\ge-12$　$\therefore x\le4$

(4) $0.2^{x+1}<0.008^{-x+2}$에서 $0.2^{x+1}<0.2^{-3x+6}$

밑이 0.2이고 $0<0.2<1$이므로 $x+1>-3x+6$

$4x>5$　$\therefore x>\dfrac{5}{4}$

(5) $\dfrac{1}{27}<3^x<81$에서 $3^{-3}<3^x<3^4$

밑이 3이고 $3>1$이므로 $-3<x<4$

(6) $\dfrac{1}{16}<\left(\dfrac{1}{2}\right)^x<32$에서 $\left(\dfrac{1}{2}\right)^4<\left(\dfrac{1}{2}\right)^x<\left(\dfrac{1}{2}\right)^{-5}$

밑이 $\dfrac{1}{2}$이고 $0<\dfrac{1}{2}<1$이므로

$-5<x<4$

다른풀이 $\dfrac{1}{16}<\left(\dfrac{1}{2}\right)^x<32$에서 밑을 2로 통일하면

$2^{-4}<2^{-x}<2^5$

밑이 2이고 $2>1$이므로 $-4<-x<5$

각 변에 -1을 곱하면

$-5<x<4$

24 답 (1) $0<x\le1$ 또는 $x\ge3$　(2) $1<x<3$

(3) $1\le x\le2$　(4) $1<x<4$

(5) $0<x\le1$ 또는 $x\ge3$　(6) $0<x<1$ 또는 $x>3$

(7) $1\le x\le5$　(8) $x>1$

(9) $0\le x\le1$　(10) $1<x\le4$

풀이 (1) (i) $x>1$일 때, 부등호의 방향이 그대로이므로

$x-3\ge6-2x$, $3x\ge9$　$\therefore x\ge3$

그런데 $x>1$이므로 $x\ge3$

(ii) $0<x<1$일 때, 부등호의 방향이 바뀌므로

$x-3\le6-2x$, $3x\le9$　$\therefore x\le3$

그런데 $0<x<1$이므로 $0<x<1$

(iii) $x=1$일 때, (좌변)$=1^{-2}=1$, (우변)$=1^4=1$이므로

주어진 부등식은 성립한다.

(i), (ii), (iii)에서 $\underline{0<x\le1}$ 또는 $\underline{x\ge3}$

(2) (i) $x>1$일 때, 부등호의 방향이 그대로이므로

$3x-1<x+5$, $2x<6$　$\therefore x<3$

그런데 $x>1$이므로 $1<x<3$

(ii) $0<x<1$일 때, 부등호의 방향이 바뀌므로

$3x-1>x+5$, $2x>6$ $\quad \therefore x>3$

그런데 $0<x<1$이므로 해가 없다.

(iii) $x=1$일 때, (좌변)$=1^2=1$, (우변)$=1^6=1$이므로

주어진 부등식이 성립하지 않는다.

(i), (ii), (iii)에서 $1<x<3$

(3) (i) $x>1$일 때, 부등호의 방향이 그대로이므로

$2x \leq x+2$ $\quad \therefore x \leq 2$

그런데 $x>1$이므로 $1<x \leq 2$

(ii) $0<x<1$일 때, 부등호의 방향이 바뀌므로

$2x \geq x+2$ $\quad \therefore x \geq 2$

그런데 $0<x<1$이므로 해가 없다.

(iii) $x=1$일 때, (좌변)$=1^2=1$, (우변)$=1^3=1$이므로

주어진 부등식은 성립한다.

(i), (ii), (iii)에서 $1 \leq x \leq 2$

(4) (i) $x>1$일 때, 부등호의 방향이 그대로이므로

$2x-1<x+3$ $\quad \therefore x<4$

그런데 $x>1$이므로 $1<x<4$

(ii) $0<x<1$일 때, 부등호의 방향이 바뀌므로

$2x-1>x+3$ $\quad \therefore x>4$

그런데 $0<x<1$이므로 해가 없다.

(iii) $x=1$일 때, (좌변)$=1^1=1$, (우변)$=1^4=1$이므로

주어진 부등식이 성립하지 않는다.

(i), (ii), (iii)에서 $1<x<4$

(5) (i) $x>1$일 때, 부등호의 방향이 그대로이므로

$x-1 \geq -x+5$, $2x \geq 6$ $\quad \therefore x \geq 3$

그런데 $x>1$이므로 $x \geq 3$

(ii) $0<x<1$일 때, 부등호의 방향이 바뀌므로

$x-1 \leq -x+5$, $2x \leq 6$ $\quad \therefore x \leq 3$

그런데 $0<x<1$이므로 $0<x<1$

(iii) $x=1$일 때, (좌변)$=1^0=1$, (우변)$=1^4=1$이므로

주어진 부등식은 성립한다.

(i), (ii), (iii)에서 $0<x \leq 1$ 또는 $x \geq 3$

(6) (i) $x>1$일 때, 부등호의 방향이 그대로이므로

$x^2>2x+3$, $x^2-2x-3>0$, $(x+1)(x-3)>0$

$\therefore x<-1$ 또는 $x>3$

그런데 $x>1$이므로 $x>3$

(ii) $0<x<1$일 때, 부등호의 방향이 바뀌므로

$x^2<2x+3$, $x^2-2x-3<0$, $(x+1)(x-3)<0$

$\therefore -1<x<3$

그런데 $0<x<1$이므로 $0<x<1$

(iii) $x=1$일 때, (좌변)$=1^1=1$, (우변)$=1^5=1$이므로

주어진 부등식이 성립하지 않는다.

(i), (ii), (iii)에서 $0<x<1$ 또는 $x>3$

(7) (i) $x>1$일 때, 부등호의 방향이 그대로이므로

$x^2-2 \leq 3x+8$, $x^2-3x-10 \leq 0$

$(x+2)(x-5) \leq 0$

$\therefore -2 \leq x \leq 5$

그런데 $x>1$이므로 $1<x \leq 5$

(ii) $0<x<1$일 때, 부등호의 방향이 바뀌므로

$x^2-2 \geq 3x+8$, $x^2-3x-10 \geq 0$

$(x+2)(x-5) \geq 0$

$\therefore x \leq -2$ 또는 $x \geq 5$

그런데 $0<x<1$이므로 해가 없다.

(iii) $x=1$일 때, (좌변)$=1^{-1}=1$, (우변)$=1^{11}=1$이므로

주어진 부등식은 성립한다.

(i), (ii), (iii)에서 $1 \leq x \leq 5$

(8) (i) $x>1$일 때, 부등호의 방향이 그대로이므로

$x(x+4)>-2(x+4)$, $x^2+4x>-2x-8$

$x^2+6x+8>0$, $(x+4)(x+2)>0$

$\therefore x<-4$ 또는 $x>-2$

그런데 $x>1$이므로 $x>1$

(ii) $0<x<1$일 때, 부등호의 방향이 바뀌므로

$x(x+4)<-2(x+4)$, $x^2+4x<-2x-8$

$x^2+6x+8<0$, $(x+4)(x+2)<0$

$\therefore -4<x<-2$

그런데 $0<x<1$이므로 해가 없다.

(iii) $x=1$일 때, (좌변)$=1^5=1$, (우변)$=1^{-10}=1$이므로

주어진 부등식은 성립하지 않는다.

(i), (ii), (iii)에서 $x>1$

(9) (i) $x+1>1$, 즉 $x>0$일 때, 부등호의 방향이 그대로

이므로 $2x+3 \leq 6-x^2$, $x^2+2x-3 \leq 0$

$(x+3)(x-1) \leq 0$ $\quad \therefore -3 \leq x \leq 1$

그런데 $x>0$이므로 $0<x \leq 1$

(ii) $0<x+1<1$, 즉 $-1<x<0$일 때, 부등호의 방향이

바뀌므로 $2x+3 \geq 6-x^2$, $x^2+2x-3 \geq 0$

$(x+3)(x-1) \geq 0$ $\quad \therefore x \leq -3$ 또는 $x \geq 1$

그런데 $-1<x<0$이므로 해가 없다.

(iii) $x+1=1$, 즉 $x=0$일 때, (좌변)$=1^3=1$,

(우변)$=1^6=1$이므로 주어진 부등식은 성립한다.

(i), (ii), (iii)에서 $0 \leq x \leq 1$

(10) (i) $x-1>1$, 즉 $x>2$일 때, 부등호의 방향이 그대로

이므로 $x^2+8 \leq 6x$, $x^2-6x+8 \leq 0$

$(x-2)(x-4) \leq 0$ $\quad \therefore 2 \leq x \leq 4$

그런데 $x>2$이므로 $2<x \leq 4$

(ii) $0<x-1<1$, 즉 $1<x<2$일 때, 부등호의 방향이 바

뀌므로 $x^2+8 \geq 6x$, $x^2-6x+8 \geq 0$

$(x-2)(x-4) \geq 0$ $\quad \therefore x \leq 2$ 또는 $x \geq 4$

그런데 $1<x<2$이므로 $1<x<2$

(iii) $x-1=1$, 즉 $x=2$일 때, (좌변)$=1^{12}=1$,

(우변)$=1^{12}=1$이므로 주어진 부등식은 성립한다.

(i), (ii), (iii)에서 $1<x \leq 4$

25 답 **(1)** $1 \leq x \leq 2$ **(2)** $x \geq 1$ **(3)** $x \leq 2$ **(4)** $x>1$

(5) $x \geq -1$ **(6)** $x \leq -3$ **(7)** $x \leq -2$ 또는 $x \geq -1$

(8) $x>1$ **(9)** $x<2$ **(10)** $x \leq 1$

풀이 **(1)** $4^x-6 \times 2^x+8 \leq 0$에서 $(2^x)^2-6 \times 2^x+8 \leq 0$

$2^x=t$ $(t>0)$로 치환하면

$t^2-6t+8\leq0$, $(t-2)(t-4)\leq0$

$\therefore 2\leq t\leq4$

따라서 $2\leq2^x\leq4$이므로 $2^1\leq2^x\leq2^2$

이때 밑이 2이고 $2>1$이므로 $\underline{1\leq x\leq2}$

(2) $25^x-3\times5^x-10\geq0$에서 $(5^x)^2-3\times5^x-10\geq0$

$5^x=t\ (t>0)$로 치환하면

$t^2-3t-10\geq0$, $(t+2)(t-5)\geq0$

$\therefore t\leq-2$ 또는 $t\geq5$

그런데 $t>0$이므로 $t\geq5$

따라서 $5^x\geq5^1$

이때 밑이 5이고 $5>1$이므로 $x\geq1$

(3) $16^x-15\times4^x-16\leq0$에서 $(4^x)^2-15\times4^x-16\leq0$

$4^x=t\ (t>0)$로 치환하면

$t^2-15t-16\leq0$, $(t+1)(t-16)\leq0$

$\therefore -1\leq t\leq16$

그런데 $t>0$이므로 $0<t\leq16$

$0<4^x\leq16$에서 $0<4^x\leq4^2$

이때 밑이 4이고 $4>1$이므로 $x\leq2$

(4) $9^x+3^{x+1}-18>0$에서 $(3^x)^2+3\times3^x-18>0$

$3^x=t\ (t>0)$로 치환하면

$t^2+3t-18>0$, $(t+6)(t-3)>0$

$\therefore t<-6$ 또는 $t>3$

그런데 $t>0$이므로 $t>3$

따라서 $3^x>3^1$

이때 밑이 3이고 $3>1$이므로 $x>1$

(5) $\left(\frac{1}{9}\right)^x-2\left(\frac{1}{3}\right)^x-3\leq0$에서 $\left\{\left(\frac{1}{3}\right)^x\right\}^2-2\left(\frac{1}{3}\right)^x-3\leq0$

$\left(\frac{1}{3}\right)^x=t\ (t>0)$로 치환하면

$t^2-2t-3\leq0$, $(t+1)(t-3)\leq0$

$\therefore -1\leq t\leq3$

그런데 $t>0$이므로 $0<t\leq3$

$0<\left(\frac{1}{3}\right)^x\leq3$에서 $0<\left(\frac{1}{3}\right)^x\leq\left(\frac{1}{3}\right)^{-1}$

이때 밑이 $\frac{1}{3}$이고 $0<\frac{1}{3}<1$이므로 $x\geq-1$

(6) $\left(\frac{1}{4}\right)^x-\left(\frac{1}{2}\right)^{x-2}-32\geq0$에서 $\left\{\left(\frac{1}{2}\right)^x\right\}^2-4\left(\frac{1}{2}\right)^x-32\geq0$

$\left(\frac{1}{2}\right)^x=t\ (t>0)$로 치환하면

$t^2-4t-32\geq0$, $(t+4)(t-8)\geq0$

$\therefore t\leq-4$ 또는 $t\geq8$

그런데 $t>0$이므로 $t\geq8$

$\left(\frac{1}{2}\right)^x\geq8$에서 $\left(\frac{1}{2}\right)^x\geq\left(\frac{1}{2}\right)^{-3}$

이때 밑이 $\frac{1}{2}$이고 $0<\frac{1}{2}<1$이므로 $x\leq-3$

(7) $\left(\frac{1}{3}\right)^{2x}-12\left(\frac{1}{3}\right)^x+27\geq0$에서

$\left(\frac{1}{3}\right)^x=t\ (t>0)$로 치환하면

$t^2-12t+27\geq0$, $(t-3)(t-9)\geq0$

$\therefore t\leq3$ 또는 $t\geq9$

그런데 $t>0$이므로 $0<t\leq3$ 또는 $t\geq9$

$0<\left(\frac{1}{3}\right)^x\leq3$에서 $0<\left(\frac{1}{3}\right)^x\leq\left(\frac{1}{3}\right)^{-1}$

이때 밑이 $\frac{1}{3}$이고 $0<\frac{1}{3}<1$이므로 $x\geq-1$

$\left(\frac{1}{3}\right)^x\geq9$에서 $\left(\frac{1}{3}\right)^x\geq\left(\frac{1}{3}\right)^{-2}$

이때 밑이 $\frac{1}{3}$이고 $0<\frac{1}{3}<1$이므로 $x\leq-2$

$\therefore x\leq-2$ 또는 $x\geq-1$

(8) $0.25^x+0.5^{x+1}-0.5<0$에서 $\left\{\left(\frac{1}{2}\right)^x\right\}^2+\frac{1}{2}\left(\frac{1}{2}\right)^x-\frac{1}{2}<0$

$\left(\frac{1}{2}\right)^x=t\ (t>0)$로 치환하면

$t^2+\frac{1}{2}t-\frac{1}{2}<0$, $2t^2+t-1<0$, $(t+1)(2t-1)<0$

$\therefore -1<t<\frac{1}{2}$

그런데 $t>0$이므로 $0<t<\frac{1}{2}$

따라서 $0<\left(\frac{1}{2}\right)^x<\left(\frac{1}{2}\right)^1$

이때 밑이 $\frac{1}{2}$이고 $0<\frac{1}{2}<1$이므로 $x>1$

(9) $3^{2x}-1<9\times3^x-3^{x-2}$에서

$(3^x)^2-1<9\times3^x-\frac{1}{9}\times3^x,$

$(3^x)^2-\frac{80}{9}\times3^x-1<0$

$3^x=t\ (t>0)$로 치환하면 $t^2-\frac{80}{9}t-1<0$

$9t^2-80t-9<0$, $(9t+1)(t-9)<0$

$\therefore -\frac{1}{9}<t<9$

그런데 $t>0$이므로 $0<t<9$

$0<3^x<9$에서 $0<3^x<3^2$

이때 밑이 3이고 $3>1$이므로 $x<2$

(10) $2^{2x}+2^{x-3}-2^{x+1}-2^{-2}\leq0$에서

$(2^x)^2+\frac{1}{8}\times2^x-2\times2^x-\frac{1}{4}\leq0$, $(2^x)^2-\frac{15}{8}\times2^x-\frac{1}{4}\leq0$

$2^x=t\ (t>0)$로 치환하면 $t^2-\frac{15}{8}t-\frac{1}{4}\leq0$

$8t^2-15t-2\leq0$, $(8t+1)(t-2)\leq0$

$\therefore -\frac{1}{8}\leq t\leq2$

그런데 $t>0$이므로 $0<t\leq2$

따라서 $0<2^x\leq2^1$

이때 밑이 2이고 $2>1$이므로 $x\leq1$

26 답 (1) $y=\log_2(x-5)+3$ (2) $y=\log_4(x+3)-1$

      (3) $y=\left(\frac{1}{3}\right)^{x-1}$ (4) $y=3^{x-2}-3$

풀이 (1) $y=2^{x-3}+5$에서 x와 y를 서로 바꾸면

     $x=2^{y-3}+5$, $2^{y-3}=x-5$

     $y-3=\log_2(x-5)$ $\therefore y=\underline{\log_2(x-5)+3}$

(2) $y=4^{x+1}-3$에서 x와 y를 서로 바꾸면

$x=4^{y+1}-3,\ 4^{y+1}=x+3$

$y+1=\log_4(x+3)$　　$\therefore y=\log_4(x+3)-1$

(3) $y=\log_{\frac{1}{3}}x+1$에서 x와 y를 서로 바꾸면

$x=\log_{\frac{1}{3}}y+1,\ \log_{\frac{1}{3}}y=x-1$

$\therefore y=\left(\dfrac{1}{3}\right)^{x-1}$

(4) $y=\log_3(x+3)+2$에서 x와 y를 서로 바꾸면

$x=\log_3(y+3)+2,\ \log_3(y+3)=x-2$

$y+3=3^{x-2}$　　$\therefore y=3^{x-2}-3$

27 답 풀이 참조

풀이 **(1)** $y=\log_2(x-3)$의 그래프는 $y=\log_2 x$의 그래프를 x축의 방향으로 3만큼 평행이동한 것이다.
따라서 $y=\log_2(x-3)$의 그래프는 그림과 같다.

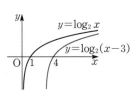

(2) $y=\log_{\frac{1}{3}}(x+2)$의 그래프는 $y=\log_{\frac{1}{3}}x$의 그래프를 x축의 방향으로 -2만큼 평행이동한 것이다.
따라서 $y=\log_{\frac{1}{3}}(x+2)$의 그래프는 그림과 같다.

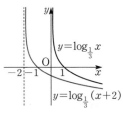

(3) $y=\log_3(x+2)-3$의 그래프는 $y=\log_3 x$의 그래프를 x축의 방향으로 -2만큼, y축의 방향으로 -3만큼 평행이동한 것이다.
따라서 $y=\log_3(x+2)-3$의 그래프는 그림과 같다.

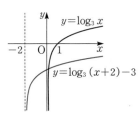

(4) $y=\log_4 4x=\log_4 4+\log_4 x$
$\quad=\log_4 x+1$
즉, $y=\log_4 4x$의 그래프는 $y=\log_4 x$의 그래프를 y축의 방향으로 1만큼 평행이동한 것이다.
따라서 $y=\log_4 4x$의 그래프는 그림과 같다.

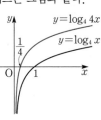

(5) $y=\log_{\frac{1}{3}}27x=\log_{\frac{1}{3}}27+\log_{\frac{1}{3}}x$
$\quad=\log_{\frac{1}{3}}x-3$
즉, $y=\log_{\frac{1}{3}}27x$의 그래프는 $y=\log_{\frac{1}{3}}x$의 그래프를 y축의 방향으로 -3만큼 평행이동한 것이다.
따라서 $y=\log_{\frac{1}{3}}27x$의 그래프는 그림과 같다.

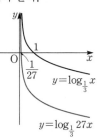

28 답 풀이 참조

풀이 **(1)** $y=\log_4(-x)$의 그래프는
$y=\log_4 x$의 그래프를 y축에 대하여 대칭이동한 것이다.
따라서 $y=\log_4(-x)$의 그래프는 그림과 같다.

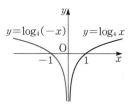

(2) $y=-\log_4 x$에서
$-y=\log_4 x$
즉, $y=-\log_4 x$의 그래프는 $y=\log_4 x$의 그래프를 x축에 대하여 대칭이동한 것이다.
따라서 $y=-\log_4 x$의 그래프는 그림과 같다.

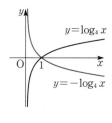

(3) $y=-\log_4(-x)$에서
$-y=\log_4(-x)$
즉, $y=-\log_4(-x)$의 그래프는 $y=\log_4 x$의 그래프를 원점에 대하여 대칭이동한 것이다.
따라서 $y=-\log_4(-x)$의 그래프는 그림과 같다.

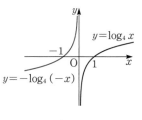

(4) $y=\log_{\frac{1}{3}}(-x)$의 그래프는 $y=\log_{\frac{1}{3}}x$의 그래프를 y축에 대하여 대칭이동한 것이다.
따라서 $y=\log_{\frac{1}{3}}(-x)$의 그래프는 그림과 같다.

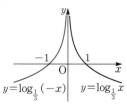

(5) $y=\log_{\frac{1}{3}}\dfrac{1}{x}=\log_{\frac{1}{3}}x^{-1}$
$\quad=-\log_{\frac{1}{3}}x$에서
$-y=\log_{\frac{1}{3}}x$
즉, $y=\log_{\frac{1}{3}}\dfrac{1}{x}$의 그래프는 $y=\log_{\frac{1}{3}}x$의 그래프를 x축에 대하여 대칭이동한 것이다.
따라서 $y=\log_{\frac{1}{3}}\dfrac{1}{x}$의 그래프는 그림과 같다.

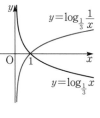

29 답 **(1)** 그래프는 풀이 참조,
　　　정의역: $\{x\,|\,x>-1\}$, 점근선의 방정식: $x=-1$
　　(2) 그래프는 풀이 참조,
　　　정의역: $\{x\,|\,x>2\}$, 점근선의 방정식: $x=2$
　　(3) 그래프는 풀이 참조,
　　　정의역: $\{x\,|\,x>-2\}$, 점근선의 방정식: $x=-2$
　　(4) 그래프는 풀이 참조,
　　　정의역: $\{x\,|\,x>-3\}$, 점근선의 방정식: $x=-3$
　　(5) 그래프는 풀이 참조,
　　　정의역: $\{x\,|\,x>4\}$, 점근선의 방정식: $x=4$

풀이 (1) $y=\log_2(x+1)-3$의
그래프는 $y=\log_2 x$의 그래프
를 x축의 방향으로 -1만큼,
y축의 방향으로 -3만큼 평
행이동한 것이므로 그림과 같
다.

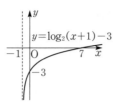

따라서 정의역은 $\{x|x>\underline{-1}\}$
이고, 점근선의 방정식은 $x=\underline{-1}$이다.

(2) $y=\log_{\frac{1}{3}}(x-2)+1$의 그
래프는 $y=\log_{\frac{1}{3}} x$의 그래
프를 x축의 방향으로 2만
큼, y축의 방향으로 1만큼
평행이동한 것이므로 그림
과 같다.

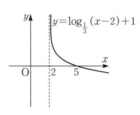

따라서 정의역은 $\{x|x>2\}$이고, 점근선의 방정식은
$x=2$이다.

(3) $y=\log_2(x+2)-1$의 그
래프는 $y=\log_2 x$의 그
래프를 x축의 방향으로
-2만큼, y축의 방향으로
-1만큼 평행이동한 것
이므로 그림과 같다.

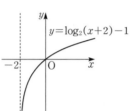

따라서 정의역은 $\{x|x>-2\}$이고, 점근선의 방정식은
$x=-2$이다.

(4) $y=\log_3(3x+9)=\log_3 3(x+3)$
$\qquad =\log_3 3+\log_3(x+3)$
$\qquad =\log_3(x+3)+1$

즉, $y=\log_3(3x+9)$의
그래프는 $y=\log_3 x$의
그래프를 x축의 방향으
로 -3만큼, y축의 방향
으로 1만큼 평행이동한
것이므로 그림과 같다.

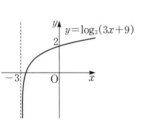

따라서 정의역은 $\{x|x>-3\}$이고, 점근선의 방정식은
$x=-3$이다.

(5) $y=\log_{\frac{1}{2}}(2x-8)=\log_{\frac{1}{2}} 2(x-4)$
$\qquad =\log_{\frac{1}{2}} 2+\log_{\frac{1}{2}}(x-4)$
$\qquad =\log_{\frac{1}{2}}(x-4)-1$

즉, $y=\log_{\frac{1}{2}}(2x-8)$의
그래프는 $y=\log_{\frac{1}{2}} x$의 그
래프를 x축의 방향으로 4
만큼, y축의 방향으로 -1
만큼 평행이동한 것이므로
그림과 같다.

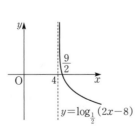

따라서 정의역은 $\{x|x>4\}$이고, 점근선의 방정식은
$x=4$이다.

---

30 답 $y=-\log_2(x+1)+2$

풀이 $y=\log_2 x$의 그래프를 x축에 대하여 대칭이동한 그
래프의 식은
$$-y=\log_2 x \quad \therefore y=-\log_2 x$$
$y=-\log_2 x$의 그래프를 x축의 방향으로 -1만큼, y축의
방향으로 2만큼 평행이동한 그래프의 식은
$$y-\underline{2}=-\log_2(x+\underline{1})$$
$$\therefore y=-\log_2(x+\underline{1})+\underline{2}$$

31 답 $y=\log_{\frac{1}{3}}(-x+3)-1$

풀이 $y=\log_{\frac{1}{3}} x$의 그래프를 y축에 대하여 대칭이동한 그
래프의 식은 $y=\log_{\frac{1}{3}}(-x)$
$y=\log_{\frac{1}{3}}(-x)$의 그래프를 x축의 방향으로 3만큼, y축의
방향으로 -1만큼 평행이동한 그래프의 식은
$$y+1=\log_{\frac{1}{3}}\{-(x-3)\} \quad \therefore y=\log_{\frac{1}{3}}(-x+3)-1$$

32 답 $m=-2$, $n=3$

풀이 $y=\log_2 x$의 그래프를 x축의 방향으로 m만큼, y축
의 방향으로 n만큼 평행이동한 그래프의 식은
$$y-n=\log_2(x-m) \quad \therefore y=\log_2(x-m)+n \quad\cdots\cdots ㉠$$
한편, $y=\log_2(8x+16)=\log_2 8(x+2)$
$$\qquad\qquad\qquad\quad =\log_2 8+\log_2(x+2)$$
$$\qquad\qquad\qquad\quad =\log_2(x+2)+3 \qquad\cdots\cdots ㉡$$
㉠, ㉡이 같은 식이므로 $m=-2$, $n=3$

33 답 30

풀이 그림에서 점 $A(1, 1)$이므
로 점 B의 좌표는 $(m, 1)$
점 B는 $y=\log_3 x$의 그래프 위의
점이므로

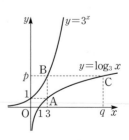

$$1=\log_3 m \quad \therefore m=\underline{3}$$
따라서 점 $C(3, 3)$이므로 점 D
의 좌표는 $(n, 3)$
점 D는 $y=\log_3 x$의 그래프 위의 점이므로
$$3=\log_3 n \quad \therefore n=\underline{27}$$
$$\therefore m+n=\underline{30}$$

34 답 16

풀이 주어진 그래프에서 $A(0, \log_2 a)$, $B(0, \log_2 b)$이므
로 $\overline{AB}=4$에서 $\log_2 b-\log_2 a=4$
$$\log_2 \frac{b}{a}=4 \quad \therefore \frac{b}{a}=2^4=16$$

35 답 24

풀이 그림에서 $y=\log_3 x$의 그
래프 위의 점 A의 y좌표가 1이
므로
$$\log_3 x=1 \quad \therefore x=3$$
즉, 점 $A(3, 1)$이므로 점 B의
좌표는 $(3, p)$

점 B는 $y=3^x$의 그래프 위의 점이므로 $p=3^3=27$

따라서 점 C$(q, 27)$이고 점 C는 $y=\log_3 x$의 그래프 위의

점이므로

$27=\log_3 q$ $\therefore q=3^{27}$

따라서 $\dfrac{q}{p}=\dfrac{3^{27}}{3^3}=3^{24}$이므로 $a=24$

36 답 6

풀이 사각형 ABCD가 한 변의
길이가 2인 정사각형이므로 점
B의 x좌표를 p라고 하면 점 A
의 좌표는 $(p, 2)$이고, 점 A가
$y=\log_2 x$의 그래프 위의 점이
므로 $2=\log_2 p$

$\therefore p=2^2=4$

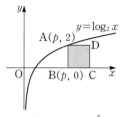

따라서 $\overline{BC}=2$이므로 점 C의 x좌표는 $4+2=6$

37 답 (1) $\log_2 3<\log_2 5<3$

(2) $\log_{\frac{1}{3}} 2<\log_{\frac{1}{3}} \dfrac{1}{4}<2$

(3) $2<\log_3 10<4\log_3 2$

(4) $\log_{\frac{1}{2}} \sqrt{10}<\log_{\frac{1}{2}} 3<1$

(5) $\log_4 16<2\log_2 3<4$

(6) $\log_3 \sqrt{5}<\log_3 4<2$

(7) $\log_2 \dfrac{1}{3}<\log_2 3<\log_4 10$

(8) $1<\log_{\frac{1}{3}} \dfrac{1}{4}<\log_3 5$

풀이 (1) $3=\log_2 2^3=\log_2 8$

이때 $3<5<8$이고, 로그
함수 $y=\log_2 x$는 x의 값
이 커질 때 y의 값도 커지
므로

$\log_2 3<\log_2 5<\log_2 8$

$\therefore \log_2 3<\log_2 5<3$

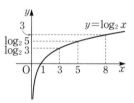

(2) $2=\log_{\frac{1}{3}} \left(\dfrac{1}{3}\right)^2=\log_{\frac{1}{3}} \dfrac{1}{9}$

이때 $\dfrac{1}{9}<\dfrac{1}{4}<2$이고,

로그함수 $y=\log_{\frac{1}{3}} x$는 x의 값
이 커질 때 y의 값은 작아지므
로

$\log_{\frac{1}{3}} 2<\log_{\frac{1}{3}} \dfrac{1}{4}<\log_{\frac{1}{3}} \dfrac{1}{9}$

$\therefore \log_{\frac{1}{3}} 2<\log_{\frac{1}{3}} \dfrac{1}{4}<2$

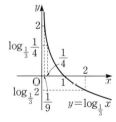

(3) $2=\log_3 3^2=\log_3 9$

$4\log_3 2=\log_3 2^4=\log_3 16$

이때 $9<10<16$이고, 로그함수 $y=\log_3 x$는 x의 값이

커질 때 y의 값도 커지므로

$\log_3 9<\log_3 10<\log_3 16$

$\therefore 2<\log_3 10<4\log_3 2$

(4) $1=\log_{\frac{1}{2}} \dfrac{1}{2}$, $\sqrt{10}=3.1\cdots$

이때 $\dfrac{1}{2}<3<\sqrt{10}$이고, 로그함수 $y=\log_{\frac{1}{2}} x$는 x의 값이

커질 때 y의 값은 작아지므로

$\log_{\frac{1}{2}} \sqrt{10}<\log_{\frac{1}{2}} 3<\log_{\frac{1}{2}} \dfrac{1}{2}$

$\therefore \log_{\frac{1}{2}} \sqrt{10}<\log_{\frac{1}{2}} 3<1$

(5) $4=\log_2 2^4=\log_2 16$

$2\log_2 3=\log_2 3^2=\log_2 9$

$\log_4 16=2=\log_2 2^2=\log_2 4$

이때 $4<9<16$이고, 로그함수 $y=\log_2 x$는 x의 값이 커

질 때 y의 값도 커지므로

$\log_2 4<\log_2 9<\log_2 16$

$\therefore \log_4 16<2\log_2 3<4$

(6) $2=\log_3 3^2=\log_3 9$, $\sqrt{5}=2.2\cdots$

이때 $\sqrt{5}<4<9$이고, 로그함수 $y=\log_3 x$는 x의 값이

커질 때 y의 값도 커지므로

$\log_3 \sqrt{5}<\log_3 4<\log_3 9$

$\therefore \log_3 \sqrt{5}<\log_3 4<2$

(7) $\log_4 10=\dfrac{\log_2 10}{\log_2 4}=\dfrac{1}{2}\log_2 10=\log_2 \sqrt{10}$

$\sqrt{10}=3.1\cdots$

이때 $\dfrac{1}{3}<3<\sqrt{10}$이고, 로그함수 $y=\log_2 x$는 x의 값이

커질 때 y의 값도 커지므로

$\log_2 \dfrac{1}{3}<\log_2 3<\log_2 \sqrt{10}$

$\therefore \log_2 \dfrac{1}{3}<\log_2 3<\log_4 10$

(8) $\log_{\frac{1}{3}} \dfrac{1}{4}=\log_{3^{-1}} 4^{-1}=\log_3 4$

$1=\log_3 3$

이때 $3<4<5$이고, 로그함수 $y=\log_3 x$는 x의 값이 커

질 때 y의 값도 커지므로

$\log_3 3<\log_3 4<\log_3 5$

$\therefore 1<\log_{\frac{1}{3}} \dfrac{1}{4}<\log_3 5$

38 답 (1) 최댓값: 4, 최솟값: 2

(2) 최댓값: -3, 최솟값: -4

(3) 최댓값: 5, 최솟값: 3

풀이 (1) $y=\log_2 (x+3)+1$에서 밑이 2이고 $2>1$이므로

$-1\le x\le 5$에서 함수 $y=\log_2 (x+3)+1$은

$x=5$일 때 최대이고, 최댓값은

$\log_2 (5+3)+1=\log_2 2^3+1=4$

$x=-1$일 때 최소이고, 최솟값은

$\log_2 (-1+3)+1=\log_2 2+1=2$

(2) $y=\log_3 (x+3)-5$에서 밑이 3이고 $3>1$이므로

$0\le x\le 6$에서 함수 $y=\log_3 (x+3)-5$는

$x=6$일 때 최대이고, 최댓값은

$\log_3 (6+3)-5=\log_3 3^2-5=-3$

$x=0$일 때 최소이고, 최솟값은

$\log_3 3 - 5 = -4$

(3) $y = \log_2(x+1) + 3$에서 밑이 2이고 $2 > 1$이므로

$0 \le x \le 3$에서 함수 $y = \log_2(x+1) + 3$은

$x = 3$일 때 최대이고, 최댓값은

$\log_2(3+1) + 3 = \log_2 2^2 + 3 = 5$

$x = 0$일 때 최소이고, 최솟값은

$\log_2 1 + 3 = 3$

---

39 답 (1) 최댓값: -2, 최솟값: -5

　　　(2) 최댓값: -3, 최솟값: -4

풀이 (1) $y = \log_{\frac{1}{2}}(x+5) - 1$에서 밑이 $\frac{1}{2}$이고 $0 < \frac{1}{2} < 1$

이므로

$-3 \le x \le 11$에서 함수 $y = \log_{\frac{1}{2}}(x+5) - 1$은

$x = -3$일 때 최대이고, 최댓값은

$\log_{\frac{1}{2}}(-3+5) - 1 = \log_{\frac{1}{2}} 2 - 1 = \underline{-2}$

$x = 11$일 때 최소이고, 최솟값은

$\log_{\frac{1}{2}}(11+5) - 1 = \log_{\frac{1}{2}} 2^4 - 1 = \underline{-5}$

(2) $y = \log_{\frac{1}{3}}(x-1) - 2$에서 밑이 $\frac{1}{3}$이고 $0 < \frac{1}{3} < 1$이므로

$4 \le x \le 10$에서 함수 $y = \log_{\frac{1}{3}}(x-1) - 2$는

$x = 4$일 때 최대이고, 최댓값은

$\log_{\frac{1}{3}}(4-1) - 2 = \log_{\frac{1}{3}} 3 - 2 = -3$

$x = 10$일 때 최소이고, 최솟값은

$\log_{\frac{1}{3}}(10-1) - 2 = \log_{\frac{1}{3}} 3^2 - 2 = -4$

---

40 답 (1) 최댓값: 2, 최솟값: $\log_3 5$

　　　(2) 최댓값: 3, 최솟값: 2

　　　(3) 최댓값: 0, 최솟값: -1

풀이 (1) 함수 $y = \log_3(x^2 - 2x + 6)$에서 밑이 3이고 $3 > 1$

이므로 $x^2 - 2x + 6$이 최대일 때 y도 최대, $x^2 - 2x + 6$이

최소일 때 y도 최소가 된다.

$x^2 - 2x + 6 = (x-1)^2 + 5$이므로, $-1 \le x \le 1$에서

$x = -1$일 때 최댓값은 9, $x = 1$일 때 최솟값은 5이다.

따라서 함수 $y = \log_3(x^2 - 2x + 6)$의

최댓값은 $\log_3 9 = \underline{2}$,

최솟값은 $\underline{\log_3 5}$

(2) 함수 $y = \log_2(x^2 - 2x + 5)$에서 밑이 2이고 $2 > 1$이므로

$x^2 - 2x + 5$가 최대일 때 y도 최대, $x^2 - 2x + 5$가 최소일

때 y도 최소가 된다.

$x^2 - 2x + 5 = (x-1)^2 + 4$이므로, $0 \le x \le 3$에서

$x = 3$일 때 최댓값은 8, $x = 1$일 때 최솟값은 4이다.

따라서 함수 $y = \log_2(x^2 - 2x + 5)$의

최댓값은 $\log_2 8 = \log_2 2^3 = 3$

최솟값은 $\log_2 4 = \log_2 2^2 = 2$

(3) 함수 $y = \log_{0.1}(-x^2 + 4x + 6)$에서 밑이 0.1이고

$0 < 0.1 < 1$이므로, $-x^2 + 4x + 6$이 최소일 때 y는 최대,

$-x^2 + 4x + 6$이 최대일 때 y는 최소가 된다.

$-x^2 + 4x + 6 = -(x-2)^2 + 10$이므로, $0 \le x \le 5$에서

$x = 5$일 때 최솟값은 1, $x = 2$일 때 최댓값은 10이다.

따라서 함수 $y = \log_{0.1}(-x^2 + 4x + 6)$의

최댓값은 $\log_{0.1} 1 = 0$

최솟값은 $\log_{0.1} 10 = \log_{\frac{1}{10}} 10 = -1$

---

41 답 (1) 최댓값: 3, 최솟값: -5

　　　(2) 최댓값: 12, 최솟값: -4

　　　(3) 최댓값: 2, 최솟값: -2

풀이 (1) $y = -2(\log_2 x)^2$
$\qquad\qquad + 4\log_2 x + 1$

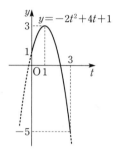

에서 $\log_2 x = t$로 치환하면

$y = -2t^2 + 4t + 1$
$\quad = -2(t-1)^2 + 3$

이때 $1 \le x \le 8$이고, $2 > 1$이므

로

$\log_2 1 \le \log_2 x \le \log_2 8$

$\therefore 0 \le t \le 3$

따라서 $0 \le t \le 3$에서 함수 $y = -2(t-1)^2 + 3$은

$t = 1$일 때 최대이고, 최댓값은

$-2(1-1)^2 + 3 = 3$,

$t = 3$일 때 최소이고, 최솟값은

$-2(3-1)^2 + 3 = -5$

(2) $y = (\log_2 x)^2 - \log_2 x^2 - 3$에서

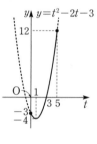

$\log_2 x = t$로 치환하면

$y = t^2 - 2t - 3 = (t-1)^2 - 4$

이때 $1 \le x \le 32$이고, $2 > 1$이므로

$\log_2 1 \le \log_2 x \le \log_2 32$

$\therefore 0 \le t \le 5$

따라서 $0 \le t \le 5$에서

함수 $y = (t-1)^2 - 4$는

$t = 5$일 때 최대이고, 최댓값은 $(5-1)^2 - 4 = 12$

$t = 1$일 때 최소이고, 최솟값은 $(1-1)^2 - 4 = -4$

(3) $y = (\log_{\frac{1}{2}} x)^2 - \log_{\frac{1}{2}} x^2 - 1$에서

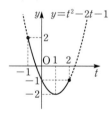

$\log_{\frac{1}{2}} x = t$로 치환하면

$y = t^2 - 2t - 1 = (t-1)^2 - 2$

이때 $\frac{1}{4} \le x \le 2$이고,

$0 < \frac{1}{2} < 1$이므로

$\log_{\frac{1}{2}} 2 \le \log_{\frac{1}{2}} x \le \log_{\frac{1}{2}} \frac{1}{4}$　　$\therefore -1 \le t \le 2$

따라서 $-1 \le t \le 2$에서 함수 $y = (t-1)^2 - 2$는

$t = -1$일 때 최대이고, 최댓값은

$(-1-1)^2 - 2 = 2$

$t = 1$일 때 최소이고, 최솟값은

$(1-1)^2 - 2 = -2$

---

42 답 10000

풀이 $y = 100x^{4 - \log x}$의 양변에 상용로그를 취하면

$\log y = \log 100x^{4 - \log x} = \log 100 + \log x^{4 - \log x}$

$$=2+(4-\log x)\log x=-(\log x)^2+4\log x+2$$

$\log x=t$로 치환하면

$$\log y=-t^2+4t+2=-(t-2)^2+6$$

따라서 $t=2$일 때, $\log y$의 최댓값은 6이다.

즉, $x=100$일 때, y의 최댓값은 $10^6=1000000$이다.

$\therefore a=100,\ b=1000000$

$\therefore \dfrac{b}{a}=\dfrac{1000000}{100}=\underline{10000}$

43 답 1

풀이 $y=\dfrac{1}{10}x^{4-2\log x}$의 양변에 상용로그를 취하면

$$\log y=\log \dfrac{1}{10}x^{4-2\log x}=\log \dfrac{1}{10}+\log x^{4-2\log x}$$
$$=-1+(4-2\log x)\log x$$
$$=-2(\log x)^2+4\log x-1$$

$\log x=t$로 치환하면

$$\log y=-2t^2+4t-1=-2(t-1)^2+1$$

따라서 $t=1$일 때, $\log y$의 최댓값은 1이다.

즉, $x=10$일 때, y의 최댓값은 10이다.

$\therefore a=10,\ b=10$

$\therefore \log_a b=1$

44 답 100

풀이 $y=100x^2 \div x^{\log x}$의 양변에 상용로그를 취하면

$$\log y=\log(100x^2 \div x^{\log x})=\log 100x^2-\log x^{\log x}$$
$$=\log 100+\log x^2-(\log x)^2$$
$$=-(\log x)^2+2\log x+2$$

$\log x=t$로 치환하면

$$\log y=-t^2+2t+2=-(t-1)^2+3$$

따라서 $t=1$일 때, $\log y$의 최댓값은 3이다.

즉, $x=10$일 때, y의 최댓값은 $10^3=1000$이다.

$\therefore a=10,\ b=1000$

$\therefore \dfrac{b}{a}=\dfrac{1000}{10}=100$

45 답 3

풀이 $\log_2\left(\dfrac{2}{a}+b\right)+\log_2\left(\dfrac{2}{b}+a\right)$

$$=\log_2\left(\dfrac{2}{a}+b\right)\left(\dfrac{2}{b}+a\right)$$

$a>0,\ b>0$이므로 산술평균과 기하평균의 대소 관계에 의하여

$$\left(\dfrac{2}{a}+b\right)\left(\dfrac{2}{b}+a\right)=ab+\dfrac{4}{ab}+4$$
$$\geq 2\sqrt{ab\times\dfrac{4}{ab}}+4=4+4=8$$

$\left(\text{단, 등호는 } ab=\dfrac{4}{ab},\ \text{즉 } ab=2\text{일 때 성립한다.}\right)$

이때 $2>1$이므로

$$\log_2\left(\dfrac{2}{a}+b\right)+\log_2\left(\dfrac{2}{b}+a\right)=\log_2\left(\dfrac{2}{a}+b\right)\left(\dfrac{2}{b}+a\right)$$
$$\geq \log_2 8=\log_2 2^3=\underline{3}$$

따라서 $\log_2\left(\dfrac{2}{a}+b\right)+\log_2\left(\dfrac{2}{b}+a\right)$의 최솟값은 3이다.

46 답 $4\sqrt{2}$

풀이 $a>1,\ b>1$에서 $\log_a b>0,\ \log_b a>0$이므로 산술평균과 기하평균의 대소 관계에 의하여

$$\log_a b^4+\log_{\sqrt{b}} a=4\log_a b+2\log_b a$$
$$\geq 2\sqrt{4\log_a b \times 2\log_b a}=2\sqrt{8}=4\sqrt{2}$$

$\left(\text{단, 등호는 } 4\log_a b=2\log_b a,\ \text{즉 } \log_a b=\dfrac{\sqrt{2}}{2}\text{일 때 성립}\right.$
한다.$\Big)$

따라서 $\log_a b^4+\log_{\sqrt{b}} a$의 최솟값은 $4\sqrt{2}$이다.

47 답 -2

풀이 $x>0,\ y>0$이므로 산술평균과 기하평균의 대소 관계에 의하여

$x+y\geq 2\sqrt{xy}$ (단, 등호는 $x=y$일 때 성립한다.)

그런데 $x+y=10$이므로 $10\geq 2\sqrt{xy}$

$\therefore xy\leq 25$

이때 밑이 $\dfrac{1}{5}$이고 $0<\dfrac{1}{5}<1$이므로

$$\log_{\frac{1}{5}} x+\log_{\frac{1}{5}} y=\log_{\frac{1}{5}} xy\geq \log_{\frac{1}{5}} 25=-2$$

(단, 등호는 $x=y=5$일 때 성립한다.)

따라서 $\log_{\frac{1}{5}} x+\log_{\frac{1}{5}} y$의 최솟값은 -2이다.

48 답 (1) $x=1$ 또는 $x=2$　　　(2) $x=4$
　　　(3) $x=3$ 또는 $x=6$　　　(4) $x=2$　　　(5) $x=0$

풀이 (1) 로그의 진수 조건에서 $x>0,\ 3x-2>0$

　　　$\therefore x>\dfrac{2}{3}$ 　　　　　　　　$\cdots\cdots$ ㉠

　　$\log_2 x=\log_4(3x-2)$에서 $\log_4 x^2=\log_4(3x-2)$

　　따라서 $x^2=3x-2$이므로 $x^2-3x+2=0$

　　$(x-1)(x-2)=0$　　　$\therefore x=1$ 또는 $x=2$

　　그런데 ㉠에서 $x>\dfrac{2}{3}$이므로 $x=\underline{1}$ 또는 $x=\underline{2}$

(2) 로그의 진수 조건에서 $x-2>0,\ x>0$

　　　$\therefore x>2$ 　　　　　　　　$\cdots\cdots$ ㉠

　　$\log_2(x-2)=\log_4 x$에서 $\log_4(x-2)^2=\log_4 x$

　　따라서 $(x-2)^2=x$이므로 $x^2-5x+4=0$

　　$(x-1)(x-4)=0$　　　$\therefore x=1$ 또는 $x=4$

　　그런데 ㉠에서 $x>2$이므로 $x=4$

(3) 로그의 진수 조건에서 $x>0,\ x-2>0$

　　　$\therefore x>2$ 　　　　　　　　$\cdots\cdots$ ㉠

　　$\log_3 x=\log_9(x-2)+1$에서

　　$\log_9 x^2=\log_9(x-2)+\log_9 9$

　　따라서 $x^2=9(x-2)$이므로 $x^2-9x+18=0$

　　$(x-3)(x-6)=0$　　　$\therefore x=3$ 또는 $x=6$

　　그런데 ㉠에서 $x>2$이므로 $x=3$ 또는 $x=6$

(4) 로그의 진수 조건에서 $8-x>0,\ x+4>0$

　　　$\therefore -4<x<8$ 　　　　　　　　$\cdots\cdots$ ㉠

　　$\log_{\frac{1}{2}}(8-x)=-\log_2(x+4)$에서

　　$\log_{\frac{1}{2}}(8-x)=\log_{\frac{1}{2}}(x+4)$

　　따라서 $8-x=x+4$이므로 $2x=4$

$\therefore x=2$

그런데 ㉠에서 $-4<x<8$이므로 $x=2$

(5) 로그의 진수 조건에서 $x+2>0,\ x+1>0$

$\therefore x>-1$ ...... ㉠

$\log_{\sqrt{2}}(x+2)=\log_2(x+1)+2$에서

$\log_{2^{\frac{1}{2}}}(x+2)=\log_2(x+1)+\log_2 2^2$,

$2\log_2(x+2)=\log_2(x+1)+\log_2 4$

$\log_2(x+2)^2=\log_2 4(x+1)$

따라서 $(x+2)^2=4(x+1)$이므로 $x^2=0$

$\therefore x=0$

그런데 ㉠에서 $x>-1$이므로 $x=0$

49 답 **(1)** $x=3$ 또는 $x=243$ **(2)** $x=\dfrac{1}{32}$ 또는 $x=8$

(3) $x=\dfrac{1}{27}$ 또는 $x=3$ **(4)** $x=\dfrac{1}{4}$ 또는 $x=64$

(5) $x=\dfrac{1}{5}$ 또는 $x=25$ **(6)** $x=2$ 또는 $x=16$

(7) $x=\dfrac{1}{3}$ 또는 $x=9$ **(8)** $x=\dfrac{1}{25}$ 또는 $x=5$

(9) $x=\dfrac{1}{64}$ 또는 $x=2$ **(10)** $x=\dfrac{1}{729}$ 또는 $x=3$

풀이 **(1)** 로그의 진수 조건에서 $x>0,\ x^6>0$

$\therefore x>0$ ...... ㉠

$(\log_3 x)^2-6\log_3 x+5=0$에서 $\log_3 x=t$로 치환하면

$t^2-6t+5=0,\ (t-1)(t-5)=0$

$\therefore t=1$ 또는 $t=5$

따라서 $\log_3 x=1$ 또는 $\log_3 x=5$이므로

$x=3$ 또는 $x=243$

그런데 ㉠에서 $x>0$이므로 $x=3$ 또는 $x=243$

(2) 로그의 진수 조건에서 $x>0,\ x^2>0$

$\therefore x>0$ ...... ㉠

$(\log_2 x)^2+\log_2 x^2-15=0$에서 $\log_2 x=t$로 치환하면

$t^2+2t-15=0,\ (t+5)(t-3)=0$

$\therefore t=-5$ 또는 $t=3$

따라서 $\log_2 x=-5$ 또는 $\log_2 x=3$이므로

$x=\dfrac{1}{32}$ 또는 $x=8$

그런데 ㉠에서 $x>0$이므로 $x=\dfrac{1}{32}$ 또는 $x=8$

(3) 로그의 진수 조건에서 $x>0,\ x^2>0$

$\therefore x>0$ ...... ㉠

$(\log_3 x)^2+\log_3 x^2-3=0$에서 $\log_3 x=t$로 치환하면

$t^2+2t-3=0,\ (t+3)(t-1)=0$

$\therefore t=-3$ 또는 $t=1$

따라서 $\log_3 x=-3$ 또는 $\log_3 x=1$이므로

$x=\dfrac{1}{27}$ 또는 $x=3$

그런데 ㉠에서 $x>0$이므로 $x=\dfrac{1}{27}$ 또는 $x=3$

(4) 로그의 진수 조건에서 $x>0$ ...... ㉠

$(\log_2 x)^2-12=4\log_2 x$에서 $\log_2 x=t$로 치환하면

$t^2-4t-12=0,\ (t+2)(t-6)=0$

$\therefore t=-2$ 또는 $t=6$

따라서 $\log_2 x=-2$ 또는 $\log_2 x=6$이므로

$x=\dfrac{1}{4}$ 또는 $x=64$

그런데 ㉠에서 $x>0$이므로 $x=\dfrac{1}{4}$ 또는 $x=64$

(5) 로그의 진수 조건에서 $x>0$ ...... ㉠

$\log_5 x=(\log_5 x)^2-2$에서 $\log_5 x=t$로 치환하면

$t^2-t-2=0,\ (t+1)(t-2)=0$

$\therefore t=-1$ 또는 $t=2$

따라서 $\log_5 x=-1$ 또는 $\log_5 x=2$이므로

$x=\dfrac{1}{5}$ 또는 $x=25$

그런데 ㉠에서 $x>0$이므로 $x=\dfrac{1}{5}$ 또는 $x=25$

(6) 로그의 밑 조건에서 $x>0,\ x\neq1$, 진수 조건에서 $x>0$

$\therefore x>0,\ x\neq1$ ...... ㉠

$\log_2 x+\log_x 16=5$에서 $\log_2 x+4\log_x 2=5$

$\log_2 x+\dfrac{4}{\log_2 x}=5$ ...... ㉡

㉠에서 $x\neq1$이므로 $\log_2 x\neq0$

따라서 ㉡의 양변에 $\log_2 x$를 곱하면

$(\log_2 x)^2-5\log_2 x+4=0$

$\log_2 x=t$로 치환하면

$t^2-5t+4=0,\ (t-1)(t-4)=0$

$\therefore t=1$ 또는 $t=4$

따라서 $\log_2 x=1$ 또는 $\log_2 x=4$이므로

$x=2$ 또는 $x=16$

그런데 ㉠에서 $x>0,\ x\neq1$이므로

$x=2$ 또는 $x=16$

(7) 로그의 밑 조건에서 $x>0,\ x\neq1$, 진수 조건에서 $x>0$

$\therefore x>0,\ x\neq1$ ...... ㉠

$\log_3 x-\log_x 9=1$에서 $\log_3 x-2\log_x 3=1$

$\log_3 x-\dfrac{2}{\log_3 x}=1$ ...... ㉡

㉠에서 $x\neq1$이므로 $\log_3 x\neq0$

따라서 ㉡의 양변에 $\log_3 x$를 곱하면

$(\log_3 x)^2-\log_3 x-2=0$

$\log_3 x=t$로 치환하면

$t^2-t-2=0,\ (t+1)(t-2)=0$

$\therefore t=-1$ 또는 $t=2$

따라서 $\log_3 x=-1$ 또는 $\log_3 x=2$이므로

$x=\dfrac{1}{3}$ 또는 $x=9$

그런데 ㉠에서 $x>0,\ x\neq1$이므로

$x=\dfrac{1}{3}$ 또는 $x=9$

(8) 로그의 밑 조건에서 $x>0,\ x\neq1$, 진수 조건에서 $x>0$

$\therefore x>0,\ x\neq1$ ...... ㉠

$\log_5 x-\log_x 25=-1$에서 $\log_5 x-2\log_x 5=-1$

$\log_5 x-\dfrac{2}{\log_5 x}=-1$ ...... ㉡

⊙에서 $x\neq1$이므로 $\log_5 x\neq0$

따라서 ⓒ의 양변에 $\log_5 x$를 곱하면

$(\log_5 x)^2+\log_5 x-2=0$

$\log_5 x=t$로 치환하면

$t^2+t-2=0,\ (t+2)(t-1)=0$

$\therefore t=-2$ 또는 $t=1$

따라서 $\log_5 x=-2$ 또는 $\log_5 x=1$이므로

$x=\dfrac{1}{25}$ 또는 $x=5$

그런데 ⊙에서 $x>0,\ x\neq1$이므로

$x=\dfrac{1}{25}$ 또는 $x=5$

(9) 로그의 진수 조건에서 $8x>0,\ 4x>0$

$\therefore x>0$ ...... ⊙

$(\log_2 8x)(\log_2 4x)=12$에서

$(\log_2 8+\log_2 x)(\log_2 4+\log_2 x)=12$

$(3+\log_2 x)(2+\log_2 x)=12$

$6+5\log_2 x+(\log_2 x)^2=12$

$(\log_2 x)^2+5\log_2 x-6=0$

$\log_2 x=t$로 치환하면

$t^2+5t-6=0,\ (t+6)(t-1)=0$

$\therefore t=-6$ 또는 $t=1$

따라서 $\log_2 x=-6$ 또는 $\log_2 x=1$이므로

$x=\dfrac{1}{64}$ 또는 $x=2$

그런데 ⊙에서 $x>0$이므로 $x=\dfrac{1}{64}$ 또는 $x=2$

(10) 로그의 진수 조건에서 $81x>0,\ 3x>0$

$\therefore x>0$ ...... ⊙

$(\log_3 81x)(\log_3 3x)=10$에서

$(\log_3 81+\log_3 x)(\log_3 3+\log_3 x)=10$

$(4+\log_3 x)(1+\log_3 x)=10$

$4+5\log_3 x+(\log_3 x)^2=10$

$(\log_3 x)^2+5\log_3 x-6=0$

$\log_3 x=t$로 치환하면

$t^2+5t-6=0,\ (t+6)(t-1)=0$

$\therefore t=-6$ 또는 $t=1$

따라서 $\log_3 x=-6$ 또는 $\log_3 x=1$이므로

$x=\dfrac{1}{729}$ 또는 $r=3$

그런데 ⊙에서 $x>0$이므로 $x=\dfrac{1}{729}$ 또는 $x=3$

50 답 (1) $x=\dfrac{1}{2}$ 또는 $x=4$ (2) $x=\dfrac{1}{2}$ 또는 $x=8$

(3) $x=\dfrac{1}{3}$ 또는 $x=27$ (4) $x=\dfrac{1}{2}$ 또는 $x=64$

(5) $x=\dfrac{1}{1000}$ 또는 $x=10$ (6) $x=\dfrac{1}{625}$ 또는 $x=5$

(7) $x=\dfrac{1}{128}$ 또는 $x=2$ (8) $x=\dfrac{1}{243}$ 또는 $x=3$

(9) $x=1$ 또는 $x=10$ (10) $x=100$

풀이 **(1)** 로그의 진수 조건에서

$x>0$ ...... ⊙

주어진 방정식의 양변에 밑이 2인 로그를 취하면

$\log_2 x^{\log_2 x}=\log_2 4x,\ (\log_2 x)^2=\log_2 2^2+\log_2 x$

$(\log_2 x)^2-\log_2 x-2=0$

$\log_2 x=t$로 치환하면

$t^2-t-2=0,\ (t+1)(t-2)=0$

$\therefore t=-1$ 또는 $t=2$

따라서 $\log_2 x=-1$ 또는 $\log_2 x=2$이므로

$x=\dfrac{1}{2}$ 또는 $x=\underline{4}$

그런데 ⊙에서 $x>0$이므로 $x=\dfrac{1}{2}$ 또는 $x=\underline{4}$

(2) 로그의 진수 조건에서

$x>0$ ...... ⊙

주어진 방정식의 양변에 밑이 2인 로그를 취하면

$\log_2 x^{\log_2 x}=\log_2 8x^2,\ (\log_2 x)^2=\log_2 2^3+\log_2 x^2$

$(\log_2 x)^2-2\log_2 x-3=0$

$\log_2 x=t$로 치환하면

$t^2-2t-3=0,\ (t+1)(t-3)=0$

$\therefore t=-1$ 또는 $t=3$

따라서 $\log_2 x=-1$ 또는 $\log_2 x=3$이므로

$x=\dfrac{1}{2}$ 또는 $x=8$

그런데 ⊙에서 $x>0$이므로 $x=\dfrac{1}{2}$ 또는 $x=8$

(3) 로그의 진수 조건에서

$x>0$ ...... ⊙

주어진 방정식의 양변에 밑이 3인 로그를 취하면

$\log_3 x^{\log_3 x}=\log_3 27x^2,\ (\log_3 x)^2=\log_3 3^3+\log_3 x^2$

$(\log_3 x)^2-2\log_3 x-3=0$

$\log_3 x=t$로 치환하면

$t^2-2t-3=0,\ (t+1)(t-3)=0$

$\therefore t=-1$ 또는 $t=3$

따라서 $\log_3 x=-1$ 또는 $\log_3 x=3$이므로

$x=\dfrac{1}{3}$ 또는 $x=27$

그런데 ⊙에서 $x>0$이므로 $x=\dfrac{1}{3}$ 또는 $x=27$

(4) 로그의 진수 조건에서

$x>0$ ...... ⊙

주어진 방정식의 양변에 밑이 2인 로그를 취하면

$\log_2 x^{\log_2 x}=\log_2 64x^5,\ (\log_2 x)^2=\log_2 2^6+\log_2 x^5$

$(\log_2 x)^2-5\log_2 x-6=0$

$\log_2 x=t$로 치환하면

$t^2-5t-6=0,\ (t+1)(t-6)=0$

$\therefore t=-1$ 또는 $t=6$

따라서 $\log_2 x=-1$ 또는 $\log_2 x=6$이므로

$x=\dfrac{1}{2}$ 또는 $x=64$

그런데 ⊙에서 $x>0$이므로 $x=\dfrac{1}{2}$ 또는 $x=64$

(5) 로그의 진수 조건에서
$$x>0 \qquad \cdots\cdots \ \boxdot$$
주어진 방정식의 양변에 상용로그를 취하면
$$\log x^{\log x}=\log \frac{1000}{x^2}, \ (\log x)^2=\log 10^3-\log x^2$$
$$(\log x)^2+2\log x-3=0$$
$\log x=t$로 치환하면
$$t^2+2t-3=0, \ (t+3)(t-1)=0$$
$$\therefore \ t=-3 \ \text{또는} \ t=1$$
따라서 $\log x=-3$ 또는 $\log x=1$이므로
$$x=\frac{1}{1000} \ \text{또는} \ x=10$$
그런데 $\boxdot$에서 $x>0$이므로 $x=\dfrac{1}{1000}$ 또는 $x=10$

(6) 로그의 진수 조건에서
$$x>0 \qquad \cdots\cdots \ \boxdot$$
주어진 방정식의 양변에 밑이 5인 로그를 취하면
$$\log_5 x^{\log_5 x}=\log_5 \frac{625}{x^3}$$
$$(\log_5 x)^2=\log_5 5^4-\log_5 x^3$$
$$(\log_5 x)^2+3\log_5 x-4=0$$
$\log_5 x=t$로 치환하면
$$t^2+3t-4=0, \ (t+4)(t-1)=0$$
$$\therefore \ t=-4 \ \text{또는} \ t=1$$
따라서 $\log_5 x=-4$ 또는 $\log_5 x=1$이므로
$$x=\frac{1}{625} \ \text{또는} \ x=5$$
그런데 $\boxdot$에서 $x>0$이므로 $x=\dfrac{1}{625}$ 또는 $x=5$

(7) 로그의 진수 조건에서
$$x>0 \qquad \cdots\cdots \ \boxdot$$
주어진 방정식의 양변에 밑이 2인 로그를 취하면
$$\log_2 x^{\log_2 x}=\log_2 \frac{128}{x^6}$$
$$(\log_2 x)^2=\log_2 2^7-\log_2 x^6$$
$$(\log_2 x)^2+6\log_2 x-7=0$$
$\log_2 x=t$로 치환하면
$$t^2+6t-7=0, \ (t+7)(t-1)=0$$
$$\therefore \ t=-7 \ \text{또는} \ t=1$$
따라서 $\log_2 x=-7$ 또는 $\log_2 x=1$이므로
$$x=\frac{1}{128} \ \text{또는} \ x=2$$
그런데 $\boxdot$에서 $x>0$이므로 $x=\dfrac{1}{128}$ 또는 $x=2$

(8) 로그의 진수 조건에서
$$x>0 \qquad \cdots\cdots \ \boxdot$$
주어진 방정식의 양변에 밑이 3인 로그를 취하면
$$\log_3 x^{\log_3 x}=\log_3 \frac{243}{x^4}$$
$$(\log_3 x)^2=\log_3 3^5-\log_3 x^4$$
$$(\log_3 x)^2+4\log_3 x-5=0$$
$\log_3 x=t$로 치환하면
$$t^2+4t-5=0, \ (t+5)(t-1)=0$$

$$\therefore \ t=-5 \ \text{또는} \ t=1$$
따라서 $\log_3 x=-5$ 또는 $\log_3 x=1$이므로
$$x=\frac{1}{243} \ \text{또는} \ x=3$$
그런데 $\boxdot$에서 $x>0$이므로 $x=\dfrac{1}{243}$ 또는 $x=3$

(9) 로그의 진수 조건에서
$$x>0 \qquad \cdots\cdots \ \boxdot$$
$x^{\log 3}=3^{\log x}$이므로 주어진 방정식은
$$3^{\log x}\times 3^{\log x}=2(3^{\log x}+3^{\log x})-3$$
$$(3^{\log x})^2-4\times 3^{\log x}+3=0$$
$3^{\log x}=t \ (t>0)$로 치환하면
$$t^2-4t+3=0, \ (t-1)(t-3)=0$$
$$\therefore \ t=1 \ \text{또는} \ t=3$$
따라서 $3^{\log x}=1$ 또는 $3^{\log x}=3$이므로
$$\log x=0 \ \text{또는} \ \log x=1$$
$$\therefore \ x=1 \ \text{또는} \ x=10$$
그런데 $\boxdot$에서 $x>0$이므로 $x=1$ 또는 $x=10$

(10) 로그의 진수 조건에서
$$x>0 \qquad \cdots\cdots \ \boxdot$$
$x^{\log 2}=2^{\log x}$이므로 주어진 방정식은
$$2^{\log x}\times 2^{\log x}=2^{\log x}+2^{\log x}+8$$
$$(2^{\log x})^2-2\times 2^{\log x}-8=0$$
$2^{\log x}=t \ (t>0)$로 치환하면
$$t^2-2t-8=0, \ (t+2)(t-4)=0$$
$$\therefore \ t=-2 \ \text{또는} \ t=4$$
이때 $t>0$이므로 $t=4$
따라서 $2^{\log x}=4$이므로 $\log x=2$
$$\therefore \ x=100$$
그런데 $\boxdot$에서 $x>0$이므로 $x=100$

51 답 (1) $a=\dfrac{1}{4}$ 또는 $a=64$ (2) $a=3$ 또는 $a=27$

     (3) $a=2$ 또는 $a=4$

     (4) $a=\dfrac{1}{100000}$ 또는 $a=10000000$

풀이 (1) 이차방정식 $x^2-x\log_2 a+\log_2 a+3=0$이 중근을 가지므로 이 이차방정식의 판별식을 D라고 하면
$$D=(-\log_2 a)^2-4(\log_2 a+3)=0$$
$$(\log_2 a)^2-4\log_2 a-12=0$$
$\log_2 a=t$로 치환하면
$$t^2-4t-12=0, \ (t+2)(t-6)=0$$
$$\therefore \ t=-2 \ \text{또는} \ t=6$$
따라서 $\log_2 a=-2$ 또는 $\log_2 a=6$이므로
$$a=\underline{\frac{1}{4}} \ \text{또는} \ a=\underline{64}$$

(2) 이차방정식 $x^2-2x\log_3 a+4\log_3 a-3=0$이 중근을 가지므로 이 이차방정식의 판별식을 D라고 하면
$$\frac{D}{4}=(-\log_3 a)^2-(4\log_3 a-3)=0$$
$$(\log_3 a)^2-4\log_3 a+3=0$$

$\log_3 a = t$로 치환하면

$t^2 - 4t + 3 = 0$, $(t-1)(t-3) = 0$

$\therefore$ $t = 1$ 또는 $t = 3$

따라서 $\log_3 a = 1$ 또는 $\log_3 a = 3$이므로

$a = 3$ 또는 $a = 27$

(3) 이차방정식 $25x^2 - 10x\log_2 a + 3\log_2 a - 2 = 0$이 중근을 가지므로 이 이차방정식의 판별식을 D라고 하면

$\dfrac{D}{4} = (-5\log_2 a)^2 - 25(3\log_2 a - 2) = 0$

$25(\log_2 a)^2 - 75\log_2 a + 50 = 0$

$(\log_2 a)^2 - 3\log_2 a + 2 = 0$

$\log_2 a = t$로 치환하면

$t^2 - 3t + 2 = 0$, $(t-1)(t-2) = 0$

$\therefore$ $t = 1$ 또는 $t = 2$

따라서 $\log_2 a = 1$ 또는 $\log_2 a = 2$이므로

$a = 2$ 또는 $a = 4$

(4) 이차방정식 $x^2 - (\log a + 1)x + (\log a + 9) = 0$이 중근을 가지므로 이 이차방정식의 판별식을 D라고 하면

$D = (\log a + 1)^2 - 4(\log a + 9) = 0$

$(\log a)^2 + 2\log a + 1 - 4\log a - 36 = 0$

$(\log a)^2 - 2\log a - 35 = 0$

$\log a = t$로 치환하면

$t^2 - 2t - 35 = 0$, $(t+5)(t-7) = 0$

$\therefore$ $t = -5$ 또는 $t = 7$

따라서 $\log a = -5$ 또는 $\log a = 7$이므로

$a = \dfrac{1}{100000}$ 또는 $a = 10000000$

52 답 **(1)** 16 **(2)** 10 **(3)** 9 **(4)** 25

풀이 **(1)** $(\log_2 x)^2 - \log_2 x^4 - 3 = 0$에서

$(\log_2 x)^2 - 4\log_2 x - 3 = 0$

$\log_2 x = t$로 치환하면 $t^2 - 4t - 3 = 0$ ······ ㉠

이때 방정식 $(\log_2 x)^2 - 4\log_2 x - 3 = 0$의 두 근이 α, β이므로 ㉠의 두 근은 $\log_2 \alpha$, $\log_2 \beta$이다.

이차방정식의 근과 계수의 관계에 의하여

$\log_2 \alpha + \log_2 \beta = 4$, $\log_2 \alpha\beta = 4$

$\therefore$ $\alpha\beta = 16$

(2) $(\log x)^2 - \log x - 6 = 0$에서

$\log x = t$로 치환하면 $t^2 - t - 6 = 0$ ······ ㉠

이때 방정식 $(\log x)^2 - \log x - 6 = 0$의 두 근이 α, β이므로 ㉠의 두 근은 $\log \alpha$, $\log \beta$이다.

이차방정식의 근과 계수의 관계에 의하여

$\log \alpha + \log \beta = 1$, $\log \alpha\beta = 1$

$\therefore$ $\alpha\beta = 10$

(3) $(\log_3 x)^2 - 2\log_3 x - 3 = 0$에서

$\log_3 x = t$로 치환하면 $t^2 - 2t - 3 = 0$ ······ ㉠

이때 방정식 $(\log_3 x)^2 - 2\log_3 x - 3 = 0$의 두 근이 α, β이므로 ㉠의 두 근은 $\log_3 \alpha$, $\log_3 \beta$이다.

이차방정식의 근과 계수의 관계에 의하여

$\log_3 \alpha + \log_3 \beta = 2$, $\log_3 \alpha\beta = 2$

$\therefore$ $\alpha\beta = 9$

(4) $(\log_5 x)^2 - \log_5 x^2 - 6 = 0$에서

$(\log_5 x)^2 - 2\log_5 x - 6 = 0$

$\log_5 x = t$로 치환하면 $t^2 - 2t - 6 = 0$ ······ ㉠

이때 방정식 $(\log_5 x)^2 - 2\log_5 x - 6 = 0$의 두 근이 α, β이므로 ㉠의 두 근은 $\log_5 \alpha$, $\log_5 \beta$이다.

이차방정식의 근과 계수의 관계에 의하여

$\log_5 \alpha + \log_5 \beta = 2$, $\log_5 \alpha\beta = 2$

$\therefore$ $\alpha\beta = 25$

53 답 **(1)** $0 < x < 1$ 또는 $x > 3$ **(2)** $3 < x < 5$

  (3) $x > -\dfrac{4}{3}$ **(4)** $2 < x \le 3$

풀이 **(1)** 로그의 밑 조건에서 $x > 0$, $x \ne 1$

$\therefore$ $0 < x < 1$ 또는 $x > 1$ ······ ㉠

$\log_x 9 < 2$에서 $\log_x 9 < \log_x x^2$

(i) $x > 1$이면 ㉠에서 (밑) > 1이므로

$9 < x^2$, $(x+3)(x-3) > 0$

$\therefore$ $x < -3$ 또는 $x > 3$

그런데 $x > 1$이므로 $x > 3$

(ii) $0 < x < 1$이면 ㉠에서 $0 < ($밑$) < 1$이므로

$9 > x^2$, $(x+3)(x-3) < 0$

$\therefore$ $-3 < x < 3$

그런데 $0 < x < 1$이므로 $0 < x < 1$

(i), (ii)에서 $0 < x < 1$ 또는 $x > 3$

(2) 로그의 진수 조건에서 $x - 1 > 0$, $x - 3 > 0$

$\therefore$ $x > 3$ ······ ㉠

$\log_2 (x-1) + \log_2 (x-3) - 3 < 0$에서

$\log_2 (x-1)(x-3) < \log_2 2^3$

이때 밑이 2이고 $2 > 1$이므로

$(x-1)(x-3) < 8$, $x^2 - 4x - 5 < 0$

$(x+1)(x-5) < 0$

$\therefore$ $-1 < x < 5$ ······ ㉡

㉠, ㉡의 공통 범위를 구하면 $3 < x < 5$

(3) 로그의 진수 조건에서 $x + 3 > 0$, $x^2 + 1 > 0$

$x^2 + 1$은 항상 0보다 크므로 $x > -3$ ······ ㉠

$\log_2 (x+3) > \log_4 (x^2+1)$에서

$\log_4 (x+3)^2 > \log_4 (x^2+1)$

이때 밑이 4이고 $4 > 1$이므로

$(x+3)^2 > x^2 + 1$, $3x + 4 > 0$

$\therefore$ $x > -\dfrac{4}{3}$ ······ ㉡

㉠, ㉡의 공통 범위를 구하면 $x > -\dfrac{4}{3}$

(4) 로그의 진수 조건에서 $x^2 - 4 > 0$, $x + 2 > 0$

$\therefore$ $x > 2$ ······ ㉠

$\log_{\frac{1}{3}} (x^2-4) \ge \log_{\frac{1}{3}} (x+2)$에서

밑이 $\dfrac{1}{3}$이고 $0 < \dfrac{1}{3} < 1$이므로

$x^2 - 4 \le x + 2$, $x^2 - x - 6 \le 0$

$(x+2)(x-3) \leq 0$

$\therefore -2 \leq x \leq 3$ ...... ㉡

㉠, ㉡의 공통 범위를 구하면 $2 < x \leq 3$

54 답 (1) $2 < x < 8$ (2) $0 < x < 2$ 또는 $x > 4$

(3) $\dfrac{1}{243} < x < \dfrac{1}{3}$ (4) $\dfrac{1}{25} \leq x \leq 5$

풀이 (1) 로그의 진수 조건에서 $x > 0$ ...... ㉠

$\log_2 x = t$로 치환하면 주어진 부등식은

$t^2 - 4t + 3 < 0$, $(t-1)(t-3) < 0$

$\therefore 1 < t < 3$

따라서 $1 < \log_2 x < 3$이므로 $\log_2 2 < \log_2 x < \log_2 2^3$

이때 밑이 2이고 $2 > 1$이므로 $2 < x < 2^3$

$\therefore 2 < x < 8$ ...... ㉡

㉠, ㉡의 공통 범위를 구하면 $2 < x < 8$

(2) 로그의 진수 조건에서 $x > 0$ ...... ㉠

$\log_{\frac{1}{2}} x = t$로 치환하면 주어진 부등식은

$t^2 + 3t + 2 > 0$, $(t+2)(t+1) > 0$

$\therefore t < -2$ 또는 $t > -1$

따라서 $\log_{\frac{1}{2}} x < -2$ 또는 $\log_{\frac{1}{2}} x > -1$이므로

$\log_{\frac{1}{2}} x < \log_{\frac{1}{2}} \left(\dfrac{1}{2}\right)^{-2}$ 또는 $\log_{\frac{1}{2}} x > \log_{\frac{1}{2}} \left(\dfrac{1}{2}\right)^{-1}$

이때 밑이 $\dfrac{1}{2}$이고 $0 < \dfrac{1}{2} < 1$이므로

$x > 4$ 또는 $x < 2$ ...... ㉡

㉠, ㉡의 공통 범위를 구하면 $0 < x < 2$ 또는 $x > 4$

(3) 로그의 진수 조건에서 $x > 0$, $243x^6 > 0$

$\therefore x > 0$ ...... ㉠

$(\log_3 x)^2 + \log_3 243x^6 < 0$에서

$(\log_3 x)^2 + \log_3 3^5 + \log_3 x^6 < 0$

$(\log_3 x)^2 + 6\log_3 x + 5 < 0$

$\log_3 x = t$로 치환하면

$t^2 + 6t + 5 < 0$, $(t+5)(t+1) < 0$

$\therefore -5 < t < -1$

따라서 $-5 < \log_3 x < -1$이므로

$\log_3 3^{-5} < \log_3 x < \log_3 3^{-1}$

이때 밑이 3이고 $3 > 1$이므로 $3^{-5} < x < 3^{-1}$

$\therefore \dfrac{1}{243} < x < \dfrac{1}{3}$ ...... ㉡

㉠, ㉡의 공통 범위를 구하면 $\dfrac{1}{243} < x < \dfrac{1}{3}$

(4) 로그의 진수 조건에서 $x > 0$, $5x > 0$

$\therefore x > 0$ ...... ㉠

$2 \geq \log_{\frac{1}{5}} x \times \log_{\frac{1}{5}} 5x$에서

$2 \geq \log_{\frac{1}{5}} x \left(\log_{\frac{1}{5}} 5 + \log_{\frac{1}{5}} x\right)$

$2 \geq -\log_{\frac{1}{5}} x + (\log_{\frac{1}{5}} x)^2$

$(\log_{\frac{1}{5}} x)^2 - \log_{\frac{1}{5}} x - 2 \leq 0$

$\log_{\frac{1}{5}} x = t$로 치환하면

$t^2 - t - 2 \leq 0$, $(t+1)(t-2) \leq 0$

$\therefore -1 \leq t \leq 2$

따라서 $-1 \leq \log_{\frac{1}{5}} x \leq 2$이므로

$\log_{\frac{1}{5}} \left(\dfrac{1}{5}\right)^{-1} \leq \log_{\frac{1}{5}} x \leq \log_{\frac{1}{5}} \left(\dfrac{1}{5}\right)^2$

이때 밑이 $\dfrac{1}{5}$이고 $0 < \dfrac{1}{5} < 1$이므로

$\left(\dfrac{1}{5}\right)^2 \leq x \leq \left(\dfrac{1}{5}\right)^{-1}$

$\therefore \dfrac{1}{25} \leq x \leq 5$ ...... ㉡

㉠, ㉡의 공통 범위를 구하면 $\dfrac{1}{25} \leq x \leq 5$

55 답 (1) $\dfrac{1}{5} < x < 25$ (2) $0 < x < \dfrac{1}{2}$ 또는 $x > 16$

(3) $0 < x < \dfrac{1}{625}$ 또는 $x > 5$ (4) $\dfrac{1}{1000} < x < 10$

풀이 (1) 로그의 진수 조건에서 $x > 0$ ...... ㉠

$x^{\log_5 x} < 25x$의 양변에 밑이 5인 로그를 취하면

$5 > 1$이므로

$\log_5 x^{\log_5 x} < \log_5 25x$

$(\log_5 x)^2 < \log_5 25 + \log_5 x$, $(\log_5 x)^2 - \log_5 x - 2 < 0$

$\log_5 x = t$로 치환하면 $t^2 - t - 2 < 0$, $(t+1)(t-2) < 0$

$\therefore -1 < t < 2$

따라서 $-1 < \log_5 x < 2$이므로

$\log_5 5^{-1} < \log_5 x < \log_5 5^2$

이때 밑이 5이고 $5 > 1$이므로 $5^{-1} < x < 5^2$

$\therefore \dfrac{1}{5} < x < 25$ ...... ㉡

㉠, ㉡의 공통 범위를 구하면 $\dfrac{1}{5} < x < 25$

(2) 로그의 진수 조건에서 $x > 0$ ...... ㉠

$x^{\log_2 x} > 16x^3$의 양변에 밑이 2인 로그를 취하면

$2 > 1$이므로

$\log_2 x^{\log_2 x} > \log_2 16x^3$

$(\log_2 x)^2 > \log_2 2^4 + \log_2 x^3$

$(\log_2 x)^2 - 3\log_2 x - 4 > 0$

$\log_2 x = t$로 치환하면

$t^2 - 3t - 4 > 0$, $(t+1)(t-4) > 0$

$\therefore t < -1$ 또는 $t > 4$

따라서 $\log_2 x < -1$ 또는 $\log_2 x > 4$이므로

$\log_2 x < \log_2 2^{-1}$ 또는 $\log_2 x > \log_2 2^4$

이때 밑이 2이고 $2 > 1$이므로 $x < 2^{-1}$ 또는 $x > 2^4$

$\therefore x < \dfrac{1}{2}$ 또는 $x > 16$ ...... ㉡

㉠, ㉡의 공통 범위를 구하면 $0 < x < \dfrac{1}{2}$ 또는 $x > 16$

(3) 로그의 진수 조건에서 $x > 0$ ...... ㉠

$x^{\log_{\frac{1}{5}} x} < \dfrac{x^3}{625}$의 양변에 밑이 $\dfrac{1}{5}$인 로그를 취하면

$0 < \dfrac{1}{5} < 1$이므로

$\log_{\frac{1}{5}} x^{\log_{\frac{1}{5}} x} > \log_{\frac{1}{5}} \dfrac{x^3}{625}$

$(\log_{\frac{1}{5}} x)^2 > \log_{\frac{1}{5}} x^3 - \log_{\frac{1}{5}} \left(\dfrac{1}{5}\right)^4$

$$(\log_{\frac{1}{5}} x)^2 - 3\log_{\frac{1}{5}} x - 4 > 0$$

$\log_{\frac{1}{5}} x = t$로 치환하면 $t^2 - 3t - 4 > 0$

$$(t+1)(t-4) > 0 \qquad \therefore t < -1 \text{ 또는 } t > 4$$

따라서 $\log_{\frac{1}{5}} x < -1$ 또는 $\log_{\frac{1}{5}} x > 4$이므로

$$\log_{\frac{1}{5}} x < \log_{\frac{1}{5}} \left(\frac{1}{5}\right)^{-1} \text{ 또는 } \log_{\frac{1}{5}} x > \log_{\frac{1}{5}} \left(\frac{1}{5}\right)^{4}$$

이때 밑이 $\frac{1}{5}$이고 $0 < \frac{1}{5} < 1$이므로

$$x > \left(\frac{1}{5}\right)^{-1} \text{ 또는 } x < \left(\frac{1}{5}\right)^{4}$$

$$\therefore x < \frac{1}{625} \text{ 또는 } x > 5 \qquad\qquad \cdots\cdots\ \text{ⓛ}$$

㉠, ⓛ의 공통 범위를 구하면 $0 < x < \dfrac{1}{625}$ 또는 $x > 5$

(4) 로그의 진수 조건에서 $x > 0$ $\qquad\qquad \cdots\cdots\ \text{㉠}$

$x^{\log_{\frac{1}{10}} x} > \dfrac{x^2}{1000}$의 양변에 밑이 $\dfrac{1}{10}$인 로그를 취하면

$0 < \dfrac{1}{10} < 1$이므로

$$\log_{\frac{1}{10}} x^{\log_{\frac{1}{10}} x} < \log_{\frac{1}{10}} \frac{x^2}{1000}$$

$$(\log_{\frac{1}{10}} x)^2 < \log_{\frac{1}{10}} x^2 + \log_{\frac{1}{10}} \left(\frac{1}{10}\right)^3$$

$$(\log_{\frac{1}{10}} x)^2 - 2\log_{\frac{1}{10}} x - 3 < 0$$

$\log_{\frac{1}{10}} x = t$로 치환하면 $t^2 - 2t - 3 < 0$

$$(t+1)(t-3) < 0 \qquad \therefore -1 < t < 3$$

따라서 $-1 < \log_{\frac{1}{10}} x < 3$이므로

$$\log_{\frac{1}{10}} \left(\frac{1}{10}\right)^{-1} < \log_{\frac{1}{10}} x < \log_{\frac{1}{10}} \left(\frac{1}{10}\right)^{3}$$

이때 밑이 $\dfrac{1}{10}$이고 $0 < \dfrac{1}{10} < 1$이므로

$$\left(\frac{1}{10}\right)^{3} < x < \left(\frac{1}{10}\right)^{-1}$$

$$\therefore \frac{1}{1000} < x < 10 \qquad\qquad \cdots\cdots\ \text{ⓛ}$$

㉠, ⓛ의 공통 범위를 구하면 $\dfrac{1}{1000} < x < 10$

56 답 (1) $2 \leq x < 16$ (2) $1 < x < 10000$

풀이 **(1)** 로그의 진수 조건에서 $\log_2 x > 0$, $x > 0$이므로

$$x > 1 \qquad\qquad \cdots\cdots\ \text{㉠}$$

$0 \leq \log_4 (\log_2 x) < 1$에서

$$\log_4 1 \leq \log_4 (\log_2 x) < \log_4 4$$

밑이 2이고 $4 > 1$이므로

$$1 \leq \log_2 x < 4$$

$$\therefore \log_2 2 \leq \log_2 x < \log_2 2^4$$

밑이 2이고 $2 > 1$이므로

$$2 \leq x < 16 \qquad\qquad \cdots\cdots\ \text{ⓛ}$$

㉠, ⓛ의 공통범위를 구하면 $\underline{2 \leq x < 16}$

다른 풀이 $0 \leq \log_4 (\log_2 x) < 1$에서 $4^0 \leq \log_2 x < 4^1$

$$\therefore 1 \leq \log_2 x < 4$$

이때 밑이 2이고, $2 > 1$이므로 $2^1 \leq x < 2^4$

$$\therefore 2 \leq x < 16$$

(2) 로그의 진수 조건에서 $\log x > 0$, $x > 0$이므로

$$x > 1 \qquad\qquad \cdots\cdots\ \text{㉠}$$

$\log_{\frac{1}{2}} (\log x) > -2$에서 $\log_{\frac{1}{2}} (\log x) > \log_{\frac{1}{2}} \left(\frac{1}{2}\right)^{-2}$

밑이 $\dfrac{1}{2}$이고 $0 < \dfrac{1}{2} < 1$이므로

$$\log x < 4$$

$$\therefore \log x < \log 10^4$$

밑이 10이고 $10 > 1$이므로

$$x < 10^4 \qquad\qquad \cdots\cdots\ \text{ⓛ}$$

㉠, ⓛ의 공통 범위를 구하면 $1 < x < 10000$

57 답 5년

풀이 현재 돼지의 수를 a마리라고 하면 n년 후의 돼지의 수는 $a(1+0.55)^n$, 즉 $1.55^n a$ 마리이므로 조건에 맞게 부등식을 세우면

$$1.55^n a \geq 6a$$

$1.55^n \geq 6$이므로 양변에 상용로그를 취하면 밑이 10이고, $10 > 1$이므로

$$\log 1.55^n \geq \log 6$$

$$n\log 1.55 \geq \log 2 + \log 3$$

이때 $\log 1.55 = 0.19 > 0$이므로

$$n \geq \frac{\log 2 + \log 3}{\log 1.55} = \frac{0.30 + 0.48}{0.19} = \frac{0.78}{0.19} = 4.1 \cdots$$

따라서 돼지의 수가 처음으로 현재의 6배 이상이 되는 것은 5년 후이다.

58 답 7장

풀이 현재 자외선의 양을 a라고 하면 이 빛이 유리를 n장 통과하였을 때 자외선의 양은 $a(1-0.1)^n$, 즉 $0.9^n a$이므로 조건에 맞게 부등식을 세우면

$$0.9^n a \leq \frac{1}{2}a$$

$0.9^n \leq \dfrac{1}{2}$이므로 양변에 상용로그를 취하면 밑이 10이고, $10 > 1$이므로

$$\log 0.9^n \leq \log \frac{1}{2}$$

$$n\log \frac{9}{10} \leq \log 1 - \log 2$$

$$n(\log 3^2 - \log 10) \leq -\log 2$$

$$n(2\log 3 - 1) \leq -\log 2$$

이때 $\log 3 = 0.4771$이고 $2\log 3 = 0.9542$이므로

$$2\log 3 - 1 = -0.0458 < 0$$

$$\therefore n \geq \frac{-\log 2}{2\log 3 - 1} = \frac{-0.3010}{-0.0458} = 6.5 \cdots$$

따라서 자외선의 양이 처음의 50 % 이하가 되게 하려면 유리를 최소한 7장 통과시켜야 한다.

01 답 5

풀이 $y=a^x$의 그래프를 x축의 방향으로 1만큼, y축의 방향으로 3만큼 평행이동한 그래프의 식은

$y-3=a^{x-1}$ $\therefore y=a^{x-1}+3$

$y=a^{x-1}+3$의 그래프를 x축에 대하여 대칭이동한 그래프의 식은

$-y=a^{x-1}+3$ $\therefore y=-a^{x-1}-3$

이 그래프가 점 $(2, -8)$을 지나므로

$-8=-a^{2-1}-3$ $\therefore a=5$

02 답 $\left(\dfrac{1}{81}\right)^{\frac{1}{4}}, \left(\dfrac{1}{9}\right)^{\frac{1}{5}}, \left(\dfrac{1}{3}\right)^{\frac{1}{3}}$

풀이 $\left(\dfrac{1}{81}\right)^{\frac{1}{4}}=\left\{\left(\dfrac{1}{3}\right)^4\right\}^{\frac{1}{4}}=\dfrac{1}{3}$

$\left(\dfrac{1}{9}\right)^{\frac{1}{5}}=\left\{\left(\dfrac{1}{3}\right)^2\right\}^{\frac{1}{5}}=\left(\dfrac{1}{3}\right)^{\frac{2}{5}}$

$\dfrac{1}{3}<\dfrac{2}{5}<1$이고 $y=\left(\dfrac{1}{3}\right)^x$은 x의 값이 커질 때 y의 값은 작아지므로

$\dfrac{1}{3}<\left(\dfrac{1}{3}\right)^{\frac{2}{5}}<\left(\dfrac{1}{3}\right)^{\frac{1}{3}}$

$\therefore \left(\dfrac{1}{81}\right)^{\frac{1}{4}}<\left(\dfrac{1}{9}\right)^{\frac{1}{5}}<\left(\dfrac{1}{3}\right)^{\frac{1}{3}}$

03 답 $\dfrac{17}{4}$

풀이 함수 $y=2^{-x^2+6x-7}$에서 밑이 2이고 $2>1$이므로

$-x^2+6x-7$이 최대일 때 y도 최대, $-x^2+6x-7$이 최소일 때 y도 최소가 된다.

$-x^2+6x-7=-(x-3)^2+2$이므로 $1\le x\le 4$에서

$-x^2+6x-7$의 최댓값은 $x=3$일 때 2, 최솟값은 $x=1$일 때 -2이다.

따라서 $M=2^2=4$, $m=2^{-2}=\dfrac{1}{4}$이므로

$M+m=4+\dfrac{1}{4}=\dfrac{17}{4}$

04 답 $\dfrac{19}{4}$

풀이 $y=4^{-x}-6\times 2^{-x}+a$

$\qquad =\left\{\left(\dfrac{1}{2}\right)^x\right\}^2-6\left(\dfrac{1}{2}\right)^x+a$

이므로

$\left(\dfrac{1}{2}\right)^x=t\ (t>0)$로 치환하면

$y=t^2-6t+a=(t-3)^2-9+a$

이때 $1\le x\le 2$에서

$\left(\dfrac{1}{2}\right)^2\le\left(\dfrac{1}{2}\right)^x\le\left(\dfrac{1}{2}\right)^1$

$\therefore \dfrac{1}{4}\le t\le\dfrac{1}{2}$

따라서 $\dfrac{1}{4}\le t\le\dfrac{1}{2}$에서 함수 $y=(t-3)^2-9+a$의 최솟값은 $t=\dfrac{1}{2}$일 때 2이므로

$\left(\dfrac{1}{2}-3\right)^2-9+a=2$

$\therefore a=\dfrac{19}{4}$

05 답 -3

풀이 $\left(\dfrac{1}{4}\right)^x-3\left(\dfrac{1}{2}\right)^{x-1}+8=0$에서

$\left\{\left(\dfrac{1}{2}\right)^2\right\}^x-3\left(\dfrac{1}{2}\right)^x\times\left(\dfrac{1}{2}\right)^{-1}+8=0$

$\left\{\left(\dfrac{1}{2}\right)^x\right\}^2-6\left(\dfrac{1}{2}\right)^x+8=0$

$\left(\dfrac{1}{2}\right)^x=t\ (t>0)$로 치환하면

$t^2-6t+8=0$, $(t-2)(t-4)=0$

$\therefore t=2$ 또는 $t=4$

따라서 $\left(\dfrac{1}{2}\right)^x=2$에서 $x=-1$, $\left(\dfrac{1}{2}\right)^x=4$에서 $x=-2$

이므로 두 근의 합은 -3이다.

06 답 4

풀이 $(x^2)^4=x^x\times x^5$에서 $x^8=x^{x+5}$이므로

$8=x+5$ $\therefore x=3$

또, $x=1$이면 주어진 방정식은 $1^8=1^1\times 1^5=1$로 등식이 성립한다.

따라서 $x=1$ 또는 $x=3$이므로 모든 근의 합은 4이다.

07 답 -4

풀이 $64^x\ge(0.25)^{4-x^2}$에서 $64^x\ge\left(\dfrac{1}{4}\right)^{4-x^2}$

밑을 2로 같게 하면

$(2^6)^x\ge(2^{-2})^{4-x^2}$에서 $2^{6x}\ge 2^{2x^2-8}$

밑이 2이고 $2>1$이므로 $6x\ge 2x^2-8$

$2x^2-6x-8\le 0$, $x^2-3x-4\le 0$

$(x+1)(x-4)\le 0$

$\therefore -1\le x\le 4$

$M=4$, $m=-1$이므로 $Mm=-4$

08 답 0

풀이 $7^{2x+1}-50\times 7^x+7\le 0$에서 $7^{2x}\times 7-50\times 7^x+7\le 0$

$7\times(7^x)^2-50\times 7^x+7\le 0$

$7^x=t\ (t>0)$로 치환하면

$7t^2-50t+7\le 0$, $(7t-1)(t-7)\le 0$

$\therefore \dfrac{1}{7}\le t\le 7$

즉, $\dfrac{1}{7}\le 7^x\le 7$이므로 $7^{-1}\le 7^x\le 7^1$

이때 밑이 7이고 $7>1$이므로 $-1\le x\le 1$

따라서 정수 x는 -1, 0, 1이므로 모든 정수 x의 값의 합은 0이다.

09 답 5

풀이 $y=\log_2 x$의 그래프를 x축에 대하여 대칭이동한 그래프의 식은 $-y=\log_2 x$ $\therefore y=-\log_2 x$

$y=-\log_2 x$의 그래프를 x축의 방향으로 -2만큼, y축의 방향으로 3만큼 평행이동한 그래프의 식은

$y-3=-\log_2(x+2)$

$\therefore y=-\log_2(x+2)+3$

이 식과 $y=-\log_2(x+a)+b$가 일치하므로

$a=2$, $b=3$

$\therefore a+b=5$

10 답 50

풀이 $A(0,\ \log_5 2)$, $B(0,\ \log_5 a)$, $\overline{AB}=2$이므로

$\log_5 a-\log_5 2=2$

$\log_5 a=2+\log_5 2$

$\log_5 a=\log_5 50$ $\quad\therefore a=50$

11 답 2

풀이 $y=\log_2(x+a)$에서 밑이 2이고, $2>1$이므로

x의 값이 커지면 y의 값도 커진다.

따라서 $x=33$일 때 함수 $y=\log_2(x+a)$가 최댓값 5를 가지므로

$5=\log_2(33+a)$, 즉 $33+a=2^5$

$\therefore a=-1$

따라서 함수 $y=\log_2(x-1)$의 최솟값은 $x=5$일 때

$\log_2(5-1)=\log_2 4=2$

12 답 10

풀이 $y=\log x\times\log\dfrac{100}{x}=\log x\times(\log 100-\log x)$

$\qquad\quad=-(\log x)^2+2\log x$

$\log x=t$로 치환하면

$y=-t^2+2t=-(t-1)^2+1$

이때 $1\le x\le 100$이고, $10>1$이므로

$\log 1\le\log x\le\log 100$

$\therefore 0\le t\le 2$

따라서 $0\le t\le 2$에서 함수

$y=-(t-1)^2+1$은 $t=1$일 때 최댓값 1을 갖는다.

$t=\log x=1$일 때, 즉 $x=10$일 때 최댓값 1을 가지므로

$a=10$, $m=1$

$\therefore\dfrac{a}{m}=10$

13 답 -12

풀이 $\log_{(x^2-1)}2=\log_{(x+11)}2$에서

$x^2-1=x+11$, $x^2-x-12=0$

$(x+3)(x-4)=0$ $\quad\therefore x=-3$ 또는 $x=4$

$x=-3$ 또는 $x=4$일 때 $x^2-1>0$, $x^2-1\ne 1$이고

$x+11>0$, $x+11\ne 1$이므로 주어진 방정식을 만족시킨다.

따라서 모든 근의 곱은

$-3\times 4=-12$

14 답 $x=8$

풀이 $x=2$를 주어진 방정식에 대입하면

$(a+1)^2-3\times 2+2=0$, $a^2+2a-3=0$

$(a+3)(a-1)=0$

이때 $a>0$이므로 $a=1$

따라서 주어진 방정식은

$(1+\log_2 x)^2-3\log_2 x^2+2=0$

$1+2\log_2 x+(\log_2 x)^2-6\log_2 x+2=0$

$\therefore(\log_2 x)^2-4\log_2 x+3=0$

$\log_2 x=t$로 치환하면

$t^2-4t+3=0$, $(t-1)(t-3)=0$

$\therefore t=1$ 또는 $t=3$

따라서 $\log_2 x=1$에서 $x=2$,

$\log_2 x=3$에서 $x=2^3=8$

이므로 나머지 한 근은 $x=8$이다.

15 답 2

풀이 $(\log x)^2-k\log x+3-k\ge 0$에서

$\log x=t$로 치환하면

$t^2-kt+3-k\ge 0$

이 부등식이 항상 성립하기 위해서는 이차방정식

$t^2-kt+3-k=0$의 판별식을 D라고 할 때 $D\le 0$이어야 한다.

$D=(-k)^2-4\times 1\times(3-k)\le 0$

$k^2+4k-12\le 0$, $(k+6)(k-2)\le 0$

$\therefore-6\le k\le 2$

따라서 실수 k의 최댓값은 2이다.

16 답 $\dfrac{\sqrt{10}}{10}$배

풀이 투과도를 x, 처음 쏘인 빛의 양을 I_0, 투과된 빛의 양을 I라고 할 때, $\dfrac{I}{I_0}=x\ (x>0)$이다.

이때 사진 농도가 $\dfrac{1}{2}$ 이상이므로

$-\log x\ge\dfrac{1}{2}$, $\log x\le-\dfrac{1}{2}$

$\log x\le\log 10^{-\frac{1}{2}}$ $\quad\therefore 0<x\le 10^{-\frac{1}{2}}$

따라서 투과된 빛의 양은 처음 쏘인 빛의 양의 최대 $10^{-\frac{1}{2}}$배, 즉 $\dfrac{\sqrt{10}}{10}$배이다.

Ⅱ 삼각함수

01 답 (1) $360° \times n + 30°$ (단, n은 정수)

(2) $360° \times n + 120°$ (단, n은 정수)

(3) $360° \times n + 250°$ (단, n은 정수)

풀이 (1) 동경 OP가 나타내는 한 각이

$a° = 30° (0° \le a° < 360°)$이므로 일반각은

$360° \times n + \underline{30°}$ (단, n은 정수)

(2) 동경 OP가 나타내는 한 각이

$a° = 120° (0° \le a° < 360°)$이므로 일반각은

$360° \times n + 120°$ (단, n은 정수)

(3) 동경 OP가 나타내는 한 각이

$a° = 360° - 110° = 250° (0° \le a° < 360°)$이므로 일반각은

$360° \times n + 250°$ (단, n은 정수)

02 답 ㄷ, ㅁ

풀이 ㄷ. $405° = 360° + 45°$

ㄹ. $585° = 360° + 225°$

ㅁ. $765° = 360° \times 2 + 45°$

따라서 45°와 동경이 일치하는 각은 ㄷ, ㅁ이다.

03 답 ㄱ, ㄹ

풀이 $375° = 360° + 15°$

ㄷ. $555° = 360° + 195°$

ㄹ. $735° = 360° \times 2 + 15°$

ㅁ. $915° = 360° \times 2 + 195°$

따라서 375°와 동경이 일치하는 각은 ㄱ, ㄹ이다.

04 답 (1) 제1사분면   (2) 제2사분면   (3) 제3사분면

(4) 제2사분면   (5) 제4사분면   (6) 제4사분면

풀이 (1) $420° = 360° + 60°$

따라서 420°는 제1사분면의 각이다.

(2) $840° = 360° \times 2 + 120°$

따라서 840°는 제2사분면의 각이다.

(3) $1320° = 360° \times 3 + 240°$

따라서 1320°는 제3사분면의 각이다.

(4) $-625° = 360° \times (-2) + 95°$

따라서 $-625°$는 제2사분면의 각이다.

(5) $-1500° = 360° \times (-5) + 300°$

따라서 $-1500°$는 제4사분면의 각이다.

(6) $-1830° = 360° \times (-6) + 330°$

따라서 $-1830°$는 제4사분면의 각이다.

05 답 (1) 제1사분면, 제3사분면

(2) 제1사분면, 제2사분면, 제4사분면

(3) 제1사분면, 제3사분면, 제4사분면

풀이 (1) θ가 제2사분면의 각이므로

$360° \times n + 90° < \theta < 360° \times n + 180°$

(단, n은 정수이다.)

$\therefore 180° \times n + 45° < \dfrac{\theta}{2} < 180° \times n + 90°$

(ⅰ) $n = 2k$ (k는 정수)일 때

$180° \times 2k + 45° < \dfrac{\theta}{2} < 180° \times 2k + 90°$

$\therefore 360° \times k + 45° < \dfrac{\theta}{2} < 360° \times k + 90°$

따라서 $\dfrac{\theta}{2}$는 제1사분면의 각이다.

(ⅱ) $n = 2k+1$ (k는 정수)일 때

$180° \times (2k+1) + 45° < \dfrac{\theta}{2} < 180° \times (2k+1) + 90°$

$\therefore 360° \times k + 225° < \dfrac{\theta}{2} < 360° \times k + 270°$

따라서 $\dfrac{\theta}{2}$는 제3사분면의 각이다.

(ⅰ), (ⅱ)에서 $\dfrac{\theta}{2}$를 나타내는 동경이 존재하는 사분면은 제1사분면, 제3사분면이다.

(2) θ가 제2사분면의 각이므로

$360° \times n + 90° < \theta < 360° \times n + 180°$

(단, n은 정수이다.)

$\therefore 120° \times n + 30° < \dfrac{\theta}{3} < 120° \times n + 60°$

(ⅰ) $n = 3k$ (k는 정수)일 때

$120° \times 3k + 30° < \dfrac{\theta}{3} < 120° \times 3k + 60°$

$\therefore 360° \times k + 30° < \dfrac{\theta}{3} < 360° \times k + 60°$

따라서 $\dfrac{\theta}{3}$는 제1사분면의 각이다.

(ⅱ) $n = 3k+1$ (k는 정수)일 때

$120° \times (3k+1) + 30° < \dfrac{\theta}{3} < 120° \times (3k+1) + 60°$

$\therefore 360° \times k + 150° < \dfrac{\theta}{3} < 360° \times k + 180°$

따라서 $\dfrac{\theta}{3}$는 제2사분면의 각이다.

(ⅲ) $n = 3k+2$ (k는 정수)일 때

$120° \times (3k+2) + 30° < \dfrac{\theta}{3} < 120° \times (3k+2) + 60°$

$\therefore 360° \times k + 270° < \dfrac{\theta}{3} < 360° \times k + 300°$

따라서 $\dfrac{\theta}{3}$는 제4사분면의 각이다.

(ⅰ), (ⅱ), (ⅲ)에서 $\dfrac{\theta}{3}$의 동경이 존재하는 사분면은 제1사분면, 제2사분면, 제4사분면이다.

(3) θ가 제3사분면의 각이므로

$360° \times n + 180° < \theta < 360° \times n + 270°$

(단, n은 정수이다.)

$\therefore 120°\times n+60°<\dfrac{\theta}{3}<120°\times n+90°$

(ⅰ) $n=3k$ (k는 정수)일 때

$120°\times 3k+60°<\dfrac{\theta}{3}<120°\times 3k+90°$

$\therefore 360°\times k+60°<\dfrac{\theta}{3}<360°\times k+90°$

따라서 $\dfrac{\theta}{3}$는 제1사분면의 각이다.

(ⅱ) $n=3k+1$ (k는 정수)일 때

$120°\times(3k+1)+60°<\dfrac{\theta}{3}<120°\times(3k+1)+90°$

$\therefore 360°\times k+180°<\dfrac{\theta}{3}<360°\times k+210°$

따라서 $\dfrac{\theta}{3}$는 제3사분면의 각이다.

(ⅲ) $n=3k+2$ (k는 정수)일 때

$120°\times(3k+2)+60°<\dfrac{\theta}{3}<120°\times(3k+2)+90°$

$\therefore 360°\times k+300°<\dfrac{\theta}{3}<360°\times k+330°$

따라서 $\dfrac{\theta}{3}$는 제4사분면의 각이다.

(ⅰ), (ⅱ), (ⅲ)에서 $\dfrac{\theta}{3}$의 동경이 존재하는 사분면은 제1사분면, 제3사분면, 제4사분면이다.

06 답 (1) $15°$, $45°$, $75°$　(2) $135°$　(3) $60°$　(4) $162°$

풀이 (1) 각 θ를 나타내는 동경과 각 13θ를 나타내는 동경이 원점에 대하여 대칭이므로

$13\theta-\theta=360°\times n+180°$ (단, n은 정수)

$12\theta=360°\times n+180°$

$\theta=30°\times n+15°$

$\therefore \theta=15°,\ 45°,\ \underline{75°},\ 105°,\ \cdots$

이 중에서 예각의 크기는 $15°$, $45°$, $\underline{75°}$이다.

(2) 각 θ를 나타내는 동경과 각 3θ를 나타내는 동경이 y축에 대하여 대칭이므로

$\theta+3\theta=360°\times n+180°$ (단, n은 정수)

$4\theta=360°\times n+180°$

$\theta=90°\times n+45°$

$\therefore \theta=45°,\ 135°,\ 225°,\ \cdots$

이 중에서 둔각의 크기는 $135°$이다.

(3) 각 θ를 나타내는 동경과 각 5θ를 나타내는 동경이 x축에 대하여 대칭이므로

$\theta+5\theta=360°\times n$ (단, n은 정수)

$6\theta=360°\times n$

$\theta=60°\times n$

$\therefore \theta=60°,\ 120°,\ \cdots$

이 중에서 예각의 크기는 $60°$이다.

(4) 각 θ를 나타내는 동경과 각 4θ를 나타내는 동경이 직선 $y=x$에 대하여 대칭이므로

$\theta+4\theta=360°\times n+90°$ (단, n은 정수)

$5\theta=360°\times n+90°$

$\theta=72°\times n+18°$

$\therefore \theta=18°,\ 90°,\ 162°,\ 234°,\ \cdots$

이 중에서 둔각의 크기는 $162°$이다.

07 답 (1) $18°$　(2) $72°$　(3) $\dfrac{2}{3}\pi$　(4) $\dfrac{5}{6}\pi$　(5) $\dfrac{5}{4}\pi$

풀이 (1) $\dfrac{\pi}{10}\times\dfrac{180°}{\pi}=\underline{18°}$

(2) $\dfrac{2}{5}\pi\times\dfrac{180°}{\pi}=72°$

(3) $120\times\dfrac{\pi}{180}=\dfrac{2}{3}\pi$

(4) $150\times\dfrac{\pi}{180}=\dfrac{5}{6}\pi$

(5) $225\times\dfrac{\pi}{180}=\dfrac{5}{4}\pi$

08 답 (1) $\theta=2n\pi+\dfrac{\pi}{4}$ (단, n은 정수)

(2) $\theta=2n\pi+\dfrac{\pi}{3}$ (단, n은 정수)

(3) $\theta=2n\pi+\dfrac{7}{5}\pi$ (단, n은 정수)

(4) $\theta=2n\pi+\dfrac{7}{4}\pi$ (단, n은 정수)

(5) $\theta=2n\pi+\pi$ (단, n은 정수)

풀이 (1) $\theta=\underline{2n\pi+\dfrac{\pi}{4}}$ (단, n은 정수)

(2) $\dfrac{13}{3}\pi=2\pi\times 2+\dfrac{\pi}{3}$

$\therefore \theta=2n\pi+\dfrac{\pi}{3}$ (단, n은 정수)

(3) $\dfrac{27}{5}\pi=2\pi\times 2+\dfrac{7}{5}\pi$

$\therefore \theta=2n\pi+\dfrac{7}{5}\pi$ (단, n은 정수)

(4) $-\dfrac{17}{4}\pi=2\pi\times(-3)+\dfrac{7}{4}\pi$

$\therefore \theta=2n\pi+\dfrac{7}{4}\pi$ (단, n은 정수)

(5) $-5\pi=2\pi\times(-3)+\pi$

$\therefore \theta=2n\pi+\pi$ (단, n은 정수)

09 답 (1) 호의 길이: $\dfrac{20}{3}\pi$, 넓이: $\dfrac{40}{3}\pi$

(2) 호의 길이: 15π, 넓이: 75π

풀이 (1) 부채꼴의 반지름의 길이를 r, 부채꼴의 중심각의 크기를 θ, 부채꼴의 호의 길이를 l, 부채꼴의 넓이를 S라고 하면 $r=4$, $\theta=\dfrac{5}{3}\pi$이므로

$l=r\theta=4\times\dfrac{5}{3}\pi=\dfrac{20}{3}\pi$

$S=\dfrac{1}{2}r^2\theta=\dfrac{1}{2}\times 4^2\times\dfrac{5}{3}\pi=\dfrac{40}{3}\pi$

(2) 부채꼴의 반지름의 길이를 r, 부채꼴의 중심각의 크기를 θ, 부채꼴의 호의 길이를 l, 부채꼴의 넓이를 S라고 하면 $r=10$, $\theta=\dfrac{3}{2}\pi$이므로

$l=r\theta=10\times\dfrac{3}{2}\pi=15\pi$

$S=\dfrac{1}{2}r^2\theta=\dfrac{1}{2}\times 10^2\times\dfrac{3}{2}\pi=75\pi$

10 답 (1) 중심각의 크기: $\dfrac{\pi}{6}$, 넓이: 3π

(2) 중심각의 크기: $\dfrac{\pi}{8}$, 넓이: π

풀이 (1) 부채꼴의 반지름의 길이를 r, 부채꼴의 중심각의 크기를 θ, 부채꼴의 호의 길이를 l, 부채꼴의 넓이를 S라고 하면 $r=6$, $l=\pi$이므로

$l=r\theta$에서 $\pi=6\theta$ $\quad \therefore \theta=\dfrac{\pi}{6}$

$S=\dfrac{1}{2}rl=\dfrac{1}{2}\times 6\times\underline{}=\underline{3\pi}$

(2) 부채꼴의 반지름의 길이를 r, 부채꼴의 중심각의 크기를 θ, 부채꼴의 호의 길이를 l, 부채꼴의 넓이를 S라고 하면 $r=4$, $l=\dfrac{\pi}{2}$이므로

$l=r\theta$에서 $\dfrac{\pi}{2}=4\theta$ $\quad \therefore \theta=\dfrac{\pi}{8}$

$S=\dfrac{1}{2}rl=\dfrac{1}{2}\times 4\times\dfrac{\pi}{2}=\pi$

11 답 (1) 반지름의 길이: 4, 호의 길이: π

(2) 반지름의 길이: 6, 호의 길이: π

풀이 (1) 부채꼴의 반지름의 길이를 r, 부채꼴의 중심각의 크기를 θ, 부채꼴의 호의 길이를 l, 부채꼴의 넓이를 S라고 하면

$\theta=45°=\dfrac{\pi}{4}$, $S=2\pi$이므로

$S=\dfrac{1}{2}r^2\theta$에서 $2\pi=\dfrac{1}{2}\times r^2\times\dfrac{\pi}{4}$, $2\pi=\dfrac{\pi}{8}r^2$

$2=\dfrac{1}{8}r^2$, $r^2=16$ $\quad \therefore r=4\ (\because r>0)$

$l=r\theta=4\times\dfrac{\pi}{4}=\pi$

(2) 부채꼴의 반지름의 길이를 r, 부채꼴의 중심각의 크기를 θ, 부채꼴의 호의 길이를 l, 부채꼴의 넓이를 S라고 하면

$\theta=\dfrac{\pi}{6}$, $S=3\pi$이므로

$S=\dfrac{1}{2}r^2\theta$에서 $3\pi=\dfrac{1}{2}\times r^2\times\dfrac{\pi}{6}$, $3\pi=\dfrac{\pi}{12}r^2$

$3=\dfrac{1}{12}r^2$, $r^2=36$ $\quad \therefore r=6\ (\because r>0)$

$l=r\theta=6\times\dfrac{\pi}{6}=\pi$

12 답 (1) 중심각의 크기: $\dfrac{\pi}{2}$, 반지름의 길이: 2

(2) 중심각의 크기: $\dfrac{2}{9}\pi$, 반지름의 길이: 6

풀이 (1) 부채꼴의 반지름의 길이를 r, 부채꼴의 중심각의 크기를 θ, 부채꼴의 호의 길이를 l, 부채꼴의 넓이를 S라고 하면 $l=\pi$, $S=\pi$이므로

$S=\dfrac{1}{2}rl$에서 $\pi=\dfrac{1}{2}\times r\times\pi$ $\quad \therefore r=2$

$l=r\theta$에서 $\pi=2\times\theta$ $\quad \therefore \theta=\dfrac{\pi}{2}$

(2) 부채꼴의 반지름의 길이를 r, 부채꼴의 중심각의 크기를 θ, 부채꼴의 호의 길이를 l, 부채꼴의 넓이를 S라 하면

$l=\dfrac{4}{3}\pi$, $S=4\pi$이므로

$S=\dfrac{1}{2}rl$에서 $4\pi=\dfrac{1}{2}\times r\times\dfrac{4}{3}\pi$ $\quad \therefore r=6$

$l=r\theta$에서 $\dfrac{4}{3}\pi=6\times\theta$ $\quad \therefore \theta=\dfrac{2}{9}\pi$

13 답 (1) 중심각의 크기: π, 호의 길이: 6π

(2) 중심각의 크기: $\dfrac{3}{4}\pi$, 호의 길이: 15π

풀이 (1) 부채꼴의 반지름의 길이를 r, 부채꼴의 중심각의 크기를 θ, 부채꼴의 호의 길이를 l, 부채꼴의 넓이를 S라고 하면 $r=6$, $S=18\pi$이므로

$S=\dfrac{1}{2}rl$에서 $18\pi=\dfrac{1}{2}\times 6\times l$ $\quad \therefore l=6\pi$

$l=r\theta$에서 $6\pi=6\times\theta$ $\quad \therefore \theta=\pi$

(2) 부채꼴의 반지름의 길이를 r, 부채꼴의 중심각의 크기를 θ, 부채꼴의 호의 길이를 l, 부채꼴의 넓이를 S라고 하면 $r=20$, $S=150\pi$이므로

$S=\dfrac{1}{2}rl$에서 $150\pi=\dfrac{1}{2}\times 20\times l$ $\quad \therefore l=15\pi$

$l=r\theta$에서 $15\pi=20\times\theta$ $\quad \therefore \theta=\dfrac{3}{4}\pi$

14 답 (1) 최댓값: $\dfrac{25}{4}$, 반지름의 길이: $\dfrac{5}{2}$

(2) 최댓값: 9, 반지름의 길이: 3

(3) 최댓값: 16, 반지름의 길이: 4

(4) 최댓값: $\dfrac{81}{4}$, 반지름의 길이: $\dfrac{9}{2}$

(5) 최댓값: 36, 반지름의 길이: 6

풀이 (1) 부채꼴의 반지름의 길이를 r, 부채꼴의 호의 길이를 l이라고 하면 부채꼴의 둘레의 길이가 10이므로

$2r+l=10$ $\quad \therefore l=10-2r$

이때 $10-2r>0$, $r>0$이므로 $0<r<5$

부채꼴의 넓이를 S라고 하면

$S=\dfrac{1}{2}rl=\dfrac{1}{2}r(10-2r)=-r^2+5r$

$\quad =-\left(r-\dfrac{5}{2}\right)^2+\dfrac{25}{4}$

따라서 $r=\dfrac{5}{2}$, 즉 반지름의 길이가 $\dfrac{5}{2}$일 때 부채꼴의 넓이는 $\dfrac{25}{4}$로 최대이다.

(2) 부채꼴의 반지름의 길이를 r, 부채꼴의 호의 길이를 l이라고 하면 부채꼴의 둘레의 길이가 12이므로

$2r+l=12$ $\quad \therefore l=12-2r$

이때 $12-2r>0$, $r>0$이므로 $0<r<6$

부채꼴의 넓이를 S라고 하면

$S=\dfrac{1}{2}rl=\dfrac{1}{2}r(12-2r)=-r^2+6r$

$\quad =-(r-3)^2+9$

따라서 $r=3$, 즉 반지름의 길이가 3일 때 부채꼴의 넓이는 9로 최대이다.

(3) 부채꼴의 반지름의 길이를 r, 부채꼴의 호의 길이를 l이라고 하면 부채꼴의 둘레의 길이가 16이므로

$2r+l=16$ $\therefore l=16-2r$

이때 $16-2r>0$, $r>0$이므로 $0<r<8$

부채꼴의 넓이를 S라고 하면

$S=\dfrac{1}{2}rl=\dfrac{1}{2}r(16-2r)$

$=-r^2+8r$

$=-(r-4)^2+16$

따라서 $r=4$, 즉 반지름의 길이가 4일 때 부채꼴의 넓이는 16으로 최대이다.

(4) 부채꼴의 반지름의 길이를 r, 부채꼴의 호의 길이를 l이라고 하면 부채꼴의 둘레의 길이가 18이므로

$2r+l=18$ $\therefore l=18-2r$

이때 $18-2r>0$, $r>0$이므로 $0<r<9$

부채꼴의 넓이를 S라고 하면

$S=\dfrac{1}{2}rl=\dfrac{1}{2}r(18-2r)$

$=-r^2+9r$

$=-\left(r-\dfrac{9}{2}\right)^2+\dfrac{81}{4}$

따라서 $r=\dfrac{9}{2}$, 즉 반지름의 길이가 $\dfrac{9}{2}$일 때 부채꼴의 넓이는 $\dfrac{81}{4}$로 최대이다.

(5) 부채꼴의 반지름의 길이를 r, 부채꼴의 호의 길이를 l이라고 하면 부채꼴의 둘레의 길이가 24이므로

$2r+l=24$ $\therefore l=24-2r$

이때 $24-2r>0$, $r>0$이므로 $0<r<12$

부채꼴의 넓이를 S라고 하면

$S=\dfrac{1}{2}rl=\dfrac{1}{2}r(24-2r)$

$=-r^2+12r$

$=-(r-6)^2+36$

따라서 $r=6$, 즉 반지름의 길이가 6일 때 부채꼴의 넓이는 36으로 최대이다.

15 답 (1) $\dfrac{3}{5}$ (2) $\dfrac{4}{5}$ (3) $\dfrac{3}{4}$

풀이 **(1)** 피타고라스 정리에 의하여

$\overline{AC}^2+\overline{BC}^2=\overline{AB}^2$

$\overline{AC}^2+4^2=5^2$

$\overline{AC}^2=9$

$\therefore \overline{AC}=3 \ (\because \overline{AC}>0)$

$\therefore \sin B=\dfrac{3}{5}$

(2) $\cos B=\dfrac{4}{5}$

(3) $\tan B=\dfrac{3}{4}$

---

16 답 (1) $\dfrac{12}{13}$ (2) $\dfrac{5}{13}$ (3) $\dfrac{12}{5}$

풀이 **(1)** 피타고라스 정리에 의하여

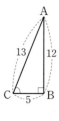

$\overline{AB}^2+\overline{BC}^2=\overline{AC}^2$

$12^2+\overline{BC}^2=13^2$

$\overline{BC}^2=25$

$\therefore \overline{BC}=5 \ (\because \overline{BC}>0)$

$\therefore \sin C=\dfrac{12}{13}$

(2) $\cos C=\dfrac{5}{13}$

(3) $\tan C=\dfrac{12}{5}$

17 답 (1) $\sin 390°=\dfrac{1}{2}$, $\cos 390°=\dfrac{\sqrt{3}}{2}$, $\tan 390°=\dfrac{1}{\sqrt{3}}$

   (2) $\sin 480°=\dfrac{\sqrt{3}}{2}$, $\cos 480°=-\dfrac{1}{2}$, $\tan 480°=-\sqrt{3}$

   (3) $\sin 585°=-\dfrac{1}{\sqrt{2}}$, $\cos 585°=-\dfrac{1}{\sqrt{2}}$, $\tan 585°=1$

풀이 **(1)** $390°=360°+30°$이므로 주어진 각의 동경을 그리면 한 바퀴 돌린 후 $30°$ 만큼 더 돌리면 된다. 그림과 같이 동경에서 x축에 수선을 그어 직각삼각형을 만들면

$\sin 390°=\dfrac{1}{2}$

$\cos 390°=\dfrac{\sqrt{3}}{2}$

$\tan 390°=\dfrac{1}{\sqrt{3}}$

(2) $480°=360°+120°$이므로 주어진 각의 동경을 그리면 한 바퀴 돌린 후 $120°$ 만큼 더 돌리면 된다. 그림과 같이 동경에서 x축에 수선을 그어 직각삼각형을 만들면

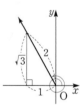

$\sin 480°=\dfrac{\sqrt{3}}{2}$

$\cos 480°=\dfrac{-1}{2}=-\dfrac{1}{2}$

$\tan 480°=\dfrac{\sqrt{3}}{-1}=-\sqrt{3}$

(3) $585°=360°+225°$이므로 주어진 각의 동경을 그리면 한 바퀴 돌린 후 $225°$ 만큼 더 돌리면 된다. 그림과 같이 동경에서 x축에 수선을 그어 직각삼각형을 만들면

$\sin 585°=\dfrac{-1}{\sqrt{2}}=-\dfrac{1}{\sqrt{2}}$

$\cos 585°=\dfrac{-1}{\sqrt{2}}=-\dfrac{1}{\sqrt{2}}$

$\tan 585°=\dfrac{-1}{-1}=1$

18 답 (1) $\sin \dfrac{7}{3}\pi = \dfrac{\sqrt{3}}{2}$, $\cos \dfrac{7}{3}\pi = \dfrac{1}{2}$, $\tan \dfrac{7}{3}\pi = \sqrt{3}$

(2) $\sin \dfrac{17}{6}\pi = \dfrac{1}{2}$, $\cos \dfrac{17}{6}\pi = -\dfrac{\sqrt{3}}{2}$,

$\tan \dfrac{17}{6}\pi = -\dfrac{1}{\sqrt{3}}$

(3) $\sin \dfrac{13}{4}\pi = -\dfrac{1}{\sqrt{2}}$, $\cos \dfrac{13}{4}\pi = -\dfrac{1}{\sqrt{2}}$, $\tan \dfrac{13}{4}\pi = 1$

풀이 (1) $\dfrac{7}{3}\pi = 2\pi + \dfrac{\pi}{3}$이므로

주어진 각의 동경을 그리면 한 바퀴

돌린 후 $\dfrac{\pi}{3}$만큼 더 돌리면 된다.

그림과 같이 동경에서 x축에 수선을

그어 직각삼각형을 만들면

$\sin \dfrac{7}{3}\pi = \dfrac{\sqrt{3}}{2}$, $\cos \dfrac{7}{3}\pi = \dfrac{1}{2}$

$\tan \dfrac{7}{3}\pi = \sqrt{3}$

(2) $\dfrac{17}{6}\pi = 2\pi + \dfrac{5}{6}\pi$이므로

주어진 각의 동경을 그리면 한 바

퀴 돌린 후 $\dfrac{5}{6}\pi$ 만큼 더 돌리면

된다.

그림과 같이 동경에서 x축에 수선을 그어 직각삼각형을

만들면

$\sin \dfrac{17}{6}\pi = \dfrac{1}{2}$

$\cos \dfrac{17}{6}\pi = \dfrac{-\sqrt{3}}{2} = -\dfrac{\sqrt{3}}{2}$

$\tan \dfrac{17}{6}\pi = \dfrac{1}{-\sqrt{3}} = -\dfrac{1}{\sqrt{3}}$

(3) $\dfrac{13}{4}\pi = 2\pi + \dfrac{5}{4}\pi$이므로

주어진 각의 동경을 그리면 한 바

퀴 돌린 후 $\dfrac{5}{4}\pi$ 만큼 더 돌리면

된다. 그림과 같이 동경에서 x축

에 수선을 그어 직각삼각형을 만들면

$\sin \dfrac{13}{4}\pi = \dfrac{-1}{\sqrt{2}} = -\dfrac{1}{\sqrt{2}}$

$\cos \dfrac{13}{4}\pi = \dfrac{-1}{\sqrt{2}} = -\dfrac{1}{\sqrt{2}}$

$\tan \dfrac{13}{4}\pi = \dfrac{-1}{-1} = 1$

19 답 (1) $\sin \theta = \dfrac{3}{5}$, $\cos \theta = \dfrac{4}{5}$, $\tan \theta = \dfrac{3}{4}$

(2) $\sin \theta = -\dfrac{3}{5}$, $\cos \theta = -\dfrac{4}{5}$, $\tan \theta = \dfrac{3}{4}$

(3) $\sin \theta = -\dfrac{3}{5}$, $\cos \theta = \dfrac{4}{5}$, $\tan \theta = -\dfrac{3}{4}$

(4) $\sin \theta = \dfrac{8}{17}$, $\cos \theta = -\dfrac{15}{17}$, $\tan \theta = -\dfrac{8}{15}$

(5) $\sin \theta = -\dfrac{8}{17}$, $\cos \theta = -\dfrac{15}{17}$, $\tan \theta = \dfrac{8}{15}$

풀이 (1) $\overline{OP} = \sqrt{4^2 + 3^2} = 5$이므로

$\sin \theta = \dfrac{3}{5}$

$\cos \theta = \dfrac{4}{5}$

$\tan \theta = \dfrac{3}{4}$

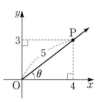

(2) $\overline{OP} = \sqrt{(-4)^2 + (-3)^2} = 5$

이므로

$\sin \theta = \dfrac{-3}{5} = -\dfrac{3}{5}$

$\cos \theta = \dfrac{-4}{5} = -\dfrac{4}{5}$

$\tan \theta = \dfrac{-3}{-4} = \dfrac{3}{4}$

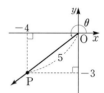

(3) $\overline{OP} = \sqrt{4^2 + (-3)^2} = 5$

이므로

$\sin \theta = \dfrac{-3}{5} = -\dfrac{3}{5}$

$\cos \theta = \dfrac{4}{5}$

$\tan \theta = \dfrac{-3}{4} = -\dfrac{3}{4}$

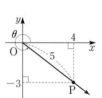

(4) $\overline{OP} = \sqrt{(-15)^2 + 8^2} = 17$

이므로

$\sin \theta = \dfrac{8}{17}$

$\cos \theta = \dfrac{-15}{17} = -\dfrac{15}{17}$

$\tan \theta = \dfrac{8}{-15} = -\dfrac{8}{15}$

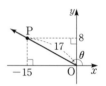

(5) $\overline{OP} = \sqrt{(-15)^2 + (-8)^2} = 17$

이므로

$\sin \theta = \dfrac{-8}{17} = -\dfrac{8}{17}$

$\cos \theta = \dfrac{-15}{17} = -\dfrac{15}{17}$

$\tan \theta = \dfrac{-8}{-15} = \dfrac{8}{15}$

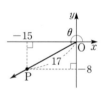

20 답 (1) $\sin \theta = \dfrac{1}{\sqrt{2}}$, $\cos \theta = -\dfrac{1}{\sqrt{2}}$, $\tan \theta = -1$

(2) $\sin \theta = -\dfrac{1}{2}$, $\cos \theta = \dfrac{\sqrt{3}}{2}$, $\tan \theta = -\dfrac{1}{\sqrt{3}}$

(3) $\sin \theta = -\dfrac{\sqrt{3}}{2}$, $\cos \theta = -\dfrac{1}{2}$, $\tan \theta = \sqrt{3}$

(4) $\sin \theta = \dfrac{\sqrt{3}}{2}$, $\cos \theta = \dfrac{1}{2}$, $\tan \theta = \sqrt{3}$

풀이 (1) 그림과 같이 반지름의 길

이가 1인 원과 $\theta = \dfrac{3}{4}\pi$의 동경의

교점을 P, 점 P에서 x축에 내린

수선의 발을 H라고 하면 직각삼

각형 POH에서

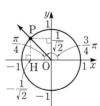

$\angle POH = \dfrac{\pi}{4}$이므로 점 P의 좌표는

$\left(-\dfrac{1}{\sqrt{2}}, \dfrac{1}{\sqrt{2}}\right)$이다.

$\therefore \sin \theta = \dfrac{1}{\sqrt{2}}$, $\cos \theta = -\dfrac{1}{\sqrt{2}}$, $\tan \theta = \underline{-1}$

(2) 그림과 같이 반지름의 길이가 1

인 원과 $\theta = -\dfrac{\pi}{6}$의 동경의 교점

을 P, 점 P에서 x축에 내린 수선

의 발을 H라고 하면 직각삼각형

POH에서

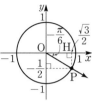

$\angle POH = \dfrac{\pi}{6}$이므로 점 P의 좌표는

$\left(\dfrac{\sqrt{3}}{2}, -\dfrac{1}{2} \right)$이다.

$\therefore \sin \theta = -\dfrac{1}{2}$, $\cos \theta = \dfrac{\sqrt{3}}{2}$, $\tan \theta = -\dfrac{1}{\sqrt{3}}$

(3) 그림과 같이 반지름의 길이가 1

인 원과 $\theta = -\dfrac{2}{3}\pi$의 교

점을 P, 점 P에서 x축에 내린 수

선의 발을 H라고 하면 직각삼각

형 POH에서

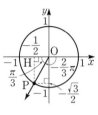

$\angle POH = \dfrac{\pi}{3}$이므로 점 P의 좌표는

$\left(-\dfrac{1}{2}, -\dfrac{\sqrt{3}}{2} \right)$이다.

$\therefore \sin \theta = -\dfrac{\sqrt{3}}{2}$, $\cos \theta = -\dfrac{1}{2}$, $\tan \theta = \sqrt{3}$

(4) 그림과 같이 반지름의 길이가 1

인 원과 $\theta = \dfrac{\pi}{3}$의 동경의 교점을

P, 점 P에서 x축에 내린 수선의

발을 H라고 하면 직각삼각형

POH에서

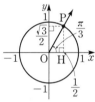

$\angle POH = \dfrac{\pi}{3}$이므로 점 P의 좌표는 $\left(\dfrac{1}{2}, \dfrac{\sqrt{3}}{2} \right)$이다.

$\therefore \sin \theta = \dfrac{\sqrt{3}}{2}$, $\cos \theta = \dfrac{1}{2}$, $\tan \theta = \sqrt{3}$

21 답 (1) 제2사분면   (2) 제3사분면

(3) 제3사분면

풀이 (1)(i) $\sin\theta\tan\theta < 0$에서 $\sin\theta < 0$, $\tan\theta > 0$ 또는

$\sin\theta > 0$, $\tan\theta < 0$이므로 θ는 제3사분면의 각 또는 제

2사분면의 각이다.

(ii) $\sin\theta\cos\theta < 0$에서 $\sin\theta < 0$, $\cos\theta > 0$ 또는

$\sin\theta > 0$, $\cos\theta < 0$이므로 θ는 제4사분면의 각 또는

제2사분면의 각이다.

(i), (ii)에서 θ는 제2사분면의 각이다.

(2)(i) $\sin\theta\cos\theta > 0$에서 $\sin\theta > 0$, $\cos\theta > 0$ 또는

$\sin\theta < 0$, $\cos\theta < 0$이므로 θ는 제1사분면의 각 또는

제3사분면의 각이다.

(ii) $\cos\theta\tan\theta < 0$에서 $\cos\theta < 0$, $\tan\theta > 0$ 또는

$\cos\theta > 0$, $\tan\theta < 0$이므로 θ는 제3사분면의 각 또

는 제4사분면의 각이다.

(i), (ii)에서 θ는 제3사분면의 각이다.

(3)(i) $\dfrac{\sin\theta}{\tan\theta} < 0$에서 $\sin\theta > 0$, $\tan\theta < 0$ 또는

$\sin\theta < 0$, $\tan\theta > 0$이므로 θ는 제2사분면의 각 또는

제3사분면의 각이다.

(ii) $\dfrac{\cos\theta}{\tan\theta} < 0$에서 $\cos\theta > 0$, $\tan\theta < 0$ 또는

$\cos\theta < 0$, $\tan\theta > 0$이므로 θ는 제4사분면의 각 또

는 제3사분면의 각이다.

(i), (ii)에서 θ는 제3사분면의 각이다.

22 답 (1) $\tan\theta$ (2) $\tan\theta$

풀이 (1) θ는 제2사분면의 각이므로

$\sin\theta > 0$, $\tan\theta < 0$

따라서 $\tan\theta - \sin\theta < 0$이다.

$\therefore |\sin\theta| - |\tan\theta - \sin\theta|$

$= \sin\theta + (\tan\theta - \sin\theta)$

$= \sin\theta + \tan\theta - \sin\theta$

$= \tan\theta$

(2) θ는 제2사분면의 각이므로

$\cos\theta < 0$, $\tan\theta < 0$

따라서 $\cos\theta + \tan\theta < 0$이다.

$\therefore \sqrt{\cos^2\theta} - \sqrt{(\cos\theta + \tan\theta)^2}$

$= -\cos\theta + (\cos\theta + \tan\theta)$

$= -\cos\theta + \cos\theta + \tan\theta$

$= \tan\theta$

23 답 (1) $\sin\theta$ (2) $-\tan\theta$

풀이 (1) θ는 제3사분면의 각이므로

$\sin\theta < 0$, $\cos\theta < 0$

따라서 $\cos\theta + \sin\theta < 0$이다.

$\therefore \sqrt{\sin^2\theta} - |\cos\theta + \sin\theta| - \sqrt[3]{(\cos\theta - \sin\theta)^3}$

$= -\sin\theta + (\cos\theta + \sin\theta) - (\cos\theta - \sin\theta)$

$= -\sin\theta + \cos\theta + \sin\theta - \cos\theta + \sin\theta$

$= \sin\theta$

(2) θ는 제3사분면의 각이므로

$\cos\theta < 0$, $\tan\theta > 0$

따라서 $\cos\theta - \tan\theta < 0$이다.

$\therefore \sqrt{\cos^2\theta} - \sqrt{(\cos\theta - \tan\theta)^2}$

$= -\cos\theta + (\cos\theta - \tan\theta)$

$= -\tan\theta$

24 답 (1) $-\cos\theta$ (2) $-\sin\theta$ (3) $-\cos\theta$

풀이 (1) θ는 제4사분면의 각이므로

$\sin\theta < 0$, $\cos\theta > 0$

따라서 $\sin\theta - \cos\theta < 0$이다.

$\therefore |\sin\theta| - \sqrt{(\sin\theta - \cos\theta)^2}$

$= -\sin\theta + (\sin\theta - \cos\theta)$

$= -\cos\theta$

(2) θ는 제4사분면의 각이므로

$\sin\theta < 0$, $\tan\theta < 0$

따라서 $\sin\theta + \tan\theta < 0$이다.

$\therefore \sqrt{(\sin\theta + \tan\theta)^2} - |\tan\theta|$

$= -(\sin\theta + \tan\theta) + \tan\theta$

$$= -\sin\theta - \tan\theta + \tan\theta$$
$$= -\sin\theta$$

(3) θ는 제4사분면의 각이므로

$\sin\theta < 0$, $\cos\theta > 0$, $\tan\theta < 0$

따라서 $\cos\theta - \sin\theta > 0$이다.

$$\therefore \sqrt{\tan^2\theta} - \sqrt{(\cos\theta - \sin\theta)^2} + \sqrt[3]{(\tan\theta - \sin\theta)^3}$$
$$= -\tan\theta - (\cos\theta - \sin\theta) + (\tan\theta - \sin\theta)$$
$$= -\tan\theta - \cos\theta + \sin\theta + \tan\theta - \sin\theta$$
$$= -\cos\theta$$

25 답 (1) 2 (2) $\dfrac{2}{\cos\theta}$ (3) 1 (4) 2

풀이 (1) $(\sin\theta + \cos\theta)^2 + (\sin\theta - \cos\theta)^2$
$$= (\sin^2\theta + 2\sin\theta\cos\theta + \cos^2\theta)$$
$$+ (\sin^2\theta - 2\sin\theta\cos\theta + \cos^2\theta)$$
$$= (1 + 2\sin\theta\cos\theta) + (1 - 2\sin\theta\cos\theta)$$
$$= \underline{2}$$

(2) $\dfrac{\cos\theta}{1+\sin\theta} + \dfrac{\cos\theta}{1-\sin\theta}$

$$= \dfrac{\cos\theta(1-\sin\theta) + \cos\theta(1+\sin\theta)}{(1+\sin\theta)(1-\sin\theta)}$$

$$= \dfrac{\cos\theta - \cos\theta\sin\theta + \cos\theta + \cos\theta\sin\theta}{1 - \sin^2\theta}$$

$$= \dfrac{2\cos\theta}{1-\sin^2\theta} = \dfrac{2\cos\theta}{\cos^2\theta} = \dfrac{2}{\cos\theta}$$

(3) $\dfrac{\cos^2\theta}{1+\sin\theta} + \cos\theta\tan\theta$

$$= \dfrac{1-\sin^2\theta}{1+\sin\theta} + \cos\theta \times \dfrac{\sin\theta}{\cos\theta}$$

$$= \dfrac{(1+\sin\theta)(1-\sin\theta)}{1+\sin\theta} + \sin\theta$$

$$= 1 - \sin\theta + \sin\theta = 1$$

(4) $\dfrac{1-\sin^4\theta}{\cos^2\theta} + \cos^2\theta$

$$= \dfrac{(1+\sin^2\theta)(1-\sin^2\theta)}{1-\sin^2\theta} + \cos^2\theta$$

$$= 1 + \sin^2\theta + \cos^2\theta = 2$$

26 답 (1) $\sin\theta = \dfrac{5}{13}$, $\tan\theta = -\dfrac{5}{12}$

(2) $\cos\theta = \dfrac{\sqrt{3}}{2}$, $\tan\theta = -\dfrac{1}{\sqrt{3}}$

(3) $\cos\theta = -\dfrac{1}{2}$, $\tan\theta = \sqrt{3}$

(4) $\sin\theta = -\dfrac{4}{5}$, $\tan\theta = -\dfrac{4}{3}$

풀이 (1) $\sin^2\theta = 1 - \cos^2\theta = 1 - \left(-\dfrac{12}{13}\right)^2 = \dfrac{25}{169}$

그런데 θ는 제2사분면의 각이므로 $\sin\theta > 0$

$$\therefore \sin\theta = \dfrac{5}{13}$$

$$\therefore \tan\theta = \dfrac{\sin\theta}{\cos\theta} = \dfrac{\dfrac{5}{13}}{-\dfrac{12}{13}} = -\dfrac{5}{12}$$

(2) $\cos^2\theta = 1 - \sin^2\theta = 1 - \left(-\dfrac{1}{2}\right)^2 = \dfrac{3}{4}$

그런데 θ는 제4사분면의 각이므로 $\cos\theta > 0$

$$\therefore \cos\theta = \dfrac{\sqrt{3}}{2}$$

$$\therefore \tan\theta = \dfrac{\sin\theta}{\cos\theta} = \dfrac{-\dfrac{1}{2}}{\dfrac{\sqrt{3}}{2}} = -\dfrac{1}{\sqrt{3}}$$

(3) $\cos^2\theta = 1 - \sin^2\theta = 1 - \left(-\dfrac{\sqrt{3}}{2}\right)^2 = \dfrac{1}{4}$

그런데 θ는 제3사분면의 각이므로 $\cos\theta < 0$

$$\therefore \cos\theta = -\dfrac{1}{2}$$

$$\therefore \tan\theta = \dfrac{\sin\theta}{\cos\theta} = \dfrac{-\dfrac{\sqrt{3}}{2}}{-\dfrac{1}{2}} = \sqrt{3}$$

(4) $\sin^2\theta = 1 - \cos^2\theta = 1 - \left(\dfrac{3}{5}\right)^2 = \dfrac{16}{25}$

그런데 θ는 제4사분면의 각이므로 $\sin\theta < 0$

$$\therefore \sin\theta = -\dfrac{4}{5}$$

$$\therefore \tan\theta = \dfrac{\sin\theta}{\cos\theta} = \dfrac{-\dfrac{4}{5}}{\dfrac{3}{5}} = -\dfrac{4}{3}$$

27 답 (1) $-\dfrac{3}{8}$ (2) $\pm\dfrac{\sqrt{7}}{2}$ (3) $\pm\dfrac{\sqrt{7}}{4}$

(4) $\dfrac{11}{16}$ (5) $-\dfrac{8}{3}$

풀이 (1) $\sin\theta + \cos\theta = \dfrac{1}{2}$의 양변을 제곱하면

$$\sin^2\theta + 2\sin\theta\cos\theta + \cos^2\theta = \dfrac{1}{4}$$

$$1 + 2\sin\theta\cos\theta = \dfrac{1}{4}, \quad 2\sin\theta\cos\theta = -\dfrac{3}{4}$$

$$\therefore \sin\theta\cos\theta = -\dfrac{3}{8}$$

(2) $(\sin\theta - \cos\theta)^2 = \sin^2\theta - 2\sin\theta\cos\theta + \cos^2\theta$
$$= 1 - 2\sin\theta\cos\theta$$
$$= 1 - 2 \times \left(-\dfrac{3}{8}\right) \ (\because (1))$$
$$= \dfrac{7}{4}$$

$$\therefore \sin\theta - \cos\theta = \pm\dfrac{\sqrt{7}}{2}$$

(3) $\sin^2\theta - \cos^2\theta = (\sin\theta + \cos\theta)(\sin\theta - \cos\theta)$
$$= \dfrac{1}{2} \times \left(\pm\dfrac{\sqrt{7}}{2}\right) \ (\because (2))$$
$$= \pm\dfrac{\sqrt{7}}{4}$$

(4) $\sin^3\theta + \cos^3\theta$
$$= (\sin\theta + \cos\theta)(\sin^2\theta - \sin\theta\cos\theta + \cos^2\theta)$$
$$= (\sin\theta + \cos\theta)(1 - \sin\theta\cos\theta)$$
$$= \dfrac{1}{2} \times \left\{1 - \left(-\dfrac{3}{8}\right)\right\} \ (\because (1))$$
$$= \dfrac{1}{2} \times \dfrac{11}{8} = \dfrac{11}{16}$$

(5) $\dfrac{\cos\theta}{\sin\theta} + \dfrac{\sin\theta}{\cos\theta} = \dfrac{\cos^2\theta + \sin^2\theta}{\sin\theta\cos\theta}$
$$= \dfrac{1}{\sin\theta\cos\theta}$$

$$=\frac{1}{\left(-\dfrac{3}{8}\right)}\ (\because \text{(1)})$$

$$=-\frac{8}{3}$$

28 답 (1) $-\dfrac{\sqrt{35}}{5}$　　　(2) $-\dfrac{\sqrt{6}}{2}$

　　　(3) $\dfrac{\sqrt{21}}{3}$　　　(4) $-\sqrt{2}$

풀이 (1) $(\cos\theta-\sin\theta)^2=\cos^2\theta-2\sin\theta\cos\theta+\sin^2\theta$

$$=1-2\sin\theta\cos\theta$$

$$=1-2\times\left(-\frac{1}{5}\right)$$

$$=\frac{7}{5}$$

이때 θ는 제2사분면의 각이므로

$\sin\theta>0,\ \cos\theta<0$

$\therefore \cos\theta-\sin\theta<0$

$\therefore \cos\theta-\sin\theta=-\sqrt{\dfrac{7}{5}}=-\dfrac{\sqrt{35}}{5}$

(2) $(\sin\theta+\cos\theta)^2=\sin^2\theta+2\sin\theta\cos\theta+\cos^2\theta$

$$=1+2\sin\theta\cos\theta$$

$$=1+2\times\frac{1}{4}$$

$$=\frac{3}{2}$$

이때 θ는 제3사분면의 각이므로

$\sin\theta<0,\ \cos\theta<0$

$\therefore \sin\theta+\cos\theta<0$

$\therefore \sin\theta+\cos\theta=-\sqrt{\dfrac{3}{2}}=-\dfrac{\sqrt{6}}{2}$

(3) $(\cos\theta-\sin\theta)^2=\cos^2\theta-2\sin\theta\cos\theta+\sin^2\theta$

$$=1-2\sin\theta\cos\theta$$

$$=1-2\times\left(-\frac{2}{3}\right)$$

$$=\frac{7}{3}$$

이때 θ는 제4사분면의 각이므로

$\sin\theta<0,\ \cos\theta>0$

$\therefore \cos\theta-\sin\theta>0$

$\therefore \cos\theta-\sin\theta=\sqrt{\dfrac{7}{3}}=\dfrac{\sqrt{21}}{3}$

(4) $(\cos\theta-\sin\theta)^2=\cos^2\theta-2\sin\theta\cos\theta+\sin^2\theta$

$$=1-2\sin\theta\cos\theta$$

$$=1-2\times\left(-\frac{1}{2}\right)$$

$$=2$$

이때 θ는 제2사분면의 각이므로

$\sin\theta>0,\ \cos\theta<0$

$\therefore \cos\theta-\sin\theta<0$

$\therefore \cos\theta-\sin\theta=-\sqrt{2}$

29 답 (1) $\dfrac{3}{4}$　　　(2) $-\dfrac{5}{6}$

　　　(3) $-\dfrac{15}{8}$　　　(4) $2\sqrt{2}$

풀이 (1) 이차방정식의 근과 계수의 관계에 의하여

$\sin\theta+\cos\theta=\dfrac{1}{2}$ 　　　⋯⋯ ㉠

$\sin\theta\cos\theta=-\dfrac{a}{2}$ 　　　⋯⋯ ㉡

㉠의 양변을 제곱하면

$\sin^2\theta+2\sin\theta\cos\theta+\cos^2\theta=\dfrac{1}{4}$

$1+2\sin\theta\cos\theta=\dfrac{1}{4}$ 　　　⋯⋯ ㉢

㉡을 ㉢에 대입하면

$1+2\times\left(-\dfrac{a}{2}\right)=\dfrac{1}{4}$　　$\therefore a=\dfrac{3}{4}$

(2) 이차방정식의 근과 계수의 관계에 의하여

$\sin\theta+\cos\theta=-\dfrac{2}{3}$ 　　　⋯⋯ ㉠

$\sin\theta\cos\theta=\dfrac{a}{3}$ 　　　⋯⋯ ㉡

㉠의 양변을 제곱하면

$\sin^2\theta+2\sin\theta\cos\theta+\cos^2\theta=\dfrac{4}{9}$

$1+2\sin\theta\cos\theta=\dfrac{4}{9}$ 　　　⋯⋯ ㉢

㉡을 ㉢에 대입하면

$1+2\times\dfrac{a}{3}=\dfrac{4}{9}$

$\therefore a=-\dfrac{5}{6}$

(3) 이차방정식의 근과 계수의 관계에 의하여

$\sin\theta+\cos\theta=\dfrac{1}{4}$ 　　　⋯⋯ ㉠

$\sin\theta\cos\theta=\dfrac{a}{4}$ 　　　⋯⋯ ㉡

㉠의 양변을 제곱하면

$\sin^2\theta+2\sin\theta\cos\theta+\cos^2\theta=\dfrac{1}{16}$

$1+2\sin\theta\cos\theta=\dfrac{1}{16}$ 　　　⋯⋯ ㉢

㉡을 ㉢에 대입하면

$1+2\times\dfrac{a}{4}=\dfrac{1}{16}$

$\therefore a=-\dfrac{15}{8}$

(4) 이차방정식의 근과 계수의 관계에 의하여

$\sin\theta+\cos\theta=-\dfrac{a}{4}$ 　　　⋯⋯ ㉠

$\sin\theta\cos\theta=-\dfrac{1}{4}$ 　　　⋯⋯ ㉡

㉠의 양변을 제곱하면

$\sin^2\theta+2\sin\theta\cos\theta+\cos^2\theta=\dfrac{a^2}{16}$

$1+2\sin\theta\cos\theta=\dfrac{a^2}{16}$ 　　　⋯⋯ ㉢

㉡을 ㉢에 대입하면

$1+2\times\left(-\dfrac{1}{4}\right)=\dfrac{a^2}{16}$, $a^2=8$

이때 $a>0$이므로

$a=2\sqrt{2}$

01 답 $\theta=360°\times n+285°$ (단, n은 정수)

풀이 동경 OP가 나타내는 각은 $360°-75°=285°$이므로
일반각은 $\theta=360°\times n+285°$ (단, n은 정수)

02 답 ㄴ, ㄹ

풀이 ㄱ. $-50°=360°\times(-1)+310°$

ㄴ. $410°=360°+50°$

ㄷ. $-270°=360°\times(-1)+90°$

ㄹ. $770°=360°\times2+50°$

따라서 $50°$와 동경이 일치하는 각은 ㄴ, ㄹ이다.

03 답 $120°$

풀이 두 각 θ, 7θ를 나타내는 동경이 일치하므로
$7\theta-\theta=360°\times n$ (단, n은 정수)
$6\theta=360°\times n$, $\theta=60°\times n$
$\therefore \theta=60°,\ 120°,\ 180°,\ \cdots$
이때 $90°<\theta<180°$이므로
$\theta=120°$

04 답 $120°$

풀이 각 3θ를 나타내는 동경과 각 6θ를 나타내는 동경이 x축에 대하여 대칭이므로
$3\theta+6\theta=360°\times n$ (단, n은 정수)
$9\theta=360°\times n$, $\theta=40°\times n$
$\therefore \theta=40°,\ 80°,\ 120°,\ \cdots$
이때 θ는 예각이므로 $\theta=40°$ 또는 $\theta=80°$
따라서 예각인 각 θ의 크기의 합은
$40°+80°=120°$

05 답 ㄱ, ㄹ, ㅁ

풀이 ㄱ. $60°=60\times\dfrac{\pi}{180}=\dfrac{\pi}{3}$ (○)

ㄴ. $\dfrac{5}{8}\pi=\dfrac{5}{8}\pi\times\dfrac{180°}{\pi}=112.5°$ (×)

ㄷ. $135°=135\times\dfrac{\pi}{180}=\dfrac{3}{4}\pi$ (×)

ㄹ. $\dfrac{2}{3}\pi=\dfrac{2}{3}\pi\times\dfrac{180°}{\pi}=120°$ (○)

ㅁ. $\dfrac{5}{6}\pi=\dfrac{5}{6}\pi\times\dfrac{180°}{\pi}=150°$ (○)

ㅂ. $270°=270\times\dfrac{\pi}{180}=\dfrac{3}{2}\pi$ (×)

따라서 옳게 표현한 것은 ㄱ, ㄹ, ㅁ이다.

06 답 117π

풀이 (색칠한 부분의 넓이)
= (부채꼴 COD의 넓이) - (부채꼴 AOB의 넓이)
$=\left(\dfrac{1}{2}\times20^2\times\dfrac{2}{3}\pi\right)-\left(\dfrac{1}{2}\times7^2\times\dfrac{2}{3}\pi\right)$
$=\dfrac{400}{3}\pi-\dfrac{49}{3}\pi=\dfrac{351}{3}\pi=117\pi$

07 답 $-\dfrac{7}{13}$

풀이 $\overline{OP}=\sqrt{5^2+(-12)^2}=13$이므로

$\sin\theta=-\dfrac{12}{13}$, $\cos\theta=\dfrac{5}{13}$

$\therefore \sin\theta+\cos\theta=-\dfrac{12}{13}+\dfrac{5}{13}$
$\qquad\qquad\qquad\quad=-\dfrac{7}{13}$

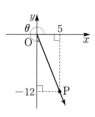

08 답 1

풀이 $\overline{OP}=\sqrt{(-2)^2+(-1)^2}=\sqrt5$이므로

$\sin\theta=-\dfrac{1}{\sqrt5}$,

$\cos\theta=-\dfrac{2}{\sqrt5}$

$\therefore \sqrt5\sin\theta-\sqrt5\cos\theta$

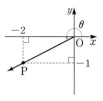

$=\sqrt5\times\left(-\dfrac{1}{\sqrt5}\right)-\sqrt5\times\left(-\dfrac{2}{\sqrt5}\right)$
$=-1+2=1$

09 답 제2사분면

풀이 (i) $\sin\theta\cos\theta<0$이므로
$\sin\theta>0$, $\cos\theta<0$ 또는 $\sin\theta<0$, $\cos\theta>0$
따라서 θ는 제2사분면 또는 제4사분면의 각이다.

(ii) $\cos\theta\tan\theta>0$이므로
$\cos\theta>0$, $\tan\theta>0$ 또는 $\cos\theta<0$, $\tan\theta<0$
따라서 θ는 제1사분면 또는 제2사분면의 각이다.

(i), (ii)에서 θ가 존재하는 사분면은 제2사분면이다.

10 답 $2\tan\theta$

풀이 θ가 제3사분면의 각이므로
$\sin\theta<0$, $\cos\theta<0$, $\tan\theta>0$
$\therefore \sin\theta+\cos\theta+\tan\theta+|\sin\theta|+|\cos\theta|+|\tan\theta|$
$=\sin\theta+\cos\theta+\tan\theta-\sin\theta-\cos\theta+\tan\theta$
$=2\tan\theta$

11 답 $2(\sin\theta-\cos\theta)$

풀이 θ가 제2사분면의 각이므로
$\sin\theta>0$, $\cos\theta<0$
$\therefore \sin\theta-\cos\theta>0$, $\cos\theta-\sin\theta<0$
$\therefore \sqrt{(\sin\theta-\cos\theta)^2}+\sqrt{(\cos\theta-\sin\theta)^2}$
$=\sin\theta-\cos\theta-(\cos\theta-\sin\theta)$
$=2(\sin\theta-\cos\theta)$

12 답 $\dfrac{2}{1-2\cos^2\theta}$ $\left(\text{또는 } \dfrac{2}{2\sin^2\theta-1}\right)$

풀이 $\dfrac{\sin^2\theta-\cos^2\theta}{1+2\sin\theta\cos\theta}+\dfrac{\tan\theta+1}{\tan\theta-1}$

$=\dfrac{(\sin\theta+\cos\theta)(\sin\theta-\cos\theta)}{\sin^2\theta+\cos^2\theta+2\sin\theta\cos\theta}+\dfrac{\dfrac{\sin\theta}{\cos\theta}+1}{\dfrac{\sin\theta}{\cos\theta}-1}$

$=\dfrac{(\sin\theta+\cos\theta)(\sin\theta-\cos\theta)}{(\sin\theta+\cos\theta)^2}+\dfrac{\sin\theta+\cos\theta}{\sin\theta-\cos\theta}$

$$= \frac{\sin\theta - \cos\theta}{\sin\theta + \cos\theta} + \frac{\sin\theta + \cos\theta}{\sin\theta - \cos\theta}$$

$$= \frac{(\sin\theta - \cos\theta)^2 + (\sin\theta + \cos\theta)^2}{(\sin\theta + \cos\theta)(\sin\theta - \cos\theta)}$$

$$= \frac{1 - 2\sin\theta\cos\theta + 1 + 2\sin\theta\cos\theta}{\sin^2\theta - \cos^2\theta}$$

$$= \frac{2}{\sin^2\theta - \cos^2\theta}$$

$$= \frac{2}{1 - 2\cos^2\theta} \left(\text{또는} \ \frac{2}{2\sin^2\theta - 1} \right)$$

13 답 $\dfrac{12}{5}$

풀이 $\sin^2\theta = 1 - \cos^2\theta = 1 - \left(-\dfrac{5}{13}\right)^2 = \dfrac{144}{169}$

그런데 θ는 제3사분면의 각이므로 $\sin\theta < 0$이다.

$\therefore \sin\theta = -\dfrac{12}{13}$

$\therefore \dfrac{\sin\theta}{\cos\theta} = \dfrac{-\dfrac{12}{13}}{-\dfrac{5}{13}} = \dfrac{12}{5}$

14 답 $\dfrac{8}{3}$

풀이 $\sin\theta - \cos\theta = \dfrac{1}{2}$의 양변을 제곱하면

$$\sin^2\theta + \cos^2\theta - 2\sin\theta\cos\theta = \dfrac{1}{4}$$

$$1 - 2\sin\theta\cos\theta = \dfrac{1}{4}$$

$$2\sin\theta\cos\theta = \dfrac{3}{4}$$

$\therefore \sin\theta\cos\theta = \dfrac{3}{8}$

$\therefore \dfrac{\sin\theta}{\cos\theta} + \dfrac{\cos\theta}{\sin\theta} = \dfrac{\sin^2\theta + \cos^2\theta}{\sin\theta\cos\theta} = \dfrac{1}{\sin\theta\cos\theta}$

$$= \dfrac{1}{\dfrac{3}{8}} = \dfrac{8}{3}$$

15 답 $\dfrac{\sqrt{3}}{4}$

풀이 $\cos^4\theta - \sin^4\theta = (\cos^2\theta + \sin^2\theta)(\cos^2\theta - \sin^2\theta)$

$$= \cos^2\theta - \sin^2\theta = \dfrac{1}{2} \quad \cdots\cdots \ \text{㉠}$$

$\sin^2\theta + \cos^2\theta = 1$이므로 $\cos^2\theta = 1 - \sin^2\theta$를 ㉠에 대입하면

$$(1 - \sin^2\theta) - \sin^2\theta = \dfrac{1}{2}$$

$$\sin^2\theta = \dfrac{1}{4}$$

그런데 θ가 제1사분면의 각이므로 $\sin\theta = \dfrac{1}{2}$

$\sin\theta = \dfrac{1}{2}$을 $\cos^2\theta = 1 - \sin^2\theta$에 대입하면

$$\cos^2\theta = 1 - \left(\dfrac{1}{2}\right)^2 = \dfrac{3}{4}$$

그런데 θ가 제1사분면의 각이므로 $\cos\theta = \dfrac{\sqrt{3}}{2}$

$\therefore \sin\theta\cos\theta = \dfrac{1}{2} \times \dfrac{\sqrt{3}}{2} = \dfrac{\sqrt{3}}{4}$

16 답 $-\dfrac{1}{2}$

풀이 이차방정식의 근과 계수의 관계에 의하여

$$\sin\theta + \cos\theta = -\dfrac{\sqrt{2}}{2} \quad \cdots\cdots \ \text{㉠}$$

$$\sin\theta\cos\theta = \dfrac{a}{2} \quad \cdots\cdots \ \text{㉡}$$

㉠의 양변을 제곱하면

$$\sin^2\theta + 2\sin\theta\cos\theta + \cos^2\theta = \dfrac{1}{2}$$

$$1 + 2\sin\theta\cos\theta = \dfrac{1}{2} \quad \cdots\cdots \ \text{㉢}$$

㉡을 ㉢에 대입하면

$$1 + 2 \times \dfrac{a}{2} = \dfrac{1}{2}, \ 1 + a = \dfrac{1}{2} \quad \therefore a = -\dfrac{1}{2}$$

01 답 (1) 2   (2) −1   (3) 3

풀이 (1) 함수 $f(x)$의 주기가 2이므로

$f(x+2)=f(x)$

$\therefore f(5)=f(3+2)=f(3)=\underline{2}$

(2) 함수 $f(x)$의 주기가 3이므로

$f(x+3)=f(x)$

$\therefore f(-2)=f(-2+3)=f(1)=f(1+3)$
$=f(4)=-1$

(3) 함수 $f(x)$의 주기가 7이므로

$f(x+7)=f(x)$

$\therefore f(30)=f(23+7)=f(23)=f(16+7)=f(16)$
$=f(9+7)=f(9)=f(2+7)=f(2)=3$

02 답 (1) 기   (2) 우   (3) 기   (4) 우

풀이 (1) $f(x)=x$에서 $f(-x)=-x=\underline{-f(x)}$

이므로 $f(x)$는 기함수이다.

(2) $f(x)=x^2$에서 $f(-x)=(-x)^2=x^2=f(x)$

이므로 $f(x)$는 우함수이다.

(3) $f(x)=x^3+x$에서

$f(-x)=(-x)^3+(-x)=-x^3-x=-(x^3+x)$
$=-f(x)$

이므로 $f(x)$는 기함수이다.

(4) $f(x)=x^4+x^2$에서

$f(-x)=(-x)^4+(-x)^2=x^4+x^2=f(x)$

이므로 $f(x)$는 우함수이다.

03 답 (1) 최댓값: 2, 최솟값: −2, 주기: 2π, 풀이 참조

(2) 최댓값: 1, 최솟값: −1, 주기: π, 풀이 참조

(3) 최댓값: 2, 최솟값: −2, 주기: π, 풀이 참조

(4) 최댓값: 2, 최솟값: −2, 주기: 4π, 풀이 참조

풀이 (1) 최댓값: $\underline{2}$, 최솟값: $\underline{-2}$, 주기: $\dfrac{2\pi}{1}=\underline{2\pi}$

$y=2\sin x$의 그래프는 $y=\sin x$의 그래프를 y축의 방향으로 2배 확대한 것이므로 그림과 같다.

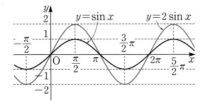

(2) 최댓값: 1, 최솟값: −1, 주기: $\dfrac{2\pi}{2}=\pi$

$y=\sin 2x$의 그래프는 $y=\sin x$의 그래프를 x축의 방향으로 $\dfrac{1}{2}$배한 것이다.

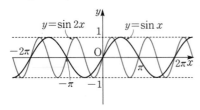

(3) 최댓값: 2, 최솟값: −2, 주기: $\dfrac{2\pi}{2}=\pi$

$y=2\sin 2x$의 그래프는 $y=\sin x$의 그래프를 y축의 방향으로 2배, x축의 방향으로 $\dfrac{1}{2}$배한 것이다.

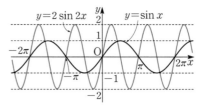

(4) 최댓값: 2, 최솟값: −2, 주기: $\dfrac{2\pi}{\frac{1}{2}}=4\pi$

$y=2\sin \dfrac{1}{2}x$의 그래프는 $y=\sin x$의 그래프를 y축의 방향으로 2배, x축의 방향으로 2배한 것이다.

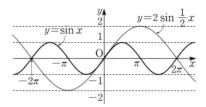

04 답 (1) 풀이 참조, 최댓값: 1, 최솟값: −1, 주기: 2π

(2) 풀이 참조, 최댓값: 1, 최솟값: −1, 주기: 2π

(3) 풀이 참조, 최댓값: 2, 최솟값: 0, 주기: 2π

(4) 풀이 참조, 최댓값: −1, 최솟값: −3, 주기: 2π

(5) 풀이 참조, 최댓값: 2, 최솟값: −2, 주기: 2π

(6) 풀이 참조, 최댓값: $\dfrac{1}{2}$, 최솟값: $-\dfrac{1}{2}$, 주기: 2π

(7) 풀이 참조, 최댓값: 5, 최솟값: 1, 주기: 2π

(8) 풀이 참조, 최댓값: $-\dfrac{3}{2}$, 최솟값: $-\dfrac{5}{2}$, 주기: 2π

풀이 (1) $y=\sin\left(x-\dfrac{\pi}{2}\right)$의 그래프는 $y=\sin x$의 그래프를 x축의 방향으로 $\dfrac{\pi}{2}$만큼 평행이동한 것이다.

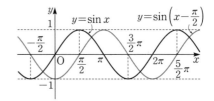

그래프에서 최댓값은 $\underline{1}$, 최솟값은 $\underline{-1}$, 주기는 $\underline{2\pi}$이다.

(2) $y=\sin\left(x+\dfrac{\pi}{4}\right)$의 그래프는 $y=\sin x$의 그래프를 x축의 방향으로 $-\dfrac{\pi}{4}$만큼 평행이동한 것이다.

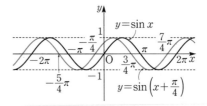

그래프에서 최댓값은 1, 최솟값은 −1, 주기는 2π이다.

(3) $y=\sin x+1$의 그래프는 $y=\sin x$의 그래프를 y축의

방향으로 1만큼 평행이동한 것이다.

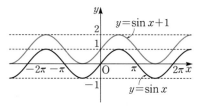

그래프에서 최댓값은 2, 최솟값은 0, 주기는 2π이다.

(4) $y=\sin x-2$의 그래프는 $y=\sin x$의 그래프를 y축의 방향으로 -2만큼 평행이동한 것이다.

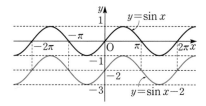

그래프에서 최댓값은 -1, 최솟값은 -3, 주기는 2π이다.

(5) $y=2\sin\left(x-\dfrac{\pi}{3}\right)$의 그래프는 $y=\sin x$의 그래프를 y축의 방향으로 2배한 후, x축의 방향으로 $\dfrac{\pi}{3}$만큼 평행이동한 것이다.

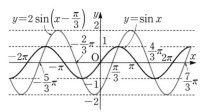

그래프에서 최댓값은 2, 최솟값은 -2, 주기는 2π이다.

(6) $y=\dfrac{1}{2}\sin\left(x+\dfrac{\pi}{6}\right)$의 그래프는 $y=\sin x$의 그래프를 y축의 방향으로 $\dfrac{1}{2}$배한 후, x축의 방향으로 $-\dfrac{\pi}{6}$만큼 평행이동한 것이다.

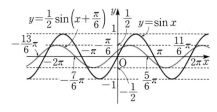

그래프에서 최댓값은 $\dfrac{1}{2}$, 최솟값은 $-\dfrac{1}{2}$, 주기는 2π이다.

(7) $y=2\sin x+3$의 그래프는 $y=\sin x$의 그래프를 y축의 방향으로 2배한 후, y축의 방향으로 3만큼 평행이동한 것이다.

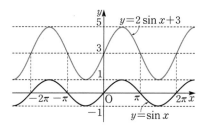

그래프에서 최댓값은 5, 최솟값은 1, 주기는 2π이다.

(8) $y=\dfrac{1}{2}\sin x-2$의 그래프는 $y=\sin x$의 그래프를 y축의 방향으로 $\dfrac{1}{2}$배한 후, y축의 방향으로 -2만큼 평행이동한 것이다.

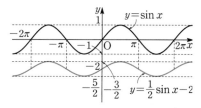

그래프에서 최댓값은 $-\dfrac{3}{2}$, 최솟값은 $-\dfrac{5}{2}$, 주기는 2π이다.

05 답 (1) $a=6$, $b=2$, $c=2$
(2) $a=4$, $b=2$, $c=2$
(3) $a=4$, $b=1$, $c=1$
(4) $a=3$, $b=1$, $c=1$

풀이 (1) 최솟값이 -4이고 $a>0$이므로 $-a+c=-4$ ······ ㉠

주기가 π이고 $b>0$이므로 $\dfrac{2\pi}{b}=\pi$ $\therefore b=\underline{2}$

$\therefore f(x)=a\sin 2x+c$

$f(0)=2$이므로 $a\sin 0+c=2$ $\therefore c=2$

㉠에 $c=2$를 대입하면 $a=\underline{6}$

(2) $f(x)=a\sin b\left(x+\dfrac{\pi}{3b}\right)-c$

이때 최댓값이 2이고 $a>0$이므로 $a-c=2$ ······ ㉠

주기가 π이고 $b>0$이므로 $\dfrac{2\pi}{b}=\pi$ $\therefore b=2$

$\therefore f(x)=a\sin 2\left(x+\dfrac{\pi}{6}\right)-c$

$f\left(-\dfrac{\pi}{6}\right)=-2$이므로 $a\sin 0-c=-2$ $\therefore c=2$

㉠에 $c=2$를 대입하면 $a=4$

(3) $f(x)=a\sin\dfrac{1}{b}\left(x-\dfrac{b}{4}\pi\right)-c$

이때 최댓값이 3이고 $a>0$이므로 $a-c=3$ ······ ㉠

주기가 2π이고 $b>0$이므로 $\dfrac{2\pi}{\frac{1}{b}}=2\pi$ $\therefore b=1$

$\therefore f(x)=a\sin\left(x-\dfrac{\pi}{4}\right)-c$

$f\left(\dfrac{\pi}{4}\right)=-1$이므로 $a\sin 0-c=-1$ $\therefore c=1$

㉠에 $c=1$을 대입하면 $a=4$

(4) $f(x)=a\sin b\left(x+\dfrac{\pi}{4b}\right)+c$

이때 최솟값이 -2이고 $a>0$이므로
$-a+c=-2$ ······ ㉠

주기가 2π이고 $b>0$이므로 $\dfrac{2\pi}{b}=2\pi$ $\therefore b=1$

$\therefore f(x)=a\sin\left(x+\dfrac{\pi}{4}\right)+c$

$f\left(-\dfrac{\pi}{4}\right)=1$이므로 $a\sin 0+c=1$ $\therefore c=1$

⊙에 $c=1$을 대입하면 $a=3$

06 답 $a=3$, $b=2$, $c=\dfrac{\pi}{2}$

풀이 최댓값이 3, 최솟값이 -3이고 $a>0$이므로 $a=\underline{3}$

주기가 $\dfrac{5}{4}\pi-\dfrac{\pi}{4}=\pi$이고, $b>0$이므로

$\dfrac{2\pi}{b}=\pi$ ∴ $b=\underline{2}$

따라서 $y=3\sin(2x-c)=3\sin 2\Big(x-\dfrac{c}{2}\Big)$이고, 주어진

그래프는 $y=3\sin 2x$의 그래프를 x축의 방향으로 $\dfrac{\pi}{4}$만큼

평행이동한 것이므로 $\dfrac{c}{2}=\dfrac{\pi}{4}$ ∴ $c=\dfrac{\pi}{2}$

07 답 $a=2$, $b=1$, $c=\dfrac{\pi}{6}$

풀이 최댓값이 2, 최솟값이 -2이고 $a>0$이므로 $a=2$

주기가 $\dfrac{13}{6}\pi-\dfrac{\pi}{6}=2\pi$이고, $b>0$이므로

$\dfrac{2\pi}{b}=2\pi$ ∴ $b=1$

따라서 $y=2\sin(x-c)$이고, 주어진 그래프는 $y=2\sin x$

의 그래프를 x축의 방향으로 $\dfrac{\pi}{6}$만큼 평행이동한 것이므로

$c=\dfrac{\pi}{6}$

08 답 (1) 최댓값: 3, 최솟값: -3, 주기: 2π, 풀이 참조
(2) 최댓값: 1, 최솟값: -1, 주기: 8π, 풀이 참조
(3) 최댓값: 3, 최솟값: -3, 주기: π, 풀이 참조
(4) 최댓값: $\dfrac{1}{2}$, 최솟값: $-\dfrac{1}{2}$, 주기: 4π, 풀이 참조

풀이 (1) 최댓값: $\underline{3}$, 최솟값: $\underline{-3}$, 주기: $\dfrac{2\pi}{1}=2\pi$

$y=3\cos x$의 그래프는 $y=\cos x$의 그래프를 y축의 방향으로 3배한 것이므로 그림과 같다.

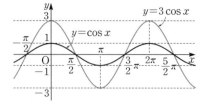

(2) 최댓값: 1, 최솟값: -1, 주기: $\dfrac{2\pi}{\dfrac{1}{4}}=8\pi$

$y=\cos\dfrac{1}{4}x$의 그래프는 $y=\cos x$의 그래프를 x축의 방향으로 4배한 것이므로 그림과 같다.

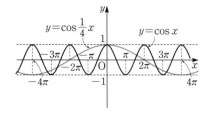

(3) 최댓값: 3, 최솟값: -3, 주기: $\dfrac{2\pi}{2}=\pi$

$y=3\cos 2x$의 그래프는 $y=\cos x$의 그래프를 y축의 방

향으로 3배, x축의 방향으로 $\dfrac{1}{2}$배한 것이므로 그림과 같다.

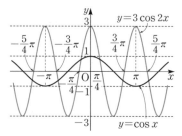

(4) 최댓값: $\dfrac{1}{2}$, 최솟값: $-\dfrac{1}{2}$, 주기: $\dfrac{2\pi}{\dfrac{1}{2}}=4\pi$

$y=\dfrac{1}{2}\cos\dfrac{1}{2}x$의 그래프는 $y=\cos x$의 그래프를 y축의

방향으로 $\dfrac{1}{2}$배, x축의 방향으로 2배한 것이므로 그림과

같다.

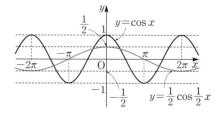

09 답 (1) 풀이 참조, 최댓값: 1, 최솟값: -1, 주기: 2π
(2) 풀이 참조, 최댓값: 1, 최솟값: -1, 주기: 2π
(3) 풀이 참조, 최댓값: 3, 최솟값: 1, 주기: 2π
(4) 풀이 참조, 최댓값: -2, 최솟값: -4, 주기: 2π
(5) 풀이 참조, 최댓값: 2, 최솟값: -2, 주기: 2π
(6) 풀이 참조, 최댓값: $\dfrac{1}{2}$, 최솟값: $-\dfrac{1}{2}$, 주기: 2π
(7) 풀이 참조, 최댓값: 2, 최솟값: -4, 주기: 2π
(8) 풀이 참조, 최댓값: $\dfrac{7}{2}$, 최솟값: $\dfrac{5}{2}$, 주기: 2π

풀이 (1) $y=\cos\Big(x+\dfrac{\pi}{3}\Big)$의 그래프는 $y=\cos x$의 그래프

를 x축의 방향으로 $-\dfrac{\pi}{3}$만큼 평행이동한 것이다.

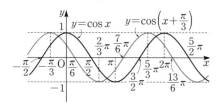

그래프에서 최댓값은 $\underline{1}$, 최솟값은 $\underline{-1}$, 주기는 $\underline{2\pi}$이다.

(2) $y=\cos\Big(x-\dfrac{\pi}{6}\Big)$의 그래프는 $y=\cos x$의 그래프를

x축의 방향으로 $\dfrac{\pi}{6}$만큼 평행이동한 것이다.

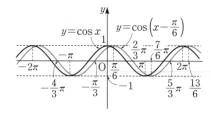

그래프에서 최댓값은 1, 최솟값은 -1, 주기는 2π이다.

(3) $y=\cos x+2$의 그래프는 $y=\cos x$의 그래프를
y축의 방향으로 2만큼 평행이동한 것이다.

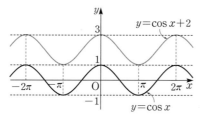

그래프에서 최댓값은 3, 최솟값은 1, 주기는 2π이다.

(4) $y=\cos x-3$의 그래프는 $y=\cos x$의 그래프를
y축의 방향으로 -3만큼 평행이동한 것이다.

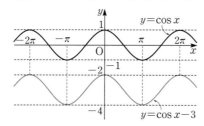

그래프에서 최댓값은 -2, 최솟값은 -4, 주기는 2π이다.

(5) $y=2\cos\left(x-\dfrac{\pi}{4}\right)$의 그래프는 $y=\cos x$의 그래프를
y축의 방향으로 2배한 후, x축의 방향으로 $\dfrac{\pi}{4}$만큼 평행
이동한 것이다.

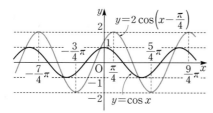

그래프에서 최댓값은 2, 최솟값은 -2, 주기는 2π이다.

(6) $y=\dfrac{1}{2}\cos\left(x+\dfrac{\pi}{2}\right)$의 그래프는 $y=\cos x$의 그래프를
y축의 방향으로 $\dfrac{1}{2}$배한 후, x축의 방향으로 $-\dfrac{\pi}{2}$만큼
평행이동한 것이다.

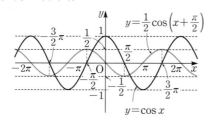

그래프에서 최댓값은 $\dfrac{1}{2}$, 최솟값은 $-\dfrac{1}{2}$, 주기는 2π이다.

(7) $y=3\cos x-1$의 그래프는 $y=\cos x$의 그래프를 y축의
방향으로 3배한 후, y축의 방향으로 -1만큼 평행이동
한 것이다.

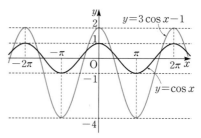

그래프에서 최댓값은 2, 최솟값은 -4, 주기는 2π이다.

(8) $y=\dfrac{1}{2}\cos x+3$의 그래프는 $y=\cos x$의 그래프를 y축
의 방향으로 $\dfrac{1}{2}$배한 후, y축의 방향으로 3만큼 평행이동
한 것이다.

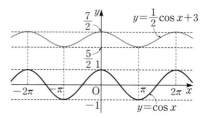

그래프에서 최댓값은 $\dfrac{7}{2}$, 최솟값은 $\dfrac{5}{2}$, 주기는 2π이다.

10 답 **(1)** $a=2$, $b=2$, $c=1$ **(2)** $a=1$, $b=1$, $c=2$

     (3) $a=1$, $b=1$, $c=-2$ **(4)** $a=2$, $b=2$, $c=3$

풀이 **(1)** $f(x)=a\cos b\left(x+\dfrac{\pi}{2b}\right)+c$

이때 최솟값이 -1이고 $a>0$이므로 $-a+c=-1$

                                               $\cdots\cdots$ ㉠

주기가 π이고 $b>0$이므로 $\dfrac{2\pi}{b}=\pi$ $\therefore b=\underline{2}$

$\therefore f(x)=a\cos 2\left(x+\dfrac{\pi}{4}\right)+c$

$f(-\pi)=1$이므로 $a\cos 2\left(-\pi+\dfrac{\pi}{4}\right)+c=1$

$a\cos\left(-\dfrac{3}{2}\pi\right)+c=1$ $\therefore c=\underline{1}$

㉠에 $c=1$을 대입하면 $a=\underline{2}$

(2) $f(x)=a\cos b\left(x+\dfrac{\pi}{b}\right)-c$

이때 최댓값이 -1이고 $a>0$이므로 $a-c=-1$ $\cdots\cdots$ ㉠

주기가 2π이고 $b>0$이므로 $\dfrac{2\pi}{b}=2\pi$ $\therefore b=1$

$\therefore f(x)=a\cos(x+\pi)-c$

$f\left(\dfrac{\pi}{2}\right)=-2$이므로 $a\cos\left(\dfrac{\pi}{2}+\pi\right)-c=-2$

$a\cos\dfrac{3}{2}\pi-c=-2$ $\therefore c=2$

㉠에 $c=2$를 대입하면 $a=1$

(3) $f(x)=a\cos b\left(x-\dfrac{\pi}{b}\right)-c$

이때 최솟값이 1이고 $a>0$이므로 $-a-c=1$ $\cdots\cdots$ ㉠

주기가 2π이고 $b>0$이므로 $\dfrac{2\pi}{b}=2\pi$ $\therefore b=1$

$\therefore f(x)=a\cos(x-\pi)-c$

$f\left(\dfrac{\pi}{2}\right)=2$이므로 $a\cos\left(\dfrac{\pi}{2}-\pi\right)-c=2$

$a\cos\left(-\dfrac{\pi}{2}\right)-c=2$ $\therefore c=-2$

㉠에 $c=-2$를 대입하면 $a=1$

(4) $f(x)=a\cos b\left(x+\dfrac{\pi}{b}\right)+c$

　이때 최댓값이 5이고 $a>0$이므로 $a+c=5$　……㉠

　주기가 π이고 $b>0$이므로 $\dfrac{2\pi}{b}=\pi$　∴ $b=2$

　∴ $f(x)=a\cos 2\left(x+\dfrac{\pi}{2}\right)+c$

　$f(\pi)=1$이므로 $a\cos 2\left(\pi+\dfrac{\pi}{2}\right)+c=1$

　$a\cos 3\pi+c=1$　∴ $-a+c=1$　……㉡

　㉠, ㉡을 연립하여 풀면 $a=2$, $c=3$

11 답 $a=1$, $b=2$, $c=1$

　풀이 주기가 π이므로 $\dfrac{2\pi}{b}=\pi$　∴ $b=\underline{2}$

　$a>0$이고 최댓값이 2, 최솟값이 0이므로

　$a+c=2$, $-a+c=0$

　두 식을 연립하여 풀면 $a=\underline{1}$, $c=\underline{1}$

12 답 $a=3$, $b=1$, $c=\dfrac{\pi}{6}$

　풀이 주기가 $\dfrac{13}{6}\pi-\dfrac{\pi}{6}=\dfrac{12}{6}\pi=2\pi$이므로

　$\dfrac{2\pi}{b}=2\pi$　∴ $b=1$

　최댓값이 3, 최솟값이 -3이므로 $a=3$

　∴ $y=3\cos(x-c)$

　이때 그래프에서 $f\left(\dfrac{\pi}{6}\right)=3$이므로 $3\cos\left(\dfrac{\pi}{6}-c\right)=3$

　$\cos\left(\dfrac{\pi}{6}-c\right)=1$

　따라서 $\dfrac{\pi}{6}-c=\cdots$, -4π, -2π, 0, 2π, 4π, $\cdots$이고

　$0\le c\le\dfrac{\pi}{2}$이므로 $c=\dfrac{\pi}{6}$

13 답 (1) 최댓값, 최솟값: 없다., 주기: π, 풀이 참조
　　(2) 최댓값, 최솟값: 없다., 주기: π, 풀이 참조
　　(3) 최댓값, 최솟값: 없다., 주기: 4π, 풀이 참조
　　(4) 최댓값, 최솟값: 없다., 주기: $\dfrac{\pi}{4}$, 풀이 참조

　풀이 (1) 최댓값, 최솟값: 없다., 주기: π

　　$y=2\tan x$의 그래프는 $y=\tan x$의 그래프를 y축의 방향으로 2배한 것이므로 그림과 같다.

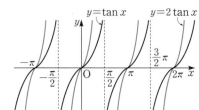

　(2) 최댓값, 최솟값: 없다., 주기: π

　　$y=\dfrac{1}{2}\tan x$의 그래프는 $y=\tan x$의 그래프를 y축의 방향으로 $\dfrac{1}{2}$배한 것이므로 그림과 같다.

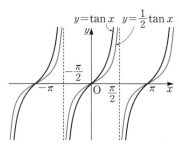

　(3) 최댓값, 최솟값: 없다., 주기: $\dfrac{\pi}{\frac{1}{4}}=4\pi$

　　$y=\tan\dfrac{1}{4}x$의 그래프는 $y=\tan x$의 그래프를 x축의 방향으로 4배한 것이므로 그림과 같다.

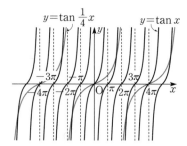

　(4) 최댓값, 최솟값: 없다., 주기: $\dfrac{\pi}{4}$

　　$y=2\tan 4x$의 그래프는 $y=\tan x$의 그래프를 y축의 방향으로 2배하고, x축의 방향으로 $\dfrac{1}{4}$배한 것이므로 그림과 같다.

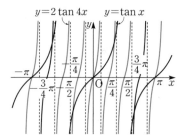

14 답 (1) 풀이 참조, 최댓값, 최솟값: 없다., 주기: π
　　(2) 풀이 참조, 최댓값, 최솟값: 없다., 주기: π
　　(3) 풀이 참조, 최댓값, 최솟값: 없다., 주기: π
　　(4) 풀이 참조, 최댓값, 최솟값: 없다., 주기: π
　　(5) 풀이 참조, 최댓값, 최솟값: 없다., 주기: π
　　(6) 풀이 참조, 최댓값, 최솟값: 없다., 주기: π
　　(7) 풀이 참조, 최댓값, 최솟값: 없다., 주기: π
　　(8) 풀이 참조, 최댓값, 최솟값: 없다., 주기: π

　풀이 (1) $y=\tan\left(x-\dfrac{\pi}{2}\right)$의 그래프는 $y=\tan x$의 그래프를 x축의 방향으로 $\dfrac{\pi}{2}$만큼 평행이동한 것이다.

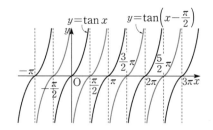

그래프에서 최댓값, 최솟값은 없고, 주기는 π이다.

(2) $y=\tan\left(x+\dfrac{\pi}{4}\right)$의 그래프는 $y=\tan x$의 그래프를

x축의 방향으로 $-\dfrac{\pi}{4}$만큼 평행이동한 것이다.

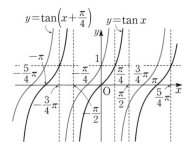

그래프에서 최댓값, 최솟값은 없고, 주기는 π이다.

(3) $y=\tan x+2$의 그래프는 $y=\tan x$의 그래프를 y축의

방향으로 2만큼 평행이동한 것이다.

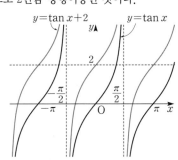

그래프에서 최댓값, 최솟값은 없고, 주기는 π이다.

(4) $y=\tan x-1$의 그래프는 $y=\tan x$의 그래프를 y축의

방향으로 -1만큼 평행이동한 것이다.

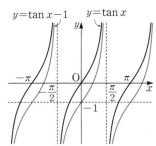

그래프에서 최댓값, 최솟값은 없고, 주기는 π이다.

(5) $y=2\tan\left(x-\dfrac{\pi}{2}\right)$의 그래프는 $y=\tan x$의 그래프를 y

축의 방향으로 2배한 후, x축의 방향으로 $\dfrac{\pi}{2}$만큼 평행

이동한 것이다.

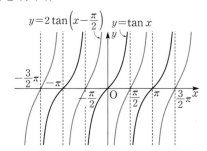

그래프에서 최댓값, 최솟값은 없고, 주기는 π이다.

(6) $y=\dfrac{1}{2}\tan\left(x+\dfrac{\pi}{2}\right)$의 그래프는 $y=\tan x$의 그래프를

y축의 방향으로 $\dfrac{1}{2}$배한 후, x축의 방향으로 $-\dfrac{\pi}{2}$만큼

평행이동한 것이다.

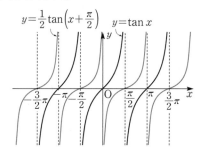

그래프에서 최댓값, 최솟값은 없고, 주기는 π이다.

(7) $y=2\tan x+1$의 그래프는 $y=\tan x$의 그래프를 y축의

방향으로 2배한 후, y축의 방향으로 1만큼 평행이동한

것이다.

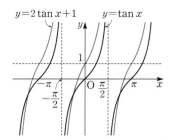

그래프에서 최댓값, 최솟값은 없고, 주기는 π이다.

(8) $y=\dfrac{1}{2}\tan x-2$의 그래프는 $y=\tan x$의 그래프를 y축

의 방향으로 $\dfrac{1}{2}$배한 후, y축의 방향으로 -2만큼 평행

이동한 것이다.

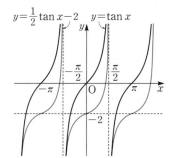

그래프에서 최댓값, 최솟값은 없고, 주기는 π이다.

15 답 (1) $x=2n\pi+\pi$ (단, n은 정수)

(2) $x=\dfrac{n}{3}\pi+\dfrac{\pi}{6}$ (단, n은 정수)

(3) $x=\dfrac{n}{4}\pi+\dfrac{\pi}{8}$ (단, n은 정수)

(4) $x=n\pi+\dfrac{\pi}{3}$ (단, n은 정수)

(5) $x=n\pi+\dfrac{5}{6}\pi$ (단, n은 정수)

(6) $x=n\pi+\dfrac{3}{4}\pi$ (단, n은 정수)

(7) $x=n\pi$ (단, n은 정수)

(8) $x=\dfrac{n}{2}\pi+\dfrac{3}{8}\pi$ (단, n은 정수)

(9) $x=\dfrac{n}{3}\pi+\dfrac{\pi}{9}$ (단, n은 정수)

(10) $x=\dfrac{n}{2}\pi+\dfrac{3}{4}\pi$ (단, n은 정수)

풀이 (1) 점근선의 방정식은 $\frac{1}{2}x=n\pi+\frac{\pi}{2}$에서

$x=\underline{2n\pi+\pi}$ (단, n은 정수)

(2) 점근선의 방정식은 $3x=n\pi+\frac{\pi}{2}$에서

$x=\frac{n}{3}\pi+\frac{\pi}{6}$ (단, n은 정수)

(3) 점근선의 방정식은 $4x=n\pi+\frac{\pi}{2}$에서

$x=\frac{n}{4}\pi+\frac{\pi}{8}$ (단, n은 정수)

(4) 점근선의 방정식은 $x+\frac{\pi}{6}=n\pi+\frac{\pi}{2}$에서

$x=n\pi+\frac{\pi}{3}$ (단, n은 정수)

(5) 점근선의 방정식은 $x-\frac{\pi}{3}=n\pi+\frac{\pi}{2}$에서

$x=n\pi+\frac{5}{6}\pi$ (단, n은 정수)

(6) 점근선의 방정식은 $x-\frac{\pi}{4}=n\pi+\frac{\pi}{2}$에서

$x=n\pi+\frac{3}{4}\pi$ (단, n은 정수)

(7) 점근선의 방정식은 $x+\frac{\pi}{2}=n\pi+\frac{\pi}{2}$에서

$x=n\pi$ (단, n은 정수)

(8) 점근선의 방정식은 $2x-\frac{\pi}{4}=n\pi+\frac{\pi}{2}$에서

$2x=n\pi+\frac{3}{4}\pi$

$\therefore x=\frac{n}{2}\pi+\frac{3}{8}\pi$ (단, n은 정수)

(9) 점근선의 방정식은 $3x+\frac{\pi}{6}=n\pi+\frac{\pi}{2}$에서

$3x=n\pi+\frac{\pi}{3}$

$\therefore x=\frac{n}{3}\pi+\frac{\pi}{9}$ (단, n은 정수)

(10) 점근선의 방정식은 $2x-\pi=n\pi+\frac{\pi}{2}$에서

$2x=n\pi+\frac{3}{2}\pi$

$\therefore x=\frac{n}{2}\pi+\frac{3}{4}\pi$ (단, n은 정수)

16 **답** (1) 풀이 참조, 최댓값: 1, 최솟값: 0, 주기: π

(2) 풀이 참조, 최댓값: 1, 최솟값: 0, 주기: $\frac{\pi}{2}$

(3) 풀이 참조, 최댓값: 1, 최솟값: 0, 주기: 2π

(4) 풀이 참조, 최댓값: 2, 최솟값: 0, 주기: π

(5) 풀이 참조, 최댓값: $\frac{1}{2}$, 최솟값: 0, 주기: π

(6) 풀이 참조, 최댓값: 2, 최솟값: 0, 주기: $\frac{\pi}{2}$

풀이 (1) $y=|\sin x|$의 그래프는 $y=\sin x$의 그래프를 그린 후 x축의 아랫부분을 x축에 대하여 대칭이동한 것이다.

따라서 그래프는 그림과 같고, 최댓값은 $\underline{1}$, 최솟값은 $\underline{0}$, 주기는 $\underline{\pi}$이다.

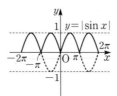

(2) $y=|\sin 2x|$의 그래프는 $y=\sin 2x$의 그래프를 그린 후 x축의 아랫부분을 x축에 대하여 대칭이동한 것이다. 따라서 그래프는 그림과 같다.

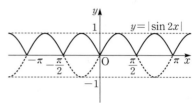

그래프에서 최댓값은 1, 최솟값은 0, 주기는 $\frac{\pi}{2}$이다.

(3) $y=\left|\sin\frac{1}{2}x\right|$의 그래프는 $y=\sin\frac{1}{2}x$의 그래프를 그린 후 x축의 아랫부분을 x축에 대하여 대칭이동한 것이다. 따라서 그래프는 그림과 같다.

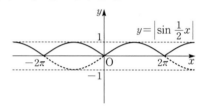

그래프에서 최댓값은 1, 최솟값은 0, 주기는 2π이다.

(4) $y=|2\sin x|$의 그래프는 $y=2\sin x$의 그래프를 그린 후 x축의 아랫부분을 x축에 대하여 대칭이동한 것이다. 따라서 그래프는 그림과 같다.

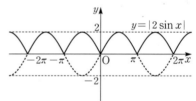

그래프에서 최댓값은 2, 최솟값은 0, 주기는 π이다.

(5) $y=\left|\frac{1}{2}\sin x\right|$의 그래프는 $y=\frac{1}{2}\sin x$의 그래프를 그린 후 x축의 아랫부분을 x축에 대하여 대칭이동한 것이다. 따라서 그래프는 그림과 같다.

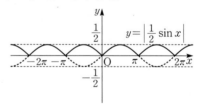

그래프에서 최댓값은 $\frac{1}{2}$, 최솟값은 0, 주기는 π이다.

(6) $y=|2\sin 2x|$의 그래프는 $y=2\sin 2x$의 그래프를 그린 후 x축의 아랫부분을 x축에 대하여 대칭이동한 것이다. 따라서 그래프는 그림과 같다.

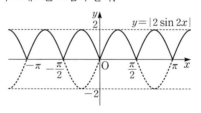

그래프에서 최댓값은 2, 최솟값은 0, 주기는 $\dfrac{\pi}{2}$이다.

17 답 (1) 풀이 참조, 최댓값: 1, 최솟값: 0, 주기: π

(2) 풀이 참조, 최댓값: 1, 최솟값: 0, 주기: $\dfrac{\pi}{3}$

(3) 풀이 참조, 최댓값: 3, 최솟값: 0, 주기: π

(4) 풀이 참조, 최댓값: $\dfrac{1}{3}$, 최솟값: 0, 주기: π

(5) 풀이 참조, 최댓값: 3, 최솟값: 0, 주기: $\dfrac{\pi}{2}$

(6) 풀이 참조, 최댓값: $\dfrac{1}{2}$, 최솟값: 0, 주기: $\dfrac{\pi}{4}$

풀이 (1) $y=|\cos x|$의 그래프는 $y=\cos x$의 그래프를 그린 후 x축의 아랫부분을 x축에 대하여 대칭이동한 것이므로 그래프는 그림과 같고, 최댓값은 1, 최솟값은 0, 주기는 π이다.

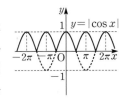

(2) $y=|\cos 3x|$의 그래프는 $y=\cos 3x$의 그래프를 그린 후 x축의 아랫부분을 x축에 대하여 대칭이동한 것이므로 그래프는 그림과 같다.

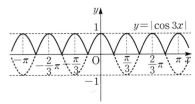

그래프에서 최댓값은 1, 최솟값은 0, 주기는 $\dfrac{\pi}{3}$이다.

(3) $y=|3\cos x|$의 그래프는 $y=3\cos x$의 그래프를 그린 후 x축의 아랫부분을 x축에 대하여 대칭이동한 것이므로 그래프는 그림과 같다.

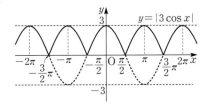

그래프에서 최댓값은 3, 최솟값은 0, 주기는 π이다.

(4) $y=\left|\dfrac{1}{3}\cos x\right|$의 그래프는 $y=\dfrac{1}{3}\cos x$의 그래프를 그린 후 x축의 아랫부분을 x축에 대하여 대칭이동한 것이므로 그래프는 그림과 같다.

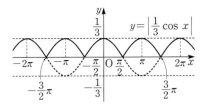

그래프에서 최댓값은 $\dfrac{1}{3}$, 최솟값은 0, 주기는 π이다.

(5) $y=|3\cos 2x|$의 그래프는 $y=3\cos 2x$의 그래프를 그린 후 x축의 아랫부분을 x축에 대하여 대칭이동한 것이므로 그래프는 그림과 같다.

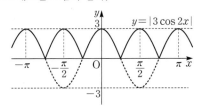

그래프에서 최댓값은 3, 최솟값은 0, 주기는 $\dfrac{\pi}{2}$이다.

(6) $y=\left|\dfrac{1}{2}\cos 4x\right|$의 그래프는 $y=\dfrac{1}{2}\cos 4x$의 그래프를 그린 후 x축의 아랫부분을 x축에 대하여 대칭이동한 것이므로 그래프는 그림과 같다.

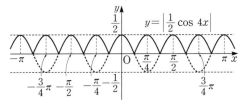

그래프에서 최댓값은 $\dfrac{1}{2}$, 최솟값은 0, 주기는 $\dfrac{\pi}{4}$이다.

18 답 (1) 풀이 참조, 최댓값: 없다., 최솟값: 0, 주기: π

(2) 풀이 참조, 최댓값: 없다., 최솟값: 0, 주기: 4π

(3) 풀이 참조, 최댓값: 없다., 최솟값: 0, 주기: π

(4) 풀이 참조, 최댓값: 없다., 최솟값: 0, 주기: π

(5) 풀이 참조, 최댓값: 없다., 최솟값: 0, 주기: 2π

(6) 풀이 참조, 최댓값: 없다., 최솟값: 0, 주기: $\dfrac{\pi}{2}$

풀이 (1) $y=|\tan x|$의 그래프는 $y=\tan x$의 그래프를 그린 후 x축의 아랫부분을 x축에 대하여 대칭이동한 것이므로 그래프는 그림과 같고, 최댓값은 없고, 최솟값은 0, 주기는 π이다.

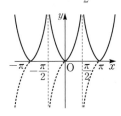

(2) $y=\left|\tan \dfrac{1}{4}x\right|$의 그래프는 $y=\tan \dfrac{1}{4}x$의 그래프를 그린 후 x축의 아랫부분을 x축에 대하여 대칭이동한 것이므로 그래프는 그림과 같다.

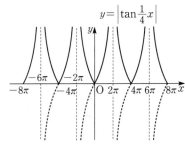

그래프에서 최댓값은 없고, 최솟값은 0, 주기는 4π이다.

(3) $y=|2\tan x|$의 그래프는 $y=2\tan x$의 그래프를 그린 후 x축의 아랫부분을 x축에 대하여 대칭이동한 것이므로 그래프는 그림과 같다.

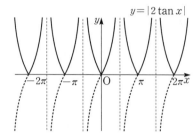

그래프에서 최댓값은 없고, 최솟값은 0, 주기는 π이다.

(4) $y=\left|\dfrac{1}{2}\tan x\right|$의 그래프는 $y=\dfrac{1}{2}\tan x$의 그래프를 그린 후 x축의 아랫부분을 x축에 대하여 대칭이동한 것이므로 그래프는 그림과 같다.

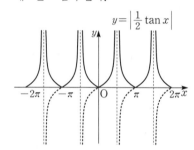

그래프에서 최댓값은 없고, 최솟값은 0, 주기는 π이다.

(5) $y=\left|2\tan\dfrac{1}{2}x\right|$의 그래프는 $y=2\tan\dfrac{1}{2}x$의 그래프를 그린 후 x축의 아랫부분을 x축에 대하여 대칭이동한 것이므로 그래프는 그림과 같다.

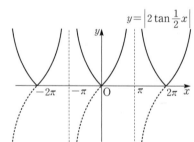

그래프에서 최댓값은 없고, 최솟값은 0, 주기는 2π이다.

(6) $y=\left|\dfrac{1}{2}\tan 2x\right|$의 그래프는 $y=\dfrac{1}{2}\tan 2x$의 그래프를 그린 후 x축의 아랫부분을 x축에 대하여 대칭이동한 것이므로 그래프는 그림과 같다.

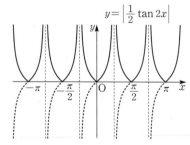

그래프에서 최댓값은 없고, 최솟값은 0, 주기는 $\dfrac{\pi}{2}$이다.

19 답 (1) $\dfrac{\sqrt{3}}{2}$ (2) $\dfrac{1}{2}$ (3) $\dfrac{\sqrt{3}}{2}$
(4) $\dfrac{1}{2}$ (5) $\sqrt{3}$ (6) 1

풀이 (1) $\sin\dfrac{7}{3}\pi=\sin\left(2\pi+\dfrac{\pi}{3}\right)=\sin\dfrac{\pi}{3}=\dfrac{\sqrt{3}}{2}$

(2) $\sin 390°=\sin(360°+30°)=\sin 30°=\dfrac{1}{2}$

(3) $\cos\dfrac{13}{6}\pi=\cos\left(2\pi+\dfrac{\pi}{6}\right)=\cos\dfrac{\pi}{6}=\dfrac{\sqrt{3}}{2}$

(4) $\cos 420°=\cos(360°+60°)=\cos 60°=\dfrac{1}{2}$

(5) $\tan\dfrac{13}{3}\pi=\tan\left(4\pi+\dfrac{\pi}{3}\right)=\tan\dfrac{\pi}{3}=\sqrt{3}$

(6) $\tan 405°=\tan(360°+45°)=\tan 45°=1$

20 답 (1) $-\dfrac{1}{2}$ (2) $-\dfrac{1}{\sqrt{2}}$ (3) $\dfrac{1}{2}$
(4) $\dfrac{\sqrt{3}}{2}$ (5) -1 (6) $-\sqrt{3}$

풀이 (1) $\sin\left(-\dfrac{\pi}{6}\right)=-\sin\dfrac{\pi}{6}=-\dfrac{1}{2}$

(2) $\sin(-405°)=-\sin 405°=-\sin(360°+45°)$
$\qquad\qquad =-\sin 45°=-\dfrac{1}{\sqrt{2}}$

(3) $\cos\left(-\dfrac{13}{3}\pi\right)=\cos\dfrac{13}{3}\pi=\cos\left(4\pi+\dfrac{\pi}{3}\right)$
$\qquad\qquad =\cos\dfrac{\pi}{3}=\dfrac{1}{2}$

(4) $\cos(-750°)=\cos 750°=\cos(720°+30°)$
$\qquad\qquad =\cos 30°=\dfrac{\sqrt{3}}{2}$

(5) $\tan\left(-\dfrac{9}{4}\pi\right)=-\tan\dfrac{9}{4}\pi=-\tan\left(2\pi+\dfrac{\pi}{4}\right)$
$\qquad\qquad =-\tan\dfrac{\pi}{4}=-1$

(6) $\tan(-1140°)=-\tan 1140°=-\tan(1080°+60°)$
$\qquad\qquad =-\tan 60°=-\sqrt{3}$

21 답 (1) $-\dfrac{1}{2}$ (2) $\dfrac{1}{2}$ (3) $-\dfrac{1}{\sqrt{2}}$
(4) $-\dfrac{1}{\sqrt{2}}$ (5) $\sqrt{3}$ (6) $-\sqrt{3}$

풀이 (1) $\sin\dfrac{7}{6}\pi=\sin\left(\pi+\dfrac{\pi}{6}\right)=-\sin\dfrac{\pi}{6}$
$\qquad\qquad =-\dfrac{1}{2}$

(2) $\sin 150°=\sin(180°-30°)=\sin 30°=\dfrac{1}{2}$

(3) $\cos\dfrac{5}{4}\pi=\cos\left(\pi+\dfrac{\pi}{4}\right)=-\cos\dfrac{\pi}{4}=-\dfrac{1}{\sqrt{2}}$

(4) $\cos 135°=\cos(180°-45°)=-\cos 45°=-\dfrac{1}{\sqrt{2}}$

(5) $\tan\dfrac{4}{3}\pi=\tan\left(\pi+\dfrac{\pi}{3}\right)=\tan\dfrac{\pi}{3}=\sqrt{3}$

(6) $\tan 120°=\tan(180°-60°)=-\tan 60°=-\sqrt{3}$

22 답 (1) $\dfrac{1}{2}$ (2) $\dfrac{\sqrt{3}}{2}$ (3) $\dfrac{1}{\sqrt{2}}$
(4) $-\dfrac{1}{2}$ (5) $-\dfrac{\sqrt{3}}{2}$ (6) $-\dfrac{1}{\sqrt{2}}$

풀이 (1) $\sin\left(\dfrac{\pi}{2}+\dfrac{\pi}{3}\right)=\cos\dfrac{\pi}{3}=\dfrac{1}{2}$

(2) $\sin 120° = \sin(90° + 30°) = \cos 30° = \dfrac{\sqrt{3}}{2}$

(3) $\sin \dfrac{3}{4}\pi = \sin\left(\dfrac{\pi}{2} + \dfrac{\pi}{4}\right) = \cos\dfrac{\pi}{4} = \dfrac{1}{\sqrt{2}}$

(4) $\cos\left(\dfrac{\pi}{2} + \dfrac{\pi}{6}\right) = -\sin\dfrac{\pi}{6} = -\dfrac{1}{2}$

(5) $\cos 150° = \cos(90° + 60°) = -\sin 60° = -\dfrac{\sqrt{3}}{2}$

(6) $\cos 135° = \cos(90° + 45°) = -\sin 45° = -\dfrac{1}{\sqrt{2}}$

23 답 (1) $-1-\sqrt{3}$ (2) $-\sqrt{3}-3$ (3) $\dfrac{1-\sqrt{3}}{2}$

풀이 (1) $\sin\left(-\dfrac{17}{6}\pi\right)$

$= -\sin\dfrac{17}{6}\pi = -\sin\left(\dfrac{\pi}{2} \times 6 - \dfrac{\pi}{6}\right)$

$= -\sin\dfrac{\pi}{6} = -\dfrac{1}{2}$

$\tan\dfrac{2}{3}\pi = \tan\left(\dfrac{\pi}{2} \times 2 - \dfrac{\pi}{3}\right) = -\tan\dfrac{\pi}{3} = -\sqrt{3}$

$\cos\left(-\dfrac{10}{3}\pi\right) = \cos\dfrac{10}{3}\pi = \cos\left(\dfrac{\pi}{2} \times 6 + \dfrac{\pi}{3}\right)$

$= -\cos\dfrac{\pi}{3} = -\dfrac{1}{2}$

$\therefore$ (주어진 식) $= -\dfrac{1}{2} - \sqrt{3} - \dfrac{1}{2} = \underline{-1-\sqrt{3}}$

(2) $\cos 750° = \cos(90° \times 8 + 30°) = \cos 30° = \dfrac{\sqrt{3}}{2}$

$\sin 390° = \sin(90° \times 4 + 30°) = \sin 30° = \dfrac{1}{2}$

$\sin 225° = \sin(90° \times 2 + 45°) = -\sin 45° = -\dfrac{1}{\sqrt{2}}$

$\sin 1140° = \sin(90° \times 12 + 60°) = \sin 60° = \dfrac{\sqrt{3}}{2}$

$\cos 330° = \cos(90° \times 4 - 30°) = \cos 30° = \dfrac{\sqrt{3}}{2}$

$\cos 135° = \cos(90° + 45°) = -\sin 45° = -\dfrac{1}{\sqrt{2}}$

$\therefore$ (주어진 식) $= \dfrac{\dfrac{\sqrt{3}}{2}}{\dfrac{1}{2} - \dfrac{1}{\sqrt{2}}} - \dfrac{\dfrac{\sqrt{3}}{2}}{\dfrac{\sqrt{3}}{2} + \dfrac{1}{\sqrt{2}}}$

$= \dfrac{\dfrac{\sqrt{3}}{2}}{\dfrac{1-\sqrt{2}}{2}} - \dfrac{\dfrac{\sqrt{3}}{2}}{\dfrac{\sqrt{3}+\sqrt{2}}{2}}$

$= \dfrac{\sqrt{3}}{1-\sqrt{2}} - \dfrac{\sqrt{3}}{\sqrt{3}+\sqrt{2}}$

$= -\sqrt{3}(1+\sqrt{2}) - \sqrt{3}(\sqrt{3}-\sqrt{2})$

$= -\sqrt{3} - \sqrt{6} - 3 + \sqrt{6} = -\sqrt{3} - 3$

참고 $\cos 135° = \cos(90° \times 2 - 45°) = -\cos 45° = -\dfrac{1}{\sqrt{2}}$

(3) $\sin\left(\dfrac{\pi}{2} - \dfrac{\pi}{3}\right) = \cos\dfrac{\pi}{3} = \dfrac{1}{2}$

$\sin\left(\dfrac{3}{2}\pi + \dfrac{\pi}{6}\right) = \sin\left(\dfrac{\pi}{2} \times 3 + \dfrac{\pi}{6}\right) = -\cos\dfrac{\pi}{6} = -\dfrac{\sqrt{3}}{2}$

$\cos\left(3\pi + \dfrac{\pi}{3}\right) = \cos\left(\dfrac{\pi}{2} \times 6 + \dfrac{\pi}{3}\right) = -\cos\dfrac{\pi}{3} = -\dfrac{1}{2}$

$\therefore$ (주어진 식) $= \dfrac{\dfrac{1}{2}}{-\dfrac{\sqrt{3}}{2} - \dfrac{1}{2}} = \dfrac{1}{-\sqrt{3}-1}$

$= \dfrac{\sqrt{3}-1}{-(\sqrt{3}+1)(\sqrt{3}-1)}$

$= \dfrac{1-\sqrt{3}}{2}$

24 답 (1) 1   (2) 1   (3) 0

(4) $2\sin\theta$ (5) $\dfrac{1}{\cos\theta}$ (6) -1

(7) 0   (8) $1-\tan\theta$ (9) $\dfrac{1}{\cos\theta} - 1$

풀이 (1) (주어진 식) $= \sin^2\theta + \cos^2\theta = \underline{1}$

(2) (주어진 식) $= \cos^2\theta + \sin^2\theta = 1$

(3) (주어진 식) $= \cos\theta - \cos\theta = 0$

(4) (주어진 식) $= \sin\theta + \sin\theta = 2\sin\theta$

(5) (주어진 식) $= \dfrac{\cos\theta}{1+\sin\theta} + \tan\theta$

$= \dfrac{\cos\theta}{1+\sin\theta} + \dfrac{\sin\theta}{\cos\theta}$

$= \dfrac{\cos^2\theta + \sin\theta(1+\sin\theta)}{(1+\sin\theta)\cos\theta}$

$= \dfrac{\cos^2\theta + \sin\theta + \sin^2\theta}{(1+\sin\theta)\cos\theta}$

$= \dfrac{1+\sin\theta}{(1+\sin\theta)\cos\theta} = \dfrac{1}{\cos\theta}$

(6) (주어진 식) $= \cos\theta(-\cos\theta) + (-\sin\theta)\sin\theta$

$= -(\sin^2\theta + \cos^2\theta) = -1$

(7) (주어진 식) $= \dfrac{\sin\theta}{1-\cos\theta} + \dfrac{-\sin\theta}{1-\cos\theta}$

$= \dfrac{\sin\theta - \sin\theta}{1-\cos\theta} = 0$

(8) (주어진 식) $= \dfrac{\cos\theta\tan\theta}{-\cos\theta} - \dfrac{-\sin\theta\cos\theta}{\sin\theta\cos\theta}$

$= 1-\tan\theta$

(9) (주어진 식)

$= \dfrac{-\cos\theta}{\cos\theta \times (-\cos\theta)} + \dfrac{(-\cos\theta) \times (-\tan\theta)}{-\sin\theta}$

$= \dfrac{1}{\cos\theta} - \dfrac{\cos\theta}{\sin\theta} \times \dfrac{\sin\theta}{\cos\theta} = \dfrac{1}{\cos\theta} - 1$

25 답 (1) 0.5446   (2) 0.7314   (3) 0.6157

(4) 0.9511   (5) 3.0777   (6) 57.2900

풀이 (1) 각의 가로줄과 삼각비의 세로줄이 만나는 곳을 읽으면

$\sin 33° = \underline{0.5446}$

(2) 각의 가로줄과 삼각비의 세로줄이 만나는 곳을 읽으면

$\sin 47° = 0.7314$

(3) 각의 가로줄과 삼각비의 세로줄이 만나는 곳을 읽으면

$\cos 52° = 0.6157$

(4) 각의 가로줄과 삼각비의 세로줄이 만나는 곳을 읽으면

$\cos 18° = 0.9511$

(5) 각의 가로줄과 삼각비의 세로줄이 만나는 곳을 읽으면

$\tan 72° = 3.0777$

(6) 각의 가로줄과 삼각비의 세로줄이 만나는 곳을 읽으면

$\tan 89° = 57.2900$

26 답 (1) 1.4388   (2) 5.5152   (3) 1.3660   (4) 0.4040

풀이 (1) $\sin 27° = 0.4540$, $\cos 10° = 0.9848$이므로

$\sin 27° + \cos 10° = 0.4540 + 0.9848 = \underline{1.4388}$

(2) $\tan 81° = 6.3138$, $\cos 37° = 0.7986$이므로

$\tan 81° - \cos 37° = 6.3138 - 0.7986 = 5.5152$

(3) $\sin 30° = 0.5000$, $\cos 30° = 0.8660$이므로

$\sin 30° + \cos 30° = 0.5000 + 0.8660$
$\qquad\qquad\qquad\qquad = 1.3660$

(4) $\sin 22° = 0.3746$, $\cos 22° = 0.9272$이므로

$\dfrac{\sin 22°}{\cos 22°} = \dfrac{0.3746}{0.9272} = 0.4040 \cdots$

참고 $\tan 22° = 0.4040$이므로 $\tan\theta = \dfrac{\sin\theta}{\cos\theta}$임을 확인

할 수 있다.

27 **답** (1) 최댓값: 1, 최솟값: -3

(2) 최댓값: 6, 최솟값: -2

(3) 최댓값: 1, 최솟값: -5

(4) 최댓값: 2, 최솟값: -6

(5) 최댓값: 2, 최솟값: 0

(6) 최댓값: 6, 최솟값: 4

풀이 (1) $y = \sin x - \cos\left(\dfrac{3}{2}\pi - x\right) - 1$

$\qquad\quad = \sin x + \sin x - 1 = 2\sin x - 1$

이때 $-1 \le \sin x \le 1$이므로

$-2 \le 2\sin x \le 2 \qquad \therefore \underline{-3} \le 2\sin x - 1 \le \underline{1}$

따라서 최댓값은 $\underline{1}$, 최솟값은 -3이다.

(2) $y = 3\cos x + \sin\left(\dfrac{\pi}{2} - x\right) + 2$

$\quad = 3\cos x + \cos x + 2$

$\quad = 4\cos x + 2$

이때 $-1 \le \cos x \le 1$이므로

$-4 \le 4\cos x \le 4 \qquad \therefore -2 \le 4\cos x + 2 \le 6$

따라서 최댓값은 6, 최솟값은 -2이다.

(3) $y = 2\sin x + \cos\left(\dfrac{\pi}{2} - x\right) - 2$

$\quad = 2\sin x + \sin x - 2$

$\quad = 3\sin x - 2$

이때 $-1 \le \sin x \le 1$이므로

$-3 \le 3\sin x \le 3 \qquad \therefore -5 \le 3\sin x - 2 \le 1$

따라서 최댓값은 1, 최솟값은 -5이다.

(4) $y = \cos x - 3\sin\left(\dfrac{3}{2}\pi + x\right) - 2$

$\quad = \cos x + 3\cos x - 2$

$\quad = 4\cos x - 2$

이때 $-1 \le \cos x \le 1$이므로

$-4 \le 4\cos x \le 4 \qquad \therefore -6 \le 4\cos x - 2 \le 2$

따라서 최댓값은 2, 최솟값은 -6이다.

(5) $y = \sin\left(\dfrac{5}{2}\pi - x\right) + 2\cos(\pi - x) + 1$

$\quad = \cos x - 2\cos x + 1$

$\quad = -\cos x + 1$

이때 $-1 \le \cos x \le 1$이므로

$-1 \le -\cos x \le 1$

$\therefore 0 \le -\cos x + 1 \le 2$

따라서 최댓값은 2, 최솟값은 0이다.

(6) $y = \cos(\pi + x) - 2\sin\left(\dfrac{3}{2}\pi - x\right) + 5$

$\quad = -\cos x + 2\cos x + 5$

$\quad = \cos x + 5$

이때 $-1 \le \cos x \le 1$이므로

$4 \le \cos x + 5 \le 6$

따라서 최댓값은 6, 최솟값은 4이다.

28 **답** (1) 최댓값: 5, 최솟값: 3

(2) 최댓값: 0, 최솟값: -2

(3) 최댓값: 5, 최솟값: 3

(4) 최댓값: -6, 최솟값: -8

(5) 최댓값: 4, 최솟값: 2

(6) 최댓값: 1, 최솟값: -1

풀이 (1) $y = |\sin x - 3| + 1$에서 $\sin x = t$로 치환하면

$y = |t - 3| + 1$ (단, $-1 \le t \le 1$)

따라서 함수의 그래프는 그림과

같으므로

$t = -1$일 때 최댓값은 $\underline{5}$,

$t = 1$일 때 최솟값은 $\underline{3}$이다.

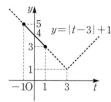

(2) $y = -|\cos x - 2| + 1$에서 $\cos x = t$로 치환하면

$y = -|t - 2| + 1$ (단, $-1 \le t \le 1$)

따라서 함수의 그래프는 그림

과 같으므로

$t = 1$일 때 최댓값은 0,

$t = -1$일 때 최솟값은 -2

이다.

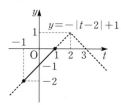

(3) $y = |\cos x - 1| + 3$에서 $\cos x = t$로 치환하면

$y = |t - 1| + 3$ (단, $-1 \le t \le 1$)

따라서 함수의 그래프는 그림

과 같으므로

$t = -1$일 때 최댓값은 5,

$t = 1$일 때 최솟값은 3이다.

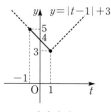

(4) $y = -|\sin x + 2| - 5$에서 $\sin x = t$로 치환하면

$y = -|t + 2| - 5$ (단, $-1 \le t \le 1$)

따라서 함수의 그래프는 그림

과 같으므로

$t = -1$일 때 최댓값은 -6,

$t = 1$일 때 최솟값은 -8이다.

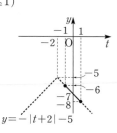

(5) $y=|1-\sin x|+2$에서 $\sin x=t$로 치환하면

$y=|1-t|+2$ (단, $-1\le t\le 1$)

따라서 함수의 그래프는 그림과 같으므로

$t=-1$일 때 최댓값은 4,

$t=1$일 때 최솟값은 2이다.

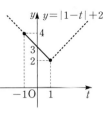

(6) $y=|2+\cos x|-2$에서 $\cos x=t$로 치환하면

$y=|2+t|-2$ (단, $-1\le t\le 1$)

따라서 함수의 그래프는 그림과 같으므로

$t=1$일 때 최댓값은 1,

$t=-1$일 때 최솟값은 -1이다.

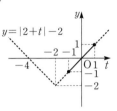

29 답 (1) 최댓값: 2, 최솟값: -2

(2) 최댓값: 6, 최솟값: -2

(3) 최댓값: 4, 최솟값: $\dfrac{7}{4}$

(4) 최댓값: 3, 최솟값: -1

(5) 최댓값: 4, 최솟값: $\dfrac{7}{4}$

(6) 최댓값: 2, 최솟값: -2

풀이 (1) $y=\cos^2 x+2\sin x$

$\qquad=(1-\sin^2 x)+2\sin x$

$\qquad=-\sin^2 x+2\sin x+1$

$\sin x=t$로 치환하면

$y=-t^2+2t+1$

$\quad=-(t-1)^2+2$

$\qquad\qquad$ (단, $-1\le t\le 1$)

따라서 함수의 그래프는 그림과 같으므로

$t=1$일 때 최댓값은 2, $t=-1$일 때 최솟값은 -2이다.

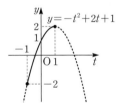

(2) $y=2\cos^2 x+4\sin x+2$

$\qquad=2(1-\sin^2 x)+4\sin x+2$

$\qquad=-2\sin^2 x+4\sin x+4$

$\sin x=t$로 치환하면

$y=-2t^2+4t+4$

$\quad=-2(t-1)^2+6$

$\qquad\qquad$ (단, $-1\le t\le 1$)

따라서 함수의 그래프는 그림과 같으므로

$t=1$일 때 최댓값은 6, $t=-1$일 때 최솟값은 -2이다.

(3) $y=-\sin^2 x+\cos x+3$

$\qquad=-(1-\cos^2 x)+\cos x+3$

$\qquad=\cos^2 x+\cos x+2$

$\cos x=t$로 치환하면

$y=t^2+t+2$

$\quad=\left(t+\dfrac{1}{2}\right)^2+\dfrac{7}{4}$

$\qquad\qquad$ (단, $-1\le t\le 1$)

따라서 함수의 그래프는 그림과 같으므로

$t=1$일 때 최댓값은 4, $t=-\dfrac{1}{2}$일 때 최솟값은 $\dfrac{7}{4}$이다.

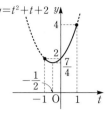

(4) $y=-\cos^2 x+2\sin x+1$

$\qquad=-(1-\sin^2 x)+2\sin x+1$

$\qquad=\sin^2 x+2\sin x$

$\sin x=t$로 치환하면

$y=t^2+2t$

$\quad=(t+1)^2-1$

$\qquad\qquad$ (단, $-1\le t\le 1$)

따라서 함수의 그래프는 그림과 같으므로

$t=1$일 때 최댓값은 3, $t=-1$일 때 최솟값은 -1이다.

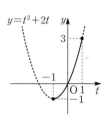

(5) $y=\cos\left(\dfrac{\pi}{2}+x\right)-\sin^2\left(\dfrac{\pi}{2}+x\right)+3$

$\qquad=-\sin x-\cos^2 x+3$

$\qquad=-\sin x-(1-\sin^2 x)+3$

$\qquad=\sin^2 x-\sin x+2$

$\sin x=t$로 치환하면

$y=t^2-t+2$

$\quad=\left(t-\dfrac{1}{2}\right)^2+\dfrac{7}{4}$

$\qquad\qquad$ (단, $-1\le t\le 1$)

따라서 함수의 그래프는 그림과 같으므로

$t=-1$일 때 최댓값은 4, $t=\dfrac{1}{2}$일 때 최솟값은 $\dfrac{7}{4}$이다.

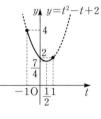

(6) $y=\cos^2(\pi+x)+2\cos\left(\dfrac{3}{2}\pi-x\right)$

$\qquad=\cos^2 x-2\sin x=(1-\sin^2 x)-2\sin x$

$\qquad=-\sin^2 x-2\sin x+1$

$\sin x=t$로 치환하면

$y=-t^2-2t+1$

$\quad=-(t+1)^2+2$

$\qquad\qquad$ (단, $-1\le t\le 1$)

따라서 함수의 그래프는 그림과 같으므로

$t=-1$일 때 최댓값은 2,

$t=1$일 때 최솟값은 -2이다.

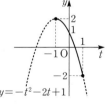

30 답 (1) 최댓값: 2, 최솟값: $\dfrac{4}{3}$

(2) 최댓값: $\dfrac{3}{4}$, 최솟값: $\dfrac{1}{6}$

(3) 최댓값: 1, 최솟값: $-\dfrac{1}{2}$

(4) 최댓값: $\dfrac{3}{5}$, 최솟값: -1

(5) 최댓값: 7, 최솟값: 1

(6) 최댓값: $\dfrac{7}{4}$, 최솟값: $\dfrac{1}{2}$

풀이 (1) $y=\dfrac{\cos x-3}{\cos x-2}$에서 $\cos x=t$로 치환하면

$y=\dfrac{t-3}{t-2}=\dfrac{(t-2)-1}{t-2}=1-\dfrac{1}{t-2}$ (단, $-1\leq t\leq 1$)

따라서 함수의 그래프는 그림과
같으므로

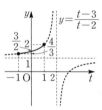

$t=1$일 때 최댓값은 2,

$t=-1$일 때 최솟값은 $\dfrac{4}{3}$이다.

(2) $y=-\dfrac{\sin x-2}{\sin x+5}$에서 $\sin x=t$로 치환하면

$y=-\dfrac{t-2}{t+5}$

$=-\dfrac{(t+5)-7}{t+5}$

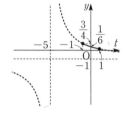

$=-1+\dfrac{7}{t+5}$

(단, $-1\leq t\leq 1$)

따라서 함수의 그래프는 그림과 같으므로

$t=-1$일 때 최댓값은 $\dfrac{3}{4}$, $t=1$일 때 최솟값은 $\dfrac{1}{6}$이다.

(3) $y=\dfrac{-2\sin x}{\sin x+3}$에서 $\sin x=t$로 치환하면

$y=\dfrac{-2t}{t+3}$

$=\dfrac{-2(t+3)+6}{t+3}$

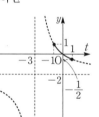

$=-2+\dfrac{6}{t+3}$ (단, $-1\leq t\leq 1$)

따라서 함수의 그래프는 그림과
같으므로

$t=-1$일 때 최댓값은 1, $t=1$일 때 최솟값은 $-\dfrac{1}{2}$이다.

(4) $y=\dfrac{3\cos x}{\cos x-4}$에서 $\cos x=t$로 치환하면

$y=\dfrac{3t}{t-4}$

$=\dfrac{3(t-4)+12}{t-4}$

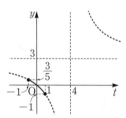

$=3+\dfrac{12}{t-4}$

(단, $-1\leq t\leq 1$)

따라서 함수의 그래프는 그림과 같으므로

$t=-1$일 때 최댓값은 $\dfrac{3}{5}$, $t=1$일 때 최솟값은 -1이다.

(5) $y=\dfrac{-2\cos x+5}{\cos x+2}$에서 $\cos x=t$로 치환하면

$y=\dfrac{-2t+5}{t+2}$

$=\dfrac{-2(t+2)+9}{t+2}$

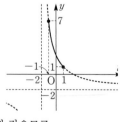

$=-2+\dfrac{9}{t+2}$

(단, $-1\leq t\leq 1$)

따라서 함수의 그래프는 그림과 같으므로

$t=-1$일 때 최댓값은 7, $t=1$일 때 최솟값은 1이다.

(6) $y=\dfrac{3\sin x-4}{\sin x-3}$에서 $\sin x=t$로 치환하면

$y=\dfrac{3t-4}{t-3}$

$=\dfrac{3(t-3)+5}{t-3}$

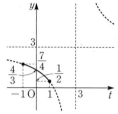

$=3+\dfrac{5}{t-3}$

(단, $-1\leq t\leq 1$)

따라서 함수의 그래프는 그림과 같으므로

$t=-1$일 때 최댓값은 $\dfrac{7}{4}$, $t=1$일 때 최솟값은 $\dfrac{1}{2}$이다.

31 답 (1) $x=\dfrac{5}{4}\pi$ 또는 $x=\dfrac{7}{4}\pi$　(2) $x=\dfrac{\pi}{3}$ 또는 $x=\dfrac{5}{3}\pi$

(3) $x=\dfrac{\pi}{4}$　(4) $x=\dfrac{\pi}{6}$ 또는 $x=\dfrac{11}{6}\pi$

풀이 (1) $0\leq x<2\pi$에서
함수 $y=\sin x$의 그
래프와 직선

$y=-\dfrac{\sqrt{2}}{2}$의 교점의

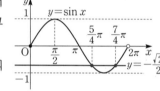

x좌표는

$x=\pi+\dfrac{\pi}{4}=\dfrac{5}{4}\pi$ 또는

$x=2\pi-\dfrac{\pi}{4}=\dfrac{7}{4}\pi$이다.

따라서 주어진 방정식의 해는 두 그래프의 교점의 x좌표
와 같으므로

$x=\dfrac{5}{4}\pi$ 또는 $x=\dfrac{7}{4}\pi$이다.

(2) $0\leq x<2\pi$에서 함수
$y=\cos x$의 그래프
와 직선 $y=\dfrac{1}{2}$의 교

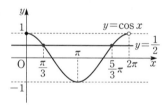

점의 x좌표는

$x=\dfrac{\pi}{3}$ 또는

$x=2\pi-\dfrac{\pi}{3}=\dfrac{5}{3}\pi$이다.

따라서 주어진 방정식의 해는 두 그래프의 교점의 x좌표
와 같으므로

$x=\dfrac{\pi}{3}$ 또는 $x=\dfrac{5}{3}\pi$이다.

(3) $0\leq x<\pi$에서 함수 $y=\tan x$의
그래프와 직선 $y=1$의 교점의

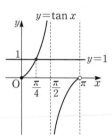

x좌표는 $x=\dfrac{\pi}{4}$이다.

따라서 주어진 방정식의 해는
두 그래프의 교점의 x좌표와 같
으므로

$x=\dfrac{\pi}{4}$이다.

(4) $2\cos x = \sqrt{3}$ 에서

$\cos x = \dfrac{\sqrt{3}}{2}$

$0 \leq x < 2\pi$ 에서 함수

$y = \cos x$ 와 직선

$y = \dfrac{\sqrt{3}}{2}$ 의 교점의

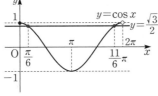

x 좌표는 $x = \dfrac{\pi}{6}$ 또는 $x = 2\pi - \dfrac{\pi}{6} = \dfrac{11}{6}\pi$ 이다.

따라서 주어진 방정식의 해는 두 그래프의 교점의 x 좌표
와 같으므로

$x = \dfrac{\pi}{6}$ 또는 $x = \dfrac{11}{6}\pi$ 이다.

32 답 (1) $x = \dfrac{\pi}{4}$ 또는 $x = \dfrac{\pi}{2}$

　　(2) $x = \dfrac{\pi}{6}$ 또는 $x = \dfrac{5}{6}\pi$

　　(3) $x = \dfrac{\pi}{3}$ 또는 $x = \pi$

　　(4) $x = \dfrac{\pi}{2}$ 또는 $x = \pi$

　　(5) $x = \dfrac{\pi}{12}$

　　(6) $x = \dfrac{\pi}{4}$

풀이 (1) $\sin\left(2x - \dfrac{\pi}{4}\right) = \dfrac{\sqrt{2}}{2}$ 에서 $2x - \dfrac{\pi}{4} = \theta$ 로 치환하면

$\sin \theta = \dfrac{\sqrt{2}}{2}$

$0 \leq x < \pi$ 에서 $0 \leq 2x < 2\pi$

$\therefore -\dfrac{\pi}{4} \leq 2x - \dfrac{\pi}{4} < \dfrac{7}{4}\pi$

즉, $-\dfrac{\pi}{4} \leq \theta < \dfrac{7}{4}\pi$ 에서 $\sin \theta = \dfrac{\sqrt{2}}{2}$ 의 해를 구하면

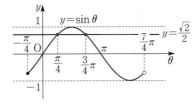

그림에서 $\theta = \dfrac{\pi}{4}$ 또는 $\theta = \dfrac{3}{4}\pi$ 이다.

따라서 $2x - \dfrac{\pi}{4} = \dfrac{\pi}{4}$ 또는 $2x - \dfrac{\pi}{4} = \dfrac{3}{4}\pi$ 이므로

$x = \dfrac{\pi}{4}$ 또는 $x = \dfrac{\pi}{2}$ 이다.

(2) $2\cos 2x = 1$ 에서 $\cos 2x = \dfrac{1}{2}$

$2x = \theta$ 로 치환하면 $\cos \theta = \dfrac{1}{2}$

$0 \leq x < \pi$ 에서 $0 \leq 2x < 2\pi$

즉, $0 \leq \theta < 2\pi$ 에서 $\cos \theta = \dfrac{1}{2}$ 의 해를 구하면

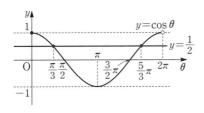

그림에서 $\theta = \dfrac{\pi}{3}$ 또는 $\theta = \dfrac{5}{3}\pi$ 이다.

따라서 $2x = \dfrac{\pi}{3}$ 또는 $2x = \dfrac{5}{3}\pi$ 이므로

$x = \dfrac{\pi}{6}$ 또는 $x = \dfrac{5}{6}\pi$ 이다.

(3) $\sin\left(x - \dfrac{\pi}{6}\right) = \dfrac{1}{2}$ 에서 $x - \dfrac{\pi}{6} = \theta$ 로 치환하면

$\sin \theta = \dfrac{1}{2}$

$0 \leq x < 2\pi$ 에서 $-\dfrac{\pi}{6} \leq x - \dfrac{\pi}{6} < \dfrac{11}{6}\pi$

즉, $-\dfrac{\pi}{6} \leq \theta < \dfrac{11}{6}\pi$ 에서 $\sin \theta = \dfrac{1}{2}$ 의 해를 구하면

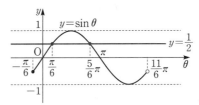

그림에서 $\theta = \dfrac{\pi}{6}$ 또는 $\theta = \dfrac{5}{6}\pi$ 이다.

따라서 $x - \dfrac{\pi}{6} = \dfrac{\pi}{6}$ 또는 $x - \dfrac{\pi}{6} = \dfrac{5}{6}\pi$ 이므로

$x = \dfrac{\pi}{3}$ 또는 $x = \pi$ 이다.

(4) $\cos\left(x + \dfrac{\pi}{4}\right) = -\dfrac{\sqrt{2}}{2}$ 에서 $x + \dfrac{\pi}{4} = \theta$ 로 치환하면

$\cos \theta = -\dfrac{\sqrt{2}}{2}$

$0 \leq x < 2\pi$ 에서 $\dfrac{\pi}{4} \leq x + \dfrac{\pi}{4} < \dfrac{9}{4}\pi$

즉, $\dfrac{\pi}{4} \leq \theta < \dfrac{9}{4}\pi$ 에서 $\cos \theta = -\dfrac{\sqrt{2}}{2}$ 의 해를 구하면

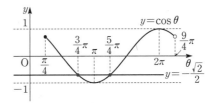

그림에서 $\theta = \dfrac{3}{4}\pi$ 또는 $\theta = \dfrac{5}{4}\pi$ 이다.

따라서 $x + \dfrac{\pi}{4} = \dfrac{3}{4}\pi$ 또는 $x + \dfrac{\pi}{4} = \dfrac{5}{4}\pi$ 이므로

$x = \dfrac{\pi}{2}$ 또는 $x = \pi$ 이다.

(5) $\tan\left(x + \dfrac{\pi}{4}\right) = \sqrt{3}$ 에서 $x + \dfrac{\pi}{4} = \theta$ 로 치환하면

$\tan \theta = \sqrt{3}$

$0 \leq x < \dfrac{\pi}{4}$ 에서 $\dfrac{\pi}{4} \leq x + \dfrac{\pi}{4} < \dfrac{\pi}{2}$

즉, $\dfrac{\pi}{4} \leq \theta < \dfrac{\pi}{2}$ 에서 $\tan \theta = \sqrt{3}$ 의 해를 구하면

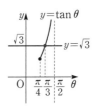

그림에서 $\theta=\dfrac{\pi}{3}$이다.

따라서 $x+\dfrac{\pi}{4}=\dfrac{\pi}{3}$이므로 $x=\dfrac{\pi}{12}$이다.

(6) $\tan\left(x+\dfrac{\pi}{2}\right)=-1$에서 $x+\dfrac{\pi}{2}=\theta$로 치환하면

$\tan\theta=-1$

$0<x<\pi$에서 $\dfrac{\pi}{2}<x+\dfrac{\pi}{2}<\dfrac{3}{2}\pi$

즉, $\dfrac{\pi}{2}<\theta<\dfrac{3}{2}\pi$에서 $\tan\theta=-1$의 해를 구하면

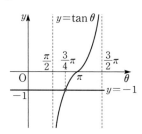

그림에서 $\theta=\dfrac{3}{4}\pi$이다.

따라서 $x+\dfrac{\pi}{2}=\dfrac{3}{4}\pi$이므로 $x=\dfrac{\pi}{4}$이다.

33 답 (1) $x=\dfrac{\pi}{6}$ 또는 $x=\dfrac{\pi}{2}$ 또는 $x=\dfrac{5}{6}\pi$

(2) $x=0$ 또는 $x=\dfrac{\pi}{6}$ 또는 $x=\dfrac{5}{6}\pi$ 또는 $x=\pi$

(3) $x=\dfrac{\pi}{4}$ 또는 $x=\dfrac{2}{3}\pi$ 또는 $x=\dfrac{5}{4}\pi$ 또는 $x=\dfrac{5}{3}\pi$

풀이 (1) $2\cos^2 x+3\sin x-3=0$에서

$2(1-\sin^2 x)+3\sin x-3=0$

$2\sin^2 x-3\sin x+1=0$, $(2\sin x-1)(\sin x-1)=0$

$\therefore \sin x=\dfrac{1}{2}$ 또는 $\sin x=1$

따라서 $0\le x<2\pi$에서 그림과 같이

(i) $\sin x=\dfrac{1}{2}$의 해는

$x=\dfrac{\pi}{6}$ 또는 $x=\dfrac{5}{6}\pi$

(ii) $\sin x=1$의 해는

$x=\dfrac{\pi}{2}$

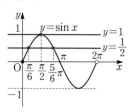

(i), (ii)에서 $x=\dfrac{\pi}{6}$ 또는 $x=\dfrac{\pi}{2}$ 또는 $x=\dfrac{5}{6}\pi$이다.

(2) $\sin(\pi-x)=\sin x$이므로

$2\sin^2(\pi-x)-\sin x=0$에서

$2\sin^2 x-\sin x=0$, $\sin x(2\sin x-1)=0$

$\therefore \sin x=0$ 또는 $\sin x=\dfrac{1}{2}$

따라서 $0\le x<2\pi$에서 그림과 같이

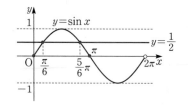

(i) $\sin x=0$의 해는 $x=0$ 또는 $x=\pi$

(ii) $\sin x=\dfrac{1}{2}$의 해는 $x=\dfrac{\pi}{6}$ 또는 $x=\dfrac{5}{6}\pi$

(i), (ii)에서 $x=0$ 또는 $x=\dfrac{\pi}{6}$ 또는 $x=\dfrac{5}{6}\pi$ 또는 $x=\pi$이다.

(3) $\tan^2 x-(1-\sqrt3)\tan x-\sqrt3=0$에서

$(\tan x+\sqrt3)(\tan x-1)=0$

$\therefore \tan x=-\sqrt3$ 또는 $\tan x=1$

따라서 $0\le x<2\pi$에서 그림과 같이

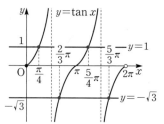

(i) $\tan x=-\sqrt3$의 해는 $x=\dfrac{2}{3}\pi$ 또는 $x=\dfrac{5}{3}\pi$

(ii) $\tan x=1$의 해는 $x=\dfrac{\pi}{4}$ 또는 $x=\dfrac{5}{4}\pi$

(i), (ii)에서 $x=\dfrac{\pi}{4}$ 또는 $x=\dfrac{2}{3}\pi$ 또는 $x=\dfrac{5}{4}\pi$ 또는 $x=\dfrac{5}{3}\pi$이다.

34 답 (1) $\theta=\dfrac{\pi}{4}$ 또는 $\theta=\dfrac{3}{4}\pi$

(2) $\theta=\dfrac{\pi}{6}$ 또는 $\theta=\dfrac{5}{6}\pi$

(3) $\theta=\dfrac{\pi}{3}$ 또는 $\theta=\dfrac{5}{3}\pi$

풀이 (1) 이차함수 $f(x)=\sqrt2 x^2+x+\dfrac{1}{4}\sin\theta$의 그래프가 x축과 접하므로 이차방정식 $f(x)=0$의 판별식을 D라고 하면

$D=1^2-4\times\sqrt2\times\dfrac{1}{4}\sin\theta=0$

$\therefore \sin\theta=\dfrac{1}{\sqrt2}=\dfrac{\sqrt2}{2}$

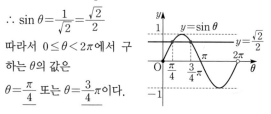

따라서 $0\le\theta<2\pi$에서 구하는 θ의 값은

$\theta=\dfrac{\pi}{4}$ 또는 $\theta=\dfrac{3}{4}\pi$이다.

(2) 이차함수 $f(x)=x^2+x+\dfrac{1}{2}\sin\theta$의 그래프가 x축과 접하므로 이차방정식 $f(x)=0$의 판별식을 D라고 하면

$D=1^2-4\times 1\times\dfrac{1}{2}\sin\theta=0$ $\quad\therefore \sin\theta=\dfrac{1}{2}$

따라서 $0\le\theta<2\pi$에서 구하는 θ의 값은 $\theta=\dfrac{\pi}{6}$ 또는 $\theta=\dfrac{5}{6}\pi$이다.

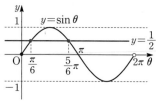

(3) 이차함수 $f(x)=2x^2+2x+\cos\theta$의 그래프가 x축과 접하므로 이차방정식 $f(x)=0$의 판별식을 D라고 하면

$$\frac{D}{4}=1^2-2\times\cos\theta=0 \qquad \therefore \cos\theta=\frac{1}{2}$$

따라서 $0\le\theta<2\pi$에서 구하는 θ의 값은 $\theta=\dfrac{\pi}{3}$ 또는 $\theta=\dfrac{5}{3}\pi$이다.

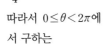
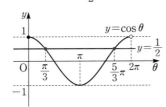

35 답 (1) $0\le x<\dfrac{\pi}{6}$ 또는 $\dfrac{11}{6}\pi<x<2\pi$ (2) $\dfrac{\pi}{3}\le x\le\dfrac{2}{3}\pi$

(3) $\dfrac{\pi}{3}\le x\le\dfrac{5}{3}\pi$ (4) $0\le x<\dfrac{\pi}{4}$

풀이 (1) $0\le x<2\pi$에서 함수 $y=\cos x$의 그래프와 직선 $y=\dfrac{\sqrt{3}}{2}$의 교점의 x좌표는 $\dfrac{\pi}{6}$ 또는 $2\pi-\dfrac{\pi}{6}=\dfrac{11}{6}\pi$이다.

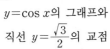
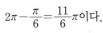
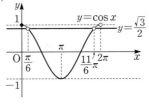

주어진 부등식의 해는 함수 $y=\cos x$의 그래프가 직선 $y=\dfrac{\sqrt{3}}{2}$보다 위쪽에 있는 부분의 x의 값의 범위이므로 $0\le x<\dfrac{\pi}{6}$ 또는 $\dfrac{11}{6}\pi<x<2\pi$이다.

(2) $0\le x<2\pi$에서 함수 $y=\sin x$의 그래프와 직선 $y=\dfrac{\sqrt{3}}{2}$의 교점의 x좌표는 $\dfrac{\pi}{3}$ 또는 $\pi-\dfrac{\pi}{3}=\dfrac{2}{3}\pi$이다.

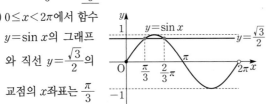

따라서 주어진 부등식의 해는 함수 $y=\sin x$의 그래프가 직선 $y=\dfrac{\sqrt{3}}{2}$보다 위쪽에 있거나 만나는 부분의 x의 값의 범위이므로 $\dfrac{\pi}{3}\le x\le\dfrac{2}{3}\pi$이다.

(3) $0\le x<2\pi$에서 함수 $y=\cos x$의 그래프와 직선 $y=\dfrac{1}{2}$의 교점의 x좌표는 $\dfrac{\pi}{3}$ 또는 $2\pi-\dfrac{\pi}{3}=\dfrac{5}{3}\pi$이다.

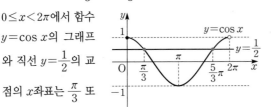

따라서 주어진 부등식의 해는 함수 $y=\cos x$의 그래프가 직선 $y=\dfrac{1}{2}$보다 아래쪽에 있거나 만나는 부분의 x의 값의 범위이므로 $\dfrac{\pi}{3}\le x\le\dfrac{5}{3}\pi$이다.

(4) $0\le x<\dfrac{\pi}{2}$에서 함수 $y=\tan x$의 그래프와 직선 $y=1$의 교점의 x좌표는 $\dfrac{\pi}{4}$이다.

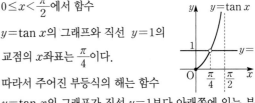

따라서 주어진 부등식의 해는 함수 $y=\tan x$의 그래프가 직선 $y=1$보다 아래쪽에 있는 부분의 x의 값의 범위이므로 $0\le x<\dfrac{\pi}{4}$

36 답 (1) $\pi\le x\le\dfrac{5}{3}\pi$

(2) $0\le x<\dfrac{7}{12}\pi$ 또는 $\dfrac{23}{12}\pi<x<2\pi$

(3) $0\le x\le\dfrac{5}{4}\pi$ 또는 $\dfrac{7}{4}\pi\le x<2\pi$

(4) $\dfrac{\pi}{2}\le x\le\dfrac{11}{6}\pi$

(5) $\dfrac{5}{12}\pi\le x\le\dfrac{2}{3}\pi$

(6) $\dfrac{\pi}{6}<x<\dfrac{11}{12}\pi$ 또는 $\dfrac{7}{6}\pi<x<\dfrac{23}{12}\pi$

풀이 (1) $\cos\left(x-\dfrac{\pi}{3}\right)\le-\dfrac{1}{2}$에서

$x-\dfrac{\pi}{3}=\theta$로 치환하면 $\cos\theta\le-\dfrac{1}{2}$

$0\le x<2\pi$에서 $-\dfrac{\pi}{3}\le x-\dfrac{\pi}{3}<\dfrac{5}{3}\pi$

즉, $-\dfrac{\pi}{3}\le\theta<\dfrac{5}{3}\pi$에서 $\cos\theta\le-\dfrac{1}{2}$의 해를 구하면

$\dfrac{2}{3}\pi\le\theta\le\dfrac{4}{3}\pi$

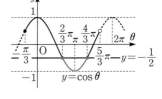

따라서 $\dfrac{2}{3}\pi\le x-\dfrac{\pi}{3}\le\dfrac{4}{3}\pi$에서 $\pi\le x\le\dfrac{5}{3}\pi$

(2) $\cos\left(x-\dfrac{\pi}{4}\right)>\dfrac{1}{2}$에서

$x-\dfrac{\pi}{4}=\theta$로 치환하면 $\cos\theta>\dfrac{1}{2}$

$0\le x<2\pi$에서

$-\dfrac{\pi}{4}\le x-\dfrac{\pi}{4}<\dfrac{7}{4}\pi$

즉, $-\dfrac{\pi}{4}\le\theta\le\dfrac{7}{4}\pi$에서 $\cos\theta>\dfrac{1}{2}$의 해를 구하면

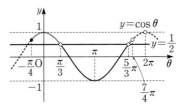

$-\dfrac{\pi}{4}\le\theta<\dfrac{\pi}{3}$ 또는 $\dfrac{5}{3}\pi<\theta<\dfrac{7}{4}\pi$

따라서 $-\dfrac{\pi}{4}\le x-\dfrac{\pi}{4}<\dfrac{\pi}{3}$에서 $0\le x<\dfrac{7}{12}\pi$

또는 $\dfrac{5}{3}\pi<x-\dfrac{\pi}{4}<\dfrac{7}{4}\pi$에서 $\dfrac{23}{12}\pi<x<2\pi$

(3) $\cos\left(x+\dfrac{\pi}{2}\right)\le\dfrac{\sqrt{2}}{2}$에서

$x+\dfrac{\pi}{2}=\theta$로 치환하면 $\cos\theta\leq\dfrac{\sqrt{2}}{2}$

$0\leq x<2\pi$에서 $\dfrac{\pi}{2}\leq x+\dfrac{\pi}{2}<\dfrac{5}{2}\pi$

즉, $\dfrac{\pi}{2}\leq\theta<\dfrac{5}{2}\pi$에서 $\cos\theta\leq\dfrac{\sqrt{2}}{2}$의 해를 구하면

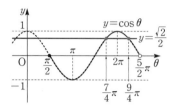

$\dfrac{\pi}{2}\leq\theta\leq\dfrac{7}{4}\pi$ 또는 $\dfrac{9}{4}\pi\leq\theta<\dfrac{5}{2}\pi$

따라서 $\dfrac{\pi}{2}\leq x+\dfrac{\pi}{2}<\dfrac{7}{4}\pi$에서 $0\leq x\leq\dfrac{5}{4}\pi$

또는 $\dfrac{9}{4}\pi\leq x+\dfrac{\pi}{2}<\dfrac{5}{2}\pi$에서 $\dfrac{7}{4}\pi\leq x<2\pi$

(4) $\sin\left(x+\dfrac{\pi}{3}\right)\leq\dfrac{1}{2}$에서

$x+\dfrac{\pi}{3}=\theta$로 치환하면 $\sin\theta\leq\dfrac{1}{2}$

$0\leq x<2\pi$에서 $\dfrac{\pi}{3}\leq x+\dfrac{\pi}{3}<\dfrac{7}{3}\pi$

즉, $\dfrac{\pi}{3}\leq\theta<\dfrac{7}{3}\pi$에서 $\sin\theta\leq\dfrac{1}{2}$의 해를 구하면

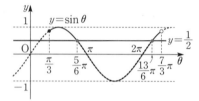

$\dfrac{5}{6}\pi\leq\theta\leq\dfrac{13}{6}\pi$

따라서 $\dfrac{5}{6}\pi\leq x+\dfrac{\pi}{3}\leq\dfrac{13}{6}\pi$에서 $\dfrac{\pi}{2}\leq x\leq\dfrac{11}{6}\pi$

(5) $\tan\left(x-\dfrac{\pi}{6}\right)\geq1$에서

$x-\dfrac{\pi}{6}=\theta$로 치환하면 $\tan\theta\geq1$

$0\leq x<\pi$에서 $-\dfrac{\pi}{6}\leq x-\dfrac{\pi}{6}<\dfrac{5}{6}\pi$

즉, $-\dfrac{\pi}{6}\leq\theta<\dfrac{5}{6}\pi$에서 $\tan\theta\geq1$의 해를 구하면

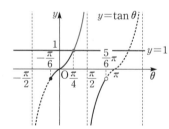

$\dfrac{\pi}{4}\leq\theta<\dfrac{\pi}{2}$

따라서 $\dfrac{\pi}{4}\leq x-\dfrac{\pi}{6}<\dfrac{\pi}{2}$에서 $\dfrac{5}{12}\pi\leq x<\dfrac{2}{3}\pi$

(6) $\tan\left(x+\dfrac{\pi}{3}\right)<1$에서

$x+\dfrac{\pi}{3}=\theta$로 치환하면 $\tan\theta<1$

$0\leq x<2\pi$에서 $\dfrac{\pi}{3}\leq x+\dfrac{\pi}{3}<\dfrac{7}{3}\pi$

즉, $\dfrac{\pi}{3}\leq\theta<\dfrac{7}{3}\pi$에서 $\tan\theta<1$의 해를 구하면

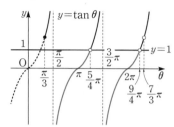

$\dfrac{\pi}{2}<\theta<\dfrac{5}{4}\pi$ 또는 $\dfrac{3}{2}\pi<\theta<\dfrac{9}{4}\pi$

따라서 $\dfrac{\pi}{2}<x+\dfrac{\pi}{3}<\dfrac{5}{4}\pi$에서 $\dfrac{\pi}{6}<x<\dfrac{11}{12}\pi$ 또는

$\dfrac{3}{2}\pi<x+\dfrac{\pi}{3}<\dfrac{9}{4}\pi$에서 $\dfrac{7}{6}\pi<x<\dfrac{23}{12}\pi$

37 답 (1) $\dfrac{\pi}{6}<x<\dfrac{5}{6}\pi$ (2) $\dfrac{\pi}{3}\leq x\leq\dfrac{5}{3}\pi$

(3) $\dfrac{\pi}{3}<x<\dfrac{5}{3}\pi$

풀이 (1) $5\sin x+2\cos^2 x-4>0$에서

$5\sin x+2(1-\sin^2 x)-4>0$, $2\sin^2 x-5\sin x+2<0$

$\therefore (2\sin x-1)(\sin x-2)<0$

그런데 $-1\leq\sin x\leq1$에서 $\sin x-2<0$이므로

$2\sin x-1>0$

$\therefore \sin x>\dfrac{1}{2}$

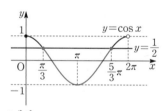

따라서 주어진 부등식의 해는 $\dfrac{\pi}{6}<x<\dfrac{5}{6}\pi$이다.

(2) $2\cos^2 x+5\cos x-3\leq0$에서

$(2\cos x-1)(\cos x+3)\leq0$

그런데 $-1\leq\cos x\leq1$에서 $\cos x+3>0$이므로

$2\cos x-1\leq0$

$\therefore \cos x\leq\dfrac{1}{2}$

따라서 주어진 부등식의 해는

$\dfrac{\pi}{3}\leq x\leq\dfrac{5}{3}\pi$

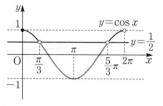

(3) $2\sin^2 x-7\cos x+2>0$에서

$2(1-\cos^2 x)-7\cos x+2>0$

$2\cos^2 x+7\cos x-4<0$

$(2\cos x-1)(\cos x+4)<0$

그런데 $-1\leq\cos x\leq1$에서

$\cos x+4>0$이므로

$2\cos x-1<0$

$\therefore \cos x<\dfrac{1}{2}$

따라서 주어진 부등식의 해는

$\dfrac{\pi}{3}<x<\dfrac{5}{3}\pi$

38 답 (1) $\pi<\theta<2\pi$　(2) $\dfrac{2}{3}\pi<\theta<\dfrac{4}{3}\pi$

풀이 (1) 모든 실수 x에 대하여 부등식

$x^2-2(\sin\theta+1)x+1>0$이 항상 성립할 조건은
이차방정식 $x^2-2(\sin\theta+1)x+1=0$의 판별식을 D라
고 할 때 $D<0$이다.

즉, $\dfrac{D}{4}=(\sin\theta+1)^2-1<0$에서

$\sin^2\theta+2\sin\theta<0$, $\sin\theta(\sin\theta+2)<0$

그런데 $-1\leq\sin\theta\leq1$에서

$\sin\theta+2>0$이므로

$\sin\theta<0$

따라서 구하는 θ의 값의 범위
는 $\pi<\theta<2\pi$이다.

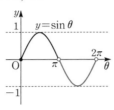

(2) 모든 실수 x에 대하여 부등식

$x^2+2\sqrt{2}x\sin\theta-3\cos\theta>0$이 항상 성립할 조건은
이차방정식 $x^2+2\sqrt{2}x\sin\theta-3\cos\theta=0$의 판별식을 D
라고 할 때 $D<0$이다.

즉, $\dfrac{D}{4}=(\sqrt{2}\sin\theta)^2+3\cos\theta<0$에서

$2\sin^2\theta+3\cos\theta<0$

$2(1-\cos^2\theta)+3\cos\theta<0$

$2\cos^2\theta-3\cos\theta-2>0$

$(2\cos\theta+1)(\cos\theta-2)>0$

그런데 $-1\leq\cos\theta\leq1$에서 $\cos\theta-2<0$이므로

$2\cos\theta+1<0$　∴ $\cos\theta<-\dfrac{1}{2}$

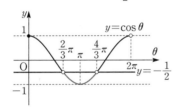

따라서 구하는 θ의 값의 범위는 $\dfrac{2}{3}\pi<\theta<\dfrac{4}{3}\pi$이다.

---

01 답 4

풀이 함수 $f(x)$의 주기가 2이므로

$f(x+2)=f(x)$

∴ $f(20)=f(18+2)=f(18)=f(16+2)=f(16)$

$\qquad=\cdots=f(4)=f(2+2)=f(2)=4$

02 답 $y=\cos x$

풀이 함수 $y=\sin x$의 그래프를 x축의 방향으로 $\dfrac{\pi}{2}$만큼

평행이동한 그래프의 식은 $y=\sin\left(x-\dfrac{\pi}{2}\right)$

함수 $y=\sin\left(x-\dfrac{\pi}{2}\right)$의 그래프를 x축에 대하여 대칭이동한

그래프의 식은 $-y=\sin\left(x-\dfrac{\pi}{2}\right)$

∴ $y=-\sin\left(x-\dfrac{\pi}{2}\right)=\sin\left(\dfrac{\pi}{2}-x\right)=\cos x$

03 답 $\sqrt{3}$

풀이 함수 $y=\tan\dfrac{\pi}{2}x$의 그래프를 x축의 방향으로 $\dfrac{1}{2}$만큼

평행이동한 그래프의 식은

$y=\tan\dfrac{\pi}{2}\left(x-\dfrac{1}{2}\right)$

이 그래프가 점 $\left(\dfrac{7}{6},\,a\right)$를 지나므로

$a=\tan\dfrac{\pi}{2}\left(\dfrac{7}{6}-\dfrac{1}{2}\right)=\tan\left(\dfrac{\pi}{2}\times\dfrac{2}{3}\right)$

$\quad=\tan\dfrac{\pi}{3}=\sqrt{3}$

04 답 -1

풀이 함수 $f(x)=a\sin\dfrac{1}{2}x+b$의 최댓값이 5이고, $a>0$이
므로

$a+b=5$　$\cdots\cdots$ ㉠

$f\left(\dfrac{\pi}{3}\right)=\dfrac{7}{2}$이므로 $a\sin\dfrac{\pi}{6}+b=\dfrac{7}{2}$

∴ $\dfrac{1}{2}a+b=\dfrac{7}{2}$　$\cdots\cdots$ ㉡

㉠, ㉡을 연립하여 풀면 $a=3$, $b=2$

따라서 함수 $f(x)$의 최솟값은 $-a+b=-1$

05 답 -4

풀이 최댓값이 1이고 $a>0$이므로 $a+c=1$　$\cdots\cdots$ ㉠

주기가 4π이고 $b>0$이므로 $\dfrac{2\pi}{\frac{1}{b}}=4\pi$　∴ $b=2$

$f(x)=a\cos\left(\pi-\dfrac{x}{2}\right)+c$에서 $f(\pi)=-1$이므로

$a\cos\dfrac{\pi}{2}+c=-1$　∴ $c=-1$

$c=-1$을 ㉠에 대입하면 $a-1=1$　∴ $a=2$

∴ $abc=2\times2\times(-1)=-4$

06 답 -2π

풀이 그림에서 함수의 최댓값이 2, 최솟값이 -2이고
$a>0$이므로 $a=2$

주어진 함수의 주기는 $2\times\left(\dfrac{3}{4}\pi-\dfrac{\pi}{4}\right)=\pi$이고, $b>0$이므로

$\dfrac{2\pi}{b}=\pi$ $\therefore b=2$

$\therefore y=2\cos(2x+c)$

이때 그래프에서 $f(0)=0$이므로 $2\cos c=0$

따라서 $c=\cdots,\ -\dfrac{\pi}{2},\ \dfrac{\pi}{2},\ \dfrac{3}{2}\pi$이고 $-\dfrac{\pi}{2}\le c\le 0$이므로

$c=-\dfrac{\pi}{2}$

$\therefore abc=2\times 2\times\left(-\dfrac{\pi}{2}\right)=-2\pi$

07 답 1

풀이 최댓값이 3이고 $a>0$이므로 $a=3$

$y=|a\sin bx|$의 주기는 $y=a\sin bx$의 주기의 $\dfrac{1}{2}$이므로

$\dfrac{2\pi}{b}\times\dfrac{1}{2}=\dfrac{\pi}{2}$ $\therefore b=2$

$\therefore a-b=1$

08 답 3

풀이 주기가 $\dfrac{\pi}{3}$이고 $b>0$이므로 $\dfrac{2\pi}{b}\times\dfrac{1}{2}=\dfrac{\pi}{3}$ $\therefore b=3$

$\therefore f(x)=a|\sin 3x|+c$

최댓값이 4이고 $a>0$이므로 $a+c=4$ $\quad\cdots\cdots$ ㉠

$f\left(\dfrac{\pi}{18}\right)=3$이므로 $a\left|\sin\left(3\times\dfrac{\pi}{18}\right)\right|+c=3$

$a\left|\sin\dfrac{\pi}{6}\right|+c=3$ $\therefore \dfrac{1}{2}a+c=3$ $\quad\cdots\cdots$ ㉡

㉠, ㉡을 연립하여 풀면 $a=2$, $c=2$

$\therefore \dfrac{ab}{c}=\dfrac{2\times 3}{2}=3$

09 답 $\dfrac{3\sqrt{3}-1}{2}$

풀이 $\sin\left(\dfrac{\pi}{2}+\dfrac{\pi}{6}\right)+\cos\left(\pi-\dfrac{\pi}{3}\right)+\tan\left(\pi+\dfrac{\pi}{3}\right)$

$=\cos\dfrac{\pi}{6}-\cos\dfrac{\pi}{3}+\tan\dfrac{\pi}{3}$

$=\dfrac{\sqrt{3}}{2}-\dfrac{1}{2}+\sqrt{3}=\dfrac{3\sqrt{3}-1}{2}$

10 답 -1

풀이 $\sin 25°=\sin(90°-65°)=\cos 65°$

$\cos 25°=\cos(90°-65°)=\sin 65°$

$\therefore \left(\dfrac{1}{\sin 25°}-1\right)\left(\dfrac{1}{\cos 65°}+1\right)\left(1-\dfrac{1}{\sin 65°}\right)\left(1+\dfrac{1}{\cos 25°}\right)$

$=\left(\dfrac{1}{\cos 65°}-1\right)\left(\dfrac{1}{\cos 65°}+1\right)\left(1-\dfrac{1}{\sin 65°}\right)\left(1+\dfrac{1}{\sin 65°}\right)$

$=\left(\dfrac{1}{\cos^2 65°}-1\right)\left(1-\dfrac{1}{\sin^2 65°}\right)$

$=\dfrac{1}{\cos^2 65°}-\dfrac{1}{\sin^2 65°\cos^2 65°}-1+\dfrac{1}{\sin^2 65°}$

$=\dfrac{\sin^2 65°+\cos^2 65°-1}{\sin^2 65°\cos^2 65°}-1=0-1=-1$

11 답 -16

풀이 $y=\cos^2 x+4\sin x$

$\qquad =(1-\sin^2 x)+4\sin x$

$\qquad =-\sin^2 x+4\sin x+1$

$\sin x=t$로 치환하면

$y=-t^2+4t+1$

$\ =-(t-2)^2+5$

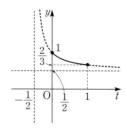

$0\le x<2\pi$일 때

$-1\le\sin x\le 1$이므로

$-1\le t\le 1$

$-1\le t\le 1$에서 함수 $y=-t^2+4t+1$은

$t=1$일 때 최댓값 4, $t=-1$일 때 최솟값 -4를 갖는다.

따라서 $M=4$, $m=-4$이므로 $Mm=-16$

12 답 $\dfrac{5}{3}$

풀이 $|\sin x|=t$로 치환하면

$0\le t\le 1$이고

$y=\dfrac{t+1}{2t+1}=\dfrac{\left(t+\dfrac{1}{2}\right)+\dfrac{1}{2}}{2\left(t+\dfrac{1}{2}\right)}$

$\quad=\dfrac{\dfrac{1}{2}}{2\left(t+\dfrac{1}{2}\right)}+\dfrac{1}{2}$

그림에서 $t=0$일 때 최댓값은 1, $t=1$일 때 최솟값은 $\dfrac{2}{3}$이

므로 주어진 함수의 치역은 $\left\{y\left|\dfrac{2}{3}\le y\le 1\right.\right\}$

따라서 $\alpha=\dfrac{2}{3}$, $\beta=1$이므로 $\alpha+\beta=\dfrac{5}{3}$

13 답 $\dfrac{2}{3}\pi$

풀이 $4\sin\left(\dfrac{1}{2}x+\dfrac{\pi}{3}\right)=2\sqrt{3}$에서 $\dfrac{1}{2}x+\dfrac{\pi}{3}=t$로 치환하면

$4\sin t=2\sqrt{3}$에서 $\sin t=\dfrac{\sqrt{3}}{2}$

$0\le x<2\pi$에서

$0\le\dfrac{1}{2}x<\pi$, $\dfrac{\pi}{3}\le\dfrac{1}{2}x+\dfrac{\pi}{3}<\dfrac{4}{3}\pi$

즉, $\dfrac{\pi}{3}\le t<\dfrac{4}{3}\pi$에서 $\sin t=\dfrac{\sqrt{3}}{2}$의 해를 구하면

$t=\dfrac{\pi}{3}$ 또는 $t=\dfrac{2}{3}\pi$

$\dfrac{1}{2}x+\dfrac{\pi}{3}=\dfrac{\pi}{3}$에서 $x=0$

$\dfrac{1}{2}x+\dfrac{\pi}{3}=\dfrac{2}{3}\pi$에서 $x=\dfrac{2}{3}\pi$

따라서 모든 근의 합은 $\dfrac{2}{3}\pi$

14 답 $\dfrac{9}{2}\pi$

풀이 $2\cos^2 x-3\sin x-3=0$에서

$2(1-\sin^2 x)-3\sin x-3=0$

$2-2\sin^2 x-3\sin x-3=0$, $2\sin^2 x+3\sin x+1=0$

$\sin x=t$로 치환하면 $2t^2+3t+1=0$

$(2t+1)(t+1)=0$ $\therefore t=-\dfrac{1}{2}$ 또는 $t=-1$

즉, $\sin x=-\dfrac{1}{2}$ 또는 $\sin x=-1$

$0\le x<2\pi$에서

$\sin x=-\dfrac{1}{2}$의 해는 $x=\dfrac{7}{6}\pi$ 또는 $x=\dfrac{11}{6}\pi$

$\sin x=-1$의 해는 $x=\dfrac{3}{2}\pi$

따라서 모든 근의 합은 $\dfrac{7}{6}\pi+\dfrac{11}{6}\pi+\dfrac{3}{2}\pi=\dfrac{9}{2}\pi$

15 답 π

풀이 $2\cos^2 x+3\sin x-3\ge 0$에서

$2(1-\sin^2 x)+3\sin x-3\ge 0$

$2\sin^2 x-3\sin x+1\le 0$

$(2\sin x-1)(\sin x-1)\le 0$

그런데 $-1\le \sin x\le 1$에서 $\sin x-1\le 0$이므로

$2\sin x-1\ge 0$ $\therefore \sin x\ge \dfrac{1}{2}$

따라서 주어진 부등식의 해는 $\dfrac{\pi}{6}\le x\le \dfrac{5}{6}\pi$

즉, $\alpha=\dfrac{\pi}{6}$, $\beta=\dfrac{5}{6}\pi$이므로 $\alpha+\beta=\pi$

16 답 $\dfrac{\pi}{6}<\theta<\dfrac{5}{6}\pi$

풀이 모든 실수 x에 대하여 부등식
$x^2-2\sqrt{2}(\sin\theta-1)x+\sin\theta>0$이 항상 성립할 조건은
이차방정식 $x^2-2\sqrt{2}(\sin\theta-1)x+\sin\theta=0$의 판별식을
D라고 할 때

$\dfrac{D}{4}=\{\sqrt{2}(\sin\theta-1)\}^2-\sin\theta<0$

$2(\sin\theta-1)^2-\sin\theta<0$, $2\sin^2\theta-5\sin\theta+2<0$

$(2\sin\theta-1)(\sin\theta-2)<0$

그런데 $-1\le\sin\theta\le 1$에서 $\sin\theta-2<0$이므로

$2\sin\theta-1>0$

따라서 $2\sin\theta-1>0$, 즉 $\sin\theta>\dfrac{1}{2}$을 만족시키는 θ의 값
의 범위는 $\dfrac{\pi}{6}<\theta<\dfrac{5}{6}\pi$

01 답 (1) $8\sqrt{2}$ (2) $3\sqrt{2}$
(3) $3\sqrt{6}$ (4) $4\sqrt{3}$
(5) $45°$ (6) $45°$ 또는 $135°$
(7) $90°$ (8) $15°$

풀이 (1) 주어진 조건을 나타내면
그림과 같다.

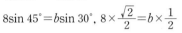

사인법칙에 의하여

$\dfrac{a}{\sin A}=\dfrac{b}{\sin B}$

$\dfrac{8}{\sin 30°}=\dfrac{b}{\sin 45°}$

$8\sin 45°=b\sin 30°$, $8\times\dfrac{\sqrt{2}}{2}=b\times\dfrac{1}{2}$

$\therefore b=8\sqrt{2}$

(2) 주어진 조건을 나타내면 그림과
같다.

사인법칙에 의하여

$\dfrac{a}{\sin A}=\dfrac{b}{\sin B}$

$\dfrac{a}{\sin 45°}=\dfrac{3}{\sin 30°}$

$a\sin 30°=3\sin 45°$, $a\times\dfrac{1}{2}=3\times\dfrac{\sqrt{2}}{2}$

$\therefore a=3\sqrt{2}$

(3) 주어진 조건을 나타내면 그림과 같
다.

사인법칙에 의하여

$\dfrac{a}{\sin A}=\dfrac{c}{\sin C}$

이때 $A=180°-(75°+60°)=45°$
이므로

$\dfrac{6}{\sin 45°}=\dfrac{c}{\sin 60°}$, $6\sin 60°=c\sin 45°$

$6\times\dfrac{\sqrt{3}}{2}=c\times\dfrac{\sqrt{2}}{2}$ $\therefore c=3\sqrt{6}$

(4) 주어진 조건을 나타내면 그림과 같다.

사인법칙에 의하여

$\dfrac{b}{\sin B}=\dfrac{c}{\sin C}$

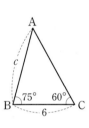

이때 $C=180°-(120°+30°)=30°$이므로

$\dfrac{12}{\sin 120°}=\dfrac{c}{\sin 30°}$, $12\sin 30°=c\sin 120°$

$12\times\dfrac{1}{2}=c\times\dfrac{\sqrt{3}}{2}$ $\therefore c=4\sqrt{3}$

(5) 주어진 조건을 나타내면 그림과
같다.

사인법칙에 의하여

$\dfrac{b}{\sin B}=\dfrac{c}{\sin C}$

$\dfrac{3}{\sin 60°}=\dfrac{\sqrt{6}}{\sin C}$

$3\sin C=\sqrt{6}\sin 60°$, $3\sin C=\sqrt{6}\times\dfrac{\sqrt{3}}{2}$

$$\therefore \sin C = \frac{\sqrt{2}}{2} \quad \therefore C = 45°$$

(6) 주어진 조건을 나타내면 그림과 같다.

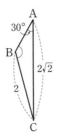

사인법칙에 의하여

$$\frac{a}{\sin A} = \frac{b}{\sin B}, \quad \frac{2}{\sin 30°} = \frac{2\sqrt{2}}{\sin B}$$

$$2\sin B = 2\sqrt{2}\sin 30°$$

$$2\sin B = 2\sqrt{2} \times \frac{1}{2}, \quad \sin B = \frac{\sqrt{2}}{2}$$

$$\therefore B = 45° \text{ 또는 } B = 135°$$

> **참고**

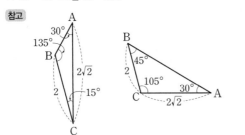

(7) 주어진 조건을 나타내면 그림과 같다.

사인법칙에 의하여

$$\frac{b}{\sin B} = \frac{c}{\sin C}$$

$$\frac{1}{\sin 45°} = \frac{\sqrt{2}}{\sin C}$$

$$\sin C = \sqrt{2}\sin 45° = \sqrt{2} \times \frac{\sqrt{2}}{2} = 1 \quad \therefore C = 90°$$

(8) 주어진 조건을 그림으로 그림과 같다.

사인법칙에 의하여

$$\frac{c}{\sin C} = \frac{b}{\sin B}$$

$$\frac{2\sqrt{2}}{\sin 135°} = \frac{2}{\sin B}$$

$$2\sqrt{2}\sin B = 2\sin 135°$$

$$2\sqrt{2}\sin B = 2 \times \frac{\sqrt{2}}{2} \quad \therefore \sin B = \frac{1}{2}$$

따라서 $B = 30°$이므로

$$A = 180° - (135° + 30°) = 15°$$

02 답 (1) 1 　(2) $4\sqrt{3}$ 　(3) 8 　(4) $5\sqrt{3}$
　(5) 8 　(6) $5\sqrt{2}$ 　(7) 1 　(8) 12
　(9) 6 　(10) 2

> **풀이** (1) 외접원의 반지름의 길이를 R라 하고 사인법칙을 적용하면
>
> $$\frac{a}{\sin A} = \frac{\sqrt{2}}{\sin 45°} = 2R$$
>
> $$\frac{\sqrt{2}}{\frac{\sqrt{2}}{2}} = 2R, \quad 2 = 2R \quad \therefore R = 1$$
>
> **(2)** 외접원의 반지름의 길이를 R라고 하면
>
> $$\frac{b}{\sin B} = \frac{12}{\sin 120°} = 2R, \quad \frac{12}{\frac{\sqrt{3}}{2}} = 2R$$
>
> $$8\sqrt{3} = 2R \quad \therefore R = 4\sqrt{3}$$
>
> **(3)** 외접원의 반지름의 길이를 R라고 하면

$$\frac{c}{\sin C} = \frac{8}{\sin 150°} = 2R, \quad \frac{8}{\frac{1}{2}} = 2R$$

$$16 = 2R \quad \therefore R = 8$$

(4) $B = 180° - (45° + 75°) = 60°$이므로

외접원의 반지름의 길이를 R라고 하면

$$\frac{b}{\sin B} = \frac{15}{\sin 60°} = 2R, \quad \frac{15}{\frac{\sqrt{3}}{2}} = 2R$$

$$10\sqrt{3} = 2R \quad \therefore R = 5\sqrt{3}$$

(5) $B = 180° - (60° + 75°) = 45°$이므로

외접원의 반지름의 길이를 R라고 하면

$$\frac{b}{\sin B} = \frac{8\sqrt{2}}{\sin 45°} = 2R, \quad \frac{8\sqrt{2}}{\frac{\sqrt{2}}{2}} = 2R$$

$$16 = 2R \quad \therefore R = 8$$

(6) $C = 180° - (60° + 75°) = 45°$이므로

외접원의 반지름의 길이를 R라고 하면

$$\frac{c}{\sin C} = \frac{10}{\sin 45°} = 2R, \quad \frac{10}{\frac{\sqrt{2}}{2}} = 2R$$

$$10\sqrt{2} = 2R \quad \therefore R = 5\sqrt{2}$$

(7) $C = 180° - (60° + 60°) = 60°$이므로

외접원의 반지름의 길이를 R라고 하면

$$\frac{c}{\sin C} = \frac{\sqrt{3}}{\sin 60°} = 2R, \quad \frac{\sqrt{3}}{\frac{\sqrt{3}}{2}} = 2R$$

$$2 = 2R \quad \therefore R = 1$$

(8) $A = 180° - (55° + 95°) = 30°$이므로

외접원의 반지름의 길이를 R라고 하면

$$\frac{a}{\sin A} = \frac{12}{\sin 30°} = 2R, \quad \frac{12}{\frac{1}{2}} = 2R$$

$$24 = 2R \quad \therefore R = 12$$

(9) $A = 180° - (90° + 60°) = 30°$이므로

외접원의 반지름의 길이를 R라고 하면

$$\frac{a}{\sin A} = \frac{6}{\sin 30°} = 2R, \quad \frac{6}{\frac{1}{2}} = 2R$$

$$12 = 2R \quad \therefore R = 6$$

(10) 외접원의 반지름의 길이를 R라고 하면

$$\frac{b}{\sin B} = 2R \text{에서 } \frac{2}{\sin B} = 2R \quad \therefore 2 = 2R\sin B$$

$$\frac{c}{\sin C} = 2R \text{에서 } \frac{2}{\sin C} = 2R \quad \therefore 2 = 2R\sin C$$

$2R\sin B = 2R\sin C$이므로 $\sin B = \sin C$

이때 $B < 60°$, $C < 60°$이므로 $B = C$

$$\therefore B = C = 30°$$

$$\frac{b}{\sin B} = \frac{2}{\sin 30°} = 2R, \quad \frac{2}{\frac{1}{2}} = 2R, \quad 4 = 2R$$

$$\therefore R = 2$$

03 답 (1) 5 : 6 : 7 　(2) 2 : 5 : 6 　(3) 3 : 4 : 5
　(4) 2 : 1 : 3 　(5) 2 : 5 : 8

> **풀이** 삼각형 ABC의 외접원의 반지름의 길이를 R라고 하자.

(1) $a=5k$, $b=6k$, $c=7k$ $(k>0)$라고 하면

$$\sin A : \sin B : \sin C = \frac{a}{2R} : \frac{b}{2R} : \frac{c}{2R}$$
$$= \frac{5k}{2R} : \frac{6k}{2R} : \frac{7k}{2R}$$
$$= \underline{5} : \underline{6} : \underline{7}$$

(2) $a=2k$, $b=5k$, $c=6k$ $(k>0)$라고 하면

$$\sin A : \sin B : \sin C = \frac{a}{2R} : \frac{b}{2R} : \frac{c}{2R}$$
$$= \frac{2k}{2R} : \frac{5k}{2R} : \frac{6k}{2R}$$
$$= 2 : 5 : 6$$

(3) $a+b=7k$, $b+c=9k$, $c+a=8k$ $(k>0)$라 하고, 좌변은 좌변끼리 우변은 우변끼리 모두 더하면

$$2(a+b+c)=24k \qquad \therefore\ a+b+c=12k$$

$a+b+c=12k$에서 $a+b=7k$이므로 $c=5k$

$a+b+c=12k$에서 $b+c=9k$이므로 $a=3k$

$a+b+c=12k$에서 $c+a=8k$이므로 $b=4k$

$$\therefore\ \sin A : \sin B : \sin C = \frac{a}{2R} : \frac{b}{2R} : \frac{c}{2R}$$
$$= \frac{3k}{2R} : \frac{4k}{2R} : \frac{5k}{2R}$$
$$= 3 : 4 : 5$$

(4) $a+b=3k$, $b+c=4k$, $c+a=5k$ $(k>0)$라 하고, 좌변은 좌변끼리 우변은 우변끼리 모두 더하면

$$2(a+b+c)=12k \qquad \therefore\ a+b+c=6k$$

$a+b+c=6k$에서 $a+b=3k$이므로 $c=3k$

$a+b+c=6k$에서 $b+c=4k$이므로 $a=2k$

$a+b+c=6k$에서 $c+a=5k$이므로 $b=k$

$$\therefore\ \sin A : \sin B : \sin C = \frac{a}{2R} : \frac{b}{2R} : \frac{c}{2R}$$
$$= \frac{2k}{2R} : \frac{k}{2R} : \frac{3k}{2R}$$
$$= 2 : 1 : 3$$

(5) $ab=5k$, $bc=20k$, $ca=8k$ $(k>0)$라 하고, 좌변은 좌변끼리 우변은 우변끼리 모두 곱하면

$$(abc)^2=800k^3 \qquad\qquad \cdots\cdots\ \text{㉠}$$

㉠에 $ab=5k$를 대입하면 $25k^2c^2=800k^3$

$c^2=32k \qquad \therefore\ c=\sqrt{32k}$

㉠에 $bc=20k$를 대입하면 $400k^2a^2=800k^3$

$a^2=2k \qquad \therefore\ a=\sqrt{2k}$

㉠에 $ca=8k$를 대입하면 $64k^2b^2=800k^3$

$b^2=\dfrac{25}{2}k \qquad \therefore\ b=\sqrt{\dfrac{25}{2}k}$

$$\therefore\ \sin A : \sin B : \sin C = \frac{a}{2R} : \frac{b}{2R} : \frac{c}{2R}$$
$$= \frac{\sqrt{2k}}{2R} : \frac{\sqrt{\frac{25}{2}k}}{2R} : \frac{\sqrt{32k}}{2R}$$
$$= 2 : 5 : 8$$

04 답 (1) $1 : \sqrt{3} : 2$ (2) $1 : 1 : \sqrt{3}$

풀이 **(1)** $A+B+C=180°$이므로

$$A=180° \times \frac{1}{6}=30°, \quad B=180° \times \frac{2}{6}=60°$$

$$C=180° \times \frac{3}{6}=90°$$

사인법칙에 의하여

$$a : b : c = 2R\sin A : 2R\sin B : 2R\sin C$$
$$= \sin A : \sin B : \sin C$$
$$= \sin 30° : \sin 60° : \sin 90°$$
$$= \frac{1}{2} : \frac{\sqrt{3}}{2} : 1 = 1 : \sqrt{3} : 2$$

(2) $A+B+C=180°$이므로

$$A=180° \times \frac{1}{6}=30°, \quad B=180° \times \frac{1}{6}=30°$$

$$C=180° \times \frac{4}{6}=120°$$

사인법칙에 의하여

$$a : b : c = 2R\sin A : 2R\sin B : 2R\sin C$$
$$= \sin A : \sin B : \sin C$$
$$= \sin 30° : \sin 30° : \sin 120°$$
$$= \frac{1}{2} : \frac{1}{2} : \frac{\sqrt{3}}{2} = 1 : 1 : \sqrt{3}$$

05 답 (1) $4 : 3 : 5$ (2) $\sqrt{2} : \sqrt{3} : 1$ (3) $5 : 8 : 2$

풀이 **(1)** 사인법칙에 의하여

$$\sin A = \frac{a}{2R}, \quad \sin B = \frac{b}{2R}, \quad \sin C = \frac{c}{2R}$$

$$\therefore\ \sin A : \sin B : \sin C$$
$$= \frac{a}{2R} : \frac{b}{2R} : \frac{c}{2R}$$
$$= a : b : c$$

따라서 $\sin A : \sin B : \sin C = 4 : 3 : 5$이므로

$a : b : c = 4 : 3 : 5$

(2) 사인법칙에 의하여

$$\sin A : \sin B : \sin C = \frac{a}{2R} : \frac{b}{2R} : \frac{c}{2R} = a : b : c$$
$$= \sqrt{2} : \sqrt{3} : 1$$

(3) $A+B+C=180°$이므로

$$A+B=180°-C, \quad B+C=180°-A,$$
$$C+A=180°-B$$

$$\therefore\ \sin(A+B) : \sin(B+C) : \sin(C+A)$$
$$= \sin(180°-C) : \sin(180°-A) : \sin(180°-B)$$
$$= \sin C : \sin A : \sin B$$
$$= \frac{c}{2R} : \frac{a}{2R} : \frac{b}{2R} = c : a : b = 2 : 5 : 8$$

$$\therefore\ a : b : c = 5 : 8 : 2$$

06 답 (1) 7 (2) $\sqrt{7}$ (3) $2\sqrt{7}$ (4) $\sqrt{29}$

(5) $\sqrt{39}$ (6) $3\sqrt{3}$ (7) $\sqrt{93}$ (8) $6\sqrt{7}$

풀이 **(1)** $a^2=b^2+c^2-2bc\cos A$

$$= 3^2+5^2-2\times 3\times 5\times\cos 120°$$
$$= 9+25-2\times 3\times 5\times\left(-\frac{1}{2}\right)$$
$$= \underline{49}$$

$a>0$이므로 $a=\underline{7}$

(2) $a^2=b^2+c^2-2bc\cos A$

$$= 2^2+3^2-2\times 2\times 3\times\cos 60°$$

$$=4+9-2\times2\times3\times\frac{1}{2}$$
$$=7$$
$a>0$이므로 $a=\sqrt{7}$

(3) $c^2=a^2+b^2-2ab\cos C$
$$=2^2+4^2-2\times2\times4\times\cos120°$$
$$=4+16-2\times2\times4\times\left(-\frac{1}{2}\right)$$
$$=28$$
$c>0$이므로 $c=2\sqrt{7}$

(4) $b^2=c^2+a^2-2ca\cos B$
$$=(2\sqrt{2})^2+3^2-2\times2\sqrt{2}\times3\times\cos135°$$
$$=8+9-2\times2\sqrt{2}\times3\times\left(-\frac{\sqrt{2}}{2}\right)$$
$$=29$$
$b>0$이므로 $b=\sqrt{29}$

(5) $c^2=a^2+b^2-2ab\cos C$
$$=5^2+7^2-2\times5\times7\times\cos60°$$
$$=25+49-2\times5\times7\times\frac{1}{2}$$
$$=39$$
$c>0$이므로 $c=\sqrt{39}$

(6) $b^2=c^2+a^2-2ca\cos B$
$$=3^2+6^2-2\times3\times6\times\cos60°$$
$$=9+36-2\times3\times6\times\frac{1}{2}$$
$$=27$$
$b>0$이므로 $b=3\sqrt{3}$

(7) $c^2=a^2+b^2-2ab\cos C$
$$=4^2+7^2-2\times4\times7\times\cos120°$$
$$=16+49-2\times4\times7\times\left(-\frac{1}{2}\right)$$
$$=93$$
$c>0$이므로 $c=\sqrt{93}$

(8) $a^2=b^2+c^2-2bc\cos A$
$$=12^2+6^2-2\times12\times6\times\cos120°$$
$$=144+36-2\times12\times6\times\left(-\frac{1}{2}\right)$$
$$=252$$
$a>0$이므로 $a=6\sqrt{7}$

07 답 (1) $60°$ (2) $120°$ (3) $30°$ (4) $30°$
(5) $60°$ (6) $45°$ (7) $45°$ (8) $120°$
(9) $45°$ (10) $45°$

풀이 **(1)** $\cos A=\dfrac{b^2+c^2-a^2}{2bc}$에서
$$\cos A=\frac{3^2+8^2-7^2}{2\times3\times8}=\frac{9+64-49}{48}=\frac{1}{2}$$
이때 $0°<A<180°$이므로 $A=60°$

(2) $\cos A=\dfrac{b^2+c^2-a^2}{2bc}=\dfrac{8^2+7^2-13^2}{2\times8\times7}=\dfrac{64+49-169}{112}$
$$=-\frac{1}{2}$$
이때 $0°<A<180°$이므로 $A=120°$

(3) $\cos A=\dfrac{b^2+c^2-a^2}{2bc}=\dfrac{(\sqrt{3})^2+2^2-1^2}{2\times\sqrt{3}\times2}=\dfrac{3+4-1}{4\sqrt{3}}$
$$=\frac{\sqrt{3}}{2}$$
이때 $0°<A<180°$이므로 $A=30°$

(4) $\cos B=\dfrac{c^2+a^2-b^2}{2ca}=\dfrac{2^2+(2\sqrt{3})^2-2^2}{2\times2\times2\sqrt{3}}=\dfrac{4+12-4}{8\sqrt{3}}$
$$=\frac{\sqrt{3}}{2}$$
이때 $0°<B<180°$이므로 $B=30°$

(5) $\cos B=\dfrac{c^2+a^2-b^2}{2ca}=\dfrac{5^2+8^2-7^2}{2\times5\times8}=\dfrac{25+64-49}{80}$
$$=\frac{1}{2}$$
이때 $0°<B<180°$이므로 $B=60°$

(6) $\cos B=\dfrac{c^2+a^2-b^2}{2ca}=\dfrac{(\sqrt{6})^2+(\sqrt{3})^2-(\sqrt{3})^2}{2\times\sqrt{6}\times\sqrt{3}}$
$$=\frac{6+3-3}{6\sqrt{2}}=\frac{1}{\sqrt{2}}$$
이때 $0°<B<180°$이므로 $B=45°$

(7) $\cos C=\dfrac{a^2+b^2-c^2}{2ab}=\dfrac{3^2+(\sqrt{2})^2-(\sqrt{5})^2}{2\times3\times\sqrt{2}}$
$$=\frac{9+2-5}{6\sqrt{2}}=\frac{1}{\sqrt{2}}$$
이때 $0°<C<180°$이므로 $C=45°$

(8) $\cos C=\dfrac{a^2+b^2-c^2}{2ab}=\dfrac{2^2+1^2-(\sqrt{7})^2}{2\times2\times1}$
$$=\frac{4+1-7}{4}=-\frac{1}{2}$$
이때 $0°<C<180°$이므로 $C=120°$

(9) $\cos C=\dfrac{a^2+b^2-c^2}{2ab}=\dfrac{(\sqrt{3}+1)^2+(\sqrt{6})^2-2^2}{2\times(\sqrt{3}+1)\times\sqrt{6}}$
$$=\frac{6+2\sqrt{3}}{6\sqrt{2}+2\sqrt{6}}=\frac{(6+2\sqrt{3})(6\sqrt{2}-2\sqrt{6})}{(6\sqrt{2}+2\sqrt{6})(6\sqrt{2}-2\sqrt{6})}$$
$$=\frac{36\sqrt{2}-12\sqrt{2}}{72-24}=\frac{24\sqrt{2}}{48}=\frac{\sqrt{2}}{2}$$
이때 $0°<C<180°$이므로 $C=45°$

(10) $\cos B=\dfrac{c^2+a^2-b^2}{2ca}=\dfrac{2^2+(\sqrt{6}+\sqrt{2})^2-(2\sqrt{2})^2}{2\times2\times(\sqrt{6}+\sqrt{2})}$
$$=\frac{4+4\sqrt{3}}{4(\sqrt{6}+\sqrt{2})}=\frac{(4+4\sqrt{3})(\sqrt{6}-\sqrt{2})}{4(\sqrt{6}+\sqrt{2})(\sqrt{6}-\sqrt{2})}$$
$$=\frac{8\sqrt{2}}{16}=\frac{\sqrt{2}}{2}$$
이때 $0°<B<180°$이므로 $B=45°$

08 답 (1) $A=105°$, $B=45°$, $C=30°$
(2) $A=90°$, $B=30°$, $C=60°$
(3) $A=45°$, $B=120°$, $C=15°$

풀이 **(1)** $\cos A=\dfrac{b^2+c^2-a^2}{2bc}$
$$=\frac{(2\sqrt{2})^2+2^2-(\sqrt{6}+\sqrt{2})^2}{2\times2\sqrt{2}\times2}=\frac{\sqrt{2}-\sqrt{6}}{4}$$
$\cos B=\dfrac{c^2+a^2-b^2}{2ca}$
$$=\frac{2^2+(\sqrt{6}+\sqrt{2})^2-(2\sqrt{2})^2}{2\times2\times(\sqrt{6}+\sqrt{2})}=\frac{\sqrt{2}}{2}$$
$\cos C=\dfrac{a^2+b^2-c^2}{2ab}$

$$=\frac{(\sqrt{6}+\sqrt{2})^2+(2\sqrt{2})^2-2^2}{2\times(\sqrt{6}+\sqrt{2})\times2\sqrt{2}}=\frac{\sqrt{3}}{2}$$

이때 $B=\underline{45°}$, $C=\underline{30°}$이므로 $A=\underline{105°}$

(2) $\cos A=\dfrac{b^2+c^2-a^2}{2bc}=\dfrac{\left(\dfrac{\sqrt{6}}{2}\right)^2+\left(\dfrac{3\sqrt{2}}{2}\right)^2-(\sqrt{6})^2}{2\times\dfrac{\sqrt{6}}{2}\times\dfrac{3\sqrt{2}}{2}}=0$

$\cos B=\dfrac{c^2+a^2-b^2}{2ca}=\dfrac{\left(\dfrac{3\sqrt{2}}{2}\right)^2+(\sqrt{6})^2-\left(\dfrac{\sqrt{6}}{2}\right)^2}{2\times\dfrac{3\sqrt{2}}{2}\times\sqrt{6}}$

$$=\frac{9}{6\sqrt{3}}=\frac{\sqrt{3}}{2}$$

$\cos C=\dfrac{a^2+b^2-c^2}{2ab}=\dfrac{(\sqrt{6})^2+\left(\dfrac{\sqrt{6}}{2}\right)^2-\left(\dfrac{3\sqrt{2}}{2}\right)^2}{2\times\sqrt{6}\times\dfrac{\sqrt{6}}{2}}$

$$=\frac{3}{6}=\frac{1}{2}$$

∴ $A=90°$, $B=30°$, $C=60°$

(3) $\cos A=\dfrac{b^2+c^2-a^2}{2bc}=\dfrac{(3\sqrt{2})^2+(3-\sqrt{3})^2-(2\sqrt{3})^2}{2\times3\sqrt{2}\times(3-\sqrt{3})}$

$$=\frac{18-6\sqrt{3}}{18\sqrt{2}-6\sqrt{6}}=\frac{3-\sqrt{3}}{3\sqrt{2}-\sqrt{6}}$$

$$=\frac{(3-\sqrt{3})(3\sqrt{2}+\sqrt{6})}{(3\sqrt{2}-\sqrt{6})(3\sqrt{2}+\sqrt{6})}=\frac{6\sqrt{2}}{12}=\frac{\sqrt{2}}{2}$$

$\cos B=\dfrac{c^2+a^2-b^2}{2ca}=\dfrac{(3-\sqrt{3})^2+(2\sqrt{3})^2-(3\sqrt{2})^2}{2\times(3-\sqrt{3})\times2\sqrt{3}}$

$$=\frac{6-6\sqrt{3}}{12\sqrt{3}-12}=\frac{1-\sqrt{3}}{2\sqrt{3}-2}$$

$$=\frac{(1-\sqrt{3})(2\sqrt{3}+2)}{(2\sqrt{3}-2)(2\sqrt{3}+2)}=\frac{-4}{8}=-\frac{1}{2}$$

$\cos C=\dfrac{a^2+b^2-c^2}{2ab}=\dfrac{(2\sqrt{3})^2+(3\sqrt{2})^2-(3-\sqrt{3})^2}{2\times2\sqrt{3}\times3\sqrt{2}}$

$$=\frac{18+6\sqrt{3}}{12\sqrt{6}}=\frac{3+\sqrt{3}}{2\sqrt{6}}$$

$$=\frac{(3+\sqrt{3})\times\sqrt{6}}{2\sqrt{6}\times\sqrt{6}}=\frac{3\sqrt{6}+3\sqrt{2}}{12}=\frac{\sqrt{6}+\sqrt{2}}{4}$$

이때 $A=45°$, $B=120°$이므로 $C=15°$

09 답 (1) $\sqrt{37}$ (2) $\sqrt{31}$ (3) $\sqrt{2}$

풀이 (1) $a=4$, $c=7$, $B=60°$이므로

$b^2=c^2+a^2-2ca\cos B$

$\quad=7^2+4^2-2\times7\times4\times\cos60°$

$\quad=49+16-2\times7\times4\times\dfrac{1}{2}$

$\quad=\underline{37}$

$b>0$이므로 $b=\underline{\sqrt{37}}$

(2) $a=5$, $c=6$, $B=60°$이므로

$b^2=c^2+a^2-2ca\cos B$

$\quad=6^2+5^2-2\times6\times5\times\cos60°$

$\quad=36+25-2\times6\times5\times\dfrac{1}{2}$

$\quad=31$

$b>0$이므로 $b=\sqrt{31}$

(3) $a=\sqrt{2}$, $c=\sqrt{6}$, $B=30°$이므로

$b^2=c^2+a^2-2ca\cos B$

$$=(\sqrt{6})^2+(\sqrt{2})^2-2\times\sqrt{6}\times\sqrt{2}\times\cos30°$$

$$=6+2-2\times\sqrt{6}\times\sqrt{2}\times\frac{\sqrt{3}}{2}$$

$$=2$$

$b>0$이므로 $b=\sqrt{2}$

10 답 (1) 120° (2) 60° (3) 90° (4) 30°

풀이 (1) $\sin A:\sin B:\sin C=3:5:7$이므로 사인법칙에 의하여

$a:b:c=3:5:7$

$a=3k$, $b=5k$, $c=7k$ $(k>0)$라 하고,

코사인법칙을 적용하면

$\cos C=\dfrac{a^2+b^2-c^2}{2ab}$

$$=\frac{(3k)^2+(5k)^2-(7k)^2}{2\times3k\times5k}$$

$$=-\frac{15k^2}{30k^2}=-\frac{1}{2}$$

따라서 $0°<C<180°$이므로 $C=\underline{120°}$

(2) $\sin A:\sin B:\sin C=8:7:5$이므로 사인법칙에 의하여

$a:b:c=8:7:5$

$a=8k$, $b=7k$, $c=5k$ $(k>0)$라 하고,

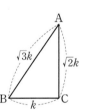

코사인법칙을 적용하면

$\cos B=\dfrac{c^2+a^2-b^2}{2ca}=\dfrac{(5k)^2+(8k)^2-(7k)^2}{2\times5k\times8k}$

$$=\frac{40k^2}{80k^2}=\frac{1}{2}$$

따라서 $0°<B<180°$이므로 $B=60°$

(3) $\sin A:\sin B:\sin C=1:\sqrt{2}:\sqrt{3}$이므로 사인법칙에 의하여

$a:b:c=1:\sqrt{2}:\sqrt{3}$

$a=k$, $b=\sqrt{2}k$, $c=\sqrt{3}k$ $(k>0)$라 하고, 코사인법칙을 적용하면

$\cos C=\dfrac{a^2+b^2-c^2}{2ab}$

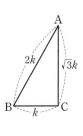

$$=\frac{k^2+(\sqrt{2}k)^2-(\sqrt{3}k)^2}{2\times k\times\sqrt{2}k}=0$$

따라서 $0°<C<180°$이므로 $C=90°$

(4) $\sin A:\sin B:\sin C=1:\sqrt{3}:2$이므로 사인법칙에 의하여

$a:b:c=1:\sqrt{3}:2$

$a=k$, $b=\sqrt{3}k$, $c=2k$ $(k>0)$라 하고, 코사인법칙을 적용하면

$\cos A=\dfrac{b^2+c^2-a^2}{2bc}$

$$=\frac{(\sqrt{3}k)^2+(2k)^2-k^2}{2\times\sqrt{3}k\times2k}$$

$$=\frac{6k^2}{4\sqrt{3}k^2}=\frac{\sqrt{3}}{2}$$

따라서 $0°<A<180°$이므로 $A=30°$

11 답 (1) $120°$　　(2) $90°$　　(3) $135°$　　(4) $30°$

풀이 (1) $a=7$, $b=8$, $c=13$
이라고 하면 가장 큰 각은
$c=13$인 변의 대각이다.
코사인법칙을 적용하면

$\cos C = \dfrac{a^2+b^2-c^2}{2ab}$

$\qquad = \dfrac{7^2+8^2-13^2}{2\times7\times8}$

$\qquad = -\dfrac{1}{2}$

$0°<C<180°$이므로 $C=120°$

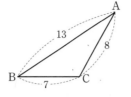

(2) $a=3$, $b=4$, $c=5$라고 하면 가장 큰
각은 $c=5$인 변의 대각이다.
코사인법칙을 적용하면

$\cos C = \dfrac{a^2+b^2-c^2}{2ab}$

$\qquad = \dfrac{3^2+4^2-5^2}{2\times3\times4}$

$\qquad = 0$

$0°<C<180°$이므로 $C=90°$

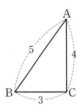

(3) $a=\sqrt{2}$, $b=2$, $c=\sqrt{10}$이라
고 하면 가장 큰 각은
$c=\sqrt{10}$인 변의 대각이다.
코사인법칙을 적용하면

$\cos C = \dfrac{a^2+b^2-c^2}{2ab}$

$\qquad = \dfrac{(\sqrt{2})^2+2^2-(\sqrt{10})^2}{2\times\sqrt{2}\times2}$

$\qquad = -\dfrac{1}{\sqrt{2}}$

$0°<C<180°$이므로 $C=135°$

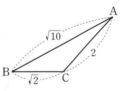

(4) $a=1$, $b=\sqrt{3}$, $c=2$라고 하면 가장 작
은 각은 $a=1$인 변의 대각이다.
코사인법칙을 적용하면

$\cos A = \dfrac{b^2+c^2-a^2}{2bc}$

$\qquad = \dfrac{(\sqrt{3})^2+2^2-1}{2\times\sqrt{3}\times2}$

$\qquad = \dfrac{\sqrt{3}}{2}$

$0°<A<180°$이므로 $A=30°$

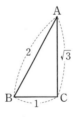

12 답 (1) $a=b$인 이등변삼각형
(2) $a=c$인 이등변삼각형
(3) $A=90°$인 직각삼각형
(4) $a=b$인 이등변삼각형
(5) $a=c$인 이등변삼각형
(6) $b=c$인 이등변삼각형

풀이 삼각형 ABC의 외접원의 반지름의 길이를 R라고 하
자.

(1) $\sin A : \sin B = b : a$에서 $a\sin A = b\sin B$ $\quad\cdots\cdots$ ㉠
사인법칙에 의하여 $\sin A = \dfrac{a}{2R}$, $\sin B = \dfrac{b}{2R}$

이 식을 ㉠에 대입하면 $a\times\dfrac{a}{2R}=b\times\dfrac{b}{2R}$ $\quad\therefore\ a^2=b^2$

$a>0$, $b>0$이므로 $a=b$
따라서 삼각형 ABC는 $a=b$인 이등변삼각형이다.

(2) 코사인법칙에 의하여

$\cos C = \dfrac{a^2+b^2-c^2}{2ab}$, $\cos A = \dfrac{b^2+c^2-a^2}{2bc}$

이 식을 주어진 식에 대입하면

$a\times\dfrac{a^2+b^2-c^2}{2ab}=c\times\dfrac{b^2+c^2-a^2}{2bc}$

$\dfrac{a^2+b^2-c^2}{2b}=\dfrac{b^2+c^2-a^2}{2b}$

$a^2+b^2-c^2=b^2+c^2-a^2$

$2a^2=2c^2$, $a^2=c^2$

$c>0$, $a>0$이므로 $a=c$
따라서 삼각형 ABC는 $a=c$인 이등변삼각형이다.

(3) 코사인법칙에 의하여

$\cos B = \dfrac{c^2+a^2-b^2}{2ca}$, $\cos A = \dfrac{b^2+c^2-a^2}{2bc}$

이 식을 주어진 식에 대입하면

$a\times\dfrac{c^2+a^2-b^2}{2ca}-b\times\dfrac{b^2+c^2-a^2}{2bc}=c$

$\dfrac{c^2+a^2-b^2}{2c}-\dfrac{b^2+c^2-a^2}{2c}=c$

$\dfrac{c^2+a^2-b^2-b^2-c^2+a^2}{2c}=c$, $\dfrac{2(a^2-b^2)}{2c}=c$

$\dfrac{a^2-b^2}{c}=c$, $a^2-b^2=c^2$ $\quad\therefore\ a^2=b^2+c^2$

따라서 삼각형 ABC는 $A=90°$인 직각삼각형이다.

(4) 사인법칙에 의하여

$\sin A = \dfrac{a}{2R}$, $\sin B = \dfrac{b}{2R}$

코사인법칙에 의하여

$\cos A = \dfrac{b^2+c^2-a^2}{2bc}$, $\cos B = \dfrac{c^2+a^2-b^2}{2ca}$

이 식을 주어진 식에 대입하면

$\dfrac{a}{2R}:\dfrac{b}{2R}=\dfrac{b^2+c^2-a^2}{2bc}:\dfrac{c^2+a^2-b^2}{2ca}$

$a:b=\dfrac{b^2+c^2-a^2}{b}:\dfrac{c^2+a^2-b^2}{a}$

$c^2+a^2-b^2=b^2+c^2-a^2$, $2a^2=2b^2$

$a>0$, $b>0$이므로 $a=b$
따라서 삼각형 ABC는 $a=b$인 이등변삼각형이다.

(5) 사인법칙에 의하여

$\sin B = \dfrac{b}{2R}$, $\sin A = \dfrac{a}{2R}$

코사인법칙에 의하여 $\cos C = \dfrac{a^2+b^2-c^2}{2ab}$

이 식을 주어진 식에 대입하면

$\dfrac{b}{2R}=2\times\dfrac{a}{2R}\times\dfrac{a^2+b^2-c^2}{2ab}$, $\dfrac{b}{2R}=\dfrac{a^2+b^2-c^2}{2Rb}$

$b^2=a^2+b^2-c^2$, $a^2=c^2$

$c>0$, $a>0$이므로 $a=c$
따라서 삼각형 ABC는 $a=c$인 이등변삼각형이다.

(6) 사인법칙에 의하여

$$\sin A = \frac{a}{2R}, \ \sin B = \frac{b}{2R}$$

코사인법칙에 의하여 $\cos C = \dfrac{a^2 + b^2 - c^2}{2ab}$

이 식을 주어진 식에 대입하면

$$\frac{a}{2R} = 2 \times \frac{b}{2R} \times \frac{a^2 + b^2 - c^2}{2ab}, \ \frac{a}{2R} = \frac{a^2 + b^2 - c^2}{2Ra}$$

$$a^2 = a^2 + b^2 - c^2, \ b^2 = c^2$$

$b > 0$, $c > 0$이므로 $b = c$

따라서 삼각형 ABC는 $b = c$인 이등변삼각형이다.

---

13 답 3.8 km

풀이 삼각형 ABC에서

$\angle A = 180° - (72° + 78°) = 30°$

$\dfrac{\overline{AC}}{\sin B} = \dfrac{\overline{BC}}{\sin A}$에서 $\dfrac{\overline{AC}}{\sin 72°} = \dfrac{2}{\sin 30°}$

$\therefore \overline{AC} = \dfrac{2}{\sin 30°} \times \sin 72° = \dfrac{2}{\frac{1}{2}} \times 0.95$

$\qquad = 3.8 \, (\text{km})$

따라서 A 지점과 C 지점 사이의 거리는 3.8 km이다.

---

14 답 $2\sqrt{6}$ m

풀이 삼각형 ABC에서

$\angle C = 180° - (60° + 75°) = 45°$

$\dfrac{\overline{BC}}{\sin A} = \dfrac{\overline{AB}}{\sin C}$에서 $\dfrac{\overline{BC}}{\sin 60°} = \dfrac{4}{\sin 45°}$

$\therefore \overline{BC} = \dfrac{4}{\sin 45°} \times \sin 60° = \dfrac{4}{\frac{\sqrt{2}}{2}} \times \dfrac{\sqrt{3}}{2}$

$\qquad = 2\sqrt{6} \, (\text{m})$

따라서 B 지점에서 목표물 C까지의 거리는 $2\sqrt{6}$ m이다.

---

15 답 65.31 m

풀이 $\dfrac{\overline{AB}}{\sin(\angle BCA)} = \dfrac{\overline{AC}}{\sin(\angle CBA)}$에서

$\dfrac{\overline{AB}}{\sin 40°} = \dfrac{100}{\sin 80°}$

$\therefore \overline{AB} = \dfrac{100}{\sin 80°} \times \sin 40° = \dfrac{100}{0.98} \times 0.64$

$\qquad = 65.306\cdots \, (\text{m})$

따라서 정문과 후문 사이의 거리는 65.31 m이다.

---

16 답 820.75 m

풀이 150 m/s의 속력으로 10
초 동안 갔으므로
그림에서 $\overline{AB} = 1500$ m이다.
삼각형 ABC에서 사인법칙에
의하여

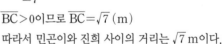

$\dfrac{\overline{AC}}{\sin(\angle ABC)} = \dfrac{\overline{AB}}{\sin(\angle ACB)}$

즉, $\dfrac{\overline{AC}}{\sin 17°} = \dfrac{1500}{\sin(180° - 32°)}$

$\dfrac{\overline{AC}}{\sin 17°} = \dfrac{1500}{\sin 32°}$

$\therefore \overline{AC} = \dfrac{1500}{\sin 32°} \times \sin 17° = \dfrac{1500}{0.53} \times 0.29$

$\qquad = 820.754\cdots \, (\text{m})$

따라서 관제탑에서 비행기까지의 거리는 820.75 m이다.

---

17 답 $\dfrac{\sqrt{21}}{6}$ m

풀이 삼각형 ABC에서 코사인법칙에 의하여

$\overline{BC}^2 = \overline{AB}^2 + \overline{AC}^2 - 2\overline{AB} \times \overline{AC} \times \cos A$

$\qquad = 1^2 + \left(\dfrac{3}{2}\right)^2 - 2 \times 1 \times \dfrac{3}{2} \times \cos 60°$

$\qquad = \dfrac{7}{4}$

$\overline{BC} > 0$이므로 $\overline{BC} = \dfrac{\sqrt{7}}{2} \, (\text{m})$

원탁(외접원)의 반지름의 길이를 R라고 하면 사인법칙에
의하여

$$2R = \frac{\overline{BC}}{\sin 60°} = \frac{\frac{\sqrt{7}}{2}}{\frac{\sqrt{3}}{2}} = \frac{\sqrt{21}}{3}$$

$\therefore R = \dfrac{\sqrt{21}}{6} \, (\text{m})$

---

18 답 $\sqrt{7}$ m

풀이 그림과 같은 삼각형 ABC에
서 코사인법칙에 의하여

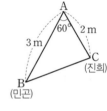

$\overline{BC}^2 = \overline{AB}^2 + \overline{AC}^2$
$\qquad\qquad - 2\overline{AB} \times \overline{AC} \times \cos A$
$\qquad = 3^2 + 2^2 - 2 \times 3 \times 2 \times \cos 60°$
$\qquad = 7$

$\overline{BC} > 0$이므로 $\overline{BC} = \sqrt{7} \, (\text{m})$

따라서 민곤이와 진희 사이의 거리는 $\sqrt{7}$ m이다.

---

19 답 $(30 + 40\sqrt{3})$ m

풀이 그림과 같은 삼각형 ABC에
서 사인법칙에 의하여

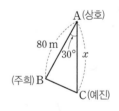

$\dfrac{\overline{BC}}{\sin A} = 2R$

$\dfrac{\overline{BC}}{\sin 30°} = 2 \times 50$

$\therefore \overline{BC} = 100 \times \dfrac{1}{2} = 50 \, (\text{m})$

코사인법칙에 의하여

$\overline{BC}^2 = \overline{AB}^2 + \overline{AC}^2 - 2\overline{AB} \times \overline{AC} \times \cos A$

$\overline{AC} = x$ m로 놓으면

$50^2 = 80^2 + x^2 - 2 \times 80 \times x \times \cos 30°$

$2500 = 6400 + x^2 - 2 \times 80 \times x \times \dfrac{\sqrt{3}}{2}$

$x^2 - 80\sqrt{3}x + 3900 = 0$

$\therefore x = 40\sqrt{3} \pm \sqrt{(40\sqrt{3})^2 - 3900}$

$\qquad = 40\sqrt{3} \pm \sqrt{900} = 40\sqrt{3} \pm 30 \, (\text{m})$

그런데 상호와 예진이는 80 m보다 멀리 떨어져 있으므로
상호와 예진 사이의 거리는 $(30 + 40\sqrt{3})$ m이다.

20 답 $2.54\,\text{km}$

풀이 코사인법칙에 의하여

$\overline{AB}^2 = \overline{AC}^2 + \overline{CB}^2 - 2\overline{AC} \times \overline{CB} \times \cos C$

$= 2^2 + 4^2 - 2 \times 2 \times 4 \times \cos 60°$

$= 4 + 16 - 2 \times 2 \times 4 \times \dfrac{1}{2}$

$= 12$

$\overline{AB} > 0$이므로 $\overline{AB} = 2\sqrt{3} = 2 \times 1.73 = 3.46\,(\text{km})$

따라서 산을 뚫어 직선 터널을 만들면 기존보다 거리가 $(2+4) - 3.46 = 2.54\,(\text{km})$ 단축된다.

21 답 (1) $\dfrac{15\sqrt{3}}{2}$ (2) $12\sqrt{3}$ (3) 12 (4) $3\sqrt{2}$

풀이 (1) 삼각형 ABC의 넓이를 S라고 하면

$S = \dfrac{1}{2}ca \sin B = \dfrac{1}{2} \times 5 \times 6 \times \sin 120°$

$= \dfrac{1}{2} \times 5 \times 6 \times \dfrac{\sqrt{3}}{2} = \dfrac{15\sqrt{3}}{2}$

(2) 삼각형 ABC의 넓이를 S라고 하면

$S = \dfrac{1}{2}ab \sin C = \dfrac{1}{2} \times 8 \times 6 \times \sin 60°$

$= \dfrac{1}{2} \times 8 \times 6 \times \dfrac{\sqrt{3}}{2} = 12\sqrt{3}$

(3) 삼각형 ABC의 넓이를 S라고 하면

$S = \dfrac{1}{2}ca \sin B = \dfrac{1}{2} \times 6 \times 8 \times \sin 30°$

$= \dfrac{1}{2} \times 6 \times 8 \times \dfrac{1}{2} = 12$

(4) 삼각형 ABC의 넓이를 S라고 하면

$S = \dfrac{1}{2}bc \sin A = \dfrac{1}{2} \times 3 \times 4 \times \sin 45°$

$= \dfrac{1}{2} \times 3 \times 4 \times \dfrac{\sqrt{2}}{2} = 3\sqrt{2}$

22 답 (1) $6\sqrt{11}$ (2) $2\sqrt{2}$ (3) $2\sqrt{14}$ (4) 24

풀이 (1) $s = \dfrac{5+8+9}{2} = 11$이므로

삼각형의 ABC의 넓이를 S라고 하면

$S = \sqrt{11(11-5)(11-8)(11-9)}$

$= \sqrt{11 \times 6 \times 3 \times 2} = \sqrt{11 \times 36} = 6\sqrt{11}$

(2) $s = \dfrac{3+3+2}{2} = 4$이므로

삼각형의 ABC의 넓이를 S라고 하면

$S = \sqrt{4(4-3)(4-3)(4-2)}$

$= \sqrt{4 \times 1 \times 1 \times 2} = \sqrt{4 \times 2} = 2\sqrt{2}$

(3) $s = \dfrac{6+3+5}{2} = 7$이므로

삼각형의 ABC의 넓이를 S라고 하면

$S = \sqrt{7(7-6)(7-3)(7-5)}$

$= \sqrt{7 \times 1 \times 4 \times 2} = \sqrt{4 \times 14} = 2\sqrt{14}$

(4) $s = \dfrac{6+8+10}{2} = 12$이므로

삼각형의 ABC의 넓이를 S라고 하면

$S = \sqrt{12(12-6)(12-8)(12-10)}$

$= \sqrt{12 \times 6 \times 4 \times 2} = \sqrt{24 \times 24} = 24$

23 답 (1) $17\sqrt{3}$ (2) $10\sqrt{3} + 4\sqrt{19}$

(3) $2\sqrt{3} + \dfrac{\sqrt{6}}{2}$

풀이 (1) 삼각형 ABD에서 코사인법칙에 의하여

$\overline{DB}^2 = 5^2 + 8^2 - 2 \times 5 \times 8 \times \cos 60°$

$= 25 + 64 - 2 \times 5 \times 8 \times \dfrac{1}{2} = 49$

$\overline{DB} > 0$이므로 $\overline{DB} = 7$

사각형 ABCD의 넓이를 S라고 하면 S는 삼각형 ABD와 삼각형 CDB의 넓이의 합이므로

$S = \dfrac{1}{2} \times 5 \times 8 \times \sin 60° + \dfrac{1}{2} \times 2\sqrt{6} \times 7 \times \sin 45°$

$= \dfrac{1}{2} \times 5 \times 8 \times \dfrac{\sqrt{3}}{2} + \dfrac{1}{2} \times 2\sqrt{6} \times 7 \times \dfrac{\sqrt{2}}{2}$

$= 10\sqrt{3} + 7\sqrt{3} = 17\sqrt{3}$

(2) 삼각형 ABD에서 코사인법칙에 의하여

$\overline{DB}^2 = 4^2 + 10^2 - 2 \times 4 \times 10 \times \cos 60°$

$= 16 + 100 - 2 \times 4 \times 10 \times \dfrac{1}{2}$

$= 76$

$\overline{DB} > 0$이므로 $\overline{DB} = 2\sqrt{19}$

사각형 ABCD의 넓이를 S라고 하면 S는 삼각형 ABD와 삼각형 CDB의 넓이의 합이므로

$S = \dfrac{1}{2} \times 4 \times 10 \times \sin 60° + \dfrac{1}{2} \times 2\sqrt{19} \times 8 \times \sin 30°$

$= \dfrac{1}{2} \times 4 \times 10 \times \dfrac{\sqrt{3}}{2} + \dfrac{1}{2} \times 2\sqrt{19} \times 8 \times \dfrac{1}{2}$

$= 10\sqrt{3} + 4\sqrt{19}$

(3) 그림과 같이 점 A와 점 C를 잇는 선분을 그으면 삼각형 ABC에서 코사인법칙에 의하여

$\overline{AC}^2 = 2^2 + 4^2 - 2 \times 2 \times 4 \times \cos 60°$

$= 4 + 16 - 2 \times 2 \times 4 \times \dfrac{1}{2} = 12$

$\overline{AC} > 0$이므로 $\overline{AC} = 2\sqrt{3}$

$\angle ACB = \theta$로 놓으면 사인법칙에 의하여

$\dfrac{2}{\sin \theta} = \dfrac{2\sqrt{3}}{\sin 60°}$, $\sqrt{3}\sin \theta = \dfrac{\sqrt{3}}{2}$ $\therefore \sin \theta = \dfrac{1}{2}$

따라서 $\angle ACB = 30°$이므로 $\angle ACD = 45°$

사각형 ABCD의 넓이를 S라고 하면 S는 삼각형 ABC와 삼각형 ACD의 넓이의 합이므로

$S = \dfrac{1}{2} \times 2 \times 4 \times \sin 60° + \dfrac{1}{2} \times 2\sqrt{3} \times 1 \times \sin 45°$

$= \dfrac{1}{2} \times 2 \times 4 \times \dfrac{\sqrt{3}}{2} + \dfrac{1}{2} \times 2\sqrt{3} \times 1 \times \dfrac{\sqrt{2}}{2}$

$= 2\sqrt{3} + \dfrac{\sqrt{6}}{2}$

24 답 $\dfrac{24}{5}$

풀이 $\overline{AD} = x$라고 하면

$\dfrac{1}{2} \times 12 \times 8 \times \sin 120°$

$= \dfrac{1}{2} \times 12 \times x \times \sin 60° + \dfrac{1}{2} \times x \times 8 \times \sin 60°$

$$24\sqrt{3}=3\sqrt{3}x+2\sqrt{3}x,\ 24\sqrt{3}=5\sqrt{3}x$$
$$\therefore x=\frac{24}{5}$$

25 답 $\dfrac{12\sqrt{3}}{7}$

풀이 $\overline{AD}=x$라고 하면
$$\frac{1}{2}\times4\times3\times\sin60°$$
$$=\frac{1}{2}\times4\times x\times\sin30°+\frac{1}{2}\times x\times3\times\sin30°$$
$$3\sqrt{3}=x+\frac{3}{4}x,\ 3\sqrt{3}=\frac{7}{4}x$$
$$\therefore x=3\sqrt{3}\times\frac{4}{7}=\frac{12\sqrt{3}}{7}$$

26 답 (1) $4\sqrt{3}$ (2) $10\sqrt{2}$ (3) 12

풀이 (1) 평행사변형의 성질에 의하여 이웃하는 두 각의 크
기의 합은 $180°$이므로
$$\angle B=120°$$
따라서 평행사변형의 넓이를 S라고 하면
$$S=\overline{AB}\times\overline{BC}\times\sin120°=2\times4\times\frac{\sqrt{3}}{2}=\underline{4\sqrt{3}}$$
(2) 평행사변형의 성질에 의하여 이웃하는 두 각의 크기의
합은 $180°$이므로
$$\angle B=45°$$
따라서 평행사변형의 넓이를 S라고 하면
$$S=\overline{AB}\times\overline{BC}\times\sin45°=4\times5\times\frac{\sqrt{2}}{2}=\underline{10\sqrt{2}}$$
(3) 평행사변형의 성질에 의하여 이웃하는 두 각의 크기의
합은 $180°$이므로
$$\angle A=150°$$
따라서 평행사변형의 넓이를 S라고 하면
$$S=\overline{AB}\times\overline{AD}\times\sin150°=4\times6\times\frac{1}{2}=\underline{12}$$

27 답 (1) $12\sqrt{3}$ (2) 18 (3) $24\sqrt{2}$

풀이 (1) 사각형 ABCD의 넓이를 S라고 하면
$$S=\frac{1}{2}\times\overline{AC}\times\overline{BD}\times\sin60°$$
$$=\frac{1}{2}\times6\times8\times\frac{\sqrt{3}}{2}=\underline{12\sqrt{3}}$$
(2) 사각형 ABCD의 넓이를 S라고 하면
$$S=\frac{1}{2}\times\overline{AC}\times\overline{BD}\times\sin150°$$
$$=\frac{1}{2}\times8\times9\times\frac{1}{2}=\underline{18}$$
(3) 사각형 ABCD의 넓이를 S라고 하면
$$S=\frac{1}{2}\times\overline{AC}\times\overline{BD}\times\sin45°$$
$$=\frac{1}{2}\times8\times12\times\frac{\sqrt{2}}{2}=\underline{24\sqrt{2}}$$

01 답 $4\sqrt{6}$

풀이 주어진 조건을 그림으로 나타내
면 그림과 같다.

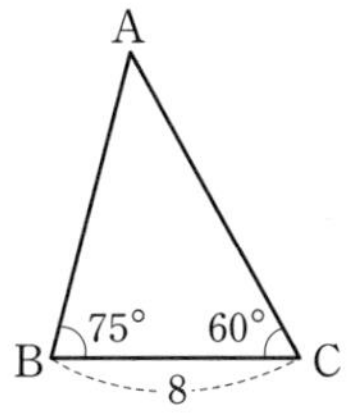

사인법칙에 의하여
$$\frac{a}{\sin A}=\frac{c}{\sin C}$$
이때
$A=180°-(75°+60°)=45°$이므로
$$\frac{8}{\sin45°}=\frac{c}{\sin60°}$$
$$c\sin45°=8\sin60°,\ c\times\frac{\sqrt{2}}{2}=8\times\frac{\sqrt{3}}{2}$$
$$\therefore c=4\sqrt{3}\times\frac{2}{\sqrt{2}}=4\sqrt{6}$$

02 답 $5\sqrt{3}$

풀이 $\dfrac{c}{\sin C}=2R$에서 $\dfrac{c}{\sin60°}=2\times5$
$$\therefore c=10\times\frac{\sqrt{3}}{2}=5\sqrt{3}$$

03 답 $2:3:4$

풀이 $a+b=5k,\ b+c=7k,\ c+a=6k\ (k>0)$라고 하면
$2(a+b+c)=18k,\ a+b+c=9k$
$$\therefore a=2k,\ b=3k,\ c=4k$$
사인법칙에 의하여
$$\therefore \sin A:\sin B:\sin C=\frac{a}{2R}:\frac{b}{2R}:\frac{c}{2R}=a:b:c$$
$$=2k:3k:4k=2:3:4$$

04 답 $30°$

풀이 코사인법칙에 의하여
$$\cos A=\frac{b^2+c^2-a^2}{2bc}=\frac{(2\sqrt{3})^2+4^2-2^2}{2\times2\sqrt{3}\times4}$$
$$=\frac{24}{16\sqrt{3}}=\frac{\sqrt{3}}{2}$$
$0°<A<180°$이므로 $A=30°$

05 답 $\dfrac{19}{20}$

풀이 $a=2k,\ b=5k,\ c=6k\ (k>0)$라고 하면
코사인법칙에 의하여
$$\cos A=\frac{b^2+c^2-a^2}{2bc}=\frac{(5k)^2+(6k)^2-(2k)^2}{2\times5k\times6k}$$
$$=\frac{25k^2+36k^2-4k^2}{60k^2}=\frac{57k^2}{60k^2}=\frac{19}{20}$$

06 답 $\dfrac{4}{5}$

풀이 $\dfrac{a+b}{7}=\dfrac{b+c}{9}=\dfrac{c+a}{8}=k\ (k>0)$라고 하면
$a+b=7k,\ b+c=9k,\ c+a=8k$
$2(a+b+c)=24k,\ a+b+c=12k$
$$\therefore a=3k,\ b=4k,\ c=5k$$
따라서 가장 작은 각 θ는 $a=3k$인 변의 대각이다.

코사인법칙에 의하여

$$\cos\theta = \frac{b^2+c^2-a^2}{2bc} = \frac{(4k)^2+(5k)^2-(3k)^2}{2\times 4k\times 5k}$$

$$= \frac{16k^2+25k^2-9k^2}{40k^2} = \frac{32k^2}{40k^2} = \frac{4}{5}$$

07 답 $30°$

풀이 $2\sqrt{3}\sin A = 2\sin B = \sqrt{3}\sin C$의 각 변을 $2\sqrt{3}$으로 나누면

$$\sin A = \frac{\sin B}{\sqrt{3}} = \frac{\sin C}{2},\ \frac{a}{2R} = \frac{\dfrac{b}{2R}}{\sqrt{3}} = \frac{\dfrac{c}{2R}}{2}$$

즉, $a = \dfrac{b}{\sqrt{3}} = \dfrac{c}{2} = k\ (k>0)$라고 하면

$a = k,\ b = \sqrt{3}k,\ c = 2k$

코사인법칙에 의하여

$$\cos A = \frac{b^2+c^2-a^2}{2bc} = \frac{(\sqrt{3}k)^2+(2k)^2-(k)^2}{2\times\sqrt{3}k\times 2k}$$

$$= \frac{3k^2+4k^2-k^2}{4\sqrt{3}k^2} = \frac{6k^2}{4\sqrt{3}k^2} = \frac{\sqrt{3}}{2}$$

$0° < A < 90°$이므로 $A = 30°$

08 답 $b=c$인 이등변삼각형

풀이 $A+B+C = 180°$이므로 $A+C = 180°-B$

즉, $A-B+C = 180°-2B$이므로

$$\sin\left(\frac{A-B+C}{2}\right) = \sin\left(\frac{180°-2B}{2}\right) = \sin(90°-B)$$

$$= \cos B$$

따라서 $\sin A = 2\sin\left(\dfrac{A-B+C}{2}\right)\sin C$에서

$\sin A = 2\cos B\sin C$

사인법칙과 코사인법칙에 의하여

$$\frac{a}{2R} = 2\times\frac{c^2+a^2-b^2}{2ca}\times\frac{c}{2R}$$

$$a = \frac{c^2+a^2-b^2}{a},\ a^2 = c^2+a^2-b^2$$

즉, $b^2 = c^2$이고 $b > 0$, $c > 0$이므로 $b = c$

따라서 삼각형 ABC는 $b=c$인 이등변삼각형이다.

09 답 $\dfrac{27\sqrt{2}}{2}$

풀이 삼각형의 넓이를 S라고 하면

$$S = \frac{1}{2}\times 6\times 9\times\sin 135°$$

$$= \frac{1}{2}\times 6\times 9\times\frac{\sqrt{2}}{2}$$

$$= \frac{27\sqrt{2}}{2}$$

10 답 $6\sqrt{6}$

풀이 $s = \dfrac{5+6+7}{2} = 9$이므로

삼각형 ABC의 넓이를 S라고 하면

$$S = \sqrt{9(9-5)(9-6)(9-7)}$$

$$= \sqrt{9\times 4\times 3\times 2}$$

$$= \sqrt{36\times 6} = 6\sqrt{6}$$

11 답 $48\sqrt{5}$

풀이 $s = \dfrac{14+16+18}{2} = 24$이므로

삼각형 ABC의 넓이를 S라고 하면

$$S = \sqrt{24(24-14)(24-16)(24-18)}$$

$$= \sqrt{24\times 10\times 8\times 6}$$

$$= \sqrt{48\times 48\times 5} = 48\sqrt{5}$$

12 답 $\dfrac{4\sqrt{3}+3\sqrt{6}}{2}$

풀이 코사인법칙에 의하여

$$\overline{AC}^2 = 2^2+4^2-2\times 2\times 4\times\cos 60°$$

$$= 4+16-2\times 2\times 4\times\frac{1}{2}$$

$$= 20-8 = 12$$

$\therefore \overline{AC} = 2\sqrt{3}$

사각형 ABCD의 넓이를 S라고 하면 S는 삼각형 ABC의 넓이와 삼각형 ACD의 넓이의 합이므로

$$S = \frac{1}{2}\times 2\times 4\times\sin 60° + \frac{1}{2}\times 2\sqrt{3}\times 3\times\sin 45°$$

$$= \frac{1}{2}\times 2\times 4\times\frac{\sqrt{3}}{2} + \frac{1}{2}\times 2\sqrt{3}\times 3\times\frac{\sqrt{2}}{2}$$

$$= 2\sqrt{3} + \frac{3\sqrt{6}}{2} = \frac{4\sqrt{3}+3\sqrt{6}}{2}$$

13 답 $27\sqrt{3}$

풀이 평행사변형 ABCD의 넓이를 S라고 하면

$$S = 6\times 9\times\sin 120°$$

$$= 6\times 9\times\frac{\sqrt{3}}{2} = 27\sqrt{3}$$

14 답 $27\sqrt{3}$

풀이 사각형 ABCD의 넓이를 S라고 하면

$$S = \frac{1}{2}\times 9\times 12\times\sin 60°$$

$$= \frac{1}{2}\times 9\times 12\times\frac{\sqrt{3}}{2} = 27\sqrt{3}$$

III

수열

III-1 | 등차수열과 등비수열　126~149쪽

01 답 (1) $a_n=4n-2$　(2) $a_n=\dfrac{n}{2}-\dfrac{7}{2}$

　(3) $a_n=3n-6$　(4) $a_n=6n-26$

　(5) $a_n=6n-1$　(6) $a_n=4n-9$

　(7) $a_n=5n+2$　(8) $a_n=-8n+30$

풀이 (1) 첫째항은 $a=2$, 공차는 $d=6-2=4$

　$\therefore a_n=a+(n-1)d=2+(n-1)\times4=\underline{4n-2}$

(2) 첫째항은 $a=-3$,

　공차는 $d=-\dfrac{5}{2}-(-3)=\dfrac{1}{2}$

　$\therefore a_n=a+(n-1)d=-3+(n-1)\times\dfrac{1}{2}=\dfrac{n}{2}-\dfrac{7}{2}$

(3) 첫째항은 $a=-3$, 공차는 $d=0-(-3)=3$

　$\therefore a_n=a+(n-1)d=-3+(n-1)\times3=3n-6$

(4) 첫째항은 $a=-20$,

　공차는 $d=-14-(-20)=6$

　$\therefore a_n=a+(n-1)d=-20+(n-1)\times6=6n-26$

(5) 첫째항은 $a=5$, 공차는 $d=11-5=6$

　$\therefore a_n=a+(n-1)d=5+(n-1)\times6=6n-1$

(6) 첫째항은 $a=-5$, 공차는 $d=-1-(-5)=4$

　$\therefore a_n=a+(n-1)d=-5+(n-1)\times4=4n-9$

(7) 첫째항은 $a=7$, 공차는 $d=12-7=5$

　$\therefore a_n=a+(n-1)d=7+(n-1)\times5=5n+2$

(8) 첫째항은 $a=22$, 공차는 $d=14-22=-8$

　$\therefore a_n=a+(n-1)d=22+(n-1)\times(-8)$
　　　　　　　　$=-8n+30$

02 답 (1) 풀이 참조, 첫째항: 9, 공차: 2

　(2) 풀이 참조, 첫째항: 7, 공차: 5

　(3) 풀이 참조, 첫째항: 13, 공차: 6

　(4) 풀이 참조, 첫째항: 1, 공차: 3

　(5) 풀이 참조, 첫째항: -1, 공차: 6

　(6) 풀이 참조, 첫째항: -1, 공차: -4

　(7) 풀이 참조, 첫째항: 4, 공차: -3

　(8) 풀이 참조, 첫째항: 1, 공차: -1

풀이 (1) $a_n=2n+7$에서 $a_{n+1}=2(n+1)+7=2n+9$

　$\therefore d=a_{n+1}-a_n=(2n+9)-(2n+7)=\underline{2}$

또, $a_1=2\times1+7=9$

따라서 수열 $\{a_n\}$은 첫째항이 9, 공차가 $\underline{2}$인 등차수열이다.

(2) $a_n=5n+2$에서 $a_{n+1}=5(n+1)+2=5n+7$

　$\therefore d=a_{n+1}-a_n=(5n+7)-(5n+2)=5$

또, $a_1=5\times1+2=7$

따라서 수열 $\{a_n\}$은 첫째항이 7, 공차가 5인 등차수열이다.

(3) $a_n=6n+7$에서 $a_{n+1}=6(n+1)+7=6n+13$

　$\therefore d=a_{n+1}-a_n=(6n+13)-(6n+7)=6$

또, $a_1=6\times1+7=13$

따라서 수열 $\{a_n\}$은 첫째항이 13, 공차가 6인 등차수열이다.

(4) $a_n=3n-2$에서 $a_{n+1}=3(n+1)-2=3n+1$

　$\therefore d=a_{n+1}-a_n=(3n+1)-(3n-2)=3$

또, $a_1=3\times1-2=1$

따라서 수열 $\{a_n\}$은 첫째항이 1, 공차가 3인 등차수열이다.

(5) $a_n=6n-7$에서 $a_{n+1}=6(n+1)-7=6n-1$

　$\therefore d=a_{n+1}-a_n=(6n-1)-(6n-7)=6$

또, $a_1=6\times1-7=-1$

따라서 수열 $\{a_n\}$은 첫째항이 -1, 공차가 6인 등차수열이다.

(6) $a_n=-4n+3$에서 $a_{n+1}=-4(n+1)+3=-4n-1$

　$\therefore d=a_{n+1}-a_n=(-4n-1)-(-4n+3)=-4$

또, $a_1=-4\times1+3=-1$

따라서 수열 $\{a_n\}$은 첫째항이 -1, 공차가 -4인 등차수열이다.

(7) $a_n=-3n+7$에서 $a_{n+1}=-3(n+1)+7=-3n+4$

　$\therefore d=a_{n+1}-a_n=(-3n+4)-(-3n+7)=-3$

또, $a_1=-3\times1+7=4$

따라서 수열 $\{a_n\}$은 첫째항이 4, 공차가 -3인 등차수열이다.

(8) $a_n=-n+2$에서 $a_{n+1}=-(n+1)+2=-n+1$

　$\therefore d=a_{n+1}-a_n=(-n+1)-(-n+2)=-1$

또, $a_1=-1+2=1$

따라서 수열 $\{a_n\}$은 첫째항이 1, 공차가 -1인 등차수열이다.

03 답 (1) 29　(2) -27

　(3) 54　(4) -50

　(5) 107　(6) 165

　(7) 198　(8) 113

풀이 (1) 등차수열의 첫째항을 a, 공차를 d, 일반항을 a_n이라고 하면 $a_n=a+(n-1)d$

$a_2=3$이므로 $a+d=3$　……㉠

$a_7=13$이므로 $a+6d=13$　……㉡

㉠, ㉡을 연립하여 풀면 $a=1$, $d=\underline{2}$

　$\therefore a_{15}=a+14d=1+14\times2=\underline{29}$

(2) 등차수열의 첫째항을 a, 공차를 d, 일반항을 a_n이라고 하면 $a_n=a+(n-1)d$

$a_3=5$이므로 $a+2d=5$　……㉠

$a_8=-5$이므로 $a+7d=-5$　……㉡

㉠, ㉡을 연립하여 풀면 $a=9$, $d=-2$

$\therefore a_{19}=a+18d=9+18\times(-2)=-27$

(3) 등차수열의 첫째항을 a, 공차를 d, 일반항을 a_n이라고 하면 $a_n=a+(n-1)d$

$a_2=8$이므로 $a+d=8$ ...... ㉠

$a_6=16$이므로 $a+5d=16$ ...... ㉡

㉠, ㉡을 연립하여 풀면 $a=6$, $d=2$

$\therefore a_{25}=a+24d=6+24\times2=54$

(4) 등차수열의 첫째항을 a, 공차를 d, 일반항을 a_n이라고 하면 $a_n=a+(n-1)d$

$a_3=6$이므로 $a+2d=6$ ...... ㉠

$a_{10}=-8$이므로 $a+9d=-8$ ...... ㉡

㉠, ㉡을 연립하여 풀면 $a=10$, $d=-2$

$\therefore a_{31}=a+30d=10+30\times(-2)=-50$

(5) 등차수열의 첫째항을 a, 공차를 d, 일반항을 a_n이라고 하면 $a_n=a+(n-1)d$

$a_3=7$이므로 $a+2d=7$ ...... ㉠

$a_{11}=39$이므로 $a+10d=39$ ...... ㉡

㉠, ㉡을 연립하여 풀면 $a=-1$, $d=4$

$\therefore a_{28}=a+27d=-1+27\times4=107$

(6) 등차수열의 첫째항을 a, 공차를 d, 일반항을 a_n이라고 하면 $a_n=a+(n-1)d$

$a_3=-10$이므로 $a+2d=-10$ ...... ㉠

$a_7=10$이므로 $a+6d=10$ ...... ㉡

㉠, ㉡을 연립하여 풀면 $a=-20$, $d=5$

$\therefore a_{38}=a+37d=-20+37\times5=165$

(7) 등차수열의 첫째항을 a, 공차를 d, 일반항을 a_n이라고 하면 $a_n=a+(n-1)d$

$a_{11}=86$이므로 $a+10d=86$ ...... ㉠

$a_{19}=142$이므로 $a+18d=142$ ...... ㉡

㉠, ㉡을 연립하여 풀면 $a=16$, $d=7$

$\therefore a_{27}=a+26d=16+26\times7=198$

(8) 등차수열의 첫째항을 a, 공차를 d, 일반항을 a_n이라고 하면 $a_n=a+(n-1)d$

$a_7=23$이므로 $a+6d=23$ ...... ㉠

$a_{23}=71$이므로 $a+22d=71$ ...... ㉡

㉠, ㉡을 연립하여 풀면 $a=5$, $d=3$

$\therefore a_{37}=a+36d=5+36\times3=113$

04 답 (1) 11   (2) 43
(3) 1   (4) 57

풀이 (1) 등차수열의 첫째항을 a, 공차를 d라고 하면

$a_n=a+(n-1)d$

$a_5=4a_3$에서 $a+4d=4(a+2d)$

$\therefore 3a+4d=0$ ...... ㉠

$a_2+a_4=4$에서 $a+d+a+3d=4$

$\therefore 2a+4d=4$ ...... ㉡

㉠, ㉡을 연립하여 풀면 $a=-4$, $d=3$

$\therefore a_6=a+5d=-4+5\times3=\underline{11}$

(2) 등차수열의 첫째항을 a, 공차를 d라고 하면

$a_n=a+(n-1)d$

$a_9=-5a_4$에서 $a+8d=-5(a+3d)$

$\therefore 6a+23d=0$ ...... ㉠

$a_2+a_6=-10$에서 $a+d+a+5d=-10$

$\therefore 2a+6d=-10$ ...... ㉡

㉠, ㉡을 연립하여 풀면 $a=-23$, $d=6$

$\therefore a_{12}=a+11d=-23+11\times6=43$

(3) 등차수열의 첫째항을 a, 공차를 d라고 하면

$a_n=a+(n-1)d$

$a_1=4a_5$에서 $a=4(a+4d)$

$\therefore 3a+16d=0$ ...... ㉠

$a_2+a_{11}=-1$에서 $a+d+a+10d=-1$

$\therefore 2a+11d=-1$ ...... ㉡

㉠, ㉡을 연립하여 풀면 $a=16$, $d=-3$

$\therefore a_6=a+5d=16+5\times(-3)=1$

(4) 등차수열의 첫째항을 a, 공차를 d라고 하면

$a_n=a+(n-1)d$

$a_7=5a_2$에서 $a+6d=5(a+d)$

$\therefore 4a-d=0$ ...... ㉠

$a_8-a_3=20$에서 $a+7d-(a+2d)=20$

$5d=20$ $\therefore d=4$

$d=4$를 ㉠에 대입하면 $a=1$

$\therefore a_{15}=a+14d=1+14\times4=57$

05 답 (1) 첫째항: 10, 공차: -2
(2) 첫째항: 28, 공차: -4

풀이 (1) 등차수열의 첫째항을 a, 공차를 d라고 하면

$a_n=a+(n-1)d$

제3항과 제9항은 절댓값이 같고 부호가 반대이므로

$a_3=-a_9$, $a+2d=-(a+8d)$

$2a+10d=0$ $\therefore a+5d=0$ ...... ㉠

$a_{13}=-14$에서 $a+12d=-14$ ...... ㉡

㉠, ㉡을 연립하여 풀면 $a=\underline{10}$, $d=\underline{-2}$

(2) 등차수열의 첫째항을 a, 공차를 d라고 하면

$a_n=a+(n-1)d$

제5항과 제11항은 절댓값이 같고 부호가 반대이므로

$a_5=-a_{11}$, $a+4d=-(a+10d)$

$2a+14d=0$ $\therefore a+7d=0$ ...... ㉠

$a_7=4$에서 $a+6d=4$ ...... ㉡

㉠, ㉡을 연립하여 풀면 $a=28$, $d=-4$

06 답 (1) 47   (2) 3

풀이 (1) 등차수열의 첫째항을 a, 공차를 d라고 하면

$a_n=a+(n-1)d$

$a_3=11$에서 $a+2d=11$ ...... ㉠

$a_6:a_{10}=5:8$에서 $8a_6=5a_{10}$

$8(a+5d)=5(a+9d)$ $\therefore 3a-5d=0$ ...... ㉡

㉠, ㉡을 연립하여 풀면 $a=5$, $d=\underline{3}$

$\therefore a_{15}=a+14d=5+14\times3=\underline{47}$

(2) 등차수열의 첫째항을 a, 공차를 d라고 하면

$a_n = a + (n-1)d$

$(a_1 + a_2) : (a_3 + a_4) = 1 : 2$에서

$2(a_1 + a_2) = a_3 + a_4$, $2(a+a+d) = a+2d+a+3d$

$4a + 2d = 2a + 5d$ $\therefore d = \dfrac{2}{3}a$

$\therefore \dfrac{a_4}{a_1} = \dfrac{a+3d}{a} = \dfrac{a + 3 \times \left(\dfrac{2}{3}a\right)}{a} = \dfrac{3a}{a} = 3$

07 답 (1) 제9항   (2) 제19항
　　　(3) 제35항   (4) 제14항
　　　(5) 제16항   (6) 제16항
　　　(7) 제32항   (8) 제54항

풀이 (1) 주어진 수열의 일반항을 a_n이라고 하면

$a_n = -22 + (n-1) \times 3 = 3n - 25$

제n항이 처음으로 양수가 된다고 하면

$3n - 25 > 0$ $\therefore n > \dfrac{25}{3} = 8.333\cdots$

이때 n이 자연수이므로 제9항이 처음으로 양수가 된다.

(2) 주어진 수열의 일반항을 a_n이라고 하면

$a_n = 107 + (n-1) \times (-6) = -6n + 113$

제n항이 처음으로 음수가 된다고 하면

$-6n + 113 < 0$ $\therefore n > \dfrac{113}{6} = 18.833\cdots$

이때 n이 자연수이므로 제19항이 처음으로 음수가 된다.

(3) 주어진 수열의 일반항을 a_n이라고 하면

$a_n = 100 + (n-1) \times (-3) = -3n + 103$

제n항이 처음으로 음수가 된다고 하면

$-3n + 103 < 0$ $\therefore n > \dfrac{103}{3} = 34.333\cdots$

이때 n이 자연수이므로 제35항이 처음으로 음수가 된다.

(4) 주어진 수열의 일반항을 a_n이라고 하면

$a_n = -25 + (n-1) \times 2 = 2n - 27$

제n항이 처음으로 양수가 된다고 하면

$2n - 27 > 0$ $\therefore n > \dfrac{27}{2} = 13.5$

이때 n이 자연수이므로 제14항이 처음으로 양수가 된다.

(5) 등차수열의 첫째항을 a, 공차를 d, 일반항을 a_n이라고 하면

$a_7 = 50$에서 $a + 6d = 50$ $\cdots\cdots$ ㉠

$a_{11} = 26$에서 $a + 10d = 26$ $\cdots\cdots$ ㉡

㉠, ㉡을 연립하여 풀면

$a = 86$, $d = -6$

$\therefore a_n = 86 + (n-1) \times (-6) = -6n + 92$

제n항이 처음으로 음수가 된다고 하면

$-6n + 92 < 0$ $\therefore n > \dfrac{92}{6} = 15.333\cdots$

이때 n이 자연수이므로 제16항이 처음으로 음수가 된다.

(6) 등차수열의 첫째항을 a, 공차를 d, 일반항을 a_n이라고 하면

$a_4 = 47$에서

$a + 3d = 47$ $\cdots\cdots$ ㉠

$a_{10} = 23$에서

$a + 9d = 23$ $\cdots\cdots$ ㉡

㉠, ㉡을 연립하여 풀면 $a = 59$, $d = -4$

$\therefore a_n = 59 + (n-1) \times (-4) = -4n + 63$

제n항이 처음으로 음수가 된다고 하면

$-4n + 63 < 0$ $\therefore n > \dfrac{63}{4} = 15.75$

이때 n이 자연수이므로 제16항이 처음으로 음수가 된다.

(7) 등차수열의 첫째항을 a, 공차를 d, 일반항을 a_n이라고 하면

$a_{14} = 53$에서 $a + 13d = 53$ $\cdots\cdots$ ㉠

$a_{28} = 11$에서 $a + 27d = 11$ $\cdots\cdots$ ㉡

㉠, ㉡을 연립하여 풀면 $a = 92$, $d = -3$

$\therefore a_n = 92 + (n-1) \times (-3) = -3n + 95$

제n항이 처음으로 음수가 된다고 하면

$-3n + 95 < 0$ $\therefore n > \dfrac{95}{3} = 31.666\cdots$

이때 n이 자연수이므로 제32항이 처음으로 음수가 된다.

(8) 주어진 수열의 일반항을 a_n이라고 하면

$a_n = -5 + (n-1) \times \dfrac{2}{3} = \dfrac{2}{3}n - \dfrac{17}{3}$

제n항이 처음으로 30보다 큰 항이 된다고 하면

$\dfrac{2}{3}n - \dfrac{17}{3} > 30$, $\dfrac{2}{3}n > \dfrac{107}{3}$

$\therefore n > \dfrac{107}{3} \times \dfrac{3}{2} = 53.5$

이때 n이 자연수이므로 제54항이 처음으로 30보다 커진다.

08 답 (1) -1, 4, 9 (2) -22, -15, -8
　　　(3) 7, 11, 15

풀이 (1) 두 수 -6과 14 사이에 세 개의 수를 넣으면 첫째항이 -6, 제5항이 14가 된다.

첫째항을 a, 공차를 d, 일반항을 a_n이라고 하면

$a_5 = a + 4d = 14$, $-6 + 4d = 14$ $\therefore d = 5$

-6에서부터 14까지 공차 5씩 더해 가면

-6, -1, $\underline{4}$, 9, 14

따라서 구하는 세 수를 작은 순서로 나열하면 -1, $\underline{4}$, 9이다.

(2) 두 수 -1과 -29 사이에 세 개의 수를 넣으면 첫째항이 -1, 제5항이 -29가 된다.

첫째항을 a, 공차를 d, 일반항을 a_n이라고 하면

$a_5 = a + 4d = -29$, $-1 + 4d = -29$ $\therefore d = -7$

-1에서부터 -29까지 공차 -7씩 더해 가면

-1, -8, -15, -22, -29

따라서 구하는 세 수를 작은 순서로 나열하면 -22, -15, -8이다.

(3) 두 수 3과 19 사이에 세 개의 수를 넣으면 첫째항이 3, 제5항이 19가 된다.

첫째항을 a, 공차를 d, 일반항을 a_n이라고 하면

$a_5 = a + 4d = 19$, $3 + 4d = 19$ $\quad \therefore d = 4$

3에서부터 19까지 공차 4씩 더해 가면

3, 7, 11, 15, 19

따라서 구하는 세 수를 작은 순서로 나열하면

7, 11, 15이다.

09 답 (1) 11, 18, 25, 32
(2) -2, 1, 4, 7
(3) $-\dfrac{20}{3}$, -6, $-\dfrac{16}{3}$, $-\dfrac{14}{3}$

풀이 (1) 두 수 4와 39 사이에 네 개의 수를 넣으면 첫째항이 4, 제6항이 39가 된다.

첫째항을 a, 공차를 d, 일반항을 a_n이라고 하면

$a_6 = a + 5d = 39$, $4 + 5d = 39$ $\quad \therefore d = 7$

4에서부터 39까지 공차 7씩 더해 가면

4, 11, 18, 25, 32, 39

따라서 구하는 네 수를 작은 순서로 나열하면 11, 18, 25, 32이다.

(2) 두 수 10과 -5 사이에 네 개의 수를 넣으면 첫째항이 10, 제6항이 -5가 된다.

첫째항을 a, 공차를 d, 일반항을 a_n이라고 하면

$a_6 = a + 5d = -5$, $10 + 5d = -5$ $\quad \therefore d = -3$

10에서부터 -5까지 공차 -3씩 더해 가면

10, 7, 4, 1, -2, -5

따라서 구하는 네 수를 작은 순서로 나열하면 -2, 1, 4, 7이다.

(3) 두 수 -4과 $-\dfrac{22}{3}$ 사이에 네 개의 수를 넣으면 첫째항이 -4, 제6항이 $-\dfrac{22}{3}$가 된다.

첫째항을 a, 공차를 d, 일반항을 a_n이라고 하면

$a_6 = a + 5d = -\dfrac{22}{3}$, $-4 + 5d = -\dfrac{22}{3}$ $\quad \therefore d = -\dfrac{2}{3}$

-4에서부터 $-\dfrac{22}{3}$까지 공차 $-\dfrac{2}{3}$씩 더해 가면

-4, $-\dfrac{14}{3}$, $-\dfrac{16}{3}$, -6, $-\dfrac{20}{3}$, $-\dfrac{22}{3}$

따라서 구하는 네 수를 작은 순서로 나열하면

$-\dfrac{20}{3}$, -6, $-\dfrac{16}{3}$, $-\dfrac{14}{3}$이다.

10 답 (1) 2　　　　　(2) 0, 4
(3) $\dfrac{5}{2}$, -1　　(4) $\dfrac{7}{2}$, -3

풀이 (1) 세 수 x, $2x+3$, $6x$가 이 순서로 등차수열을 이루므로

$2(2x+3) = x + 6x$, $4x + 6 = 7x$

$\therefore x = 2$

(2) 세 수 $2x$, $3x-1$, x^2-2가 이 순서로 등차수열을 이루므로

$2(3x-1) = 2x + x^2 - 2$, $x^2 - 4x = 0$

$x(x-4) = 0$

$\therefore x = 0$ 또는 $x = 4$

참고 $x = 0$일 때, 세 수는 0, -1, -2로 첫째항이 0, 공차가 -1인 등차수열이다.

$x = 4$일 때, 세 수는 8, 11, 14로 첫째항이 8, 공차가 3인 등차수열이다.

(3) 세 수 x, x^2-1, $2x+3$이 이 순서로 등차수열을 이루므로

$2(x^2-1) = x + 2x + 3$, $2x^2 - 3x - 5 = 0$

$(2x-5)(x+1) = 0$

$\therefore x = \dfrac{5}{2}$ 또는 $x = -1$

참고 $x = \dfrac{5}{2}$일 때, 세 수는 $\dfrac{5}{2}$, $\dfrac{21}{4}$, 8로 첫째항이 $\dfrac{5}{2}$, 공차가 $\dfrac{11}{4}$인 등차수열이다.

$x = -1$일 때, 세 수는 -1, 0, 1로 첫째항이 -1, 공차가 1인 등차수열이다.

(4) 세 수 $3x$, x^2-3, $15-2x$가 이 순서로 등차수열을 이루므로

$2(x^2-3) = 3x + 15 - 2x$, $2x^2 - x - 21 = 0$

$(2x-7)(x+3) = 0$

$\therefore x = \dfrac{7}{2}$ 또는 $x = -3$

참고 $x = \dfrac{7}{2}$일 때, 세 수는 $\dfrac{21}{2}$, $\dfrac{37}{4}$, 8로 첫째항이 $\dfrac{21}{2}$, 공차가 $-\dfrac{5}{4}$인 등차수열이다.

$x = -3$일 때, 세 수는 -9, 6, 21로 첫째항이 -9, 공차가 15인 등차수열이다.

11 답 (1) 4, 7, 10　　　　(2) 3, 5, 7
(3) -2, 1, 4

풀이 (1) 등차수열의 첫째항을 a, 공차를 d라고 하면 등차수열을 이루는 세 수를 $a-d$, a, $a+d$로 놓을 수 있다.

세 수의 합이 21이므로 $(a-d) + a + (a+d) = 21$

$3a = 21$ $\quad \therefore a = 7$

세 수의 곱이 280이므로 $(a-d) \times a \times (a+d) = 280$

$a^3 - ad^2 = 280$, $7^3 - 7 \times d^2 = 280$

$d^2 = 9$ $\quad \therefore d = -3$ 또는 $d = 3$

(i) $a = 7$, $d = -3$일 때, 세 수는 10, 7, 4

(ii) $a = 7$, $d = 3$일 때, 세 수는 4, 7, 10

따라서 (i), (ii)로부터 등차수열을 이루는 세 수를 작은 수부터 나열하면 4, 7, 10이다.

(2) 등차수열의 첫째항을 a, 공차를 d라고 하면 등차수열을 이루는 세 수를 $a-d$, a, $a+d$로 놓을 수 있다.

세 수의 합이 15이므로 $(a-d) + a + (a+d) = 15$

$3a = 15$ $\quad \therefore a = 5$

세 수의 곱이 105이므로 $(a-d) \times a \times (a+d) = 105$

$a^3 - ad^2 = 105$, $5^3 - 5 \times d^2 = 105$, $d^2 = 4$

$\therefore d = -2$ 또는 $d = 2$

(i) $a = 5$, $d = -2$일 때, 세 수는 7, 5, 3

(ii) $a = 5$, $d = 2$일 때, 세 수는 3, 5, 7

따라서 (i), (ii)로부터 등차수열을 이루는 세 수를 작은 수부터 나열하면 3, 5, 7이다.

(3) 등차수열의 첫째항을 a, 공차를 d라고 하면 등차수열을 이루는 세 수를 $a-d$, a, $a+d$로 놓을 수 있다.

세 수의 합이 3이므로 $(a-d)+a+(a+d)=3$

$3a=3$ ∴ $a=1$

세 수의 곱이 -8이므로 $(a-d)\times a\times(a+d)=-8$

$a^3-ad^2=-8$, $1^3-1\times d^2=-8$, $d^2=9$

∴ $d=-3$ 또는 $d=3$

(i) $a=1$, $d=-3$일 때, 세 수는 4, 1, -2

(ii) $a=1$, $d=3$일 때, 세 수는 -2, 1, 4

따라서 (i), (ii)로부터 등차수열을 이루는 세 수를 작은 수부터 나열하면 -2, 1, 4이다.

12 답 **(1)** 968 **(2)** 315
(3) 116 **(4)** 648

풀이 첫째항부터 제n항까지의 합을 S_n이라고 하면

(1) $S_{22}=\dfrac{22\times(2+86)}{2}=\dfrac{22\times88}{2}=\underline{968}$

(2) $S_{15}=\dfrac{15\times(7+35)}{2}=\dfrac{15\times42}{2}=\underline{315}$

(3) $S_8=\dfrac{8\times(2+27)}{2}=\dfrac{8\times29}{2}=\underline{116}$

(4) $S_{16}=\dfrac{16\times(3+78)}{2}=\dfrac{16\times81}{2}=\underline{648}$

13 답 **(1)** 265 **(2)** 225
(3) -143 **(4)** -460

풀이 첫째항부터 제n항까지의 합을 S_n이라고 하면

(1) $S_{10}=\dfrac{10\times\{2\times4+(10-1)\times5\}}{2}=\dfrac{10\times(8+45)}{2}$

$\quad=\underline{265}$

(2) $S_{15}=\dfrac{15\times\{2\times(-6)+(15-1)\times3\}}{2}$

$\quad=\dfrac{15\times(-12+42)}{2}$

$\quad=\underline{225}$

(3) $S_{11}=\dfrac{11\times\{2\times2+(11-1)\times(-3)\}}{2}$

$\quad=\dfrac{11\times(4-30)}{2}$

$\quad=\underline{-143}$

(4) $S_{20}=\dfrac{20\times\{2\times(-4)+(20-1)\times(-2)\}}{2}$

$\quad=\dfrac{20\times(-8-38)}{2}$

$\quad=\underline{-460}$

14 답 **(1)** 222 **(2)** 550
(3) 684 **(4)** -190
(5) -920

풀이 **(1)** 첫째항이 35, 공차가 $32-35=-3$이므로 첫째항부터 제n항까지의 합을 S_n이라고 하면

$S_{12}=\dfrac{12\times\{2\times35+(12-1)\times(-3)\}}{2}$

$\quad=\dfrac{12\times(70-33)}{2}=\underline{222}$

(2) 첫째항이 -1, 공차가 $2-(-1)=3$이므로 첫째항부터 제n항까지의 합을 S_n이라고 하면

$S_{20}=\dfrac{20\times\{2\times(-1)+(20-1)\times3\}}{2}$

$\quad=\dfrac{20\times(-2+57)}{2}=\underline{550}$

(3) 첫째항이 4, 공차가 $8-4=4$이므로 첫째항부터 제n항까지의 합을 S_n이라고 하면

$S_{18}=\dfrac{18\times\{2\times4+(18-1)\times4\}}{2}=\dfrac{18\times(8+68)}{2}$

$\quad=\underline{684}$

(4) 첫째항이 -1, 공차가 $-5-(-1)=-4$이므로 첫째항부터 제n항까지의 합을 S_n이라고 하면

$S_{10}=\dfrac{10\times\{2\times(-1)+(10-1)\times(-4)\}}{2}$

$\quad=\dfrac{10\times(-2-36)}{2}$

$\quad=\underline{-190}$

(5) 첫째항이 11, 공차가 $5-11=-6$이므로 첫째항부터 제n항까지의 합을 S_n이라고 하면

$S_{20}=\dfrac{20\times\{2\times11+(20-1)\times(-6)\}}{2}$

$\quad=\dfrac{20\times(22-114)}{2}$

$\quad=\underline{-920}$

15 답 **(1)** -253 **(2)** -351
(3) 1520 **(4)** 1404
(5) 7

풀이 **(1)** 첫째항이 42, 공차가 $29-42=-13$이므로 끝항 -88을 제n항이라고 하면

$42+(n-1)\times(-13)=-88$, $13n=143$ ∴ $n=11$

따라서 항수는 11이다.

첫째항부터 제n항까지의 합을 S_n이라고 하면

$S_{11}=\dfrac{11\times(42-88)}{2}=\underline{-253}$

(2) 첫째항이 15, 공차가 $8-15=-7$이므로 끝항 -69를 제n항이라고 하면

$15+(n-1)\times(-7)=-69$, $7n=91$ ∴ $n=13$

따라서 항수는 13이다.

첫째항부터 제n항까지의 합을 S_n이라고 하면

$S_{13}=\dfrac{13\times(15-69)}{2}=\underline{-351}$

(3) 첫째항이 3, 공차가 $5-3=2$이므로 끝항 77을 제n항이라고 하면

$3+(n-1)\times2=77$, $2n=76$ ∴ $n=38$

따라서 항수는 38이다.

첫째항부터 제n항까지의 합을 S_n이라고 하면
$$S_{38} = \frac{38 \times (3+77)}{2} = 1520$$

(4) 첫째항이 4, 공차가 $8-4=4$이므로 끝항 104를 제n항이라고 하면
$$4 + (n-1) \times 4 = 104, \ 4n = 104 \quad \therefore n = 26$$
따라서 항수는 26이다.
첫째항부터 제n항까지의 합을 S_n이라고 하면
$$S_{26} = \frac{26 \times (4+104)}{2} = 1404$$

(5) 첫째항이 -19, 공차가 $-16-(-19)=3$이므로 끝항 20을 제n항이라고 하면
$$-19 + (n-1) \times 3 = 20, \ 3n = 42 \quad \therefore n = 14$$
따라서 항수는 14이다.
첫째항부터 제n항까지의 합을 S_n이라고 하면
$$S_{14} = \frac{14 \times (-19+20)}{2} = 7$$

16 답 **(1)** 첫째항: 40, 공차: -3
    (2) 첫째항: 57, 공차: -4

풀이 **(1)** 첫째항을 a, 공차를 d라고 하면 제20항이 -17이므로 $a + 19d = -17$ ...... ㉠
첫째항부터 제n항까지의 합을 S_n이라고 하면
$$S_{20} = \frac{20 \times \{2a + (20-1)d\}}{2} = 230$$
$$\therefore 2a + 19d = 23 \quad\quad\quad ...... ㉡$$
㉠, ㉡을 연립하여 풀면 $a = \underline{40}$, $d = \underline{-3}$

(2) 첫째항을 a, 공차를 d라고 하면 제3항이 49이므로
$$a + 2d = 49 \quad\quad\quad ...... ㉠$$
첫째항부터 제n항까지의 합을 S_n이라고 하면
$$S_{10} = \frac{10 \times \{2a + (10-1)d\}}{2} = 390$$
$$\therefore 2a + 9d = 78 \quad\quad\quad ...... ㉡$$
㉠, ㉡을 연립하여 풀면 $a = 57$, $d = -4$

17 답 **(1)** $a_n = 7n - 2$
    (2) $a_n = 5n - 16$

풀이 **(1)** 첫째항을 a, 공차를 d, 첫째항부터 제n항까지의 합을 S_n이라고 하면
$$S_5 = \frac{5 \times \{2a + (5-1)d\}}{2} = 95$$
$$\therefore 2a + 4d = 38 \quad\quad\quad ...... ㉠$$
$$S_{10} = \frac{10 \times \{2a + (10-1)d\}}{2} = 365$$
$$\therefore 2a + 9d = 73 \quad\quad\quad ...... ㉡$$
㉠, ㉡을 연립하여 풀면 $a = 5$, $d = 7$
따라서 이 등차수열의 일반항 a_n은
$$a_n = 5 + (n-1) \times 7 = 7n - 2$$

(2) 첫째항을 a, 공차를 d, 첫째항부터 제n항까지의 합을 S_n이라고 하면
$$S_{10} = \frac{10 \times \{2a + (10-1)d\}}{2} = 115$$
$$\therefore 2a + 9d = 23 \quad\quad\quad ...... ㉠$$

$$S_{20} = \frac{20 \times \{2a + (20-1)d\}}{2} = 730$$
$$\therefore 2a + 19d = 73 \quad\quad\quad ...... ㉡$$
㉠, ㉡을 연립하여 풀면 $a = -11$, $d = 5$
따라서 이 등차수열의 일반항 a_n은
$$a_n = -11 + (n-1) \times 5 = 5n - 16$$

18 답 **(1)** 제8항까지의 합, 128
    (2) 제10항까지의 합, 100
    (3) 제15항까지의 합, -345

풀이 **(1)** 일반항 a_n을 구하면
$$a_n = 30 + (n-1) \times (-4) = -4n + 34$$
$a_n < 0$인 경우는 $-4n + 34 < 0$에서
$$n > \frac{34}{4} = 8.5$$
따라서 제8항까지는 양수이고, 제9항부터는 음수이므로 첫째항부터 제8항까지의 합이 최대가 된다.
이때 첫째항부터 제n항까지의 합을 S_n이라고 하면 구하는 최댓값은
$$S_8 = \frac{8 \times \{2 \times 30 + (8-1) \times (-4)\}}{2} = \underline{128}$$

(2) 일반항 a_n을 구하면
$$a_n = 19 + (n-1) \times (-2) = -2n + 21$$
$a_n < 0$인 경우는 $-2n + 21 < 0$에서
$$n > \frac{21}{2} = 10.5$$
따라서 제10항까지는 양수이고, 제11항부터는 음수이므로 첫째항부터 제10항까지의 합이 최대가 된다.
이때 첫째항부터 제n항까지의 합을 S_n이라고 하면 구하는 최댓값은
$$S_{10} = \frac{10 \times \{2 \times 19 + (10-1) \times (-2)\}}{2} = 100$$

(3) 일반항 a_n을 구하면
$$a_n = -44 + (n-1) \times 3 = 3n - 47$$
$a_n > 0$인 경우는 $3n - 47 > 0$에서
$$n > \frac{47}{3} = 15.666\cdots$$
따라서 제15항까지는 음수이고, 제16항부터는 양수이므로 첫째항부터 제15항까지의 합이 최소가 된다.
이때 첫째항부터 제n항까지의 합을 S_n이라고 하면 구하는 최솟값은
$$S_{15} = \frac{15 \times \{2 \times (-44) + (15-1) \times 3\}}{2} = -345$$

19 답 **(1)** $n = 9$, $d = 5$
    (2) $n = 10$, $d = -4$
    (3) $n = 13$, $d = 5$

풀이 **(1)** 첫째항이 -1, 끝항이 49, 항수가 $n+2$인 등차수열의 합이 264이므로
$$\frac{(n+2)(-1+49)}{2} = 264, \ n+2 = 11 \quad \therefore n = \underline{9}$$
따라서 49가 제11항이므로
$$-1 + 10d = 49, \ 10d = 50 \quad \therefore d = \underline{5}$$

(2) 첫째항이 52, 끝항이 8, 항수가 $n+2$인 등차수열의 합이 360이므로

$$\frac{(n+2)(52+8)}{2}=360,\ n+2=12 \quad \therefore n=10$$

따라서 8이 제12항이므로

$$52+11d=8,\ 11d=-44 \quad \therefore d=-4$$

(3) 첫째항이 -7, 끝항이 63, 항수가 $n+2$인 등차수열의 합이 420이므로

$$\frac{(n+2)(-7+63)}{2}=420,\ n+2=15 \quad \therefore n=13$$

따라서 63이 제15항이므로

$$-7+14d=63,\ 14d=70 \quad \therefore d=5$$

20 답 (1) 816 (2) 735

풀이 **(1)** 1과 100 사이에 있는 6의 배수는

$$6,\ 12,\ 18,\ 24,\ \cdots,\ 90,\ 96$$

이때 $96=6\times16$이므로 항수는 16이다.

따라서 구하는 총합은 첫째항이 6, 끝항이 96, 항수가 16인 등차수열의 합이므로

$$\frac{16\times(6+96)}{2}=\underline{816}$$

(2) 1과 100 사이에 있는 7의 배수는

$$7,\ 14,\ 21,\ 28,\ \cdots,\ 91,\ 98$$

이때 $98=7\times14$이므로 항수는 14이다.

따라서 구하는 총합은 첫째항이 7, 끝항이 98, 항수가 14인 등차수열의 합이므로

$$\frac{14\times(7+98)}{2}=735$$

21 답 (1) $a_n=2n$

(2) $a_n=4n-5$

(3) $a_n=6n+6$

(4) $a_1=-1,\ a_n=2n-4$ (단, $n\geq2$)

(5) $a_1=5,\ a_n=6n-2$ (단, $n\geq2$)

(6) $a_1=4,\ a_n=-4n+9$ (단, $n\geq2$)

풀이 **(1)** (i) $n=1$일 때,

$$a_1=S_1=1^2+1=2$$

(ii) $n\geq2$일 때,

$$a_n=S_n-S_{n-1}=(n^2+n)-\{(n-1)^2+n-1\}$$
$$=(n^3+n)-(n^2-n)=\underline{2n} \quad\cdots\cdots\ \bigcirc$$

그런데 $a_1=2$는 $\bigcirc$에 $n=1$을 대입한 값과 같으므로

$$a_n=\underline{2n}$$

(2) (i) $n=1$일 때,

$$a_1=S_1=2\times1^2-3\times1=-1$$

(ii) $n\geq2$일 때,

$$a_n=S_n-S_{n-1}$$
$$=(2n^2-3n)-\{2(n-1)^2-3(n-1)\}$$
$$=(2n^2-3n)-(2n^2-7n+5)$$
$$=4n-5 \quad\cdots\cdots\ \bigcirc$$

그런데 $a_1=-1$은 $\bigcirc$에 $n=1$을 대입한 값과 같으므로

$$a_n=4n-5$$

(3) (i) $n=1$일 때,

$$a_1=S_1=3\times1^2+9\times1=12$$

(ii) $n\geq2$일 때,

$$a_n=S_n-S_{n-1}$$
$$=(3n^2+9n)-\{3(n-1)^2+9(n-1)\}$$
$$=(3n^2+9n)-(3n^2+3n-6)$$
$$=6n+6 \quad\cdots\cdots\ \bigcirc$$

그런데 $a_1=12$는 $\bigcirc$에 $n=1$을 대입한 값과 같으므로

$$a_n=6n+6$$

(4) (i) $n=1$일 때,

$$a_1=S_1=1^2-3\times1+1=-1$$

(ii) $n\geq2$일 때,

$$a_n=S_n-S_{n-1}$$
$$=(n^2-3n+1)-\{(n-1)^2-3(n-1)+1\}$$
$$=(n^2-3n+1)-(n^2-5n+5)$$
$$=2n-4 \quad\cdots\cdots\ \bigcirc$$

그런데 $a_1=-1$은 $\bigcirc$에 $n=1$을 대입한 값과 다르므로

$$a_1=-1,\ a_n=2n-4\ (단,\ n\geq2)$$

(5) (i) $n=1$일 때,

$$a_1=S_1=3\times1^2+1+1=5$$

(ii) $n\geq2$일 때,

$$a_n=S_n-S_{n-1}$$
$$=(3n^2+n+1)-\{3(n-1)^2+(n-1)+1\}$$
$$=(3n^2+n+1)-(3n^2-5n+3)$$
$$=6n-2 \quad\cdots\cdots\ \bigcirc$$

그런데 $a_1=5$는 $\bigcirc$에 $n=1$을 대입한 값과 다르므로

$$a_1=5,\ a_n=6n-2\ (단,\ n\geq2)$$

(6) (i) $n=1$일 때,

$$a_1=S_1=-2\times1^2+7\times1-1=4$$

(ii) $n\geq2$일 때,

$$a_n=S_n-S_{n-1}$$
$$=(-2n^2+7n-1)$$
$$\qquad\qquad -\{-2(n-1)^2+7(n-1)-1\}$$
$$=(-2n^2+7n-1)-(-2n^2+11n-10)$$
$$=-4n+9 \quad\cdots\cdots\ \bigcirc$$

그런데 $a_1=4$는 $\bigcirc$에 $n=1$을 대입한 값과 다르므로

$$a_1=4,\ a_n=-4n+9\ (단,\ n\geq2)$$

22 답 (1) $a_n=3^{n-1}$ (2) $a_n=5\times2^{n-1}$

(3) $a_n=10^{n-1}$ (4) $a_n=2^{-n+2}$

(5) $a_n=2^{-2n+4}$ (6) $a_n=2\times3^{-n+2}$

(7) $a_n=(-2)^n$ (8) $a_n=(-5)\times(-2)^{-n+2}$

풀이 **(1)** 첫째항은 $a=1$, 공비는 $r=\dfrac{3}{1}=3$이므로

$$a_n=1\times\underline{3^{n-1}}=\underline{3^{n-1}}$$

(2) 첫째항은 $a=5$, 공비는 $r=\dfrac{10}{5}=2$이므로

$$a_n=5\times2^{n-1}$$

(3) 첫째항은 $a=1$, 공비는 $r=\dfrac{10}{1}=10$이므로

$a_n = 1 \times 10^{n-1} = 10^{n-1}$

(4) 첫째항은 $a=2$, 공비는 $r=\dfrac{1}{2}$이므로

$$a_n = 2 \times \left(\dfrac{1}{2}\right)^{n-1} = 2^{-n+2}$$

(5) 첫째항은 $a=4$, 공비는 $r=\dfrac{1}{4}$이므로

$$a_n = 4 \times \left(\dfrac{1}{4}\right)^{n-1} = 4^{-n+2} = 2^{-2n+4}$$

(6) 첫째항은 $a=6$, 공비는 $r=\dfrac{2}{6}=\dfrac{1}{3}$이므로

$$a_n = 6 \times \left(\dfrac{1}{3}\right)^{n-1} = 2 \times 3^{-n+2}$$

(7) 첫째항은 $a=-2$, 공비는 $r=\dfrac{4}{-2}=-2$이므로

$$a_n = -2 \times (-2)^{n-1} = (-2)^n$$

(8) 첫째항은 $a=10$, 공비는 $r=\dfrac{-5}{10}=-\dfrac{1}{2}$이므로

$$a_n = 10 \times \left(-\dfrac{1}{2}\right)^{n-1} = (-5) \times (-2)^{-n+2}$$

23 답 (1) 제9항   (2) 제9항
     (3) 제7항   (4) 제13항

풀이 (1) 첫째항이 3, 공비가 $\dfrac{6}{3}=2$이므로 등비수열의 일반

항을 a_n이라고 하면

$a_n = 3 \times 2^{n-1}$

768이 제n항이라고 하면

$3 \times 2^{n-1} = 768$에서 $2^{n-1} = 256$, $2^{n-1} = 2^8$

즉, $n-1=8$에서 $n=9$

따라서 768은 제9항이다.

(2) 첫째항이 $\dfrac{1}{27}$, 공비가 $\dfrac{\frac{1}{9}}{\frac{1}{27}}=3$이므로 등비수열의 일반

항을 a_n이라고 하면

$a_n = \dfrac{1}{27} \times 3^{n-1} = 3^{-3} \times 3^{n-1} = 3^{n-4}$

243이 제n항이라고 하면

$3^{n-4} = 243$에서 $3^{n-4} = 3^5$

즉, $n-4=5$에서 $n=9$

따라서 243은 제9항이다.

(3) 첫째항이 10, 공비가 $\dfrac{-\frac{5}{2}}{10}=-\dfrac{1}{4}$이므로 등비수열의

일반항을 a_n이라고 하면

$a_n = 10 \times \left(-\dfrac{1}{4}\right)^{n-1}$

$\dfrac{5}{2048}$가 제n항이라고 하면

$10 \times \left(-\dfrac{1}{4}\right)^{n-1} = \dfrac{5}{2048}$에서 $\left(-\dfrac{1}{4}\right)^{n-1} = \dfrac{1}{4096}$

$\left(-\dfrac{1}{4}\right)^{n-1} = \left(-\dfrac{1}{4}\right)^6$

즉, $n-1=6$에서 $n=7$

따라서 $\dfrac{5}{2048}$는 제7항이다.

(4) 첫째항이 1, 공비가 $\dfrac{\sqrt{2}}{1}=\sqrt{2}$이므로 등비수열의 일반항을

a_n이라고 하면

$a_n = (\sqrt{2})^{n-1}$

64가 제n항이라고 하면

$(\sqrt{2})^{n-1}=64$에서 $\left(2^{\frac{1}{2}}\right)^{n-1}=2^6$

즉, $\dfrac{n-1}{2}=6$에서 $n=13$

따라서 64는 제13항이다.

24 답 (1) 첫째항: 3, 공비: 3   (2) 첫째항: -12, 공비: 2
     (3) 첫째항: 12, 공비: $\dfrac{1}{2}$ (4) 첫째항: $\dfrac{5}{2}$, 공비: $\dfrac{1}{4}$
     (5) 첫째항: $\dfrac{8}{9}$, 공비: -3

풀이 (1) $a_1 = 3^1 = 3$, $a_2 = 3^2 = 9$이므로

$$\dfrac{a_2}{a_1} = \dfrac{9}{3} = 3$$

따라서 주어진 등비수열의 첫째항은 3, 공비는 3이다.

(2) $a_1 = -3 \times 2^{1+1} = -12$, $a_2 = -3 \times 2^{2+1} = -24$이므로

$$\dfrac{a_2}{a_1} = \dfrac{-24}{-12} = 2$$

따라서 주어진 등비수열의 첫째항은 -12, 공비는 2이다.

(3) $a_1 = 3 \times 2^{-1+3} = 12$, $a_2 = 3 \times 2^{-2+3} = 6$이므로

$$\dfrac{a_2}{a_1} = \dfrac{6}{12} = \dfrac{1}{2}$$

따라서 주어진 등비수열의 첫째항은 12, 공비는 $\dfrac{1}{2}$이다.

(4) $a_1 = 5 \times 2^{1-2\times 1} = \dfrac{5}{2}$, $a_2 = 5 \times 2^{1-2\times 2} = \dfrac{5}{8}$이므로

$$\dfrac{a_2}{a_1} = \dfrac{\frac{5}{8}}{\frac{5}{2}} = \dfrac{1}{4}$$

따라서 주어진 등비수열의 첫째항은 $\dfrac{5}{2}$, 공비는 $\dfrac{1}{4}$이다.

(5) $a_1 = 8 \times (-3)^{1-3} = \dfrac{8}{9}$, $a_2 = 8 \times (-3)^{2-3} = -\dfrac{8}{3}$이므로

$$\dfrac{a_2}{a_1} = \dfrac{-\frac{8}{3}}{\frac{8}{9}} = -3$$

따라서 주어진 등비수열의 첫째항은 $\dfrac{8}{9}$, 공비는 -3이다.

25 답 (1) $a_n = (-2)^{n-1}$ (2) $a_n = 3 \times (-2)^{n-1}$
     (3) $a_n = 5 \times 2^{n-3}$

풀이 (1) 등비수열의 첫째항을 a, 공비를 r라고 하면

$a_n = ar^{n-1}$

$a_4 = -8$이므로 $ar^3 = -8$ ...... ㉠

$a_7 = 64$이므로 $ar^6 = 64$ ...... ㉡

㉡÷㉠을 하면 $\dfrac{ar^6}{ar^3} = \dfrac{64}{-8} = -8$ $\therefore r^3 = -8$

이때 r는 실수이므로 $r=-2$

이 값을 ㉠에 대입하면 $-8a = -8$ $\therefore a=1$

$\therefore a_n = (-2)^{n-1}$

(2) 등비수열의 첫째항을 a, 공비를 r라고 하면 $a_n = ar^{n-1}$

$a_2 = -6$이므로 $ar = -6$ ...... ㉠

$a_5 = 48$이므로 $ar^4 = 48$ ...... ㉡

ⓒ÷ⓐ을 하면 $\dfrac{ar^4}{ar}=\dfrac{48}{-6}=-8$ ∴ $r^3=-8$

이때 r는 실수이므로 $r=-2$

이 값을 ⓐ에 대입하면 $-2a=-6$ ∴ $a=3$

∴ $a_n=3\times(-2)^{n-1}$

(3) 등비수열의 첫째항을 a, 공비를 r라고 하면 $a_n=ar^{n-1}$

$a_3=5$이므로 $ar^2=5$ ……ⓐ

$a_6=40$이므로 $ar^5=40$ ……ⓒ

ⓒ÷ⓐ을 하면 $\dfrac{ar^5}{ar^2}=\dfrac{40}{5}=8$ ∴ $r^3=8$

이때 r는 실수이므로 $r=2$

이 값을 ⓐ에 대입하면 $4a=5$ ∴ $a=\dfrac{5}{4}$

∴ $a_n=\dfrac{5}{4}\times2^{n-1}=5\times2^{n-3}$

26 답 (1) 첫째항: $3\sqrt{3}-3$, 공비: $\sqrt{3}$

(2) 첫째항: 20, 공비: 2

(3) 첫째항: $\dfrac{3}{2}$, 공비: $\dfrac{1}{4}$

풀이 (1) 등비수열의 첫째항을 a, 공비를 r, 일반항을 a_n이라고 하면 $a_n=ar^{n-1}$

$a+a_2=6$이므로 $a+ar=6$

$a(1+r)=6$ ……ⓐ

$a_3+a_4=18$이므로 $ar^2+ar^3=18$

$ar^2(1+r)=18$ ……ⓒ

ⓒ÷ⓐ을 하면 $\dfrac{ar^2(1+r)}{a(1+r)}=\dfrac{18}{6}=3$ ∴ $r^2=3$

이때 r는 양수이므로 $r=\sqrt{3}$

이 값을 ⓐ에 대입하면 $(1+\sqrt{3})a=6$ ∴ $a=3\sqrt{3}-3$

따라서 주어진 등비수열의 첫째항은 $3\sqrt{3}-3$, 공비는 $\sqrt{3}$이다.

(2) 등비수열의 첫째항을 a, 공비를 r, 일반항을 a_n이라고 하면 $a_n=ar^{n-1}$

$a_2+a_3=120$이므로 $ar+ar^2=120$

$ar(1+r)=120$ ……ⓐ

$a_4+a_5=480$이므로 $ar^3+ar^4=480$

$ar^3(1+r)=480$ ……ⓒ

ⓒ÷ⓐ을 하면 $\dfrac{ar^3(1+r)}{ar(1+r)}=\dfrac{480}{120}=4$ ∴ $r^2=4$

이때 r는 양수이므로 $r=2$

이 값을 ⓐ에 대입하면 $6a=120$ ∴ $a=20$

따라서 주어진 등비수열의 첫째항은 20, 공비는 2이다.

(3) 등비수열의 첫째항을 a, 공비를 r, 일반항을 a_n이라고 하면 $a_n=ar^{n-1}$

$a+ar=\dfrac{15}{8}$이므로 $a(1+r)=\dfrac{15}{8}$ ……ⓐ

$a_3+a_4=\dfrac{15}{128}$이므로 $ar^2+ar^3=\dfrac{15}{128}$

$ar^2(1+r)=\dfrac{15}{128}$ ……ⓒ

ⓒ÷ⓐ을 하면 $\dfrac{ar^2(1+r)}{a(1+r)}=\dfrac{\frac{15}{128}}{\frac{15}{8}}=\dfrac{1}{16}$

∴ $r^2=\dfrac{1}{16}$

이때 r는 양수이므로 $r=\dfrac{1}{4}$

이 값을 ⓐ에 대입하면 $\dfrac{5}{4}a=\dfrac{15}{8}$ ∴ $a=\dfrac{3}{2}$

따라서 주어진 등비수열의 첫째항은 $\dfrac{3}{2}$, 공비는 $\dfrac{1}{4}$이다.

27 답 (1) 10, 20, 40   (2) $\dfrac{4}{3}$, 4, 12

(3) 2, $2\sqrt{2}$, 4

풀이 (1) 등비수열의 첫째항이 5, 제5항이 80이므로 공비를 r, 일반항을 a_n이라고 하면

$a_n=5\times r^{n-1}$

$a_5=5\times r^4=80$에서 $r^4=16$

이때 이 등비수열의 모든 항이 양수이므로 $r=2$

5에서부터 80까지 공비 2씩 곱해 가면

5, 10, 20, 40, 80

따라서 구하는 세 수를 작은 순서로 나열하면 10, 20, 40이다.

(2) 등비수열의 첫째항이 36, 제5항이 $\dfrac{4}{9}$이므로 공비를 r, 일반항을 a_n이라고 하면

$a_n=36\times r^{n-1}$

$a_5=36\times r^4=\dfrac{4}{9}$에서 $r^4=\dfrac{1}{81}$

이때 이 등비수열의 모든 항이 양수이므로 $r=\dfrac{1}{3}$

36에서부터 $\dfrac{4}{9}$까지 공비 $\dfrac{1}{3}$씩 곱해 가면

36, 12, 4, $\dfrac{4}{3}$, $\dfrac{4}{9}$

따라서 구하는 세 수를 작은 순서로 나열하면 $\dfrac{4}{3}$, 4, 12이다.

(3) 등비수열의 첫째항이 $\sqrt{2}$, 제5항이 $4\sqrt{2}$이므로 공비를 r, 일반항을 a_n이라고 하면

$a_n=\sqrt{2}\times r^{n-1}$

$a_5=\sqrt{2}\times r^4=4\sqrt{2}$에서 $r^4=4$

이때 이 등비수열의 모든 항이 양수이므로 $r=\sqrt{2}$

$\sqrt{2}$에서부터 $4\sqrt{2}$까지 공비 $\sqrt{2}$씩 곱해 가면

$\sqrt{2}$, 2, $2\sqrt{2}$, 4, $4\sqrt{2}$

따라서 구하는 세 수를 작은 순서로 나열하면 2, $2\sqrt{2}$, 4이다.

28 답 (1) 6, 18, 54, 162   (2) 6, 12, 24, 48

(3) $\dfrac{1}{8}$, $\dfrac{3}{8}$, $\dfrac{9}{8}$, $\dfrac{27}{8}$

풀이 (1) 등비수열의 첫째항이 2, 제6항이 486이므로 공비를 r, 일반항을 a_n이라고 하면

$a_n=2\times r^{n-1}$

$a_6=2\times r^5=486$에서 $r^5=243$ ∴ $r=3$

2에서부터 486까지 공비 3씩 곱해 가면

2, 6, 18, 54, 162, 486

따라서 구하는 네 수를 작은 순서로 나열하면 6, 18, $\underline{54}$, 162이다.

(2) 등비수열의 첫째항이 3, 제6항이 96이므로 공비를 r, 일반항을 a_n이라고 하면

$a_n = 3 \times r^{n-1}$

$a_6 = 3 \times r^5 = 96$에서 $r^5 = 32$ $\therefore r = 2$

3에서부터 96까지 공비 2씩 곱해 가면

3, 6, 12, 24, 48, 96

따라서 구하는 네 수를 작은 순서로 나열하면

6, 12, 24, 48이다.

(3) 등비수열의 첫째항이 $\frac{1}{24}$, 제6항이 $\frac{81}{8}$이므로 공비를 r, 일반항을 a_n이라고 하면

$a_n = \frac{1}{24} \times r^{n-1}$

$a_6 = \frac{1}{24} \times r^5 = \frac{81}{8}$에서 $r^5 = 243$ $\therefore r = 3$

$\frac{1}{24}$에서부터 $\frac{81}{8}$까지 공비 3씩 곱해 가면

$\frac{1}{24}, \frac{1}{8}, \frac{3}{8}, \frac{9}{8}, \frac{27}{8}, \frac{81}{8}$

따라서 구하는 네 수를 작은 순서로 나열하면

$\frac{1}{8}, \frac{3}{8}, \frac{9}{8}, \frac{27}{8}$이다.

29 답 (1) 제7항 (2) 제10항

(3) 제8항 (4) 제7항

(5) 제11항 (6) 제9항

풀이 (1) 첫째항이 1, 공비가 5인 등비수열의 일반항 a_n은

$a_n = 1 \times 5^{n-1} = 5^{n-1}$

제n항이 처음으로 10000보다 커진다고 하면

$5^{n-1} > 10000$, $5^n \times 5^{-1} > 10000$, $5^n \times \frac{1}{5} > 10000$

$5^n > 50000$

이때 $5^6 = 15625$, $5^7 = 78125$이고 n은 자연수이므로

$n \geq \underline{7}$

따라서 처음으로 10000보다 커지는 항은 제7항이다.

(2) 첫째항이 3, 공비가 2인 등비수열의 일반항 a_n은

$a_n = 3 \times 2^{n-1}$

제n항이 처음으로 1000보다 커진다고 하면

$3 \times 2^{n-1} > 1000$, $2^{n-1} > \frac{1000}{3}$, $2^n \times 2^{-1} > \frac{1000}{3}$

$2^n \times \frac{1}{2} > \frac{1000}{3}$, $2^n > \frac{2000}{3} = 666.6\cdots$

이때 $2^9 = 512$, $2^{10} = 1024$이고 n은 자연수이므로 $n \geq 10$

따라서 처음으로 1000보다 커지는 항은 제10항이다.

(3) 첫째항이 2, 공비가 5인 등비수열의 일반항 a_n은

$a_n = 2 \times 5^{n-1}$

제n항이 처음으로 50000보다 커진다고 하면

$2 \times 5^{n-1} > 50000$, $5^{n-1} > 25000$, $5^n \times 5^{-1} > 25000$

$5^n \times \frac{1}{5} > 25000$, $5^n > 125000$

이때 $5^7 = 78125$, $5^8 = 390625$이고 n은 자연수이므로

$n \geq 8$

따라서 처음으로 50000보다 커지는 항은 제8항이다.

(4) 주어진 등비수열의 일반항 a_n은 $a_n = 300 \times \left(\frac{1}{3}\right)^{n-1}$

제n항이 처음으로 1보다 작아진다고 하면

$300 \times \left(\frac{1}{3}\right)^{n-1} < 1$, $\left(\frac{1}{3}\right)^{n-1} < \frac{1}{300}$

$\left(\frac{1}{3}\right)^n \times \left(\frac{1}{3}\right)^{-1} < \frac{1}{300}$, $\left(\frac{1}{3}\right)^n < \frac{1}{900}$

이때 $\left(\frac{1}{3}\right)^6 = \frac{1}{729}$, $\left(\frac{1}{3}\right)^7 = \frac{1}{2187}$이고 n은 자연수이므로

$n \geq 7$

따라서 처음으로 1보다 작아지는 항은 제7항이다.

(5) 주어진 등비수열의 일반항 a_n은 $a_n = 1024 \times \left(\frac{1}{2}\right)^{n-1}$

제n항이 처음으로 2보다 작아진다고 하면

$1024 \times \left(\frac{1}{2}\right)^{n-1} < 2$, $\left(\frac{1}{2}\right)^{n-1} < \frac{1}{512}$

$\left(\frac{1}{2}\right)^n \times \left(\frac{1}{2}\right)^{-1} < \frac{1}{512}$, $\left(\frac{1}{2}\right)^n < \frac{1}{1024}$

이때 $\left(\frac{1}{2}\right)^{10} = \frac{1}{1024}$, $\left(\frac{1}{2}\right)^{11} = \frac{1}{2048}$이고 n은 자연수이므로 $n \geq 11$

따라서 처음으로 2보다 작아지는 항은 제11항이다.

(6) 주어진 등비수열의 일반항 a_n은 $a_n = 9 \times \left(\frac{1}{3}\right)^{n-1}$

제n항이 처음으로 $\frac{1}{500}$보다 작아진다고 하면

$9 \times \left(\frac{1}{3}\right)^{n-1} < \frac{1}{500}$, $\left(\frac{1}{3}\right)^{n-1} < \frac{1}{4500}$

$\left(\frac{1}{3}\right)^n \times \left(\frac{1}{3}\right)^{-1} < \frac{1}{4500}$, $\left(\frac{1}{3}\right)^n < \frac{1}{13500}$

이때 $\left(\frac{1}{3}\right)^8 = \frac{1}{6561}$, $\left(\frac{1}{3}\right)^9 = \frac{1}{19683}$이고 n은 자연수이므로 $n \geq 9$

따라서 처음으로 $\frac{1}{500}$보다 작아지는 항은 제9항이다.

30 답 (1) $-\frac{3}{2}$, 3 (2) -1, 3

(3) $-\frac{1}{2}$, 5 (4) -7

풀이 (1) 세 수 x, $x+6$, $9x$가 이 순서로 등비수열을 이루므로

$(x+6)^2 = x \times 9x$에서 $8x^2 - 12x - 36 = 0$

$2x^2 - 3x - 9 = 0$, $(2x+3)(x-3) = 0$

$\therefore x = -\frac{3}{2}$ 또는 $x = 3$

참고 $x = -\frac{3}{2}$일 때, 세 수는 $-\frac{3}{2}, \frac{9}{2}, -\frac{27}{2}$로

첫째항이 $-\frac{3}{2}$, 공비가 -3인 등비수열이다.

$x = 3$일 때, 세 수는 3, 9, 27로 첫째항이 3, 공비가 3인 등비수열이다.

(2) 세 수 x, $x+3$, $4x$가 이 순서로 등비수열을 이루므로

$(x+3)^2 = x \times 4x$에서 $3x^2 - 6x - 9 = 0$

$x^2 - 2x - 3 = 0$, $(x+1)(x-3) = 0$

$\therefore x=-1$ 또는 $x=3$

참고 $x=-1$일 때, 세 수는 -1, 2, -4로 첫째항이 -1, 공비가 -2인 등비수열이다.

$x=3$일 때, 세 수는 3, 6, 12로 첫째항이 3, 공비가 2인 등비수열이다.

(3) 세 수 $x-4$, $x-1$, $3x+1$이 이 순서로 등비수열을 이루므로

$(x-1)^2=(x-4)(3x+1)$에서 $2x^2-9x-5=0$

$(2x+1)(x-5)=0$

$\therefore x=-\dfrac{1}{2}$ 또는 $x=5$

참고 $x=-\dfrac{1}{2}$일 때, 세 수는 $-\dfrac{9}{2}$, $-\dfrac{3}{2}$, $-\dfrac{1}{2}$로

첫째항이 $-\dfrac{9}{2}$, 공비가 $\dfrac{1}{3}$인 등비수열이다.

$x=5$일 때, 세 수는 1, 4, 16으로 첫째항이 1, 공비가 4인 등비수열이다.

(4) 세 수 $x-2$, $x+10$, $x+6$이 이 순서로 등비수열을 이루므로

$(x+10)^2=(x-2)(x+6)$에서 $16x=-112$

$\therefore x=-7$

31 **답** (1) 1, 2, 4 (2) -8, -2, 4

풀이 (1) 세 수를 a, ar, ar^2으로 놓으면

세 수의 합이 7이므로 $a+ar+ar^2=7$

$\therefore a(1+r+r^2)=7$ ...... ㉠

세 수의 곱이 8이므로 $a\times ar\times ar^2=8$

$(ar)^3=8$

$\therefore ar=2$ ...... ㉡

㉠$\div$㉡을 하면 $\dfrac{a(1+r+r^2)}{ar}=\dfrac{7}{2}$, $\dfrac{1+r+r^2}{r}=\dfrac{7}{2}$

$2+2r+2r^2=7r$, $2r^2-5r+2=0$

$(r-2)(2r-1)=0$ $\therefore r=2$ 또는 $r=\dfrac{1}{2}$

㉡에서 $r=2$일 때 $a=1$이므로 세 실수는 1, 2, 4,

$r=\dfrac{1}{2}$일 때 $a=4$이므로 세 실수는 4, 2, 1이다.

따라서 세 수를 작은 수부터 나열하면 1, 2, 4이다.

(2) 세 수를 a, ar, ar^2으로 놓으면

세 수의 합이 -6이므로 $a+ar+ar^2=-6$

$\therefore a(1+r+r^2)=-6$ ...... ㉠

세 수의 곱이 64이므로 $a\times ar\times ar^2=64$

$(ar)^3=64$

$\therefore ar=4$ ...... ㉡

㉠$\div$㉡을 하면

$\dfrac{a(1+r+r^2)}{ar}=\dfrac{-6}{4}$, $\dfrac{1+r+r^2}{r}=-\dfrac{3}{2}$

$2+2r+2r^2=-3r$, $2r^2+5r+2=0$

$(r+2)(2r+1)=0$ $\therefore r=-2$ 또는 $r=-\dfrac{1}{2}$

$r=-2$일 때 $a=-2$이므로 세 수는 -2, 4, -8

$r=-\dfrac{1}{2}$일 때 $a=-8$이므로 세 수는 -8, 4, -2이다.

따라서 세 수를 작은 수부터 나열하면 -8, -2, 4이다.

32 **답** (1) $S_n=\dfrac{3}{2}(3^n-1)$ (2) $S_n=\dfrac{1}{12}(4^n-1)$

(3) $S_n=\dfrac{5}{4}(5^n-1)$ (4) $S_n=(\sqrt{2}+1)\{(\sqrt{2})^n-1\}$

(5) $S_n=\dfrac{3}{2}\left\{1-\left(\dfrac{1}{3}\right)^n\right\}$ (6) $S_n=\dfrac{625}{4}\left\{1-\left(\dfrac{1}{5}\right)^n\right\}$

(7) $S_n=\dfrac{1}{3}\left\{1-\left(-\dfrac{1}{2}\right)^n\right\}$ (8) $S_n=\dfrac{81}{4}\left\{1-\left(-\dfrac{1}{3}\right)^n\right\}$

풀이 (1) 첫째항이 3, 공비가 3이므로

$S_n=\dfrac{3\times(3^n-1)}{3-1}=\dfrac{3}{2}(3^n-1)$

(2) 첫째항이 $\dfrac{1}{4}$, 공비가 4이므로

$S_n=\dfrac{\dfrac{1}{4}\times(4^n-1)}{4-1}=\dfrac{1}{12}(4^n-1)$

(3) 첫째항이 5, 공비가 5이므로

$S_n=\dfrac{5\times(5^n-1)}{5-1}=\dfrac{5}{4}(5^n-1)$

(4) 첫째항이 1, 공비가 $\sqrt{2}$이므로

$S_n=\dfrac{1\times\{(\sqrt{2})^n-1\}}{\sqrt{2}-1}=(\sqrt{2}+1)\{(\sqrt{2})^n-1\}$

(5) 첫째항이 1, 공비가 $\dfrac{1}{3}$이므로

$S_n=\dfrac{1\times\left\{1-\left(\dfrac{1}{3}\right)^n\right\}}{1-\dfrac{1}{3}}=\dfrac{3}{2}\left\{1-\left(\dfrac{1}{3}\right)^n\right\}$

(6) 첫째항이 125, 공비가 $\dfrac{1}{5}$이므로

$S_n=\dfrac{125\left\{1-\left(\dfrac{1}{5}\right)^n\right\}}{1-\dfrac{1}{5}}=\dfrac{125\left\{1-\left(\dfrac{1}{5}\right)^n\right\}}{\dfrac{4}{5}}$

$=\dfrac{625}{4}\left\{1-\left(\dfrac{1}{5}\right)^n\right\}$

(7) 첫째항이 $\dfrac{1}{2}$, 공비가 $-\dfrac{1}{2}$이므로

$S_n=\dfrac{\dfrac{1}{2}\left\{1-\left(-\dfrac{1}{2}\right)^n\right\}}{1-\left(-\dfrac{1}{2}\right)}=\dfrac{1}{3}\left\{1-\left(-\dfrac{1}{2}\right)^n\right\}$

(8) 첫째항이 27, 공비가 $-\dfrac{1}{3}$이므로

$S_n=\dfrac{27\left\{1-\left(-\dfrac{1}{3}\right)^n\right\}}{1-\left(-\dfrac{1}{3}\right)}=\dfrac{81}{4}\left\{1-\left(-\dfrac{1}{3}\right)^n\right\}$

33 **답** (1) 511 (2) 2730

(3) 1094 (4) 11111111

(5) $\dfrac{341}{128}$

풀이 (1) 256을 제n항이라고 하면 첫째항이 1, 공비가 2이므로

$2^{n-1}=256$에서 $2^{n-1}=2^8$, $n-1=8$ $\therefore n=9$

첫째항부터 제n항까지의 합을 S_n이라고 하면

$S_9=\dfrac{2^9-1}{2-1}=511$

(2) 2048을 제n항이라고 하면 첫째항이 2, 공비가 4이므로

$2 \times 4^{n-1} = 2048$에서 $4^{n-1} = 1024$

$2^{2n-2} = 2^{10}$, $2n-2 = 10$ ∴ $n = 6$

첫째항부터 제n항까지의 합을 S_n이라고 하면

$S_6 = \dfrac{2 \times (4^6 - 1)}{4 - 1} = \dfrac{2 \times 4095}{3} = 2730$

(3) 1458을 제n항이라고 하면

첫째항이 2, 공비가 -3이므로

$2 \times (-3)^{n-1} = 1458$에서 $(-3)^{n-1} = 729$

이때 $729 = 3^6$이므로 $(-3)^{n-1} = (-3)^6$

$n - 1 = 6$ ∴ $n = 7$

첫째항부터 제n항까지의 합을 S_n이라고 하면

$S_7 = \dfrac{2 \times \{1 - (-3)^7\}}{1 - (-3)} = \dfrac{2 \times 2188}{4} = 1094$

(4) 이 등비수열의 첫째항은 1, 공비는 10이고, 10^7은 제8항

이므로 첫째항부터 제n항까지의 합을 S_n이라고 하면

$S_8 = \dfrac{10^8 - 1}{10 - 1} = \dfrac{100000000 - 1}{9} = \dfrac{99999999}{9}$

$= 11111111$

(5) $-\dfrac{1}{128}$을 제n항이라고 하면 첫째항이 4, 공비가 $-\dfrac{1}{2}$

이므로

$a_n = 4 \times \left(-\dfrac{1}{2}\right)^{n-1} = -\dfrac{1}{128}$, $\left(-\dfrac{1}{2}\right)^{n-1} = -\dfrac{1}{512}$

이때 $512 = 2^9$이므로 $\left(-\dfrac{1}{2}\right)^{n-1} = \left(-\dfrac{1}{2}\right)^9$

$n - 1 = 9$ ∴ $n = 10$

첫째항부터 제n항까지의 합을 S_n이라고 하면

$S_{10} = \dfrac{4 \times \left\{1 - \left(-\dfrac{1}{2}\right)^{10}\right\}}{1 - \left(-\dfrac{1}{2}\right)} = \dfrac{4 \times \left(1 - \dfrac{1}{1024}\right)}{\dfrac{3}{2}}$

$= \dfrac{4 \times \dfrac{1023}{1024}}{\dfrac{3}{2}} = \dfrac{341}{128}$

34 답 (1) 315   (2) $6 + 7\sqrt{2}$ (3) 189

풀이 (1) 첫째항을 a, 공비를 r, 일반항을 a_n, 첫째항부터

제n항까지의 합을 S_n이라고 하면

$a_1 + a_3 = 25$이므로 $a + ar^2 = 25$

∴ $a(1 + r^2) = 25$ ······ ㉠

$a_3 + a_5 = 100$이므로 $ar^2 + ar^4 = 100$

∴ $ar^2(1 + r^2) = 100$ ······ ㉡

㉡÷㉠을 하면 $\dfrac{ar^2(1 + r^2)}{a(1 + r^2)} = \dfrac{100}{25} = 4$ ∴ $r^2 = 4$

이때 r는 양수이므로 $r = 2$

이 값을 ㉠에 대입하면 $5a = 25$ ∴ $a = \underline{5}$

∴ $S_6 = \dfrac{5 \times (2^6 - 1)}{2 - 1} = \underline{315}$

(2) 첫째항을 a, 공비를 r, 일반항을 a_n, 첫째항부터 제n항

까지의 합을 S_n이라고 하면

$a_1 + a_3 = 3\sqrt{2}$이므로 $a + ar^2 = 3\sqrt{2}$

∴ $a(1 + r^2) = 3\sqrt{2}$ ······ ㉠

$a_3 + a_5 = 6\sqrt{2}$이므로 $ar^2 + ar^4 = 6\sqrt{2}$

∴ $ar^2(1 + r^2) = 6\sqrt{2}$ ······ ㉡

㉡÷㉠을 하면 $\dfrac{ar^2(1 + r^2)}{a(1 + r^2)} = \dfrac{6\sqrt{2}}{3\sqrt{2}} = 2$ ∴ $r^2 = 2$

이때 r는 양수이므로 $r = \sqrt{2}$

이 값을 ㉠에 대입하면 $3a = 3\sqrt{2}$ ∴ $a = \sqrt{2}$

∴ $S_5 = \dfrac{\sqrt{2}\{(\sqrt{2})^5 - 1\}}{\sqrt{2} - 1} = \dfrac{8 - \sqrt{2}}{\sqrt{2} - 1} = 6 + 7\sqrt{2}$

(3) 첫째항을 a, 공비를 r, 일반항을 a_n, 첫째항부터 제n항

까지의 합을 S_n이라고 하면

$a_2 + a_4 = 30$이므로 $ar + ar^3 = 30$

$ar(1 + r^2) = 30$ ······ ㉠

$a_4 + a_6 = 120$이므로 $ar^3 + ar^5 = 120$

$ar^3(1 + r^2) = 120$ ······ ㉡

㉡÷㉠을 하면 $\dfrac{ar^3(1 + r^2)}{ar(1 + r^2)} = \dfrac{120}{30} = 4$ ∴ $r^2 = 4$

이때 r는 양수이므로 $r = 2$

이 값을 ㉠에 대입하면 $10a = 30$ ∴ $a = 3$

∴ $S_6 = \dfrac{3 \times (2^6 - 1)}{2 - 1} = 189$

35 답 (1) $a_n = 3^{n-1}$ (2) $a_n = -2 \times 3^{n-1}$

(3) $a_n = \left(\dfrac{1}{2}\right)^n$

풀이 (1) 첫째항을 a, 공비를 r, 첫째항부터 제n항까지의

합을 S_n이라고 하면

$S_3 = 13$이므로 $\dfrac{a(1 - r^3)}{1 - r} = 13$ ······ ㉠

$S_6 = 364$이므로 $\dfrac{a(1 - r^6)}{1 - r} = 364$

∴ $\dfrac{a(1 - r^3)(1 + r^3)}{1 - r} = 364$ ······ ㉡

㉠을 ㉡에 대입하면 $13(1 + r^3) = 364$, $1 + r^3 = 28$

$r^3 = 27$

이때 r는 실수이므로 $r = \underline{3}$

이 값을 ㉠에 대입하면 $-26a = -26$ ∴ $a = \underline{1}$

∴ $a_n = \underline{3^{n-1}}$

(2) 첫째항을 a, 공비를 r, 첫째항부터 제n항까지의 합을 S_n

이라고 하면

$S_3 = -26$이므로 $\dfrac{a(1 - r^3)}{1 - r} = -26$ ······ ㉠

$S_6 = -728$이므로 $\dfrac{a(1 - r^6)}{1 - r} = -728$

∴ $\dfrac{a(1 - r^3)(1 + r^3)}{1 - r} = -728$ ······ ㉡

㉠을 ㉡에 대입하면 $-26(1 + r^3) = -728$

$1 + r^3 = 28$, $r^3 = 27$

이때 r는 실수이므로 $r = 3$

이 값을 ㉠에 대입하면 $-26a = 52$ ∴ $a = -2$

∴ $a_n = -2 \times 3^{n-1}$

(3) 첫째항을 a, 공비를 r, 첫째항부터 제n항까지의 합을 S_n
이라고 하면

$S_5 = \dfrac{31}{32}$이므로 $\dfrac{a(1-r^5)}{1-r} = \dfrac{31}{32}$ ······ ㉠

$S_{10} = \dfrac{1023}{1024}$이므로 $\dfrac{a(1-r^{10})}{1-r} = \dfrac{1023}{1024}$

$\therefore \dfrac{a(1-r^5)(1+r^5)}{1-r} = \dfrac{1023}{1024}$ ······ ㉡

㉠을 ㉡에 대입하면 $\dfrac{31}{32}(1+r^5) = \dfrac{1023}{1024}$

$1+r^5 = \dfrac{1023}{1024} \times \dfrac{32}{31} = \dfrac{33}{32}$, $r^5 = \dfrac{1}{32}$

이때 r는 실수이므로 $r = \dfrac{1}{2}$

이 값을 ㉠에 대입하면

$\dfrac{a\left\{1-\left(\dfrac{1}{2}\right)^5\right\}}{1-\dfrac{1}{2}} = \dfrac{31}{32}$, $\dfrac{\dfrac{31}{32}a}{\dfrac{1}{2}} = \dfrac{31}{32}$ $\therefore a = \dfrac{1}{2}$

$\therefore a_n = \dfrac{1}{2} \times \left(\dfrac{1}{2}\right)^{n-1} = \left(\dfrac{1}{2}\right)^n$

36 답 **(1)** $x \neq 0$일 때 $S_n = \dfrac{(x+1)^n - 1}{x}$, $x = 0$일 때 $S_n = n$

(2) $S_n = (x+1)^n - 1$

(3) $S_n = \dfrac{(x+1)^{2n} - 1}{x+2}$

(4) $x \neq -1$일 때 $S_n = \dfrac{x\{1-(-x)^n\}}{1+x}$,

$x = -1$일 때 $S_n = -n$

풀이 (1) 첫째항이 1, 공비가 $x+1$이므로

(i) $x+1 = 1$일 때, 즉 $x = 0$일 때,

$S_n = 1+1+1+\cdots+1 = \underline{n}$

(ii) $x+1 \neq 1$일 때, 즉 $x \neq 0$일 때,

$S_n = \dfrac{1 \times \{(x+1)^n - 1\}}{(x+1)-1} = \underline{\dfrac{(x+1)^n - 1}{x}}$

(2) 첫째항이 x, 공비가 $x+1$이고, $x > 0$이므로

$x+1 \neq 1$

$\therefore S_n = \dfrac{x\{(x+1)^n - 1\}}{(x+1)-1} = (x+1)^n - 1$

(3) 첫째항이 x, 공비가 $(x+1)^2$이고, $x > 0$이므로

$(x+1)^2 \neq 1$

$\therefore S_n = \dfrac{x[\{(x+1)^2\}^n - 1]}{(x+1)^2 - 1}$

$= \dfrac{x\{(x+1)^{2n} - 1\}}{x^2 + 2x}$

$= \dfrac{(x+1)^{2n} - 1}{x+2}$

(4) 첫째항이 x, 공비가 $-x$이므로

(i) $-x = 1$일 때, 즉 $x = -1$일 때,

$S_n = (-1)+(-1)+(-1)+\cdots+(-1) = -n$

(ii) $-x \neq 1$일 때, 즉 $x \neq -1$일 때,

$S_n = \dfrac{x\{1-(-x)^n\}}{1-(-x)} = \dfrac{x\{1-(-x)^n\}}{1+x}$

37 답 **(1)** $a_n = 2 \times 3^n$ **(2)** $a_n = 3 \times 4^n$

(3) $a_n = \dfrac{4}{5} \times 5^n$ **(4)** $a_1 = 3$, $a_n = 2^{n-1}$ (단, $n \geq 2$)

(5) $a_1 = 24$, $a_n = 4 \times 5^n$ (단, $n \geq 2$)

풀이 (1) (i) $n = 1$일 때, $a_1 = S_1 = 3^2 - 3 = 6$

(ii) $n \geq 2$일 때,

$a_n = S_n - S_{n-1} = (3^{n+1} - 3) - (3^n - 3) = 3^{n+1} - 3^n$

$= 3 \times 3^n - 3^n = (3-1) \times 3^n$

$= \underline{2 \times 3^n}$ ······ ㉠

그런데 $a_1 = 6$은 ㉠에 $n = 1$을 대입한 값과 같으므로

$a_n = 2 \times 3^n$

(2) (i) $n = 1$일 때, $a_1 = S_1 = 4^2 - 4 = 12$

(ii) $n \geq 2$일 때,

$a_n = S_n - S_{n-1}$

$= (4^{n+1} - 4) - (4^n - 4) = 4^{n+1} - 4^n$

$= 4 \times 4^n - 4^n = (4-1) \times 4^n = 3 \times 4^n$ ······ ㉠

그런데 $a_1 = 12$는 ㉠에 $n = 1$을 대입한 값과 같으므로

$a_n = 3 \times 4^n$

(3) (i) $n = 1$일 때, $a_1 = S_1 = 5 - 1 = 4$

(ii) $n \geq 2$일 때,

$a_n = S_n - S_{n-1}$

$= (5^n - 1) - (5^{n-1} - 1) = 5^n - 5^{n-1}$

$= 5^n - (5^n \times 5^{-1}) = \left(1 - \dfrac{1}{5}\right) \times 5^n$

$= \dfrac{4}{5} \times 5^n$ ······ ㉠

그런데 $a_1 = 4$는 ㉠에 $n = 1$을 대입한 값과 같으므로

$a_n = \dfrac{4}{5} \times 5^n$

(4) (i) $n = 1$일 때, $a_1 = S_1 = 2 + 1 = 3$

(ii) $n \geq 2$일 때,

$a_n = S_n - S_{n-1}$

$= (2^n + 1) - (2^{n-1} + 1)$

$= 2^n - 2^{n-1} = 2^n - (2^n \times 2^{-1})$

$= \left(1 - \dfrac{1}{2}\right) \times 2^n = \dfrac{1}{2} \times 2^n = 2^{n-1}$ ······ ㉠

그런데 $a_1 = 3$은 ㉠에 $n = 1$을 대입한 값과 다르므로

$a_1 = 3$, $a_n = 2^{n-1}$ (단, $n \geq 2$)

(5) (i) $n = 1$일 때, $a_1 = S_1 = 5^2 - 1 = 24$

(ii) $n \geq 2$일 때,

$a_n = S_n - S_{n-1}$

$= (5^{n+1} - 1) - (5^n - 1)$

$= 5^{n+1} - 5^n = 5 \times 5^n - 5^n$

$= (5-1) \times 5^n = 4 \times 5^n$ ······ ㉠

그런데 $a_1 = 24$는 ㉠에 $n = 1$을 대입한 값과 다르므로

$a_1 = 24$, $a_n = 4 \times 5^n$ (단, $n \geq 2$)

38 답 **(1)** -3 **(2)** -2

(3) -4 **(4)** -6

풀이 (1) (i) $n = 1$일 때, $a_1 = S_1 = 12 + k$ ······ ㉠

(ii) $n \geq 2$일 때,

$$a_n = S_n - S_{n-1}$$
$$= (3 \times 4^n + k) - (3 \times 4^{n-1} + k)$$
$$= 3 \times 4 \times 4^{n-1} - 3 \times 4^{n-1} = (12-3) \times 4^{n-1}$$
$$= 9 \times 4^{n-1} \qquad \cdots\cdots \text{ⓛ}$$

첫째항부터 등비수열을 이루려면 ⓛ에 $n=1$을 대입한 값이 ㉠과 같아야 하므로

$9 \times 4^{1-1} = 12+k$, $\underline{9} = 12+k$ $\quad \therefore k = \underline{-3}$

(2) (i) $n=1$일 때, $a_1 = S_1 = 6+k$ $\qquad \cdots\cdots \text{㉠}$

(ii) $n \geq 2$일 때,

$$a_n = S_n - S_{n-1}$$
$$= (2 \times 3^n + k) - (2 \times 3^{n-1} + k)$$
$$= 2 \times 3 \times 3^{n-1} - 2 \times 3^{n-1}$$
$$= (6-2) \times 3^{n-1} = 4 \times 3^{n-1} \qquad \cdots\cdots \text{ⓛ}$$

첫째항부터 등비수열을 이루려면 ⓛ에 $n=1$을 대입한 값이 ㉠과 같아야 하므로

$4 \times 3^{1-1} = 6+k$, $4 = 6+k$ $\quad \therefore k = -2$

(3) (i) $n=1$일 때, $a_1 = S_1 = 20+k$ $\qquad \cdots\cdots \text{㉠}$

(ii) $n \geq 2$일 때,

$$a_n = S_n - S_{n-1}$$
$$= (4 \times 5^n + k) - (4 \times 5^{n-1} + k)$$
$$= 4 \times 5 \times 5^{n-1} - 4 \times 5^{n-1}$$
$$= (20-4) \times 5^{n-1} = 16 \times 5^{n-1} \qquad \cdots\cdots \text{ⓛ}$$

첫째항부터 등비수열을 이루려면 ⓛ에 $n=1$을 대입한 값이 ㉠과 같아야 하므로

$16 \times 5^{1-1} = 20+k$, $16 = 20+k$ $\quad \therefore k = -4$

(4) (i) $n=1$일 때, $a_1 = S_1 = 2 \times 3^3 + k = 54+k$ $\qquad \cdots\cdots \text{㉠}$

(ii) $n \geq 2$일 때,

$$a_n = S_n - S_{n-1}$$
$$= (2 \times 3^{2n+1} + k) - (2 \times 3^{2n-1} + k)$$
$$= 2 \times 3^2 \times 3^{2n-1} - 2 \times 3^{2n-1}$$
$$= (18-2) \times 3^{2n-1} = 16 \times 3^{2n-1} \qquad \cdots\cdots \text{ⓛ}$$

첫째항부터 등비수열을 이루려면 ⓛ에 $n=1$을 대입한 값이 ㉠과 같아야 하므로

$16 \times 3^{2-1} = 54+k$, $48 = 54+k$ $\quad \therefore k = -6$

39 답 (1) 30만 원 (2) 120만 원

풀이 (1) 1년 후의 원리합계는

$20 + (20 \times 0.05) = 20(1+0.05)$(만 원)

2년 후의 원리합계는

$20 + (20 \times 0.05) + (20 \times 0.05) = 20(1+2 \times 0.05)$(만 원)

3년 후의 원리합계는

$20 + (20 \times 0.05) + (20 \times 0.05) + (20 \times 0.05)$
$= 20(1+3 \times 0.05)$(만 원)

$$\vdots$$

이므로 10년 후의 원리합계는

$20(1+10 \times 0.05) = 20 \times \underline{1.5} = \underline{30}$(만 원)

(2) 1년 후의 원리합계는

$100 + (100 \times 0.02) = 100(1+0.02)$

2년 후의 원리합계는

$100 + (100 \times 0.02) + (100 \times 0.02) = 100(1+2 \times 0.02)$

3년 후의 원리합계는

$100 + (100 \times 0.02) + (100 \times 0.02) + (100 \times 0.02)$
$= 100(1+3 \times 0.02)$

$$\vdots$$

이므로 10년 후의 원리합계는

$100 + (1+10 \times 0.02) = 100 \times 1.2 = 120$(만 원)

40 답 (1) 32만 원 (2) 120만 원

풀이 (1) 1년 후의 원리합계는

$20 + 20 \times 0.05 = 20(1+0.05)$(만 원)

2년 후의 원리합계는

$20(1+0.05) + 20(1+0.05) \times 0.05$
$= 20(1+0.05)(1+0.05) = 20(1+0.05)^2$(만 원)

3년 후의 원리합계는

$20(1+0.05)^2 + 20(1+0.05)^2 \times 0.05$
$= 20(1+0.05)^2(1+0.05) = 20(1+0.05)^3$(만 원)

$$\vdots$$

이므로 10년 후의 원리합계는

$20(1+0.05)^{10} = 20 \times 1.05^{10} = 20 \times 1.6 = \underline{32}$(만 원)

(2) 1년 후의 원리합계는

$100 + 100 \times 0.02 = 100(1+0.02)$(만 원)

2년 후의 원리합계는

$100(1+0.02) + 100(1+0.02) \times 0.02$
$= 100(1+0.02)(1+0.02) = 100(1+0.02)^2$(만 원)

3년 후의 원리합계는

$100(1+0.02)^2 + 100(1+0.02)^2 \times 0.02$
$= 100(1+0.02)^2(1+0.02) = 100(1+0.02)^3$(만 원)

$$\vdots$$

이므로 10년 후의 원리합계는

$100(1+0.02)^{10} = 100 \times 1.02^{10} = 100 \times 1.2$
$$= 120(만 원)$$

41 답 (1) 424만 원 (2) 504만 원
(3) 816만 원

풀이 (1) 10년 후의 원리합계를 S라고 하면

$$S = 30 \times 1.06 + 30 \times 1.06^2 + \cdots + 30 \times 1.06^{10}$$
$$= \frac{30 \times 1.06 \times (1.06^{10}-1)}{1.06-1}$$
$$= \frac{30 \times 1.06 \times (1.8-1)}{0.06} = \underline{424}(만 원)$$

(2) 10년 후의 원리합계를 S라고 하면

$$S = 40 \times 1.05 + 40 \times 1.05^2 + \cdots + 40 \times 1.05^{10}$$
$$= \frac{40 \times 1.05 \times (1.05^{10}-1)}{1.05-1}$$
$$= \frac{40 \times 1.05 \times (1.6-1)}{0.05} = 504(만 원)$$

(3) 10년 후의 원리합계를 S라고 하면
$$S=80\times1.02+80\times1.02^2+\cdots+80\times1.02^{10}$$
$$=\frac{80\times1.02\times(1.02^{10}-1)}{1.02-1}$$
$$=\frac{80\times1.02\times(1.2-1)}{0.02}=816(만\ 원)$$

42 답 (1) 1750만 원　　　　　(2) 3600만 원
　　　　(3) 1000만 원

풀이 (1) 10년 후의 원리합계를 S라고 하면
$$S=100+100\times1.12+100\times1.12^2+\cdots+100\times1.12^9$$
$$=\frac{100\times(1.12^{10}-1)}{1.12-1}=\frac{100\times(3.1-1)}{0.12}$$
$$=1750(만\ 원)$$

(2) 10년 후의 원리합계를 S라고 하면
$$S=300+300\times1.05+300\times1.05^2+\cdots+300\times1.05^9$$
$$=\frac{300\times(1.05^{10}-1)}{1.05-1}=\frac{300\times(1.6-1)}{0.05}$$
$$=3600(만\ 원)$$

(3) 10년 후의 원리합계를 S라고 하면
$$S=80+80\times1.04+80\times1.04^2+\cdots+80\times1.04^9$$
$$=\frac{80\times(1.04^{10}-1)}{1.04-1}=\frac{80\times(1.5-1)}{0.04}$$
$$=1000(만\ 원)$$

중단원 점검문제 | Ⅲ-1. 등차수열과 등비수열　150-151쪽

01 답 $a_n=6n-8$
풀이 등차수열의 첫째항을 a, 공차를 d라고 하면
$$a+5d=28 \qquad\qquad \cdots\cdots ㉠$$
$$a+9d=52 \qquad\qquad \cdots\cdots ㉡$$
㉠, ㉡을 연립하여 풀면 $a=-2$, $d=6$
따라서 일반항은 $a_n=-2+(n-1)\times6=6n-8$

02 답 3
풀이 등차수열의 첫째항을 a, 공차를 d라고 하면
$$a_1+a_2=a+a+d=2a+d$$
$$a_3+a_4=a+2d+a+3d=2a+5d$$
따라서 주어진 식은 $(2a+d):(2a+5d)=2:3$
$$3(2a+d)=2(2a+5d),\ 6a+3d=4a+10d$$
$$2a=7d \qquad\therefore d=\frac{2}{7}a$$
$$\therefore \frac{a_8}{a_1}=\frac{a+7d}{a}=\frac{a+7\times\frac{2}{7}a}{a}=\frac{3a}{a}=3$$

03 답 제16항
풀이 등차수열의 첫째항을 a, 공차를 d, 일반항을 a_n이라고 하면

$$a+2d=51 \qquad\qquad \cdots\cdots ㉠$$
$$a+6d=35 \qquad\qquad \cdots\cdots ㉡$$
㉠, ㉡을 연립하여 풀면 $a=59$, $d=-4$
$$\therefore a_n=-4n+63$$
제n항이 처음으로 음수가 된다고 하면
$$-4n+63<0,\ -4n<-63$$
$$\therefore n>15.75$$
이때 n이 자연수이므로 제16항이 처음으로 음수가 된다.

04 답 30
풀이 두 수 3과 102 사이에 10개의 수를 넣으면 첫째항이 3, 제12항이 102가 된다.
첫째항을 a, 공차를 d라고 하면
$$a=3,\ a+11d=102 \qquad\therefore d=9$$
$$\therefore a_3=3+3\times9=30$$

05 답 10
풀이 등차수열을 이루는 세 수를 $a-d$, a, $a+d$라고 하면
$$(a-d)+a+(a+d)=18에서\ 3a=18 \qquad\therefore a=6$$
$$(a-d)^2+a^2+(a+d)^2=140에서\ 3a^2+2d^2=140$$
이 식에 $a=6$을 대입하면 $3\times6^2+2d^2=140$
$$2d^2=32,\ d^2=16 \qquad\therefore d=\pm4$$
(ⅰ) $d=4$일 때, 세 수는 2, 6, 10
(ⅱ) $d=-4$일 때, 세 수는 10, 6, 2
따라서 세 수는 2, 6, 10이고 이 중에서 가장 큰 수는 10이다.

06 답 $a_n=-2n+32$
풀이 등차수열의 공차를 d, 첫째항부터 제n항까지의 합을 S_n이라고 하면
$$S_{10}=\frac{10\times\{2\times30+(10-1)\times d\}}{2}=210,\ 60+9d=42$$
$$9d=-18 \qquad\therefore d=-2$$
따라서 등차수열의 일반항 a_n은
$$a_n=-2n+32$$

07 답 480
풀이 등차수열의 첫째항을 a, 공차를 d, 첫째항부터 제n항까지의 합을 S_n이라고 하면
$$S_5=\frac{5\times\{2a+(5-1)\times d\}}{2}=-10$$
$$\therefore 2a+4d=-4 \qquad\qquad \cdots\cdots ㉠$$
$$S_{10}=\frac{10\times\{2a+(10-1)\times d\}}{2}=80$$
$$\therefore 2a+9d=16 \qquad\qquad \cdots\cdots ㉡$$
㉠, ㉡을 연립하여 풀면 $a=-10$, $d=4$
따라서 이 등차수열의 제11항부터 제20항까지의 합은 첫째항부터 제20항까지의 합에서 첫째항부터 제10항까지의 합을 빼면 되므로
$$S_{20}-S_{10}=\frac{20\times\{2\times(-10)+(20-1)\times4\}}{2}-80$$
$$=560-80=480$$

08 답 $a_n = 6n - 5$

풀이 (i) $n = 1$일 때,
$$a_1 = S_1 = 3 \times 1^2 - 2 \times 1 = 1$$
(ii) $n \geq 2$일 때,
$$a_n = S_n - S_{n-1}$$
$$= (3n^2 - 2n) - \{3(n-1)^2 - 2(n-1)\}$$
$$= 6n - 5 \qquad \cdots\cdots \text{㉠}$$
그런데 $a_1 = 1$은 ㉠에 $n = 1$을 대입한 값과 같으므로
$$a_n = 6n - 5$$

09 답 $a_n = 3 \times 2^{n-2}$

풀이 등비수열의 첫째항을 a, 공비를 r라고 하면
$$a_n = ar^{n-1}$$
$a_2 = 3$이므로 $ar = 3 \qquad \cdots\cdots \text{㉠}$
$a_5 = 24$이므로 $ar^4 = 24 \qquad \cdots\cdots \text{㉡}$
㉡÷㉠을 하면 $r^3 = 8$
이때 r는 실수이므로 $r = 2$
이 값을 ㉠에 대입하면 $2a = 3$
$$\therefore a = \frac{3}{2}$$
$$\therefore a_n = \frac{3}{2} \times 2^{n-1} = 3 \times 2^{n-2}$$

10 답 48

풀이 등비수열의 첫째항을 a, 공비를 r라고 하면
$a_2 + a_3 = 18$이므로 $ar + ar^2 = 18$
$$ar(1+r) = 18 \qquad \cdots\cdots \text{㉠}$$
$a_4 = 24$이므로 $ar^3 = 24 \qquad \cdots\cdots \text{㉡}$
㉡÷㉠을 하면 $\dfrac{r^2}{(1+r)} = \dfrac{4}{3}$
$3r^2 - 4r - 4 = 0$, $(3r+2)(r-2) = 0$
이때 r는 양수이므로 $r = 2$
이 값을 ㉠에 대입하면 $2a \times 3 = 18$ $\quad \therefore a = 3$
$$\therefore a_5 = ar^4 = 3 \times 2^4 = 48$$

11 답 64

풀이 등비수열의 첫째항이 4, 제6항이 128이므로 공비를 r, 일반항을 a_n이라고 하면
$$a_n = 4 \times r^{n-1}$$
$a_6 = 4 \times r^5 = 128$에서 $r^5 = 32$ $\quad \therefore r = 2$
4에서부터 128까지 공비 2씩 곱해 가면
4, 8, 16, 32, 64, 128
따라서 네 수는 8, 16, 32, 64이고 이 중에서 가장 큰 수는 64이다.

12 답 제13항

풀이 등비수열의 첫째항을 a, 공비를 r, 일반항을 a_n이라고 하면
$$a_n = ar^{n-1}$$
$a_3 = 5$이므로 $ar^2 = 5 \qquad \cdots\cdots \text{㉠}$
$a_6 = 40$이므로 $ar^5 = 40 \qquad \cdots\cdots \text{㉡}$
㉡÷㉠을 하면 $r^3 = 8$

이때 r는 실수이므로 $r = 2$

이 값을 ㉠에 대입하면 $4a = 5$ $\quad \therefore a = \dfrac{5}{4}$

$$\therefore a_n = \frac{5}{4} \times 2^{n-1} = 5 \times 2^{n-3}$$

제n항이 처음으로 3000보다 커진다고 하면
$5 \times 2^{n-3} > 3000$, $2^{n-3} > 600$
이때 $2^9 = 512$, $2^{10} = 1024$이고 n은 자연수이므로
$n - 3 \geq 10$, $n \geq 13$
따라서 제13항이 처음으로 3000보다 커진다.

13 답 10

풀이 세 수 2, x, y가 이 순서로 등차수열을 이루므로
$$x = \frac{2+y}{2} \qquad \cdots\cdots \text{㉠}$$
세 수 x, y, 9가 이 순서로 등비수열을 이루므로
$$y^2 = 9x \qquad \cdots\cdots \text{㉡}$$
㉠을 ㉡에 대입하면 $y^2 = 9 \times \dfrac{2+y}{2}$
$2y^2 - 9y - 18 = 0$, $(2y+3)(y-6) = 0$
이때 y는 양수이므로 $y = 6$
이 값을 ㉠에 대입하면 $x = 4$
$$\therefore x + y = 10$$

14 답 $\dfrac{1}{3}$

풀이 등비수열의 첫째항부터 제n항까지의 합을 S_n이라고 하면
$$S_6 = \frac{a(2^6 - 1)}{2 - 1} = 21, \quad a \times 63 = 21$$
$$\therefore a = \frac{1}{3}$$

15 답 -3

풀이 등비수열의 일반항을 a_n이라고 하면
(i) $n = 1$일 때
$$a_1 = S_1 = 9 + k \qquad \cdots\cdots \text{㉠}$$
(ii) $n \geq 2$일 때,
$$a_n = S_n - S_{n-1}$$
$$= (3^{n+1} + k) - (3^n + k)$$
$$= 3^{n+1} - 3^n$$
$$= 3^n(3-1) = 2 \times 3^n \qquad \cdots\cdots \text{㉡}$$
첫째항부터 등비수열을 이루려면 ㉡에 $n = 1$을 대입한 값이 ㉠과 같아야 하므로
$2 \times 3^1 = 9 + k$, $6 = 9 + k$ $\quad \therefore k = -3$

16 답 5544만 원

풀이 30년 후의 원리합계를 S라고 하면
$$S = 80 \times 1.05 + 80 \times 1.05^2 + \cdots + 80 \times 1.05^{30}$$
$$= \frac{80 \times 1.05 \times (1.05^{30} - 1)}{1.05 - 1}$$
$$= \frac{80 \times 1.05 \times (4.3 - 1)}{0.05}$$
$$= \frac{80 \times 1.05 \times 3.3}{0.05} = 5544 \text{(만 원)}$$

01 답 (1) $2+4+6+8+10$

(2) $3+3^2+3^3+3^4$ (또는 $3+9+27+81$)

(3) $1+\dfrac{1}{2}+\dfrac{1}{3}+\dfrac{1}{4}+\dfrac{1}{5}+\dfrac{1}{6}+\dfrac{1}{7}$

(4) $1\times2+2\times3+3\times4+4\times5+5\times6+6\times7$

  (또는 $2+6+12+20+30+42$)

(5) $2+\dfrac{3}{2}+\dfrac{4}{3}+\dfrac{5}{4}+\dfrac{6}{5}$

(6) $8+11+14+\cdots+(3n+5)$

(7) $1+2+4+\cdots+2^{n-1}$

(8) $1+\dfrac{1}{3}+\dfrac{1}{5}+\cdots+\dfrac{1}{2n-1}$

(9) $\dfrac{1}{3}+\dfrac{1}{8}+\dfrac{1}{15}+\cdots+\dfrac{1}{n(n+2)}$

(10) $-1+2-3+\cdots+(-1)^n\times n$

풀이 (1) $2k$의 k에 1부터 5까지 대입하여 더한 것이므로

$\displaystyle\sum_{k=1}^{5}2k=2+4+6+8+\underline{10}$

(2) 3^k의 k에 1부터 4까지 대입하여 더한 것이므로

$\displaystyle\sum_{k=1}^{4}3^k=3+3^2+3^3+3^4$

(3) $\dfrac{1}{i}$의 i에 1부터 7까지 대입하여 더한 것이므로

$\displaystyle\sum_{i=1}^{7}\dfrac{1}{i}=1+\dfrac{1}{2}+\dfrac{1}{3}+\dfrac{1}{4}+\dfrac{1}{5}+\dfrac{1}{6}+\dfrac{1}{7}$

(4) $j(j+1)$의 j에 1부터 6까지 대입하여 더한 것이므로

$\displaystyle\sum_{j=1}^{6}j(j+1)=1\times(1+1)+2\times(2+1)+3\times(3+1)$
$\qquad\qquad\qquad+4\times(4+1)+5\times(5+1)+6\times(6+1)$
$\qquad\qquad\quad=1\times2+2\times3+3\times4$
$\qquad\qquad\qquad\qquad+4\times5+5\times6+6\times7$

(5) $\dfrac{k+1}{k}$의 k에 1부터 5까지 대입하여 더한 것이므로

$\displaystyle\sum_{k=1}^{5}\dfrac{k+1}{k}=\dfrac{1+1}{1}+\dfrac{2+1}{2}+\dfrac{3+1}{3}+\dfrac{4+1}{4}+\dfrac{5+1}{5}$
$\qquad\qquad=2+\dfrac{3}{2}+\dfrac{4}{3}+\dfrac{5}{4}+\dfrac{6}{5}$

(6) $3k+5$의 k에 1부터 n까지 대입하여 더한 것이므로

$\displaystyle\sum_{k=1}^{n}(3k+5)=(3\times1+5)+(3\times2+5)+(3\times3+5)$
$\qquad\qquad\qquad+\cdots+(3n+5)$
$\qquad\qquad=8+11+14+\cdots+(3n+5)$

(7) 2^{k-1}의 k에 1부터 n까지 대입하여 더한 것이므로

$\displaystyle\sum_{k=1}^{n}2^{k-1}=2^0+2^1+2^2+\cdots+2^{n-1}$
$\qquad\qquad=1+2+4+\cdots+2^{n-1}$

(8) $\dfrac{1}{2i-1}$의 i에 1부터 n까지 대입하여 더한 것이므로

$\displaystyle\sum_{i=1}^{n}\dfrac{1}{2i-1}=\dfrac{1}{2-1}+\dfrac{1}{4-1}+\dfrac{1}{6-1}+\cdots+\dfrac{1}{2n-1}$
$\qquad\qquad=1+\dfrac{1}{3}+\dfrac{1}{5}+\cdots+\dfrac{1}{2n-1}$

(9) $\dfrac{1}{j(j+2)}$의 j에 1부터 n까지 대입하여 더한 것이므로

$\displaystyle\sum_{j=1}^{n}\dfrac{1}{j(j+2)}$

$=\dfrac{1}{1\times(1+2)}+\dfrac{1}{2\times(2+2)}+\dfrac{1}{3\times(3+2)}+\cdots$
$\qquad\qquad\qquad\qquad\qquad+\dfrac{1}{n(n+2)}$

$=\dfrac{1}{1\times3}+\dfrac{1}{2\times4}+\dfrac{1}{3\times5}+\cdots+\dfrac{1}{n(n+2)}$

$=\dfrac{1}{3}+\dfrac{1}{8}+\dfrac{1}{15}+\cdots+\dfrac{1}{n(n+2)}$

(10) $(-1)^k\times k$의 k에 1부터 n까지 대입하여 더한 것이므로

$\displaystyle\sum_{k=1}^{n}(-1)^k\times k=(-1)^1\times1+(-1)^2\times2+(-1)^3\times3$
$\qquad\qquad+(-1)^4\times4+\cdots+(-1)^n\times n$
$\qquad\quad=-1+2-3+4+\cdots+(-1)^n\times n$

02 답 (1) $\displaystyle\sum_{k=1}^{n}(2k+1)$ (2) $\displaystyle\sum_{k=1}^{n}(2k-1)$

(3) $\displaystyle\sum_{k=1}^{n}\dfrac{1}{2^k}$ (4) $\displaystyle\sum_{k=1}^{n}7^{k-1}$

(5) $\displaystyle\sum_{k=1}^{n}\dfrac{(-1)^k}{k}$ (6) $\displaystyle\sum_{k=1}^{9}(k^2+k)$

(7) $\displaystyle\sum_{k=1}^{10}(3k-2)$ (8) $\displaystyle\sum_{k=1}^{8}\dfrac{k}{k+1}$

(9) $\displaystyle\sum_{k=1}^{30}3k$ (10) $\displaystyle\sum_{k=1}^{20}5^k$

풀이 (1) $2k+1$의 k에 1부터 n까지 대입하여 더한 것이므로

$3+5+7+\cdots+(2n+1)=\displaystyle\sum_{k=1}^{n}(2k+1)$

(2) $2k-1$의 k에 1부터 n까지 대입하여 더한 것이므로

$1+3+5+\cdots+(2n-1)=\displaystyle\sum_{k=1}^{n}(2k-1)$

(3) $\dfrac{1}{2^k}$의 k에 1부터 n까지 대입하여 더한 것이므로

$\dfrac{1}{2}+\dfrac{1}{4}+\dfrac{1}{8}+\cdots+\dfrac{1}{2^n}=\displaystyle\sum_{k=1}^{n}\dfrac{1}{2^k}$

(4) 7^{k-1}의 k에 1부터 n까지 대입하여 더한 것이므로

$1+7+7^2+\cdots+7^{n-1}=\displaystyle\sum_{k=1}^{n}7^{k-1}$

(5) $\dfrac{(-1)^k}{k}$의 k에 1부터 n까지 대입하여 더한 것이므로

$-1+\dfrac{1}{2}-\dfrac{1}{3}+\cdots+\dfrac{(-1)^k}{n}=\displaystyle\sum_{k=1}^{n}\dfrac{(-1)^k}{k}$

(6) $k(k+1)$의 k에 1부터 9까지 대입하여 더한 것이므로

$1\times2+2\times3+3\times4+\cdots+9\times10=\displaystyle\sum_{k=1}^{9}k(k+1)$
$\qquad\qquad\qquad\qquad\qquad\qquad=\displaystyle\sum_{k=1}^{9}(k^2+k)$

(7) $3k-2$의 k에 1부터 10까지 대입하여 더한 것이므로

$1+4+7+\cdots+28=\displaystyle\sum_{k=1}^{10}(3k-2)$

(8) $\dfrac{k}{k+1}$의 k에 1부터 8까지 대입하여 더한 것이므로

$\dfrac{1}{2}+\dfrac{2}{3}+\dfrac{3}{4}+\cdots+\dfrac{8}{9}=\displaystyle\sum_{k=1}^{8}\dfrac{k}{k+1}$

(9) $3k$의 k에 1부터 30까지 대입하여 더한 것이므로

$3+6+9+\cdots+90=\displaystyle\sum_{k=1}^{30}3k$

(10) 5^k의 k에 1부터 20까지 대입하여 더한 것이므로

$5+5^2+5^3+\cdots+5^{20}=\displaystyle\sum_{k=1}^{20}5^k$

03 답 (1) 35 (2) 50

풀이 (1) $\displaystyle\sum_{k=1}^{10}(a_k+1)^2=\sum_{k=1}^{10}(a_k^2+2a_k+1)$

$\qquad\qquad\qquad=\displaystyle\sum_{k=1}^{10}a_k^2+2\sum_{k=1}^{10}a_k+\sum_{k=1}^{10}1$

$\qquad\qquad\qquad=15+2\times\underline{5}+10=\underline{35}$

(2) $\displaystyle\sum_{k=1}^{10}(2a_k-1)^2=\sum_{k=1}^{10}(4a_k^2-4a_k+1)$

$\qquad\qquad\qquad=4\displaystyle\sum_{k=1}^{10}a_k^2-4\sum_{k=1}^{10}a_k+\sum_{k=1}^{10}1$

$\qquad\qquad\qquad=4\times15-4\times5+10=50$

04 답 (1) 80 (2) 20

풀이 (1) $\displaystyle\sum_{k=1}^{10}(2a_k+4b_k)=2\sum_{k=1}^{10}a_k+4\sum_{k=1}^{10}b_k$

$\qquad\qquad\qquad=2\times10+4\times15=\underline{80}$

(2) $\displaystyle\sum_{k=1}^{10}(-a_k+2b_k)=-\sum_{k=1}^{10}a_k+2\sum_{k=1}^{10}b_k$

$\qquad\qquad\qquad=-10+2\times15=20$

05 답 (1) 40 (2) 90 (3) 1 (4) 187

풀이 (1) $\displaystyle\sum_{k=1}^{10}(k+2)-\sum_{k=1}^{10}(k-2)=\sum_{k=1}^{10}\{(k+2)-\underline{(k-2)}\}$

$\qquad\qquad\qquad\qquad=\displaystyle\sum_{k=1}^{10}4=4\times10=\underline{40}$

(2) $\displaystyle\sum_{k=1}^{10}(k^2+4)-\sum_{k=1}^{10}(k^2-5)$

$\quad=\displaystyle\sum_{k=1}^{10}\{(k^2+4)-(k^2-5)\}$

$\quad=\displaystyle\sum_{k=1}^{10}9=9\times10=90$

(3) $\displaystyle\sum_{k=1}^{10}(k^2-2)-\sum_{k=3}^{10}(k^2-2)$

$\quad=\displaystyle\sum_{k=1}^{2}(k^2-2)=(1^2-2)+(2^2-2)$

$\quad=-1+2=1$

(4) $\displaystyle\sum_{k=1}^{10}(k^2+3)-\sum_{k=1}^{8}(k^2+3)$

$\quad=\displaystyle\sum_{k=9}^{10}(k^2+3)=(9^2+3)+(10^2+3)$

$\quad=84+103=187$

06 답 (1) n^2-4n (2) 95

(3) $\dfrac{4}{3}n^3+4n^2+\dfrac{11}{3}n$ (4) 450

풀이 (1) $\displaystyle\sum_{k=1}^{n}(2k-5)=\sum_{k=1}^{n}2k-\sum_{k=1}^{n}5=2\sum_{k=1}^{n}k-5n$

$\qquad\qquad\qquad=2\times\dfrac{n(n+1)}{2}-5n=\underline{n^2-4n}$

(2) $\displaystyle\sum_{k=1}^{10}(k+4)=\sum_{k=1}^{10}k+\sum_{k=1}^{10}4=\dfrac{10\times11}{2}+4\times10$

$\qquad\qquad\qquad=55+40=95$

(3) $\displaystyle\sum_{k=1}^{n}(2k+1)^2$

$\quad=\displaystyle\sum_{k=1}^{n}(4k^2+4k+1)$

$\quad=4\displaystyle\sum_{k=1}^{n}k^2+4\sum_{k=1}^{n}k+\sum_{k=1}^{n}1$

$\quad=4\times\dfrac{n(n+1)(2n+1)}{6}+4\times\dfrac{n(n+1)}{2}+n$

$\quad=\dfrac{4}{3}n^3+4n^2+\dfrac{11}{3}n$

(4) $\displaystyle\sum_{k=1}^{10}(k^2+k+1)=\sum_{k=1}^{10}k^2+\sum_{k=1}^{10}k+\sum_{k=1}^{10}1$

$\qquad\qquad\qquad=\dfrac{10\times11\times21}{6}+\dfrac{10\times11}{2}+10$

$\qquad\qquad\qquad=385+55+10=450$

07 답 (1) -58 (2) 408 (3) 123 (4) 5454

풀이 (1) $\displaystyle\sum_{k=1}^{5}(2^k-8k)=\sum_{k=1}^{5}2^k-8\sum_{k=1}^{5}k$

$\qquad\qquad\qquad=2^1+2^2+2^3+2^4+2^5-8\times\dfrac{5\times6}{2}$

$\qquad\qquad\qquad=\dfrac{2\times(2^5-1)}{2-1}-120$

$\qquad\qquad\qquad=62-120=\underline{-58}$

(2) $\displaystyle\sum_{k=1}^{5}(3^k+3k)=\sum_{k=1}^{5}3^k+3\sum_{k=1}^{5}k$

$\qquad\qquad\qquad=3^1+3^2+3^3+3^4+3^5+3\times\dfrac{5\times6}{2}$

$\qquad\qquad\qquad=\dfrac{3\times(3^5-1)}{3-1}+45$

$\qquad\qquad\qquad=363+45=408$

(3) $\displaystyle\sum_{k=1}^{6}(2^{k-1}+10)=\sum_{k=1}^{6}2^{k-1}+\sum_{k=1}^{6}10$

$\qquad\qquad\qquad=1+2^1+2^2+2^3+2^4+2^5+10\times6$

$\qquad\qquad\qquad=\dfrac{2^6-1}{2-1}+60$

$\qquad\qquad\qquad=63+60=123$

(4) $\displaystyle\sum_{k=1}^{6}(4^k-1)=\sum_{k=1}^{6}4^k-\sum_{k=1}^{6}1$

$\qquad\qquad\qquad=4^1+4^2+4^3+4^4+4^5+4^6-1\times6$

$\qquad\qquad\qquad=\dfrac{4\times(4^6-1)}{4-1}-6$

$\qquad\qquad\qquad=5460-6=5454$

08 답 (1) $S_n=\dfrac{n(n+1)(4n-1)}{3}$ (2) $S_n=n(n+1)(2n-1)$

(3) $S_n=4^n-1$

풀이 (1) 제k항을 a_k라고 하면

$a_k=(2k-1)\times2k=4k^2-2k$

$\therefore S_n=\displaystyle\sum_{k=1}^{n}(4k^2-2k)=4\sum_{k=1}^{n}k^2-2\sum_{k=1}^{n}k$

$\qquad=4\times\dfrac{n(n+1)(2n+1)}{6}-2\times\dfrac{n(n+1)}{2}$

$\qquad=\dfrac{n(n+1)(4n-1)}{3}$

(2) 제k항을 a_k라고 하면

$a_k=2k\times(3k-2)=6k^2-4k$

$\therefore S_n=\displaystyle\sum_{k=1}^{n}(6k^2-4k)=6\sum_{k=1}^{n}k^2-4\sum_{k=1}^{n}k$

$\qquad=6\times\dfrac{n(n+1)(2n+1)}{6}-4\times\dfrac{n(n+1)}{2}$

$\qquad=n(n+1)(2n-1)$

(3) 제k항을 a_k라고 하면

$a_k=3\times4^{k-1}$

$\therefore S_n=\displaystyle\sum_{k=1}^{n}(3\times4^{k-1})=3\sum_{k=1}^{n}4^{k-1}$

$\qquad=3\times\dfrac{4^n-1}{4-1}=4^n-1$

09 답 (1) $S_n = \dfrac{n(n+1)(n+2)}{6}$

(2) $S_n = \dfrac{n(n+1)(2n+1)}{6}$

(3) $S_n = \dfrac{4^{n+1}}{9} - \dfrac{n}{3} - \dfrac{4}{9}$

풀이 (1) 제k항을 a_k라고 하면

$$a_k = 1+2+3+\cdots+k = \frac{k(k+1)}{2} = \frac{k^2}{2} + \frac{k}{2}$$

$$\therefore S_n = \sum_{k=1}^{n}\left(\frac{k^2}{2}+\frac{k}{2}\right) = \frac{1}{2}\sum_{k=1}^{n}k^2 + \frac{1}{2}\sum_{k=1}^{n}k$$

$$= \frac{1}{2} \times \frac{n(n+1)(2n+1)}{6} + \frac{1}{2} \times \frac{n(n+1)}{2}$$

$$= \frac{n(n+1)(n+2)}{6}$$

(2) 제k항을 a_k라고 하면

$$a_k = 1+3+5+\cdots+(2k-1) = \frac{k\{1+(2k-1)\}}{2} = k^2$$

$$\therefore S_n = \sum_{k=1}^{n}k^2 = \frac{n(n+1)(2n+1)}{6}$$

(3) 제k항을 a_k라고 하면

$$a_k = 1+4+4^2+\cdots+4^{k-1} = \frac{4^k-1}{4-1}$$

$$= \frac{4^k}{3} - \frac{1}{3}$$

$$\therefore S_n = \sum_{k=1}^{n}\left(\frac{4^k}{3}-\frac{1}{3}\right) = \frac{1}{3}\sum_{k=1}^{n}4^k - \sum_{k=1}^{n}\frac{1}{3}$$

$$= \frac{1}{3} \times \frac{4(4^n-1)}{4-1} - \frac{n}{3}$$

$$= \frac{4^{n+1}}{9} - \frac{n}{3} - \frac{4}{9}$$

10 답 28

풀이 $S_n = \sum_{k=1}^{n}a_k = n^2-2n$이라고 하면

(ⅰ) $n=1$일 때, $a_1 = S_1 = -1$

(ⅱ) $n \geq 2$일 때,

$$a_n = S_n - S_{n-1}$$
$$= (n^2-2n) - \{(n-1)^2 - 2(n-1)\}$$
$$= 2n-3 \qquad\qquad \cdots\cdots \text{㉠}$$

그런데 $a_1 = -1$은 ㉠에 $n=1$을 대입한 값과 같다.

$$\therefore a_n = 2n-3$$

$a_{2k} = 2 \times 2k - 3 = 4k-3$이므로

$$\sum_{k=1}^{4}a_{2k} = \sum_{k=1}^{4}(4k-3) = 4\sum_{k=1}^{4}k - \sum_{k=1}^{4}3$$
$$= 4 \times \frac{4 \times 5}{2} - 3 \times 4 = 40-12 = \underline{28}$$

11 답 80

풀이 $S_n = \sum_{k=1}^{n}a_k = n^2-n$이므로

(ⅰ) $n=1$일 때, $a_1 = S_1 = 0$

(ⅱ) $n \geq 2$일 때,

$$a_n = S_n - S_{n-1}$$
$$= (n^2-n) - \{(n-1)^2 - (n-1)\}$$
$$= 2n-2 \qquad\qquad \cdots\cdots \text{㉠}$$

그런데 $a_1 = 0$은 ㉠에 $n=1$을 대입한 값과 같다.

$$\therefore a_n = 2n-2$$

$a_{3k} = 2 \times 3k - 2 = 6k-2$이므로

$$\sum_{k=1}^{5}a_{3k} = \sum_{k=1}^{5}(6k-2) = 6\sum_{k=1}^{5}k - \sum_{k=1}^{5}2$$
$$= 6 \times \frac{5 \times 6}{2} - 2 \times 5 = 90-10 = 80$$

12 답 102

풀이 $S_n = \sum_{k=1}^{n}a_k = n^2+2n$이라고 하면

(ⅰ) $n=1$일 때, $a_1 = S_1 = 3$

(ⅱ) $n \geq 2$일 때,

$$a_n = S_n - S_{n-1} = (n^2+2n) - \{(n-1)^2 + 2(n-1)\}$$
$$= 2n+1 \qquad\qquad \cdots\cdots \text{㉠}$$

그런데 $a_1 = 3$은 ㉠에 $n=1$을 대입한 값과 같다.

$$\therefore a_n = 2n+1$$

$a_{2k+1} = 2(2k+1)+1 = 4k+3$이므로

$$\sum_{k=1}^{6}a_{2k+1} = \sum_{k=1}^{6}(4k+3) = 4\sum_{k=1}^{6}k + \sum_{k=1}^{6}3$$
$$= 4 \times \frac{6 \times 7}{2} + 3 \times 6 = 84+18 = 102$$

13 답 280

풀이 $S_n = \sum_{k=1}^{n}a_k = n^2+5n$이라고 하면

(ⅰ) $n=1$일 때, $a_1 = S_1 = 6$

(ⅱ) $n \geq 2$일 때,

$$a_n = S_n - S_{n-1}$$
$$= (n^2+5n) - \{(n-1)^2 + 5(n-1)\}$$
$$= 2n+4 \qquad\qquad \cdots\cdots \text{㉠}$$

그런데 $a_1 = 6$은 ㉠에 $n=1$을 대입한 값과 같다.

$$\therefore a_n = 2n+4$$

$a_{2k} = 2 \times 2k + 4 = 4k+4$이므로

$$\sum_{k=1}^{5}(ka_{2k}) = \sum_{k=1}^{5}\{k(4k+4)\} = \sum_{k=1}^{5}(4k^2+4k)$$
$$= 4\sum_{k=1}^{5}k^2 + 4\sum_{k=1}^{5}k$$
$$= 4 \times \frac{5 \times 6 \times 11}{6} + 4 \times \frac{5 \times 6}{2}$$
$$= 220+60 = 280$$

14 답 85

풀이 $S_n = \sum_{k=1}^{n}a_k = 2^n-1$이라고 하면

(ⅰ) $n=1$일 때, $a_1 = S_1 = 1$

(ⅱ) $n \geq 2$일 때,

$$a_n = S_n - S_{n-1}$$
$$= (2^n-1) - (2^{n-1}-1) = 2^n - 2^{n-1}$$
$$= 2 \times 2^{n-1} - 2^{n-1} = (2-1) \times 2^{n-1} = 2^{n-1} \qquad \cdots\cdots \text{㉠}$$

그런데 $a_1 = 1$은 ㉠에 $n=1$을 대입한 값과 같다.

$$\therefore a_n = 2^{n-1}$$

$a_{2k-1} = 2^{(2k-1)-1} = 2^{2(k-1)} = 4^{k-1}$이므로

$$\sum_{k=1}^{4}a_{2k-1} = \sum_{k=1}^{4}4^{k-1} = 1+4+4^2+4^3$$
$$= \frac{4^4-1}{4-1} = \frac{255}{3} = 85$$

15 답 2340

풀이 $S_n = \sum\limits_{k=1}^{n} a_k = 2^n - 1$이라고 하면

(i) $n=1$일 때, $a_1 = S_1 = 1$

(ii) $n \geq 2$일 때,

$$a_n = S_n - S_{n-1}$$
$$= (2^n - 1) - (2^{n-1} - 1) = 2^n - 2^{n-1}$$
$$= 2 \times 2^{n-1} - 2^{n-1} = (2-1) \times 2^{n-1} = 2^{n-1} \quad \cdots\cdots \text{㉠}$$

그런데 $a_1 = 1$은 ㉠에 $n=1$을 대입한 값과 같다.

$\therefore a_n = 2^{n-1}$

$a_{3k} = 2^{3k-1}$이므로

$$\sum\limits_{k=1}^{4} a_{3k} = \sum\limits_{k=1}^{4} 2^{3k-1} = 2^2 + 2^5 + 2^8 + 2^{11}$$
$$= \frac{2^2\{(2^3)^4 - 1\}}{2^3 - 1} = \frac{4 \times 4095}{7} = 2340$$

16 답 4920

풀이 $S_n = \sum\limits_{k=1}^{n} a_k = 3^n - 1$이라고 하면

(i) $n=1$일 때, $a_1 = S_1 = 2$

(ii) $n \geq 2$일 때,

$$a_n = S_n - S_{n-1}$$
$$= (3^n - 1) - (3^{n-1} - 1) = 3^n - 3^{n-1}$$
$$= 3 \times 3^{n-1} - 3^{n-1} = (3-1) \times 3^{n-1} = 2 \times 3^{n-1} \quad \cdots\cdots \text{㉠}$$

그런데 $a_1 = 2$는 ㉠에 $n=1$을 대입한 값과 같다.

$\therefore a_n = 2 \times 3^{n-1}$

$a_{2k} = 2 \times 3^{2k-1}$이므로

$$\sum\limits_{k=1}^{4} a_{2k} = \sum\limits_{k=1}^{4} (2 \times 3^{2k-1}) = 2\sum\limits_{k=1}^{4} 3^{2k-1}$$
$$= 2 \times (3 + 3^3 + 3^5 + 3^7)$$
$$= 2 \times \frac{3\{(3^2)^4 - 1\}}{3^2 - 1} = 2 \times \frac{3 \times 6560}{8}$$
$$= 4920$$

17 답 12

풀이 $S_n = \sum\limits_{k=1}^{n} a_k = 3^n - 1$이라고 하면

(i) $n=1$일 때, $a_1 = S_1 = 2$

(ii) $n \geq 2$일 때,

$$a_n = S_n - S_{n-1} = (3^n - 1) - (3^{n-1} - 1) = 3^n - 3^{n-1}$$
$$= 3 \times 3^{n-1} - 3^{n-1} = (3-1) \times 3^{n-1} = 2 \times 3^{n-1} \quad \cdots\cdots \text{㉠}$$

그런데 $a_1 = 2$는 ㉠에 $n=1$을 대입한 값과 같다.

$\therefore a_n = 2 \times 3^{n-1}$

$a_{2k} = 2 \times 3^{2k-1}$, $a_{2k-1} = 2 \times 3^{(2k-1)-1} = 2 \times 3^{2k-2}$이므로

$$\sum\limits_{k=1}^{4} \frac{a_{2k}}{a_{2k-1}} = \sum\limits_{k=1}^{4} \frac{2 \times 3^{2k-1}}{2 \times 3^{2k-2}} = \sum\limits_{k=1}^{4} \frac{3^{-1} \times 3^{2k}}{3^{-2} \times 3^{2k}}$$
$$= \sum\limits_{k=1}^{4} 3 = 3 \times 4 = 12$$

18 답 (1) 1650   (2) 0

(3) -75 (4) 225

(5) 1911   (6) 900

(7) 196   (8) 70

(9) 195   (10) 840

풀이 (1) $\sum\limits_{n=1}^{10} (2m+n) = \sum\limits_{n=1}^{10} 2m + \sum\limits_{n=1}^{10} n$
$$= 20m + \frac{10 \times 11}{2} = 20m + 55$$

$\therefore$ (주어진 식) $= \sum\limits_{m=1}^{10} (20m + 55)$
$$= 20 \sum\limits_{m=1}^{10} m + \sum\limits_{m=1}^{10} 55$$
$$= 20 \times \frac{10 \times 11}{2} + 55 \times 10 = \underline{1650}$$

(2) $\sum\limits_{n=1}^{7} (m-n) = \sum\limits_{n=1}^{7} m - \sum\limits_{n=1}^{7} n = 7m - \frac{7 \times 8}{2}$
$$= 7m - 28$$

$\therefore$ (주어진 식) $= \sum\limits_{m=1}^{7} (7m - 28) = 7 \sum\limits_{m=1}^{7} m - \sum\limits_{m=1}^{7} 28$
$$= 7 \times \frac{7 \times 8}{2} - 28 \times 7 = 196 - 196 = 0$$

(3) $\sum\limits_{j=1}^{5} (j - 2i) = \sum\limits_{j=1}^{5} j - \sum\limits_{j=1}^{5} 2i = \frac{5 \times 6}{2} - 10i = 15 - 10i$

$\therefore$ (주어진 식) $= \sum\limits_{i=1}^{5} (15 - 10i) = \sum\limits_{i=1}^{5} 15 - 10 \sum\limits_{i=1}^{5} i$
$$= 15 \times 5 - 10 \times \frac{5 \times 6}{2} = 75 - 150$$
$$= -75$$

(4) $\sum\limits_{n=1}^{5} mn = m \sum\limits_{n=1}^{5} n = m \times \frac{5 \times 6}{2} = 15m$

$\therefore$ (주어진 식) $= \sum\limits_{m=1}^{5} 15m = 15 \sum\limits_{m=1}^{5} m$
$$= 15 \times \frac{5 \times 6}{2} = 225$$

(5) $\sum\limits_{n=1}^{6} m^2 n = m^2 \sum\limits_{n=1}^{6} n = m^2 \times \frac{6 \times 7}{2} = 21m^2$

$\therefore$ (주어진 식) $= \sum\limits_{m=1}^{6} 21m^2 = 21 \sum\limits_{m=1}^{6} m^2$
$$= 21 \times \frac{6 \times 7 \times 13}{6} = 1911$$

(6) $\sum\limits_{j=1}^{4} (ij)^2 = i^2 \sum\limits_{j=1}^{4} j^2 = i^2 \times \frac{4 \times 5 \times 9}{6} = 30i^2$

$\therefore$ (주어진 식) $= \sum\limits_{i=1}^{4} 30i^2 = 30 \sum\limits_{i=1}^{4} i^2$
$$= 30 \times \frac{4 \times 5 \times 9}{6} = 900$$

(7) $\sum\limits_{j=1}^{j} j = j \times j = j^2$

$\sum\limits_{j=1}^{i} j^2 = \frac{i(i+1)(2i+1)}{6} = \frac{2i^3 + 3i^2 + i}{6} = \frac{i^3}{3} + \frac{i^2}{2} + \frac{i}{6}$

$\therefore$ (주어진 식) $= \sum\limits_{i=1}^{6} \left(\frac{i^3}{3} + \frac{i^2}{2} + \frac{i}{6} \right)$
$$= \frac{1}{3} \sum\limits_{i=1}^{6} i^3 + \frac{1}{2} \sum\limits_{i=1}^{6} i^2 + \frac{1}{6} \sum\limits_{i=1}^{6} i$$
$$= \frac{1}{3} \times \left(\frac{6 \times 7}{2} \right)^2 + \frac{1}{2} \times \frac{6 \times 7 \times 13}{6}$$
$$+ \frac{1}{6} \times \frac{6 \times 7}{2}$$
$$= 147 + \frac{91}{2} + \frac{7}{2} = 196$$

(8) $\sum\limits_{k=1}^{j} 2k = 2 \sum\limits_{k=1}^{j} k = 2 \times \frac{j(j+1)}{2} = j^2 + j$

$\sum\limits_{j=1}^{i} (j^2 + j) = \sum\limits_{j=1}^{i} j^2 + \sum\limits_{j=1}^{i} j$

$$= \frac{i(i+1)(2i+1)}{6} + \frac{i(i+1)}{2}$$
$$= \frac{i^3}{3} + i^2 + \frac{2}{3}i$$

$\therefore$ (주어진 식)

$$= \sum_{i=1}^{4} \left(\frac{i^3}{3} + i^2 + \frac{2}{3}i \right)$$
$$= \frac{1}{3} \sum_{i=1}^{4} i^3 + \sum_{i=1}^{4} i^2 + \frac{2}{3} \sum_{i=1}^{4} i$$
$$= \frac{1}{3} \times \left(\frac{4 \times 5}{2} \right)^2 + \frac{4 \times 5 \times 9}{6} + \frac{2}{3} \times \frac{4 \times 5}{2}$$
$$= \frac{100}{3} + 30 + \frac{20}{3} = 70$$

(9) $\sum_{k=1}^{j} 3i = 3ij$

$$\sum_{j=1}^{i} 3ij = 3i \sum_{j=1}^{i} j = 3i \times \frac{i(i+1)}{2} = \frac{3}{2}i^3 + \frac{3}{2}i^2$$

$\therefore$ (주어진 식) $= \sum_{i=1}^{4} \left(\frac{3}{2}i^3 + \frac{3}{2}i^2 \right)$
$$= \frac{3}{2} \sum_{i=1}^{4} i^3 + \frac{3}{2} \sum_{i=1}^{4} i^2$$
$$= \frac{3}{2} \times \left(\frac{4 \times 5}{2} \right)^2 + \frac{3}{2} \times \frac{4 \times 5 \times 9}{6}$$
$$= 150 + 45 = 195$$

(10) $\sum_{k=1}^{j} 10 = 10j$

$$\sum_{j=1}^{i} 10j = 10 \sum_{j=1}^{i} j = 10 \times \frac{i(i+1)}{2} = 5i^2 + 5i$$

$\therefore$ (주어진 식) $= \sum_{i=1}^{7} (5i^2 + 5i)$
$$= 5 \sum_{i=1}^{7} i^2 + 5 \sum_{i=1}^{7} i$$
$$= 5 \times \frac{7 \times 8 \times 15}{6} + 5 \times \frac{7 \times 8}{2}$$
$$= 700 + 140 = 840$$

19 답 (1) $\dfrac{9}{10}$ (2) $\dfrac{20}{21}$ (3) $\dfrac{175}{132}$

풀이 제k항을 a_k라고 하면

(1) $a_k = \dfrac{1}{k(k+1)} = \dfrac{1}{k} - \dfrac{1}{k+1}$ 이므로

(주어진 식) $= \left(1 - \dfrac{1}{2} \right) + \left(\dfrac{1}{2} - \dfrac{1}{3} \right) + \left(\dfrac{1}{3} - \dfrac{1}{4} \right) + \cdots$
$$+ \left(\dfrac{1}{8} - \dfrac{1}{9} \right) + \left(\dfrac{1}{9} - \dfrac{1}{10} \right)$$
$$= 1 - \dfrac{1}{10} = \dfrac{9}{10}$$

(2) $a_k = \dfrac{2}{(2k-1)(2k+1)} = \dfrac{1}{2k-1} - \dfrac{1}{2k+1}$ 이므로

(주어진 식) $= \left(1 - \dfrac{1}{3} \right) + \left(\dfrac{1}{3} - \dfrac{1}{5} \right) + \left(\dfrac{1}{5} - \dfrac{1}{7} \right) + \cdots$
$$+ \left(\dfrac{1}{17} - \dfrac{1}{19} \right) + \left(\dfrac{1}{19} - \dfrac{1}{21} \right)$$
$$= 1 - \dfrac{1}{21} = \dfrac{20}{21}$$

(3) $a_k = \dfrac{2}{k(k+2)} = \dfrac{1}{k} - \dfrac{1}{k+2}$ 이므로

(주어진 식)

$= \left(1 - \dfrac{1}{3} \right) + \left(\dfrac{1}{2} - \dfrac{1}{4} \right) + \left(\dfrac{1}{3} - \dfrac{1}{5} \right) + \left(\dfrac{1}{4} - \dfrac{1}{6} \right) + \cdots$
$$+ \left(\dfrac{1}{8} - \dfrac{1}{10} \right) + \left(\dfrac{1}{9} - \dfrac{1}{11} \right) + \left(\dfrac{1}{10} - \dfrac{1}{12} \right)$$
$$= 1 + \dfrac{1}{2} - \dfrac{1}{11} - \dfrac{1}{12} = \dfrac{175}{132}$$

20 답 (1) $S_n = \dfrac{n(5n+13)}{12(n+2)(n+3)}$ (2) $S_n = \dfrac{n}{2n+1}$

풀이 (1) 주어진 수열의 제n항을 a_n이라고 하면

$$a_n = \dfrac{1}{(n+1)(n+3)} = \dfrac{1}{2} \left(\dfrac{1}{n+1} - \dfrac{1}{n+3} \right)$$

$\therefore S_n = \dfrac{1}{2 \times 4} + \dfrac{1}{3 \times 5} + \dfrac{1}{4 \times 6} + \dfrac{1}{5 \times 7}$
$$+ \cdots + \dfrac{1}{(n+1)(n+3)}$$
$$= \dfrac{1}{2} \left\{ \left(\dfrac{1}{2} - \dfrac{1}{4} \right) + \left(\dfrac{1}{3} - \dfrac{1}{5} \right) + \left(\dfrac{1}{4} - \dfrac{1}{6} \right) + \left(\dfrac{1}{5} - \dfrac{1}{7} \right) \right.$$
$$\left. + \cdots + \left(\dfrac{1}{n} - \dfrac{1}{n+2} \right) + \left(\dfrac{1}{n+1} - \dfrac{1}{n+3} \right) \right\}$$
$$= \dfrac{1}{2} \left(\dfrac{1}{2} + \dfrac{1}{3} - \dfrac{1}{n+2} - \dfrac{1}{n+3} \right)$$
$$= \dfrac{1}{2} \times \dfrac{5n^2 + 13n}{6(n+2)(n+3)} = \dfrac{n(5n+13)}{12(n+2)(n+3)}$$

(2) 주어진 수열의 제n항을 a_n이라고 하면

$$a_n = \dfrac{1}{(2n)^2 - 1} = \dfrac{1}{(2n-1)(2n+1)}$$
$$= \dfrac{1}{2} \left(\dfrac{1}{2n-1} - \dfrac{1}{2n+1} \right)$$

$\therefore S_n = \dfrac{1}{2^2 - 1} + \dfrac{1}{4^2 - 1} + \dfrac{1}{6^2 - 1} + \dfrac{1}{8^2 - 1} + \cdots$
$$+ \dfrac{1}{(2n)^2 - 1}$$
$$= \dfrac{1}{2} \left\{ \left(1 - \dfrac{1}{3} \right) + \left(\dfrac{1}{3} - \dfrac{1}{5} \right) + \left(\dfrac{1}{5} - \dfrac{1}{7} \right) + \cdots \right.$$
$$\left. + \left(\dfrac{1}{2n-3} - \dfrac{1}{2n-1} \right) + \left(\dfrac{1}{2n-1} - \dfrac{1}{2n+1} \right) \right\}$$
$$= \dfrac{1}{2} \left(1 - \dfrac{1}{2n+1} \right) = \dfrac{n}{2n+1}$$

21 답 (1) $\dfrac{\sqrt{101} - 1}{2}$ (2) $10 - \sqrt{2}$ (3) 18

풀이 제k항을 a_k라고 하면

(1) $a_k = \dfrac{1}{\sqrt{2k-1} + \sqrt{2k+1}}$
$$= \dfrac{(\sqrt{2k-1} - \sqrt{2k+1})}{(\sqrt{2k-1} + \sqrt{2k+1})(\sqrt{2k-1} - \sqrt{2k+1})}$$
$$= -\dfrac{1}{2} (\sqrt{2k-1} - \sqrt{2k+1})$$

$\therefore$ (주어진 식) $= \sum_{k=1}^{50} a_k = -\dfrac{1}{2} \sum_{k=1}^{50} (\sqrt{2k-1} - \sqrt{2k+1})$
$$= -\dfrac{1}{2} \left\{ (1 - \sqrt{3}) + (\sqrt{3} - \sqrt{5}) + (\sqrt{5} - \sqrt{7}) + \right.$$
$$\left. \cdots + (\sqrt{97} - \sqrt{99}) + (\sqrt{99} - \sqrt{101}) \right\}$$
$$= \dfrac{\sqrt{101} - 1}{2}$$

(2) $a_k = \dfrac{2}{\sqrt{2k+2}+\sqrt{2k}}$

$\qquad = \dfrac{2(\sqrt{2k+2}-\sqrt{2k})}{(\sqrt{2k+2}+\sqrt{2k})(\sqrt{2k+2}-\sqrt{2k})}$

$\qquad = \sqrt{2k+2}-\sqrt{2k}$

$\therefore$ (주어진 식) $=\displaystyle\sum_{k=1}^{49} a_k = \sum_{k=1}^{49}(\sqrt{2k+2}-\sqrt{2k})$

$\qquad = \{(\sqrt{4}-\sqrt{2})+(\sqrt{6}-\sqrt{4})+(\sqrt{8}-\sqrt{6})$

$\qquad\qquad +\cdots+(\sqrt{98}-\sqrt{96})+(\sqrt{100}-\sqrt{98})\}$

$\qquad = \sqrt{100}-\sqrt{2}=10-\sqrt{2}$

(3) $a_k = \dfrac{2}{\sqrt{k}+\sqrt{k+1}}$

$\qquad = \dfrac{2(\sqrt{k}-\sqrt{k+1})}{(\sqrt{k}+\sqrt{k+1})(\sqrt{k}-\sqrt{k+1})}$

$\qquad = -2(\sqrt{k}-\sqrt{k+1})$

$\therefore$ (주어진 식) $=\displaystyle\sum_{k=1}^{99} a_k = -2\sum_{k=1}^{99}(\sqrt{k}-\sqrt{k+1})$

$\qquad = -2\times\{(1-\sqrt{2})+(\sqrt{2}-\sqrt{3})+(\sqrt{3}-\sqrt{4})$

$\qquad\qquad +\cdots+(\sqrt{98}-\sqrt{99})+(\sqrt{99}-\sqrt{100})\}$

$\qquad = -2\times(1-\sqrt{100})=-2\times(-9)=18$

22 답 (1) $S_n = \sqrt{n+1}-1$ (2) $S_n = \sqrt{2n+1}-1$
(3) $S_n = \sqrt{2n+2}-\sqrt{2}$

풀이 제k항을 a_k라고 하면

(1) $a_k = \dfrac{1}{\sqrt{k}+\sqrt{k+1}} = \dfrac{\sqrt{k}-\sqrt{k+1}}{(\sqrt{k}+\sqrt{k+1})(\sqrt{k}-\sqrt{k+1})}$

$\qquad = \sqrt{k+1}-\sqrt{k}$

$\therefore S_n = \displaystyle\sum_{k=1}^{n} a_k = \sum_{k=1}^{n}(\sqrt{k+1}-\sqrt{k})$

$\qquad = (\sqrt{2}-1)+(\sqrt{3}-\sqrt{2})+(\sqrt{4}-\sqrt{3})$

$\qquad\qquad +\cdots+(\sqrt{n}-\sqrt{n-1})+(\sqrt{n+1}-\sqrt{n})$

$\qquad = \sqrt{n+1}-1$

(2) $a_k = \dfrac{2}{\sqrt{2k+1}+\sqrt{2k-1}}$

$\qquad = \dfrac{2(\sqrt{2k+1}-\sqrt{2k-1})}{(\sqrt{2k+1}+\sqrt{2k-1})(\sqrt{2k+1}-\sqrt{2k-1})}$

$\qquad = \sqrt{2k+1}-\sqrt{2k-1}$

$\therefore S_n = \displaystyle\sum_{k=1}^{n} a_k = \sum_{k=1}^{n}(\sqrt{2k+1}-\sqrt{2k-1})$

$\qquad = (\sqrt{3}-1)+(\sqrt{5}-\sqrt{3})+(\sqrt{7}-\sqrt{5})$

$\qquad\qquad +\cdots+(\sqrt{2n-1}-\sqrt{2n-3})$

$\qquad\qquad +(\sqrt{2n+1}-\sqrt{2n-1})$

$\qquad = \sqrt{2n+1}-1$

(3) $a_k = \dfrac{2}{\sqrt{2k+2}+\sqrt{2k}}$

$\qquad = \dfrac{2(\sqrt{2k+2}-\sqrt{2k})}{(\sqrt{2k+2}+\sqrt{2k})(\sqrt{2k+2}-\sqrt{2k})}$

$\qquad = \sqrt{2k+2}-\sqrt{2k}$

$\therefore S_n = \displaystyle\sum_{k=1}^{n} a_k = \sum_{k=1}^{n}(\sqrt{2k+2}-\sqrt{2k})$

$\qquad = (\sqrt{4}-\sqrt{2})+(\sqrt{6}-\sqrt{4})+(\sqrt{8}-\sqrt{6})$

$\qquad\qquad +\cdots+(\sqrt{2n}-\sqrt{2n-2})+(\sqrt{2n+2}-\sqrt{2n})$

$\qquad = \sqrt{2n+2}-\sqrt{2}$

23 답 (1) $\log 66$ (2) 2 (3) $\log 6$ (4) $\log\dfrac{11}{20}$
(5) 2 (6) 1

풀이 (1) $1+\dfrac{2}{k}=\dfrac{k+2}{k}$ 이므로

$\displaystyle\sum_{k=1}^{10}\log\left(1+\dfrac{2}{k}\right)$

$\qquad = \displaystyle\sum_{k=1}^{10}\log\dfrac{k+2}{k}$

$\qquad = \log\dfrac{3}{1}+\log\dfrac{4}{2}+\log\dfrac{5}{3}+\cdots$

$\qquad\qquad\qquad +\log\dfrac{10}{8}+\log\dfrac{11}{9}+\log\dfrac{12}{10}$

$\qquad = \log\left(\dfrac{3}{1}\times\dfrac{4}{2}\times\dfrac{5}{3}\times\cdots\times\dfrac{10}{8}\times\dfrac{11}{9}\times\dfrac{12}{10}\right)$

$\qquad = \log\dfrac{11\times12}{1\times2}=\log 66$

(2) $\displaystyle\sum_{k=1}^{99}\log\dfrac{k+1}{k}$

$\qquad = \log\dfrac{2}{1}+\log\dfrac{3}{2}+\log\dfrac{4}{3}+\cdots+\log\dfrac{99}{98}+\log\dfrac{100}{99}$

$\qquad = \log\left(\dfrac{2}{1}\times\dfrac{3}{2}\times\dfrac{4}{3}\times\cdots\times\dfrac{98}{97}\times\dfrac{99}{98}\times\dfrac{100}{99}\right)$

$\qquad = \log 100=2$

(3) $\dfrac{1}{k+1}+1=\dfrac{k+2}{k+1}$ 이므로

$\displaystyle\sum_{k=1}^{10}\log\left(\dfrac{1}{k+1}+1\right)$

$\qquad = \displaystyle\sum_{k=1}^{10}\log\dfrac{k+2}{k+1}$

$\qquad = \log\dfrac{3}{2}+\log\dfrac{4}{3}+\log\dfrac{5}{4}+\cdots$

$\qquad\qquad\qquad +\log\dfrac{10}{9}+\log\dfrac{11}{10}+\log\dfrac{12}{11}$

$\qquad = \log\left(\dfrac{3}{2}\times\dfrac{4}{3}\times\dfrac{5}{4}\times\cdots\times\dfrac{10}{9}\times\dfrac{11}{10}\times\dfrac{12}{11}\right)$

$\qquad = \log\dfrac{12}{2}=\log 6$

(4) $\dfrac{k^2-1}{k^2}=\dfrac{(k-1)(k+1)}{k\times k}$ 이므로

$\displaystyle\sum_{k=2}^{10}\log\dfrac{k^2-1}{k^2}$

$\qquad = \displaystyle\sum_{k=2}^{10}\log\dfrac{(k-1)(k+1)}{k\times k}$

$\qquad = \log\dfrac{1\times3}{2\times2}+\log\dfrac{2\times4}{3\times3}+\log\dfrac{3\times5}{4\times4}+\cdots$

$\qquad\qquad\qquad +\log\dfrac{8\times10}{9\times9}+\log\dfrac{9\times11}{10\times10}$

$\qquad = \log\left(\dfrac{1\times3}{2\times2}\times\dfrac{2\times4}{3\times3}\times\dfrac{3\times5}{4\times4}\times\cdots\right.$

$\qquad\qquad\qquad\qquad \left.\times\dfrac{8\times10}{9\times9}\times\dfrac{9\times11}{10\times10}\right)$

$\qquad = \log\left(\dfrac{1}{2}\times\dfrac{11}{10}\right)=\log\dfrac{11}{20}$

(5) $\displaystyle\sum_{k=1}^{15}\log_2\dfrac{\sqrt{k+1}}{\sqrt{k}}$

$\qquad = \log_2\dfrac{\sqrt{2}}{1}+\log_2\dfrac{\sqrt{3}}{\sqrt{2}}+\log_2\dfrac{\sqrt{4}}{\sqrt{3}}+\cdots$

$\qquad\qquad\qquad +\log_2\dfrac{\sqrt{15}}{\sqrt{14}}+\log_2\dfrac{\sqrt{16}}{\sqrt{15}}$

$$=\log_2\left(\frac{\sqrt{2}}{1}\times\frac{\sqrt{3}}{\sqrt{2}}\times\frac{\sqrt{4}}{\sqrt{3}}\times\cdots\times\frac{\sqrt{15}}{\sqrt{14}}\times\frac{\sqrt{16}}{\sqrt{15}}\right)$$

$$=\log_2\sqrt{16}=\log_2 2^2=2$$

(6) $\log_{k+1}(k+2)=\dfrac{\log(k+2)}{\log(k+1)}$ 이므로

$$\sum_{k=1}^{30}\left[\log_5\{\log_{k+1}(k+2)\}\right]$$

$$=\sum_{k=1}^{30}\left\{\log_5\frac{\log(k+2)}{\log(k+1)}\right\}$$

$$=\log_5\left(\frac{\log 3}{\log 2}\right)+\log_5\left(\frac{\log 4}{\log 3}\right)+\log_5\left(\frac{\log 5}{\log 4}\right)+\cdots$$

$$+\log_5\left(\frac{\log 31}{\log 30}\right)+\log_5\left(\frac{\log 32}{\log 31}\right)$$

$$=\log_5\left(\frac{\log 3}{\log 2}\times\frac{\log 4}{\log 3}\times\frac{\log 5}{\log 4}\times\cdots\right.$$

$$\left.\times\frac{\log 31}{\log 30}\times\frac{\log 32}{\log 31}\right)$$

$$=\log_5\left(\frac{\log 32}{\log 2}\right)=\log_5\left(\frac{\log 2^5}{\log 2}\right)=\log_5\left(\frac{5\log 2}{\log 2}\right)$$

$$=\log_5 5=1$$

24 답 $\dfrac{n}{4n+4}$

풀이 $S_n=\sum\limits_{k=1}^{n}a_k=n^2+n$ 이라고 하면

(ⅰ) $n=1$일 때, $a_1=S_1=1^2+1=2$

(ⅱ) $n\geq 2$일 때,

$$a_n=S_n-S_{n-1}$$
$$=(n^2+n)-\{(n-1)^2+(n-1)\}$$
$$=2n \qquad\qquad \cdots\cdots\ \text{㉠}$$

그런데 $a_1=2$는 ㉠에 $n=1$을 대입한 값과 같으므로

$a_n=2n$

$a_k=2k,\ a_{k+1}=2(k+1)=2k+2$이므로

$$\sum_{k=1}^{n}\frac{1}{a_k a_{k+1}}=\sum_{k=1}^{n}\frac{1}{2k(2k+2)}$$

$$=\frac{1}{2}\sum_{k=1}^{n}\left(\frac{1}{2k}-\frac{1}{2k+2}\right)$$

$$=\frac{1}{2}\left\{\left(\frac{1}{2}-\frac{1}{4}\right)+\left(\frac{1}{4}-\frac{1}{6}\right)+\left(\frac{1}{6}-\frac{1}{8}\right)+\cdots\right.$$

$$\left.+\left(\frac{1}{2n}-\frac{1}{2n+2}\right)\right\}$$

$$=\frac{1}{2}\left(\frac{1}{2}-\frac{1}{2n+2}\right)=\underline{\frac{n}{4n+4}}$$

25 팁 $\dfrac{n}{8n+16}$

풀이 $S_n=\sum\limits_{k=1}^{n}a_k=n^2+3n$ 이라고 하면

(ⅰ) $n=1$일 때, $a_1=S_1=1^2+3\times 1=4$

(ⅱ) $n\geq 2$일 때,

$$a_n=S_n-S_{n-1}$$
$$=(n^2+3n)-\{(n-1)^2+3(n-1)\}$$
$$=2n+2 \qquad\qquad \cdots\cdots\ \text{㉠}$$

그런데 $a_1=4$는 ㉠에 $n=1$을 대입한 값과 같으므로

$a_n=2n+2$

$a_k=2k+2,\ a_{k+1}=2(k+1)+2=2k+4$이므로

$$\sum_{k=1}^{n}\frac{1}{a_k a_{k+1}}=\sum_{k=1}^{n}\frac{1}{(2k+2)(2k+4)}$$

$$=\frac{1}{2}\sum_{k=1}^{n}\left(\frac{1}{2k+2}-\frac{1}{2k+4}\right)$$

$$=\frac{1}{2}\left\{\left(\frac{1}{4}-\frac{1}{6}\right)+\left(\frac{1}{6}-\frac{1}{8}\right)+\left(\frac{1}{8}-\frac{1}{10}\right)+\cdots\right.$$

$$\left.+\left(\frac{1}{2n+2}-\frac{1}{2n+4}\right)\right\}$$

$$=\frac{1}{2}\left(\frac{1}{4}-\frac{1}{2n+4}\right)=\frac{n}{8n+16}$$

26 답 $\dfrac{2n(n+1)(2n+1)}{3}$

풀이 $S_n=\sum\limits_{k=1}^{n}a_k=n(n+1)=n^2+n$ 이라고 하면

(ⅰ) $n=1$일 때, $a_1=S_1=1^2+1=2$

(ⅱ) $n\geq 2$일 때,

$$a_n=S_n-S_{n-1}=n^2+n-\{(n-1)^2+(n-1)\}$$
$$=2n \qquad\qquad \cdots\cdots\ \text{㉠}$$

그런데 $a_1=2$는 ㉠에 $n=1$을 대입한 값과 같으므로

$a_n=2n$

$a_k^2=(2k)^2=4k^2$이므로

$$\sum_{k=1}^{n}=a_k^2=4\sum_{k=1}^{n}k^2$$

$$=4\times\frac{n(n+1)(2n+1)}{6}$$

$$=\frac{2n(n+1)(2n+1)}{3}$$

27 답 440

풀이 $S_n=\sum\limits_{k=1}^{n}a_k=\dfrac{n}{n+1}$ 이라고 하면

(ⅰ) $n=1$일 때, $a_1=S_1=\dfrac{1}{1+1}=\dfrac{1}{2}$

(ⅱ) $n\geq 2$일 때,

$$a_n=S_n-S_{n-1}=\frac{n}{n+1}-\frac{n-1}{n}$$

$$=\frac{1}{n(n+1)} \qquad\qquad \cdots\cdots\ \text{㉠}$$

그런데 $a_1=\dfrac{1}{2}$은 ㉠에 $n=1$을 대입한 값과 같으므로

$$a_n=\frac{1}{n(n+1)}$$

$\dfrac{1}{a_k}=k(k+1)$이므로

$$\sum_{k=1}^{10}\frac{1}{a_k}=\sum_{k=1}^{10}k(k+1)=\sum_{k=1}^{10}(k^2+k)=\sum_{k=1}^{10}k^2+\sum_{k=1}^{10}k$$

$$=\frac{10\times 11\times 21}{6}+\frac{10\times 11}{6}$$

$$=385+55=440$$

28 답 170

풀이 $S_n=\sum\limits_{k=1}^{n}a_k=2n^2-3n$ 이라고 하면

(ⅰ) $n=1$일 때, $a_1=S_1=2\times 1^2-3\times 1=-1$

(ⅱ) $n\geq 2$일 때,

$$a_n=S_n-S_{n-1}$$
$$=(2n^2-3n)-\{2(n-1)^2-3(n-1)\}$$
$$=4n-5 \qquad\qquad \cdots\cdots\ \text{㉠}$$

그런데 $a_1=-1$은 ㉠에 $n=1$을 대입한 값과 같으므로

$a_n = 4n - 5$

$a_k = 4k - 5$이므로

$$\sum_{k=1}^{10} a_k = \sum_{k=1}^{10}(4k-5) = 4\sum_{k=1}^{10}k - \sum_{k=1}^{10}5$$
$$= 4 \times \frac{10 \times 11}{2} - 5 \times 10$$
$$= 220 - 50 = 170$$

29 답 2365

풀이 $S_n = \sum_{k=1}^{n} a_k = n^2 + 2n$ 이라고 하면

(i) $n=1$일 때, $a_1 = S_1 = 1^2 + 2 \times 1 = 3$

(ii) $n \geq 2$일 때,

$$a_n = S_n - S_{n-1}$$
$$= (n^2 + 2n) - \{(n-1)^2 + 2(n-1)\}$$
$$= 2n + 1 \qquad \cdots\cdots \ \bigcirc$$

그런데 $a_1 = 3$은 $\bigcirc$에 $n=1$을 대입한 값과 같으므로

$$a_n = 2n + 1$$

$a_{3k} = 2 \times 3k + 1 = 6k + 1$이므로

$$\sum_{k=1}^{10} ka_{3k} = \sum_{k=1}^{10} k(6k+1) = 6\sum_{k=1}^{10}k^2 + \sum_{k=1}^{10}k$$
$$= 6 \times \frac{10 \times 11 \times 21}{6} + \frac{10 \times 11}{2}$$
$$= 2310 + 55 = 2365$$

30 답 (1) $\dfrac{19}{4} \times 3^{11} + \dfrac{3}{4}$ (2) $\dfrac{29}{9} \times 4^{10} + \dfrac{1}{9}$

(3) $2^{11} - 12$ (4) $-3\left(\dfrac{1}{2}\right)^8 + 2$

풀이 (1) 등비수열의 공비가 3이므로 주어진 식의 양변에 3을 곱하여 변끼리 빼면

$$S = 1 \times 3 + 2 \times 3^2 + 3 \times 3^3 + \cdots + 9 \times 3^9 + 10 \times 3^{10}$$
$$-)\ 3S = \qquad 1 \times 3^2 + 2 \times 3^3 + \cdots + 8 \times 3^9 + 9 \times 3^{10} + 10 \times 3^{11}$$
$$-2S = (3 + 3^2 + 3^3 + \cdots + 3^{10}) - 10 \times 3^{11}$$
$$= \frac{3(3^{10}-1)}{3-1} - 10 \times 3^{11} = \frac{3}{2}(3^{10}-1) - 10 \times 3^{11}$$

$$\therefore S = -\frac{3}{4}(3^{10}-1) + 5 \times 3^{11}$$
$$= \frac{19}{4} \times 3^{11} + \frac{3}{4}$$

(2) 등비수열의 공비가 4이므로 주어진 식의 양변에 4를 곱하여 변끼리 빼면

$$S = 1 + 2 \times 4 + 3 \times 4^2 + \cdots + 9 \times 4^8 + 10 \times 4^9$$
$$-)\ 4S = \qquad 1 \times 4 + 2 \times 4^2 + \cdots + 8 \times 4^8 + 9 \times 4^9 + 10 \times 4^{10}$$
$$-3S = (1 + 4 + 4^2 + \cdots + 4^8 + 4^9) - 10 \times 4^{10}$$
$$= \frac{4^{10}-1}{4-1} - 10 \times 4^{10} = \frac{4^{10}-1}{3} - 10 \times 4^{10}$$

$$\therefore S = -\frac{1}{9}(4^{10}-1) + \frac{10}{3} \times 4^{10}$$
$$= \frac{29}{9} \times 4^{10} + \frac{1}{9}$$

(3) 등비수열의 공비가 2이므로 주어진 식의 양변에 2를 곱하여 변끼리 빼면

$$2S = \qquad 10 \times 2 + 9 \times 2^2 + 8 \times 2^3 + \cdots + 2 \times 2^9 + 1 \times 2^{10}$$
$$-)\ S = 10 \times 1 + 9 \times 2 + 8 \times 2^2 + 7 \times 2^3 + \cdots + 1 \times 2^9$$
$$S = -10 \times 1 + (2 + 2^2 + 2^3 + \cdots + 2^9 + 2^{10})$$
$$= -10 + \frac{2(2^{10}-1)}{2-1} = -10 + 2(2^{10}-1)$$
$$= 2^{11} - 12$$

(4) 등비수열의 공비가 $\dfrac{1}{2}$이므로 주어진 식의 양변에 $\dfrac{1}{2}$을 곱하여 변끼리 빼면

$$S = \frac{1}{2} + \frac{2}{2^2} + \frac{3}{2^3} + \cdots + \frac{9}{2^9} + \frac{10}{2^{10}}$$
$$-)\ \frac{1}{2}S = \qquad \frac{1}{2^2} + \frac{2}{2^3} + \cdots + \frac{8}{2^9} + \frac{9}{2^{10}} + \frac{10}{2^{11}}$$
$$\frac{1}{2}S = \left(\frac{1}{2} + \frac{1}{2^2} + \frac{1}{2^3} + \cdots + \frac{1}{2^9} + \frac{1}{2^{10}}\right) - \frac{10}{2^{11}}$$
$$= \frac{\frac{1}{2}\left\{1 - \left(\frac{1}{2}\right)^{10}\right\}}{1 - \frac{1}{2}} - \frac{10}{2^{11}}$$
$$= 1 - \left(\frac{1}{2}\right)^{10} - \left(\frac{1}{2^{10}} \times \frac{10}{2}\right)$$
$$= (-1-5) \times \left(\frac{1}{2}\right)^{10} + 1 = -6 \times \left(\frac{1}{2}\right)^{10} + 1$$
$$= -3\left(\frac{1}{2}\right)^9 + 1$$

$$\therefore S = -3\left(\frac{1}{2}\right)^8 + 2$$

중단원 점검문제 ㅣ Ⅲ-2. 수열의 합

01 답 230

풀이 $$\sum_{k=1}^{20}(3a_k-1)^2 = \sum_{k=1}^{20}(9a_k^2 - 6a_k + 1)$$
$$= 9\sum_{k=1}^{20}a_k^2 - 6\sum_{k=1}^{20}a_k + \sum_{k=1}^{20}1$$
$$= 9 \times 30 - 6 \times 10 + 1 \times 20$$
$$= 270 - 60 + 20 = 230$$

02 답 70

풀이 $$\sum_{k=1}^{10}(2a_k - b_k + 7) = 2\sum_{k=1}^{10}a_k - \sum_{k=1}^{10}b_k + \sum_{k=1}^{10}7$$
$$= 2 \times 8 - 16 + 7 \times 10$$
$$= 16 - 16 + 70 = 70$$

03 답 50

풀이 $\sum_{k=1}^{n}(a_k + b_k)^2 = 100$에서

$$\sum_{k=1}^{n}(a_k^2 + 2a_kb_k + b_k^2) = 100$$
$$\sum_{k=1}^{n}(a_k^2 + b_k^2) + 2\sum_{k=1}^{n}a_kb_k = 100$$
$$\therefore \sum_{k=1}^{n}(a_k^2 + b_k^2) = 100 - 2 \times 25$$
$$= 100 - 50 = 50$$

04 답 50

풀이 $\displaystyle\sum_{k=1}^{10}(k^2+3)-\sum_{k=1}^{10}(k^2-2)$

$=\displaystyle\sum_{k=1}^{10}\{(k^2+3)-(k^2-2)\}$

$=\displaystyle\sum_{k=1}^{10}5=5\times10=50$

05 답 $4n$

풀이 $\displaystyle\sum_{k=1}^{n}(k-2)^2-\sum_{k=1}^{n}(k^2-4k)$

$=\displaystyle\sum_{k=1}^{n}\{(k-2)^2-(k^2-4k)\}$

$=\displaystyle\sum_{k=1}^{n}(k^2-4k+4-k^2+4k)$

$=\displaystyle\sum_{k=1}^{n}4=4n$

06 답 13

풀이 $\displaystyle\sum_{k=1}^{n}(k+1)-\sum_{k=1}^{n-1}(k-1)$

$=\displaystyle\sum_{k=1}^{n}k+\sum_{k=1}^{n}1-\sum_{k=1}^{n-1}k+\sum_{k=1}^{n-1}1$

$=\displaystyle\sum_{k=1}^{n}k-\sum_{k=1}^{n-1}k+\sum_{k=1}^{n}1+\sum_{k=1}^{n-1}1$

$=\left(\displaystyle\sum_{k=1}^{n-1}k+n\right)-\sum_{k=1}^{n-1}k+n+(n-1)$

$=3n-1$

즉, $3n-1=38$에서 $3n=39$ $\therefore n=13$

07 답 $\dfrac{2n^3+3n^2-23n}{6}$

풀이 $\displaystyle\sum_{k=1}^{n}(k+2)(k-2)=\sum_{k=1}^{n}(k^2-4)=\sum_{k=1}^{n}k^2-\sum_{k=1}^{n}4$

$=\dfrac{n(n+1)(2n+1)}{6}-4n$

$=\dfrac{2n^3+3n^2+n}{6}-\dfrac{24n}{6}$

$=\dfrac{2n^3+3n^2-23n}{6}$

08 답 585

풀이 $\displaystyle\sum_{k=1}^{6}(2^k+k^3+3)$

$=\displaystyle\sum_{k=1}^{6}2^k+\sum_{k=1}^{6}k^3+\sum_{k=1}^{6}3$

$=\dfrac{2\times(2^6-1)}{2-1}+\left(\dfrac{6\times7}{2}\right)^2+3\times6$

$=2\times63+21^2+18=126+441+18$

$=585$

09 답 1

풀이 $k=5$부터 $k=n+5$까지 항의 개수는

$(n+5)-5+1=n+1$

$\therefore \displaystyle\sum_{k=5}^{n+5}(2k+3)=2\sum_{k=5}^{n+5}k+\sum_{k=5}^{n+5}3$

$=2\times\{5+6+7+\cdots+(n+5)\}+3(n+1)$

$=2\times\dfrac{(n+1)\{5+(n+5)\}}{2}+3(n+1)$

$=(n+1)(n+10)+3(n+1)$

$=n^2+14n+13$

즉, $n^2+14n+13=an^2+bn+c$에서

$a=1$, $b=14$, $c=13$

$\therefore \dfrac{a+c}{b}=\dfrac{1+13}{14}=1$

10 답 $\dfrac{n(n+1)(n+2)}{3}$

풀이 주어진 수열의 제k항은 $a_k=2\times\dfrac{k(k+1)}{2}=k^2+k$

주어진 수열의 첫째항부터 제n항까지의 합을 S_n이라고 하면

$S_n=\displaystyle\sum_{k=1}^{n}a_k$

$=\displaystyle\sum_{k=1}^{n}(k^2+k)$

$=\displaystyle\sum_{k=1}^{n}k^2+\sum_{k=1}^{n}k$

$=\dfrac{n(n+1)(2n+1)}{6}+\dfrac{n(n+1)}{2}$

$=\dfrac{n(n+1)(2n+1)}{6}+\dfrac{3n(n+1)}{6}$

$=\dfrac{2n^3+6n^2+4n}{6}=\dfrac{n(n+1)(n+2)}{3}$

11 답 310

풀이 수열 $\{a_n\}$의 첫째항부터 제n항까지의 합을 S_n이라고 하면 $S_n=n^2+10n$이므로

(i) $n=1$일 때, $a_1=S_1=1^2+10\times1=11$

(ii) $n\geq2$일 때,

$a_n=S_n-S_{n-1}$

$=(n^2+10n)-\{(n-1)^2+10(n-1)\}$

$=2n+9$ ······ ㉠

그런데 이것은 ㉠에 $n=1$을 대입한 값과 같다.

$\therefore a_n=2n+9$

$a_{2k}=2\times2k+9=4k+9$이므로

$\displaystyle\sum_{k=1}^{10}a_{2k}=\sum_{k=1}^{10}(4k+9)=4\sum_{k=1}^{10}k+\sum_{k=1}^{10}9$

$=4\times\dfrac{10\times11}{2}+9\times10$

$=220+90=310$

12 답 $n(n+1)(2n+1)$

풀이 $\displaystyle\sum_{k=1}^{l}(12k-6)=12\sum_{k=1}^{l}k-\sum_{k=1}^{l}6$

$=12\times\dfrac{l(l+1)}{2}-6l$

$=6l^2$

$\therefore \displaystyle\sum_{l=1}^{n}\left\{\sum_{k=1}^{l}(12k-6)\right\}=\sum_{l=1}^{n}6l^2=6\sum_{l=1}^{n}l^2$

$=6\times\dfrac{n(n+1)(2n+1)}{6}$

$=n(n+1)(2n+1)$

13 답 8

풀이 수열 $\{a_n\}$은 첫째항이 4, 공차가 2인 등차수열이므로

수열 $\{a_n\}$을 첫째항부터 제49항까지 나열하면

$4, 6, 8, 10, \cdots, 98, 100$

$\therefore \dfrac{2}{\sqrt{a_1}+\sqrt{a_2}}+\dfrac{2}{\sqrt{a_2}+\sqrt{a_3}}+\dfrac{2}{\sqrt{a_3}+\sqrt{a_4}}+\cdots$

$\qquad\qquad\qquad\qquad\qquad +\dfrac{2}{\sqrt{a_{48}}+\sqrt{a_{49}}}$

$=\dfrac{2}{\sqrt{4}+\sqrt{6}}+\dfrac{2}{\sqrt{6}+\sqrt{8}}+\dfrac{2}{\sqrt{8}+\sqrt{10}}+\cdots+\dfrac{2}{\sqrt{98}+\sqrt{100}}$

$=(\sqrt{6}-\sqrt{4})+(\sqrt{8}-\sqrt{6})+(\sqrt{10}-\sqrt{8})+\cdots$

$\qquad\qquad +(\sqrt{96}-\sqrt{94})+(\sqrt{98}-\sqrt{96})+(\sqrt{100}-\sqrt{98})$

$=\sqrt{100}-\sqrt{4}=10-2=8$

14 답 6

풀이 $\displaystyle\sum_{k=1}^{48}f(k,\ k+1)=\sum_{k=1}^{48}\dfrac{1}{\sqrt{k}+\sqrt{k+1}}=\sum_{k=1}^{48}(\sqrt{k+1}-\sqrt{k})$

$=(\sqrt{2}-\sqrt{1})+(\sqrt{3}-\sqrt{2})+(\sqrt{4}-\sqrt{3})+\cdots$

$\qquad\qquad +(\sqrt{47}-\sqrt{46})+(\sqrt{48}-\sqrt{47})+(\sqrt{49}-\sqrt{48})$

$=\sqrt{49}-\sqrt{1}=7-1=6$

15 답 2

풀이 $\displaystyle\sum_{k=2}^{8}\log_6\left(\dfrac{k+1}{k-1}\right)$

$=\log_6\dfrac{3}{1}+\log_6\dfrac{4}{2}+\log_6\dfrac{5}{3}+\log_6\dfrac{6}{4}$

$\qquad\qquad\qquad +\log_6\dfrac{7}{5}+\log_6\dfrac{8}{6}+\log_6\dfrac{9}{7}$

$=\log_6\left(\dfrac{3}{1}\times\dfrac{4}{2}\times\dfrac{5}{3}\times\dfrac{6}{4}\times\dfrac{7}{5}\times\dfrac{8}{6}\times\dfrac{9}{7}\right)$

$=\log_6\left(\dfrac{8\times9}{1\times2}\right)=\log_6 36=\log_6 6^2=2$

16 답 $\dfrac{19}{2}\times3^{11}+\dfrac{3}{2}$

풀이 등비수열의 공비가 3이므로 주어진 식의 양변에 3을 곱하여 변끼리 **빼면**

$S=2\times3+4\times3^2+6\times3^3+8\times3^4+\cdots+20\times3^{10}$

$-)3S=\qquad\quad 2\times3^2+4\times3^3+6\times3^4+\cdots+18\times3^{10}+20\times3^{11}$

$-2S=2\times3+2\times3^2+2\times3^3+2\times3^4+\cdots+2\times3^{10}-20\times3^{11}$

$\qquad =2\times(3+3^2+3^3+3^4+\cdots+3^{10})-20\times3^{11}$

$\qquad =2\times\dfrac{3\times(3^{10}-1)}{3-1}-20\times3^{11}$

$\qquad =3^{11}-3-20\times3^{11}$

$\qquad =-19\times3^{11}-3$

$\therefore S=\dfrac{19}{2}\times3^{11}+\dfrac{3}{2}$

01 답 (1) 122 　　(2) 23 　　(3) -5

(4) 32 　　(5) 375 　　(6) 7

(7) 16 　　(8) 30

풀이 (1) $n=1$일 때, $a_2=3a_1-1=3\times5-1=14$

$n=2$일 때, $a_3=3a_2-1=3\times14-1=\underline{41}$

$n=3$일 때, $a_4=3a_3-1=3\times\underline{41}-1=\underline{122}$

(2) $n=1$일 때, $a_2=a_1+7=2+7=9$

$n=2$일 때, $a_3=a_2+7=9+7=16$

$n=3$일 때, $a_4=a_3+7=16+7=23$

(3) $n=1$일 때, $a_2=a_1-3=4-3=1$

$n=2$일 때, $a_3=a_2-3=1-3=-2$

$n=3$일 때, $a_4=a_3-3=-2-3=-5$

(4) $n=1$일 때, $a_2=2a_1=2\times4=8$

$n=2$일 때, $a_3=2a_2=2\times8=16$

$n=3$일 때, $a_4=2a_3=2\times16=32$

(5) $n=1$일 때, $a_2=5a_1=5\times3=15$

$n=2$일 때, $a_3=5a_2=5\times15=75$

$n=3$일 때, $a_4=5a_3=5\times75=375$

(6) $n=1$일 때, $2a_2=a_1+a_3$

$2\times3=1+a_3 \quad\therefore a_3=5$

$n=2$일 때, $2a_3=a_2+a_4$

$2\times5=3+a_4 \quad\therefore a_4=7$

(7) $n=1$일 때, $a_2{}^2=a_1a_3$

$16=2a_3 \quad\therefore a_3=8$

$n=2$일 때, $a_3{}^2=a_2a_4$

$64=4a_4 \quad\therefore a_4=16$

(8) $n=1$일 때, $a_2=\dfrac{a_1+a_3}{2}$

$12=\dfrac{3+a_3}{2} \quad\therefore a_3=21$

$n=2$일 때, $a_3=\dfrac{a_2+a_4}{2}$

$21=\dfrac{12+a_4}{2} \quad\therefore a_4=30$

02 답 (1) $a_n=4n-1$ 　　(2) $a_n=-5n+3$

(3) $a_n=5n-8$ 　　(4) $a_n=6n-1$

풀이 (1) 첫째항이 3, 공차가 4인 등차수열이므로

$a_n=3+(n-1)\times4=\underline{4n-1}$

(2) 첫째항이 -2, 공차가 -5인 등차수열이므로

$a_n=-2+(n-1)\times(-5)=-5n+3$

(3) 첫째항이 -3, 둘째항이 2인 등차수열이고,

공차는 $a_2-a_1=2-(-3)=5$이므로

$a_n=-3+(n-1)\times5=5n-8$

(4) 첫째항이 5, 둘째항이 11인 등차수열이고,

공차는 $a_2-a_1=11-5=6$이므로

$a_n=5+(n-1)\times6=6n-1$

03 답 (1) $a_n=2^{3-n}$ 　　(2) $a_n=(-2)^n$

(3) $a_n=3^n$ 　　(4) $a_n=-(-2)^{n+1}$

풀이 **(1)** 첫째항이 4, 공비가 $\dfrac{1}{2}$인 등비수열이므로

$$a_n = 4 \times \left(\dfrac{1}{2}\right)^{n-1} = 2^2 \times (2^{-1})^{n-1} = 2^2 \times 2^{1-n} = \underline{2^{3-n}}$$

(2) 첫째항이 -2, 공비가 -2인 등비수열이므로

$$a_n = (-2) \times (-2)^{n-1} = (-2)^n$$

(3) 첫째항이 3, 둘째항이 9인 등비수열이고,

공비는 $\dfrac{a_2}{a_1} = \dfrac{9}{3} = 3$이므로

$$a_n = 3 \times 3^{n-1} = 3^n$$

(4) 첫째항이 -4, 둘째항이 8인 등비수열이고,

공비는 $\dfrac{a_2}{a_1} = \dfrac{8}{-4} = -2$이므로

$$\begin{aligned} a_n &= -4 \times (-2)^{n-1} \\ &= -(-2)^2 \times (-2)^{n-1} \\ &= -(-2)^{n+1} \end{aligned}$$

04 **답** **(1)** $a_n = \dfrac{n^2-n+2}{2}$ **(2)** $a_n = \dfrac{3n^2-3n+4}{2}$

    (3) $a_n = 2^n$

풀이 **(1)** $a_{n+1} = a_n + n$의 n에 1, 2, 3, $\cdots$, $n-1$을 차례로 대입한 후 변끼리 더하면

$$\begin{aligned} a_2 &= a_1 + 1 \\ a_3 &= a_2 + 2 \\ a_4 &= a_3 + 3 \\ &\vdots \\ +\ )\ a_n &= a_{n-1} + n - 1 \\ \hline a_n &= a_1 + \{1 + 2 + 3 + \cdots + (n-1)\} \end{aligned}$$

$$\therefore\ a_n = a_1 + \sum_{k=1}^{n-1} k = a_1 + \dfrac{n(n-1)}{2}$$

$$= 1 + \dfrac{n(n-1)}{2} = \dfrac{n^2-n+2}{2}$$

(2) $a_{n+1} = a_n + 3n$의 n에 1, 2, 3, $\cdots$, $n-1$을 차례로 대입한 후 변끼리 더하면

$$\begin{aligned} a_2 &= a_1 + 3 \\ a_3 &= a_2 + 6 \\ a_4 &= a_3 + 9 \\ &\vdots \\ +\ )\ a_n &= a_{n-1} + 3(n-1) \\ \hline a_n &= a_1 + \{3 + 6 + 9 + \cdots + 3(n-1)\} \end{aligned}$$

$$\therefore\ a_n = 2 + 3 \times \dfrac{n(n-1)}{2}$$

$$= \dfrac{3n^2-3n+4}{2}$$

(3) $a_{n+1} = a_n + 2^n$의 n에 1, 2, 3, $\cdots$, $n-1$을 차례로 대입한 후 변끼리 더하면

$$\begin{aligned} a_2 &= a_1 + 2 \\ a_3 &= a_2 + 2^2 \\ a_4 &= a_3 + 2^3 \\ &\vdots \\ +\ )\ a_n &= a_{n-1} + 2^{n-1} \\ \hline a_n &= a_1 + (2 + 2^2 + 2^3 + \cdots + 2^{n-1}) \end{aligned}$$

$$\therefore\ a_n = 2 + \dfrac{2 \times (2^{n-1}-1)}{2-1}$$

$$= 2 + 2^n - 2$$

$$= 2^n$$

05 **답** **(1)** $a_n = 2n$ **(2)** $a_n = \dfrac{(n+1)(n+2)}{6}$

    (3) $a_n = 3^{\frac{n(n-1)}{2}}$

풀이 **(1)** $a_{n+1} = \dfrac{n+1}{n} a_n$의 n에 1, 2, 3, $\cdots$, $n-1$을 차례로 대입한 후 변끼리 곱하면

$$\begin{aligned} a_2 &= 2a_1 \\ a_3 &= \dfrac{3}{2} a_2 \\ a_4 &= \dfrac{4}{3} a_3 \\ &\vdots \\ \times\ )\ a_n &= \dfrac{n}{n-1} a_{n-1} \\ \hline a_n &= a_1 \times \left(2 \times \dfrac{3}{2} \times \dfrac{4}{3} \times \cdots \times \dfrac{n}{n-1}\right) \end{aligned}$$

$$\therefore\ a_n = a_1 \times n = 2n$$

(2) $a_{n+1} = \dfrac{n+3}{n+1} a_n$의 n에 1, 2, 3, $\cdots$, $n-1$을 차례로 대입한 후 변끼리 곱하면

$$\begin{aligned} a_2 &= \dfrac{4}{2} a_1 \\ a_3 &= \dfrac{5}{3} a_2 \\ a_4 &= \dfrac{6}{4} a_3 \\ &\vdots \\ \times\ )\ a_n &= \dfrac{n+2}{n} a_{n-1} \\ \hline a_n &= a_1 \times \left(\dfrac{4}{2} \times \dfrac{5}{3} \times \dfrac{6}{4} \times \dfrac{7}{5} \times \cdots \right. \\ & \qquad\qquad \left. \times \dfrac{n}{n-2} \times \dfrac{n+1}{n-1} \times \dfrac{n+2}{n}\right) \end{aligned}$$

$$\therefore\ a_n = a_1 \times \dfrac{(n+1)(n+2)}{2 \times 3} = \dfrac{(n+1)(n+2)}{6}$$

(3) $a_{n+1} = 3^n a_n$의 n에 1, 2, 3, $\cdots$, $n-1$을 차례로 대입한 후 변끼리 곱하면

$$\begin{aligned} a_2 &= 3 \times a_1 \\ a_3 &= 3^2 \times a_2 \\ a_4 &= 3^3 \times a_3 \\ &\vdots \\ \times\ )\ a_n &= 3^{n-1} \times a_{n-1} \\ \hline a_n &= a_1 \times (3 \times 3^2 \times 3^3 \times \cdots \times 3^{n-1}) \end{aligned}$$

$$= a_1 \times 3^{1+2+3+\cdots+n-1}$$

$$\therefore\ a_n = a_1 \times 3^{\frac{n(n-1)}{2}} = 3^{\frac{n(n-1)}{2}}$$

06 **답** **(1)** 9

    (2) $a_{n+1} = \dfrac{1}{2} a_n + 4$ (단, $n = 1, 2, 3, \cdots$)

풀이 **(1)** a_1 L는 10 L의 절반을 버리고 다시 4 L를 넣은 물의 양이므로

$$a_1 = 10 \times \frac{1}{2} + 4 = \underline{9}$$

(2) $(n+1)$번 반복한 후 물통에 남아 있는 물의 양 a_{n+1} L 는 n번 반복한 후 남은 양의 절반을 버리고 다시 4 L를 넣은 물의 양이므로

$$a_{n+1} = \underline{\frac{1}{2}a_n + 4} \quad (\text{단, } n=1, 2, 3, \cdots)$$

07 답 (1) 180

    (2) $a_{n+1} = 2a_n - 20$ (단, $n=1, 2, 3, \cdots$)

풀이 (1) a_1은 100마리에서 10마리는 죽고 나머지는 각각 2 마리로 분열한 것이므로

$$a_1 = (100-10) \times 2 = 180$$

(2) $(n+1)$시간 후 살아 있는 세균의 수 a_{n+1}은 n시간 후 살아 있는 세균에서 10마리는 죽고 나머지는 각각 2마리 로 분열한 것이므로

$$a_{n+1} = (a_n - 10) \times 2$$
$$\therefore a_{n+1} = 2a_n - 20 \quad (\text{단, } n=1, 2, 3, \cdots)$$

08 답 (1) 풀이 참조   (2) 풀이 참조
       (3) 풀이 참조   (4) 풀이 참조

풀이 (1) (i) $n=1$일 때,

   (좌변)$= 2 \times 1 - 1 = 1$, (우변)$= 1^2 = 1$

이므로 주어진 등식이 성립한다.

(ii) $n=k$일 때, 주어진 등식이 성립한다고 가정하면

$$1+3+5+\cdots+(2k-1) = k^2 \quad \cdots\cdots \text{㉠}$$

㉠의 양변에 $2k+1$을 더하면

$$1+3+5+\cdots+(2k-1)+(2k+1)$$
$$= k^2 + 2k + 1 = (k+1)^2$$

즉, $n=k+1$일 때도 주어진 등식이 성립한다.

따라서 (i), (ii)에서 주어진 등식은 모든 자연수 n에 대하 여 성립한다.

(2) (i) $n=1$일 때,

   (좌변)$= 2 \times 1 = 2$, (우변)$= 1 \times 2 = 2$

이므로 주어진 등식이 성립한다.

(ii) $n=k$일 때, 주어진 등식이 성립한다고 가정하면

$$2+4+6+\cdots+2k = k(k+1) \quad \cdots\cdots \text{㉠}$$

㉠의 양변에 $2k+2$를 더하면

$$2+4+6+\cdots+2k+(2k+2)$$
$$= k(k+1) + 2k + 2$$
$$= k^2 + 3k + 2$$
$$= (k+1)(k+2)$$

즉, $n=k+1$일 때도 주어진 등식이 성립한다.

따라서 (i), (ii)에서 주어진 등식은 모든 자연수 n에 대하 여 성립한다.

(3) (i) $n=1$일 때,

   (좌변)$= 1^3 = 1$, (우변)$= \dfrac{1^2 \times 2^2}{4} = 1$

이므로 주어진 등식이 성립한다.

(ii) $n=k$일 때, 주어진 등식이 성립한다고 가정하면

$$1^3+2^3+3^3+\cdots+k^3 = \frac{k^2(k+1)^2}{4} \quad \cdots\cdots \text{㉠}$$

㉠의 양변에 $(k+1)^3$을 더하면

$$1^3+2^3+3^3+\cdots+k^3+(k+1)^3$$
$$= \frac{k^2(k+1)^2}{4} + (k+1)^3$$
$$= \frac{k^2(k+1)^2 + 4(k+1)^3}{4}$$
$$= \frac{(k+1)^2\{k^2 + 4(k+1)\}}{4}$$
$$= \frac{(k+1)^2(k^2+4k+4)}{4}$$
$$= \frac{(k+1)^2(k+2)^2}{4}$$

즉, $n=k+1$일 때도 주어진 등식이 성립한다.

따라서 (i), (ii)에서 주어진 등식은 모든 자연수 n에 대하 여 성립한다.

(4) (i) $n=1$일 때,

   (좌변)$= 1 \times 2 = 2$, (우변)$= \dfrac{1 \times 2 \times 3}{3} = 2$

이므로 주어진 등식이 성립한다.

(ii) $n=k$일 때, 주어진 등식이 성립한다고 가정하면

$$1\times2+2\times3+3\times4+\cdots+k(k+1)$$
$$= \frac{k(k+1)(k+2)}{3} \quad \cdots\cdots \text{㉠}$$

㉠의 양변에 $(k+1)(k+2)$를 더하면

$$1\times2+2\times3+3\times4+\cdots$$
$$\qquad\qquad + k(k+1) + (k+1)(k+2)$$
$$= \frac{k(k+1)(k+2)}{3} + (k+1)(k+2)$$
$$= \frac{k(k+1)(k+2) + 3(k+1)(k+2)}{3}$$
$$= \frac{(k+1)(k+2)(k+3)}{3}$$
$$= \frac{(k+1)\{(k+1)+1\}\{(k+1)+2\}}{3}$$

즉, $n=k+1$일 때도 주어진 등식이 성립한다.

따라서 (i), (ii)에서 주어진 등식은 모든 자연수 n에 대하여 성립한다.

09 답 풀이 참조

풀이 (i) $n=1$일 때,

   (좌변)$= a+b$, (우변)$= a+b$

이므로 주어진 부등식이 성립한다.

(ii) $n=k$일 때, 주어진 부등식이 성립한다고 가정하면

$$(a+b)^k \geq a^k + b^k \quad \cdots\cdots \text{㉠}$$

㉠의 양변에 $a+b$를 곱하면

$$(a+b)^{k+1} \geq (a^k+b^k)(a+b)$$
$$= a^{k+1} + b^{k+1} + a^k b + ab^k$$
$$> \underline{a^{k+1} + b^{k+1}}$$
$$(\because a>0, b>0\text{이므로 } a^k b + ab^k > 0)$$
$$\therefore (a+b)^{k+1} \geq a^{k+1} + b^{k+1}$$

즉, $n=k+1$일 때도 주어진 부등식이 성립한다.

따라서 (i), (ii)에서 주어진 부등식은 모든 자연수 n에 대하 여 성립한다.

10 답 풀이 참조

풀이 (i) $n=2$일 때,

(좌변)$=1+\dfrac{1}{2^2}=\dfrac{5}{4}$, (우변)$=2-\dfrac{1}{2}=\dfrac{3}{2}$

이므로 주어진 부등식이 성립한다.

(ii) $n=k\,(k\geq2)$일 때, 주어진 부등식이 성립한다고 가정하면

$$1+\dfrac{1}{2^2}+\dfrac{1}{3^2}+\cdots+\dfrac{1}{k^2}<2-\dfrac{1}{k} \qquad \cdots\cdots ㉠$$

㉠의 양변에 $\dfrac{1}{(k+1)^2}$을 더하면

$$1+\dfrac{1}{2^2}+\dfrac{1}{3^2}+\cdots+\dfrac{1}{k^2}+\dfrac{1}{(k+1)^2}$$
$$<2-\dfrac{1}{k}+\dfrac{1}{(k+1)^2}$$

이때 $\dfrac{1}{k}-\dfrac{1}{(k+1)^2}-\dfrac{1}{k+1}=\dfrac{1}{k(k+1)^2}>0$이므로

$$2-\dfrac{1}{k}+\dfrac{1}{(k+1)^2}<2-\dfrac{1}{k+1}$$

$$\therefore 1+\dfrac{1}{2^2}+\dfrac{1}{3^2}+\cdots+\dfrac{1}{k^2}+\dfrac{1}{(k+1)^2}<2-\dfrac{1}{k+1}$$

즉, $n=k+1$일 때도 주어진 부등식이 성립한다.

따라서 (i), (ii)에서 주어진 부등식은 $n\geq2$인 모든 자연수 n에 대하여 성립한다.

11 답 풀이 참조

풀이 (i) $n=4$일 때,

(좌변)$=3\times4+2=14$, (우변)$=2^4=16$

이므로 주어진 부등식이 성립한다.

(ii) $n=k\,(k\geq4)$일 때, 주어진 부등식이 성립한다고 가정하면 $3k+2<2^k$ $\qquad \cdots\cdots ㉠$

㉠의 양변에 3을 더하면

$(3k+2)+3=3(k+1)+2<2^k+3$

그런데 $k\geq4$인 k에 대하여

$2^{k+1}-2^k=2^k>3$이므로 $2^k+3<2^{k+1}$

$\therefore 3(k+1)+2<2^{k+1}$

즉, $n=k+1$일 때도 주어진 부등식이 성립한다.

따라서 (i), (ii)에서 주어진 부등식은 $n\geq4$인 모든 자연수 n에 대하여 성립한다.

12 답 풀이 참조

풀이 (i) $n=5$일 때,

(좌변)$=2^5=32$, (우변)$=5^2=25$

이므로 주어진 부등식이 성립한다.

(ii) $n=k\,(k\geq5)$일 때, 주어진 부등식이 성립한다고 가정하면

$2^k>k^2$ $\qquad \cdots\cdots ㉠$

㉠의 양변에 2를 곱하면

$2^{k+1}=2^k\times2>2k^2$

이때 $k\geq5$에서

$2k^2-(k+1)^2=k^2-2k-1$
$\qquad\qquad\qquad\quad=(k-1)^2-2>0$

이므로 $2k^2>(k+1)^2$

$\therefore 2^{k+1}>(k+1)^2$

즉, $n=k+1$일 때도 주어진 부등식이 성립한다.

따라서 (i), (ii)에서 주어진 부등식은 $n\geq5$인 모든 자연수 n에 대하여 성립한다.

01 답 $a_n=7n-17$

풀이 첫째항이 -10, 공차가 7인 등차수열이므로
$a_n=-10+(n-1)\times7=7n-17$

02 답 $a_n=2^{2n-1}$

풀이 첫째항이 2, 공비가 4인 등비수열이므로
$a_n=2\times4^{n-1}=2\times(2^2)^{n-1}=2\times2^{2n-2}$
$\qquad=2^{2n-1}$

03 답 $a_n=-n^2+n+1$

풀이 주어진 식의 n에 1, 2, 3, $\cdots$, $n-1$을 차례로 대입한 후 변끼리 더하면

$\qquad a_2=a_1-2\times1$
$\qquad a_3=a_2-2\times2$
$\qquad a_4=a_3-2\times3$
$\qquad\qquad \vdots$
$+\underline{a_n=a_{n-1}-2\times(n-1)}$
$\qquad a_n=a_1-2\{1+2+3+\cdots+(n-1)\}$
$\qquad\quad\;=1-2\times\dfrac{n(n-1)}{2}$
$\qquad\quad\;=-n^2+n+1$

04 답 $a_n=\dfrac{3^n+3}{2}$

풀이 주어진 식의 n에 1, 2, 3, $\cdots$, $n-1$을 차례로 대입한 후 변끼리 더하면

$\qquad a_2=a_1+3$
$\qquad a_3=a_2+3^2$
$\qquad a_4=a_3+3^3$
$\qquad\qquad \vdots$
$+\underline{a_n=a_{n-1}+3^{n-1}}$
$\qquad a_n=a_1+(3+3^2+3^3+\cdots+3^{n-1})$
$\qquad\quad\;=3+\dfrac{3\times(3^{n-1}-1)}{3-1}$
$\qquad\quad\;=\dfrac{3^n+3}{2}$

05 답 $a_n=6n-3$

풀이 주어진 식의 n에 1, 2, 3, $\cdots$, $n-1$을 차례로 대입한 후 변끼리 곱하면

$\qquad a_2=\dfrac{3}{1}a_1$
$\qquad a_3=\dfrac{5}{3}a_2$

$$a_4 = \frac{7}{5}a_3$$
$$\vdots$$
$$\times \underset{}{\bigg)}a_n = \frac{2n-1}{2n-3}a_{n-1}$$
$$a_n = a_1 \times \left(\frac{3}{1} \times \frac{5}{3} \times \frac{7}{5} \times \cdots \times \frac{2n-1}{2n-3}\right)$$
$$\therefore a_n = (2n-1)a_1$$
$$= 3(2n-1)$$
$$= 6n-3$$

06 답 $2^{\frac{n^2-3n+4}{2}}$

풀이 주어진 식의 n에 1, 2, 3, $\cdots$, $n-1$을 차례로 대입한 후 변끼리 곱하면
$$a_2 = 2^0 a_1$$
$$a_3 = 2^1 a_2$$
$$a_4 = 2^2 a_3$$
$$\vdots$$
$$\times \underset{}{\bigg)}a_n = 2^{n-2}a_{n-1}$$
$$a_n = a_1 \times (2^0 \times 2^1 \times 2^2 \times \cdots \times 2^{n-2})$$
$$= 2 \times 2^{1+2+\cdots+(n-2)}$$
$$= 2 \times 2^{\frac{(n-2)(n-1)}{2}}$$
$$= 2^{\frac{(n-2)(n-1)}{2}+1}$$
$$= 2^{\frac{n^2-3n+4}{2}}$$

07 답 $a_n = 2^n - 1$

풀이 주어진 식의 n에 1, 2, 3, $\cdots$을 차례로 대입하면
$$a_2 = 2a_1 + 1 = 2 \times 1 + 1 = 2 + 1$$
$$a_3 = 2a_2 + 1 = 2 \times (2+1) + 1 = 2^2 + 2 + 1$$
$$a_4 = 2a_3 + 1 = 2 \times (2^2 + 2 + 1) + 1 = 2^3 + 2^2 + 2 + 1$$
$$\vdots$$
따라서 일반항 a_n은
$$a_n = 2^{n-1} + 2^{n-2} + 2^{n-3} + \cdots + 2 + 1$$
$$= \frac{2^n - 1}{2 - 1} = 2^n - 1$$

08 답 $a_1 = \frac{2}{3}p$, $a_{n+1} = \frac{2}{3}a_n$ (단, $n=1, 2, 3, \cdots$)

풀이 $a_1 = \frac{2}{3}p$, $a_2 = \frac{2}{3}a_1$, $\cdots$이므로

$a_{n+1} = \frac{2}{3}a_n$임을 알 수 있다.

따라서 이 수열의 귀납적 정의는
$$a_1 = \frac{2}{3}p, \ a_{n+1} = \frac{2}{3}a_n \ (단, \ n=1, 2, 3, \cdots)$$

09 답 (가) $\dfrac{1}{(k+1)(k+2)}$, (나) $\dfrac{k}{k+1}$, (다) $\dfrac{k+1}{(k+1)+1}$

풀이 (i) $n=1$일 때
$$(좌변) = \frac{1}{1 \times 2} = \frac{1}{2}, \ (우변) = \frac{1}{1+1} = \frac{1}{2}$$
이므로 주어진 등식이 성립한다.

(ii) $n=k$일 때 주어진 등식이 성립한다고 가정하면
$$\frac{1}{1 \times 2} + \frac{1}{2 \times 3} + \frac{1}{3 \times 4} + \cdots + \frac{1}{k(k+1)} = \frac{k}{k+1}$$

위의 식의 양변에 $\dfrac{1}{(k+1)(k+2)}$을 더하면
$$\frac{1}{1 \times 2} + \frac{1}{2 \times 3} + \frac{1}{3 \times 4} +$$
$$\cdots + \frac{1}{k(k+1)} + \frac{1}{(k+1)(k+2)}$$
$$= \frac{k}{k+1} + \frac{1}{(k+1)(k+2)}$$
$$= \frac{k^2 + 2k + 1}{(k+1)(k+2)}$$
$$= \frac{(k+1)^2}{(k+1)(k+2)} = \frac{k+1}{k+2} = \frac{k+1}{(k+1)+1}$$
즉, $n=k+1$일 때도 주어진 등식이 성립한다.

따라서 (i), (ii)에서 모든 자연수 n에 대하여 주어진 등식이 성립한다.

10 답 (가) $k+1$, (나) 2^k

풀이 (i) $n=3$일 때,
$$(좌변) = 1 \times 2 \times 3 = 6 > 2^{3-1} = 4 = (우변)$$
이므로 주어진 부등식이 성립한다.

(ii) $n=k$ $(k \geq 3)$일 때, 주어진 부등식이 성립한다고 가정하면
$$1 \times 2 \times 3 \times \cdots \times k > 2^{k-1}$$
위의 식의 양변에 $k+1$을 곱하면
$$1 \times 2 \times 3 \times \cdots \times k \times (k+1) > 2^{k-1} \times (k+1)$$
이때 $k+1 \geq 4$이므로
$$2^{k-1} \times (k+1) \geq 2^{k-1} \times 2^2 > 2^k$$
$$\therefore 1 \times 2 \times 3 \times \cdots \times k \times (k+1) > 2^k$$
즉, $n=k+1$일 때도 주어진 부등식이 성립한다.

따라서 (i), (ii)에서 $n \geq 3$인 모든 자연수 n에 대하여 주어진 부등식이 성립한다.